obσ WISSELCOLLECTIES

Terugbezorgen voor

D0708079

ELIZABETH PETERS

Illinois'da doğup büyüyen Elizabeth Peters, Chicago Üniversitesi'nde, Oriental Institute'de Mısır Bilimi dalında doktora yapmıştır. 1998'de Mystery Writers of America tarafından Grand Master (Büyük Usta) ödülüne layık görülen Peters, Maryland'de, tarihi bir çiftlik evinde yaşamaktadır.

İsis Rahibesinin Esrarı / Polisiye

İsis Rahibesinin Esrarı

Elizabeth Peters

İngilizce aslından çeviren:
Dost Körpe

Maceraperest
k i t a p l a r

MACERAPEREST KİTAPLAR

Polisiye

İsis Rahibesinin Esrarı / *The Deeds of the Disturber* / Elizabeth Peters
İngilizce aslından çeviren: Dost Körpe

Kurumsal kimlik danışmanı: Serdar Benli
Kapak tasarımı: M. Deniz Çorbacıoğlu
Dizgi düzeni: Melior 8,9 / 13 pt.
Ofset hazırlık: Oğlak Yayınları
Baskı: Oğlak Baskı Hizmetleri
Tel: (0-212) 612 73 05

Birinci baskı: 2008
ISBN 975 - 329 - 617 - 7

**"Maceraperest Kitaplar" bir *Oğlak Yayıncılık ve
Reklamcılık Ltd. Şti.* ürünüdür.**

Oğlak Yayınları
Genel yayın yönetmeni: Senay Haznedaroğlu
Zambak Sokak 21, Oğlak Binası, 34435 Beyoğlu/İstanbul
Tel: (0-212) 251 71 08-09,   Faks: (0-212) 293 65 50
e-posta: oglak@oglak.com

En sevdiğim polisiye roman yazarı
zarif, minik hanım,
Charlotte MacLeod'a,

Kızkardeşi koruyucusuydu onun,
Düşmanı kovan,
Rahatsız edicinin yaptıklarını boşa çıkaran
Kudretiyle sözlerinin.

Zeki dilli, beyhude konuşmayan,
Emirleri takdire şayan.
Güçlü İsis!

"Osiris'e Methiye", On Sekizinci Hanedan

1

Kendimi birçok açıdan kadınların en şanslısı olarak görürüm. Gerçi alaycı biri bunun Hıristiyanlık döneminin on dokuzuncu yüzyılında, erkeklerin "ellerinden alınamaz haklarının" çoğundan kadınların mahrum bırakıldığı bir dönemde çok da büyük bir ayrıcalık olmadığını söyleyebilir. Tarihin bu dönemi hükümdarın adıyla bilinir ve her ne kadar kraliyet ailesine hiç kimse Amelia Peabody Emerson'dan daha çok saygı duymasa da, Kraliçe Hazretlerinin kendi cinsiyetiyle ilgili cahilce laflarının, hemcinslerini hor görülmekten kesinlikle kurtarmadığını dürüstçe söylemek boynumun borcudur.

Konudan sapıyorum. Bunu elimde olmadan yapıyorum, çünkü zulmedilen kızkardeşlerime yapılan haksızlıklar bağrımda mutlaka bir öfke alevinin yanmasına yol açar. Şimdi bile hak ettiğimiz özgürlükten ne kadar uzağız? Adalet ve sağduyu ne zaman, ah ne zaman, galip gelecek de kadın, kendisini erkeğin yerleştirdiği (hiç kımıldamadan durmak dışında bir şey yapamasın diye) kaideden inip de adamın yanındaki hakkı olan yeri alacak?

Ancak Tanrı bilir. Ama dediğim ya da demek üzere olduğum gibi, karşı cinsten kıskanç insanların kadınların gelişimine karşı çıkardıkları, sosyal ve eğitimsel engelleri aşacak (ki yıkmak tabirini kullananlar da çıkabilir) kadar şanslıydım. Babamdan miras olarak hem maddi bağımsızlık hem de eksiksiz bir klasik eğitim almış olduğumdan, dünyayı görmeye çıkmıştım.

Dünyayı hiç görmedim, Mısır'da kaldım, çünkü firavunların antik diyarında kaderimi buldum. O zamandan beri arkeolojiyle ilgileniyorum ve her ne kadar alçak gönüllülüğüm yersiz yere övünmemi engellese de o mesleğe hatırı sayılır katkılarda bulunduğumu söyleyebilirim.

Bu çabalarımda bana bu ya da herhangi bir yüzyıldaki en büyük Mısırbilimci olan sadık ve saygıdeğer eşim Radcliffe Emerson yardım etti. Müşfik Yaratıcı'ya şükranlarımı sunarken (ki sık yaptığım bir şeydir), Emerson'un adı sohbetimde sürekli geçer. Çünkü her ne kadar dünyevi başarılarda çalışkanlık ve zekânın rolü epeyce büyük olsa da Emerson'la ilk görüşmemizde onun *varlığında* ve *bulunduğu* yerde payım olduğunu öne süremem. O muazzam olaya rastlantı ya da kaderin tuhaf bir cilvesi demek mümkün değil. Hayır! Kader, alınyazısı, ne derseniz deyin... Bu olması gereken bir şeydi. Belki de eski pagan filozoflar hepimizin başka çağlarda başka hayatlar yaşadığımızı söylemekte haklıydılar (bunu boş zamanlarımda ya da düşünceli bir ruh halindeyken sık sık düşünürüm). Belki de eski Bulak Müzesi'nin tozlu koridorlarındaki karşılaşmamız ilk görüşmemiz *değildi*, çünkü o safire benzer ateş saçan kürelerde, o sağlam dudaklarda ve gamzeli çenede (gerçi o zamanlar, daha sonradan Emerson'u tıraş olmaya ikna ettiğim, çalı gibi bir sakal tarafından gizleniyordu) çekici bir tanıdıklık vardı. Boş bir zamanda ve düşünceli bir ruh halinde olduğumdan hayal gücümün serbestçe gezinmesine izin verdim... Tıpkı bir zamanlar eski Karnak'ın heybetli sütunlarının arasında gezindiğimiz gibi, onun güneşte bronzlaşmış, güçlü eli benimkini sımsıkı tutarken, kaslı vücuduna muhteşem fiziğini en iyi biçimde sergileyen kısa bir İskoç eteği giydirilmiş ve boncuklu bir gerdanlık takılmışken.

Duygusallaştığımı görüyorum ki Emerson'un takdire şayan niteliklerini düşündüğümde genellikle böyle olurum. Konuya geri döneyim.

Bu kusurlu dünyada hiçbir ölümlü kusursuz mutluluğa kavuşmayı beklememelidir. Ben mantıklı bir bireyim, öyle bir beklentim yoktu. Ancak bir kadının katlanabileceği sinir bozucu durumların sınırı vardır ve 18- yılının ilkbaharında, yeni bir kazı sezonunun ardından hep birlikte Mısır'dan ayrılmak üzereyken, o sınıra varmıştım.

Bazen düşüncesiz insanların beni erkeklere karşı haksız yere önyargılı davranmakla suçladığı oluyor. Hatta Emerson bile bunu ima etti... Oysa Emerson'un bu konuda gerçeği en iyi bilen kişi olması gerekir. Canımı sıkan olayların çoğuna o cinsiyetin mensuplarının yol açtığını söylediğimde önyargılı davranmış değil, bir gerçeği basitçe dile getirmiş oluyorum. Saygıdeğer ama çıldırtıcı bir biçimde dalgın babamla ve beş sefil erkek kardeşimle başlayıp da bir sürü katille, hırsızla ve caniyle devam eden listede kendi oğlum bile var. Aslında bir hesap defteri tutsam, dostları ve düşmanları tarafından Ramses adıyla tanınan Walter Peabody Emerson, bana çektirdiklerinin sürekliliği ve şiddetiyle büyük ödülü kazanırdı.

İnsanın Ramses'i anlaması için onu tanıması gerekir. (Anlamak derken "sempatiyle onaylamayı ya da büyük saygı duymayı" değil, "kişisel deneyimler sayesinde bütünüyle kavramayı" kast ediyorum.) Görünüşünden yakınamam, çünkü Anglosaksonların renginin, Ramses'in çok benzediği (nedendir bilinmez) doğu Akdeniz ırklarının teninin zeytuniliğiyle buklelerinin siyahlığına üstün olduğuna inanacak kadar dar görüşlü değilim. Zekâsından da şikâyetim yok. Emerson'la benim herhangi bir çocuğumuzun üstün zekâlı olacağını zaten biliyordum ama bu kadar tuhaf olacağını itiraf etmeliyim ki tahmin etmemiştim. Ramses dilbilimsel açıdan dâhi bir çocuktu. Daha sekiz yaşına basmadan Eski Mısır'ın hiyeroglif dilinde uzmanlaşmıştı, Arapça'yı insanı şoke eden bir akıcılıkla konuşuyordu (bu sıfatı kullanmamın nedeni dağarcığındaki bazı öğeler), ayrıca ana dilini bile küçücük bir çocuktan çok saygın bir âlime yakışan ağdalı, cafcaflı bir üslupla kullanmaktaydı.

Bu yetenek insanları genellikle Ramses'in başka alanlarda da erken gelişmiş olduğuna inanmaya yöneltti. ("Korkunç bir biçimde erken gelişmiş" lafı, Ramses tarafından gafil avlananların bazen kullandıkları bir sözdü.) Ancak, Mozart'ın küçüklüğündeki gibi, onun da tek bir üstün yeteneği -Mozart'ın müzik kulağı kadar olağanüstü bir dil kulağı- vardı ve bunun dışındaki konularda vasatın da altında olduğu söylenebilirdi. (Kültürlü okuyuculara Mozart'ın talihsiz evliliğini ve sefilce ölümünü hatırlatmama gerek yok.)

Ramses'in hoş yönleri yok değildi. Hayvanları severdi... Bunu genellikle abartırdı, örneğin zalimce ve tuhaf bir biçimde cezalandırıldıklarına inandığı kafese konmuş kuşları ya da zincirlenmiş köpekleri serbest bırakmaya çalışırdı. Sürekli ısırılır ve tırmalanırdı (bir keresinde bir yavru aslan tarafından tırmalanmıştı) ve söz konusu hayvanların sahipleri çoğunlukla onun yaptıklarını bir çeşit hırsızlık olarak görüp yakınırlardı.

Dediğim gibi, Ramses'in birkaç hoş yönü vardı. Sınıfsal züppelikten bütünüyle yoksundu. Aslında o minik serseri, küçük İngiliz kızlarla ve oğlanlarla güzel güzel oynamak yerine Arap pazarlarında oturup alt tabakadan Mısırlılarla karşılıklı müstehcen öyküler anlatmayı tercih ederdi. Güzelim siyah kadife takımını giyip dantel yakasını takmak yerine, yırtık pırtık bir eteklik giyip yalınayak dolaşmak, onun çok daha fazla hoşuna gidiyordu.

Ramses'in hoş yönleri... Doğrudan verilen emirlere genellikle itaatsizlik etmezdi, daha yüce ahlaki kaygılara öncelik vermezse tabii (Ramses'in kendi tabiriydi bu), bir de emir Ramses'in bahane bulamayacağı kadar net ifade edilmişse. Böyle bir emri verebilmek için insanın bir başyargıç ve Cizvit tarikatının genel yöneticisi olması gerekirdi.

Ramses'in hoş yönleri mi? Birkaç tane daha vardı galiba ama şu anda aklıma gelmiyor.

Ancak o ilkbaharda canımı sıkan, bir kerelik bile olsun, Ramses değildi. Hayır. Bu kez suçlu taptığım, hayranı olduğum, saygıdeğer eşimdi.

Emerson'un sinirli olmasının bazı makul nedenleri vardı. Bütün Mısır'daki en soylu piramitlerden bazılarının bulunduğu, Kahire civarındaki Daşhur'da kazı yapmaktaydık. Fermanı (Tarihi Eserler Departmanı'ndan kazı yapma iznini) almak kolay olmamıştı, çünkü Departman Müdürü Mösyö de Morgan orada bizzat kendisi kazı yapmak niyetindeydi. Bundan neden vazgeçtiğini ona hiç sormamıştım. Ramses'in de bir biçimde ilgisi vardı ve Ramses'in ilgisi varsa ayrıntıları bilmemeyi tercih ederdim.

Piramitlere olan tutkumu bilen Emerson bana onları sunmaktan naifçe bir haz almıştı. Hatta bana tek başıma keşfedeyim diye küçük bir piramit bile vermişti... Kimilerine göre firavunların eşlerinin gömüldüğü, küçük yan piramitlerden birini.

O minyatür anıtın rutubetli, yarasa dolu geçitlerini keşfetmekten büyük haz alsam da ilginç hiçbir şey keşfedememiştim, boş bir mezar odasıyla birkaç sepet parçası dışında. Eğik Piramit'in geçitlerinde zaman zaman ansızın, tuhaf bir biçimde esiveren rüzgârların nedenini bulma çabalarımız boşa çıkmıştı. Bir keresinde su altındaki mezar odasında kısılı kaldığımız Kara Piramit bile bizi hayal kırıklığına uğratmıştı, Nil her zamankinden fazla yükseldiğinden alt geçitleri su basmıştı ve Emerson kullanmayı umduğu hidrolik pompayı tedarik edememişti.

Sevgili okuyucu, sana arkeologlar hakkında küçük bir sır vereceğim. Hepsi de yüce gönüllüymüş gibi yaparlar. Kazı yaparken tek amaçlarının geçmişin sırlarını çözmek ve insanların bilgisini artırmak olduğunu öne sürerler. Yalan söylerler. Asıl istedikleri muazzam bir keşif yapmaktır, adları gazetelerde çıksın ve rakipleri kıskançlıktan çatlayıp onlardan nefret etsin diye. Daşhur'da Mösyö de Morgan, Orta Krallık'tan bir prensesin mücevherlerini bularak hayalini gerçekleştirmişti (bunu nasıl başardığını sormayı reddettim). Altının ve değerli taşların görkeminin mistik bir sihri vardır. De Morgan'ın keşfi (ki nasıl yaptığını sormuyorum ve asla sormayacağım) ona arzuladığı şöhreti getirdi ve *Illustrated London News* gazetesinde yaptıkları hakkında uzun bir makale ve kendisinin güzel bir gravürü yayımlandı.

Adını yayımlatmayı başarmış bir sözde âlim de Bay Wallis Budge idi ve British Müzesi'nin temsilcisi olarak o kuruma sergilediği en değerli parçalardan bazılarını sağlamıştı. Budge'ın bu eserleri kazı yoluyla değil de yasadışı tarihi eser ticaretinden edindiğini ve onları yasaları çiğneyerek ülke dışına kaçırdığını herkes biliyordu. Emerson, Budge gibi yapmayı kendine yakıştıramazdı ve baş rakibi Petrie'nin geçen yıl bulduğuna benzer bir yazılı sütuna razıydı. İncil araştırmaları dünyası o sütunu heyecanla karşılamıştı, çünkü üstünde Mısır kayıtlarında şimdiye kadar ilk ve tek kez rastlanmış "İsrail" sözcüğü vardı. Bu gerçekten bilimsel bir başarıydı ve Emerson benzer bir keşif için ruhunu Şeytan'a satabilirdi (gerçi ona inanmıyordu ya). Flinders Petrie, Emerson'un gönülsüzce de olsa saygı duyduğu az sayıda Mısırbilimciden biriydi ve eminim Petrie de ona karşı aynı hissi besliyordu. Bu karşılıklı saygı aralarındaki yoğun rekabetin nedeniydi muhtemelen... Çünkü ikisi de birbirlerini kıskandıklarını itiraf etmektense ölmeyi tercih ederdi.

Sonuçta bir erkek olan Emerson (her ne kadar çoğundan üstün olsa da) bu bütünüyle doğal ve makul tutkuyu itiraf edemiyordu. Hayal kırıklığından *beni* sorumlu tutmaya çalışıyordu. Evet, bazı ufak tefek detektiflik olaylarının kazılarımıza bir süre ara verdirdiği olmuştu ama Emerson böyle şeylere gayet alışkındı. Neredeyse her sezon bunlar olurdu ve Emerson durmadan sızlansa da detektiflik faaliyetlerimizden benim kadar haz alırdı.

Ancak son yaşadıklarımızın tuhaf bir tarafı olmuştu. Geçmişte olduğu gibi bu sefer de hasmımız, yalnızca Sethos mahlasıyla tanınan gizemli Suç Üstadı idi. Her ne kadar alçakça planlarını boşa çıkarsak da bir kez daha intikamımızdan kurtulmuştu... Ancak bunun öncesinde, benim gibi mütevazı bir insana ansızın ve (kimilerine göre) açıklanamaz bir biçimde tutulduğunu açıklamıştı. Unutulmaz birkaç saat boyunca onun tutsağı olmuştum. Neyse ki sıra dışı ilginçlikte bir şeyler olmadan önce Emerson beni kurtarmıştı. Emerson'a sadakatimin asla zayıflamadığını, onun, ellerinde birer palayla ve benim için dövüşmeye hazır bir halde kapıdan içeri girişinin görüntüsünü kalbimin en mahrem yerinde koruduğumu defalarca yinelemiştim. Bana inanmıştı. Benden şüphe etmiyordu... Kafasının içinde. Ama karanlık bir kuşku, karısına beslediği sevginin tohumunda bir çürük, kaybolmadan durmaktaydı.

Bunu yok etmek için elimden geleni yaptım. Emerson'u sarsılmaz saygıma inandırmak için sözlerle, özellikle de eylemlerle elimden geleni yaptım. Sözlerimi (özellikle de eylemlerimi) takdir etse de o iğrenç kuşku silinmedi. Bu durumun daha ne kadar süreceğini üzülerek, merak ettim. Onun içini rahatlatma çabalarımı daha ne kadar yenilemek durumunda kalacaktım? İkimizi de yıpratmaya başlamışlardı, öyle ki Ramses babasının gözlerindeki siyah halkalardan söz eder ve onun uykusunu neyin kaçırdığını sorar olmuştu.

Görevden (ve sevgiden) asla kaçmayan biri olarak çabalarımı kararlılıkla sürdürdüm, ta ki Emerson bitkin düşüp de haklılığımı kanıtladığımı itiraf edene kadar. Yazılı bir taş bloğu keşfedip de Kara Piramit'in o zamana kadar bilinmeyen sahibini bulmamız, sezonu bir tür zaferle kapamasını sağladı. Ama hâlâ kara kara düşündüğünü, hırsının tatmin olmadığını biliyordum. Eşyalarımızı paketleyip de Daşhur'un kumlu çölüne hoşnutlukla ama (umuyordum ki) yalnızca bir süreliğine veda etmek beni oldukça rahatlattı.

Kahire'deki otellerin en zarifi olan Shepheard's'taki odalarımızı nasıl sevinçle karşıladığımı her kadın hayal edebilir. Gerçek bir küvetin içinde gerçekten yıkanmaya... Sıcak suya, kokulu sabuna ve yumuşak havlulara kavuşmaya... Bir kuaförle çamaşırcının hizmetlerinden yararlanmaya... Dükkânlar, gazeteler ve kibar insanlarla bir arada olmaya can atıyordum. Port Said'den kalkıp on bir günde doğrudan Londra'ya gidecek olan posta vapurunda kamaralar ayırtmıştık. Gemiyle Marsilya'ya gitmek daha çabuk olurdu ama oradan trenle Paris ve Boulogne üstünden Londra'ya gitmek dolaylı ve konforsuz olacaktı, özellikle de taşınacak yığınla valiz varken. Çok acelemiz yoktu ve keyifli bir yolculuk yapmayı planlıyorduk ama gemiye binmeden önce birkaç günlük lüksü hak ettiğime inanıyordum. Herhangi bir kadının bir çadırda, terk edilmiş bir mezarda ya da ıssız, hayaletli bir manastırda hiç sızlanmadan ev işleri yapmayı, ki bunların hepsinde bu işleri yapmıştım, ya da çöl yaşamının güzelliklerinin tadını çıkarmayı benden fazla başarabileceğini sanmıyorum. Ama konfor varsa konforu yaşamaya inanırım. Emerson öyle düşünmez. O güzel bir otel yerine bir çadırda daha mutludur ve kibar insanlardan tiksinir. Neyse ki Kahire'de yalnızca iki gün kalacağımızdan kaderine razı olmuştu.

Şehre vardığımız gün, akşamüstü, küvetimde neşeyle yıkanıp nadide bir tasasızlık anının tadını çıkardım. Ramses, mükemmel yardımcımız Abdullah'la birlikte bir yerlere gitmişti. Genellikle çocuğun yanından pek ayrılmayan kedi Bastet'in, bu kez ona eşlik etmeyi reddetmesi, gerekçesini Abdullah'ın da Ramses'in de açıkça söylemediği bu yolculuğun onaylamayacağım bir şeylerle ilgili olduğu şüphemi destekliyordu. Önemli değildi: Ramses, Abdullah'ın yanında herhangi bir erkek ya da kadının yanındaki kadar güvendeydi. (Yani göreceli bir güvenlikti bu.) Eninde sonunda leş gibi kokarak, üstü başı kir içinde ve başka herhangi bir çocuğu hasta edecek yiyeceklerle tıka basa doymuş halde dönecekti ama böyle şeyler oğlumun dökme demir gibi iç organlarını etkilemezdi. Ramses'le daha sonra ilgilenecektim. Şimdilik yokluğu ancak keyfime keyif katabilirdi o kadar.

Kedi Bastet küvetin kenarına tünemiş, beni baygın altın sarısı gözlerle seyrediyordu. Küvetler ilgisini çekerdi. Temizlenmek için bütünüyle suya girmek ona çok tuhaf geliyordu sanırım.

Daşhur, Kahire'den çok uzakta olmasa da, şehre gelmeyeli birkaç hafta oluyordu. Bizi bekleyen yığınla mektup ve dergi vardı. Emerson ricam üzerine banyo kapısını aralık bırakarak, mektupları bana okuyordu. Emerson'un kardeşi Walter'la eşi, sevgili dostum Evelyn'den birkaç mektup gelmişti. Geri dönmek üzere oluşumuzu kutluyor ve bize yeğenlerimizden haberler veriyorlardı.

Mektupların geri kalanı önemsizdi. Emerson onları bir kenara bırakıp gazetelere geçti, birkaç haftalık gazete birikmişti. Yüksek sesle okumayı seçtiği haberleri aylakça bir ilgiyle dinledim, çünkü ilgimi çekeceğini sandığı şeyler oldukça tuhaftı. Birliklerimizin Sudan'da ilerleyişi... Evet, bu cidden ilgimi çekiyordu, çünkü orası vatanımıza (ruhlarımızın vatanı Mısır'a) çok yakındı. Ama Daimler Wagonetleri (iki silindirli bir içten yanmalı motorla çalışan yeni bir taşıttı) Lambeth Marka Patentli Kaideli Klozetler'in reklamlarını pek umursamadım. İtiraz etmedim, Emerson'un kalın bariton sesi kulaklarıma hoş geliyordu ve "rahatsız edici yenilikleri" yerden yere vurması haberlere tat katıyordu. Mis kokulu suyun üstünde yüzen ayak parmaklarıma hülyalı hülyalı bakarken içim geçer gibi oldu ve birden Emerson'un hiddetli çığlığıyla uyanıverdim.

"Bu ne saçmalık yahu!" diye haykırdı.

Emerson, *The Times*'tan başka bir gazeteye geçmişti herhalde, muhtemelen *Daily Yell*'e, çünkü onun sütunlarına genellikle bu biçimde tepki verirdi.

"Saçma olan nedir hayatım?" diye sordum.

Sayfaları haşır huşur çevirdi. Sonra "Tam tahmin ettiğim gibi" diye haykırdı. "Tabii ya. Bu saçmalıkların yazarı senin o sevgili dostun O'Connell'miş!"

Bay Kevin O'Connell'ın dostum falan olmadığını söyleyecek oldum ama bu bütünüyle doğru sayılmazdı. Kendisini son yıllarda pek görmüyordum ama Lord Baskerville'in tuhaf bir biçimde öldürülüşünü araştırırken o genç gazeteciye epeyce kanım ısınmıştı. Evet, işini yaparken küstah ve münasebetsiz olabiliyordu ama en kötü zamanımızda bize sonuna kadar destek olmuş, üstelik Emerson'un onu Shepheard's'ın ana merdiveninden tekmeleyerek yuvarlamasına pek ses çıkarmamıştı.

"Bay O'Connell bu sefer ne yapmış ki?" diye sordum.

Gazete yüksek sesle hışırdadı. "Yine eski numaralarını yapıyor Peabody. Yine lanetli mumyalar, yine lanet olası... eee... kahrolası lanetler."

"Sahi mi?" Doğrulurken Bastet'in patilerine su sıçratınca kedi alçak sesle genzinden homurdanıp altın sarısı gözlerini bana dikti. "Pardon" dedim.

"Ne için?" diye bağırdı Emerson.

"Kedi Bastet'e söyledim. Lütfen devam et Emerson. Ne yazmış okusana."

"Okumasam daha iyi" dedi Emerson.

"Affedersin ama anlamadım Emerson?"

"Asıl ben affını rica edeceğim Amelia" diye karşılık verdi kocam, buz gibi bir tavırla. "Sana bu makaleyi okumayacağım. Hatta bu gazeteyi ve senin normalde gayet güzel çalışan beyninde açıklayamadığım çok tuhaf bir etkiye yol açan bu konudan azıcık olsun söz eden diğer bütün gazeteleri yok etmek niyetindeyim."

"Güzel çalışan mı dedin Emerson? Güzel çalışan mı dedin?"

Emerson karşılık verdiyse bile sesi yırtılan, buruşturulan ve çiğnenen kâğıt sesleri arasında boğuldu. Kasırganın dinmesini bekledikten sonra "Yapma ama Emerson!" diye seslendim. "O gazetenin Kahire'deki bütün nüshalarını yok edemeyeceğin gibi, böyle davranmakla merakımı artırıyorsun ister istemez."

Emerson kendi kendine mırıldanmaya başladı. Bunu bazen yapar. Birkaç sözcüğü seçebildim: "... Umutlarım boşa çıktı... lanet olası dikkafalılığı... tahmin etmeliydim... bunca yıldan sonra..." Daha fazla konuşmadan ayağımı sabunlamaya başladım. Evliliğin bana öğrettiği yararlı gerçeklerden biri de bazen tartışmayı uzatmak yerine susmanın daha etkili olduğuydu. Sonunda Emerson, savımın eziciliğini sessizce kabullenerek, okumaya başladı. Sesi alaycılığıyla öyle değişmişti ki kesinlikle falseto tonundaydı.

"Lanetin en son örneği. Kral mumyası yine saldırdı. Bu ne zaman sona erecek? Geçen Salı, akşamüstü saat üçte, saygıdeğer bir bayan ziyaretçi, bir elma çekirdeğine basıp kayarak ayak bileğini incitti..."

Kahkahayı bastım. "Çok güzel Emerson. Çok komik gerçekten. Şimdi bana haberi oku bakalım."

"*Okuyorum* işte" diye karşılık verdi Emerson. "Dostun O'Connell'ın edebi üslubuyla istesem de dalga geçemem ki Amelia. Aynen bunları yazmış."

Sesinin tizliği azalmıştı ama bana hâlâ kızgın olduğunu adımı söylemesinden anladım. İlişkimizin cicim aylarından, Orta Mısır'daki terk edilmiş bir mezarda geçirdiğimiz günlerden beri, Emerson kendini sevgi dolu hissettiğinde bana kızlık soyadım Peabody ile hitap ederdi. Bense onun nefret ettiği Radcliffe adını kullanmak gibi çocukça bir numaraya asla başvurmamıştım. Onunla tanıştığımda Emerson'du ve hep Emerson olarak kalacak... Heyecanlı ve sevgi dolu anılarla yüklü bu adla kalacak.

Ancak sonunda haberde okuduklarını anlatmaya razı oldu. O habis mumya, sandığımın tersine Mısır'da değil, saygın British Müzesi'nin tozlu odalarındaydı. O bilek burkma olayı Bay O'Connell'ın epeyce zorlama bir taktiğiydi ama asıl konu çok daha ciddiydi... Hatta ölümcüldü.

Bir sabah Mısır Odası'ndaki görev yerine giden bir bekçi, sergilenen eserlerden birinin önünde, yerde gece bekçisi Albert Gore'un cesedinin yattığını görmüştü. Zavallı adam felç ya da kalp krizi geçirmiş gibiydi ve siyah figürlü bir vazonun ya da Ortaçağ'dan kalma bir el yazmasının yanına yığılsa, ölümü kimsenin dikkatini çekmeyecekti... Yani arkadaş ve dostları dışında tabii ki. Ancak düştüğü yer içi mumyalı bir sandukanın önüydü ve bu durum O'Connell'ın gazetecilik sezilerini harekete geçirmişti. Eski Mısır lanetleri konusunda bir tür uzman olduğu söylenebilirdi herhalde.

"Beyin felci... Ama neden?" attığı ilk başlıktı. Emerson'un verdiği karşılık: "Herif altmış dört yaşındaydı yahu!"

"Cesedin yüzündeki donup kalmış korku ifadesinin nedeni neydi?" diye soruyordu O'Connell. Emerson: "Bay Kevin O'Connell'ın zırdelice hayal gücü."

"Korku öldürebilir mi?" diyordu Kevin ve Emerson'un bana verdiği cevap şuydu: "Saçma!"

Mumya, müzeye geçen yıl, adı açıklanmayan biri tarafından bağışlanmıştı. Kevin tahmin ettiğim gibi bu kişinin izini sürmüştü ve yaptığı keşif aslında hayal gücünün ürünü olan basit bir kurguya ilgiyi artırmaya yaramıştı. İngiliz halkının en çok ilgisini çeken şey kraliyet ailesidir, hele işe biraz da skandal karışırsa.

Söz konusu kişilerin gerçek ad ve unvanlarını bu mahrem günlüğün sayfalarından bile gizlemeyi akıllıca buluyorum, çünkü gelecekte buradaki arkeolojik notlar yayımlanmaya değer görülürse (ki mutlaka öyle olacaktır), kusurlarına karşın her gerçek İngiliz kadınının sadakat beslemek zorunda olduğu monarşiye, çoktan unutulmuş bir lekeyi sürmek isteyecek son kişiyim. Şu kadarını söyleyeyim ki bağışçının, kendisinden artık Liverpool Kontu olarak söz edeceğim, son derece saygın bir Leydi'yle kan bağı vardı, Emerson'un tabiriyle, ki pek çok kez söylemiştir, o Leydi yakın ve uzak bir sürü akrabaya sahipti ve bunlar dünyanın dört bir yanında dolanıp başlarını belaya sokuyorlardı.

Kont verdiği Mısır işi armağanın kötü etkisinden kurtulmayı umduysa bile fazla gecikmişti. Onu verişinden kısa süre sonra ölümcül bir av kazası geçirmişti.

"O alçağa iyi olmuş" dedi Emerson, kan sporlarına duyduğum tiksintiyi paylaşırdı. "Akıllı mumyaymış, zeki kadavraymış. Kont'un oğlu da layığını bulmuş. O iğrenç, namussuz delikanlı son derece iğrenç bir dejeneratif hastalığa yakalanmış. Mükemmel bir ilahi adalet örneği. Kusursuz bir mumya!"

"Ne hastalığıymış bu, Emerson?"

Emerson gazetedeki başka bir habere geçmişti. Sayfaları yüksek sesle hışırdattı. "Terbiyeli bir kadın öyle sorular sormaz Peabody."

"Ah" dedim. "*Şu* son derece iğrenç hastalık. Ama *Yell* gibi bir gazetede bile adını yazmazlar eminim."

"Örtmece diye bir şey var Peabody, örtmece diye bir şey

var" diye karşılık verdi Emerson ters ters. "Ayrıca o delikanlı-yı ve onun hayat tarzını bilen herkes gerçeği tahmin edebilir."

"Mumyanın habis etkisi bunlar yani? Bir av kazası, bir... eee... hastalık vakası, bir de kalp kriziyle gelen doğal bir ölüm?"

"Her zamanki gibi zayıf iradeli bayanlar onun karşısında bayılacak gibi oldular" diye karşılık verdi Emerson sertçe. "Ayrıca yine psişik detektifler öbür dünyadan mesajlar aldılar. Hah! Bence halkın saflığını suçlamamak gerek, bizim sevgili Mısır ve Asur Tarihi Eserleri Bekçimiz onların budalalıklarını körüklüyor."

"Wallis Budge mı? Ah, yapma Emerson, Budge bile..."

"Evet, aynen dediğim gibi yapıyor. Yaptı da. O herif adı gazetelerde çıksın diye her şeyi yapar. Öyle saçma sapan bir gerizekâlı nasıl o mevkiye gelebildi aklım almıyor... *Lanet olsun!*"

Hiçbir matbaa aleti o hiddetli çığlığın yoğunluğunu büyük harflerle bile ifade edemez. Mısırlı işçiler Emerson'a duydukları saygıyı Küfür Babası lakabıyla ifade ederler. Ona bu unvanı yalnızca söyledikleri değil, ses tonu da kazandırmıştı ama bu seferki haykırışı Emerson'un standartlarına göre bile sıra dışıydı, öyle ki ona az çok alışmış olan kedi Bastet yerinden sıçrayıp küvete düştü.

Daha sonraki sahneyi ayrıntılı anlatmasam daha iyi. O çırpınan kediyi kurtarma çabalarım isterik bir direnişle karşılandı, küvetin kenarından sular taştı, Emerson yardıma koştu, Bastet denizden fırlayan bir balina misali sıçrayarak kaçtı... Küfürler savurarak, tükürerek ve sular saçarak. O ve Emerson banyo kapısının eşiğinde karşılaştılar.

Daha sonraki sessizlik, odamızın önünde bekleyen uşağın, yardımına gerek olup olmadığını soran titrek sesiyle bozuldu. Yerdeki sabunlu su birikintisinin içinde oturan Emerson derin bir soluk aldı. Gömleğinin iki düğmesi kopup şıp diye suya düştü. Son derece sakin bir sesle uşağı yatıştırdıktan sonra pörtlemiş gözlerini bana çevirdi.

"Umarım yaralanmamışsındır Peabody. Şu sıyrıklar..."

"Kanama durdu sayılır Emerson. Bastet'in suçu değildi."

"Benim suçumdu herhalde" dedi Emerson sakince.

"Hayır canım, öyle demedim. Yerden kalkacak mısın?"

"Hayır" dedi Emerson.

Hâlâ gazeteyi tutuyordu. Islak sayfaları ağır ağır, kararlılıkla ayırarak, deminki patlamasına yol açan haberi aradı. Yatağın altına kaçmış olan Bastet'in, sessizlikte monoloğunu mırıl mırıl söverek sürdürdüğünü işittim. (Sövdüğünü nereden bildiğimi soruyorsanız hiç kediniz olmamıştır herhalde.)

Banyoda yerdeki bir su birikintisinin ortasında oturan kocamın gazetenin ıslak sayfalarını özenle birbirinden ayırmasını izlerken, içimde yeniden hayranlık ve sevgi uyandı. Bu adam ona yakın olmayan kişiler tarafından nasıl da zalimce kötüleniyordu! Öfke nöbetleri gürültülü oldukları kadar kısaydılar oysa, sonrasında her zamanki tatlılığına bürünürdü hemen ve bence öyle bir pozisyonda o kadar soğukkanlı ve vakur görünebilecek çok az adam vardır. Bastet iri gövdesiyle Emerson'un tam göğsüne çarpmıştı. Emerson'un ıslak gömleği vücudunun o kısmındaki muhteşem kasların biçimini almıştı ve her ne kadar içinde oturduğu su birikintisi pantolonunun kumaşını yavaşça karartarak, oldukça rahatsızlık verse de istifini bozmuyordu.

Sonunda boğazını temizledi. "İşte burada. Lütfen ben okumayı bitirine kadar yorum yapma Amelia.

"Öhö. 'Son dakika. British Müzesi'nin esrarında şaşırtıcı yeni gelişmeler. Muhabiriniz, birkaç hafta içinde uzman soruşturmacılardan kurulu bir ekibin habis mumya vakasını çözmeye çalışacağını öğrenmiş bulunuyor. *Daily Yell* okuyucularının yiğitçe kahramanlıklarını yakından tanıdığı Profesör Radcliffe Emerson'la eşi Amelia Peabody Emerson...' "

Etkilenmemek olanaksızdı. Hemen ayağa fırlayıp "Aman Tanrım!" diye haykırdım.

Emerson ıslak gazetenin sarkan kenarından bana baktı. Parlak mavi gözleri çakmak çakmaktı... Çok iyi tanıdığım bir öfke belirtisiydi bu. Sözlerime vurgu katmak için banyo lifimi sallayarak devam ettim: "Bu saçma sapan haberin sorumlusu olduğumu sanmıyorsun herhalde Emerson? O vakayı soruşturmak isteseydim bile, ki bunun saçmalık olduğu konusunda seninle hemfikirim, Bay O'Connell'la iletişim kurmaya zamanım olmazdı. Elindeki gazete haftalar önce çıkmış olmalı..."

"Tamı tamına on beş günlük" dedi Emerson.

Gazeteyi kenara atıp ayağa kalktı. Benden ayırmadığı gözlerinin parlaklığı iyice artmıştı.

"Bana inanmıyor musun, Emerson?"

"Tabii Peabody. Tabii." Islak pantolonunu çıkardı ve gömleğinin düğmeleriyle uğraşmaya başladı.

"Lütfen pantalonunu sandalyeye as" diye bağırdım. "Giysilerinin çoğunu yıkamaya verdim ve ne zaman gelirler bilmi... Emerson! Ne yapıyorsun?"

Islak kumaş, düğmeleri iliklerden çıkarma çabasına direniyordu. Pazuları şişen Emerson gömleği parçalayınca geri kalan düğmeler odada mermi gibi uçuştu. "Afrodit" dedi Emerson boğuk bir sesle. "Köpüklerin arasından yükseliyor."

Hâlâ ayakta durduğumu, üstümden sular aktığını ve elimde koca süngeri tuttuğumu fark ettim. "Emerson, saçmalıyorsun. Şu havluyu bana uzatırsan..."

Emerson odayı bir sıçrayışta kat ederek beni bağrına bastı.

Açık pencereye, saate, kendimin (ve onun) kayganlığına, her an uşağın içeri girme olasılığına, Ramses'e ve/veya kediye dikkat çekerek itiraz etmeye çalıştım. Emerson'dan gelen tek anlaşılır karşılık, normalde en ateşli evlilerin bile aklına gelmeyecek bazı fikirler öneren bir Arapça şiire yaptığı bir göndermeydi. Mantıklı ricalara kulak asmayacak halde olduğunu kısa sürede fark edince tartışmayı kestim, hatta daha sonra, Emerson o söz konusu şiirin birkaç yeni ve ilginç olasılık sunabileceğini söylediğinde kesinlikle hemfikir oldum.

Kahire'nin tren istasyonunda sadık dostumuz Abdullah ve onun iyice genişlemiş ailesine veda ederken üzgündük. Abdullah bize Port Said'e kadar eşlik etmek istemişti (masrafları bize ait olarak) ama onu vazgeçirmiştim. Her ne kadar ilk tanıştığımızdaki kırçıl sakalı kar beyazına dönmüş olsa da Abdullah yarı yaşındaki adamlar kadar dinçti ama karamsar ya da dramatik anlarında, yaşlandığından ve bir daha asla görüşememe ihtimalinden hüzünle söz etmeye eğilimliydi. Vedalaşmamız ne kadar uzarsa o kadar acı verici olacaktı... Her türlü drama bayılan Abdullah için değil, benim için.

Böylece gidişimizin vereceği acı azalmış oldu. Erkekler, ki aralarında Emerson'la Ramses de vardı, platforma çömelip gülmeye, şakalaşmaya ve geçen sezonun olaylarını hatırlamaya başladılar. Trenin kalkma zamanı geldiğinde sadık dostlarımız kalabalıkta yol açarak, bizleri vagonumuzun kapısına kadar omuzlarında taşıdılar. Bütün Mısırlıların ünlü kocama besledikleri sevgi ve saygı öyle derindi ki kazayla yere düşürülen insanlardan pek azı yüksek sesle şikâyet etti ve tren çuf çuf hareket ederken yüzlerce ses haykırarak veda etti. "Allah seni korusun Küfür Babası! Allah'ın inayeti senin ve saygıdeğer baş zevcen Doktor Hanım'ın üstünde olsun! Selametle!" Duygulu bir andı ve Ramses'in yakın arkadaşı genç Selim'in, bizi olabildiğince çok görebilmek için, platformda koşmasını seyrederken, görüş alanım yaşlardan bulanıklaştı.

Yolculukla ilgili bazı kaygılarım vardı, çünkü Ramses'e bakıcı bulamamıştık. O işi yapan genç adam kendi suçu olmayan bir gerekçeyle işi bırakmıştı. Birinci derecede cinayetten tutuklanmıştı ve biz de onu temize çıkarmaktan mutluluk duymuştuk. Nişanlısıyla birlikte İngiltere'ye dönmüştü, sanırım giderek tanınmama neden olan romantik başarıların bir yenisiydi bu. Her ne kadar gönül işlerinde gençlere yardım etmekten hep hoşlansam da Bay Fraser'ın gidişi bizi zor durumda bırakmıştı, çünkü geçmiş deneyimler Ramses'in bir gemide başıboş kaldığında nakliyat, navigasyon ve ebeveyninin sinirleri için ciddi bir tehdit oluşturduğunu öğretmişti. Emerson onun kabinimizi paylaşmasını kesinlikle reddetmişti. Yanlış anlaşılmasın, çocuğa gönülden bağlıydı ama kendi tabiriyle "geceyarısıyla sabah sekiz arasındaki zaman dilimi dışında."

Ramses ilk kez sorun çıkarmadı. Mumyalama çalışmalarıyla ilgili bir takım pis deneylere kendini bütünüyle kaptırmıştı, bir de ne yazık ki şu Arapça şiir kitabına, çünkü Emerson önerilen yöntemlerden birini uyguladıktan sonra bastıran yorgunluk yüzünden kitabı her zamanki gibi şiltenin altına saklamayı ihmal etmişti. Neyse ki ya da ne yazık ki, kişinin bakış açısına göre değişir, bu ikinci uğraşını ancak Londra'ya varmak üzereyken keşfettik, çünkü Ramses kitabı, titizlikle, nerede bulduysa oraya aynen bırakıyordu.

Gemiye yerleşir yerleşmez hemen Kahire'den ayrılmadan önce baştan sona göz attığım gazetelerin daha yenilerini aramak için salona koştum. İlginç haberleri kesmem iyi bir önlem oldu, çünkü Emerson ne yaptığımı keşfeder keşfetmez gemideki bütün gazeteleri denize atarak, diğer yolcuları oldukça sinirlendirdi. Kestiğim haberlerle silahlanmış bir halde güvertede rahat bir sandalye bulup o habis mumyayla ilgili son gelişmeleri okudum.

Emerson'un banyoda söyledikleri hem eksik hem de yanlış yönlendiriciydi. Bu tamamen onun suçu değildi, normal gazetecilik süreci içinde çarpıtılmış, karmaşıklaştırılmış ve yanlış aktarılmış gerçekleri öğrenmek için satır aralarını okumak gerekiyordu.

Her ne kadar genelde mumya sandukası denilse de, kıyameti koparan o nesne için asıl kullanılan terim ahşap bir iç tabuttu. Bu ayrımın neden yapılması gerektiği sorusuna verebileceğim en iyi cevap öğrencilere Emerson'un Oxford Üniversitesi Yayınları'ndan çıkan, *Mısır Tabutlarının Hanedanlık Öncesi Çağlardan Yirmi Altıncı Hanedan'a Dek Gelişiminin Dinsel, Toplumsal ve Sanatsal Geleneklere Etkilerinin Açıklanması* adlı muazzam eserini tavsiye etmektir. Ancak okuyucuların çoğunun kendilerini adamış öğrenciler olmadıklarını bildiğimden, kısa bir özet yapmaya çalışacağım.

İlk tabutlar basit ahşap kutulardan ibaretti, dikdörtgenden çok kare biçimindeydiler, çünkü içlerine konan cesetler çömelmiş halde ya da cenin pozisyonunda dururdu. Zaman geçtikçe iç ve dış yüzeylere boyayla ve/veya oymayla büyüler ve dinsel semboller konmaya başlandı. Orta Krallık Dönemi'ne (İÖ 2000-1580 civarı) gelindiğinde tabutlar uzamıştı ve genellikle çifter çifter konuyorlardı. İçindeki mumyalanmış cesedin biçimini taşıyan, antropoid lahit denen tabutlarsa, ancak İmparatorluk Dönemi'nde ortaya çıktı (İÖ 1580-1090 civarı.) Zengin bir insanın böyle üç tane tabutu olabiliyordu, bunların her biri diğerinden küçük oluyordu ve Çin kutuları gibi iç içe konabiliyordu, bu tabutlar da bazen taş bir lahide yerleştiriliyordu. O sevimli ama cahil paganlar bedeni korumaya fena halde kafayı takmışlardı! (Bir ahlakçı aslında kendi hedeflerine ters düştüklerini ekleyebilir, çünkü o kadar bandajlanarak kapanan bir ceset, çölün sıcak, kuru havasına ve kavrulan kumlarına maruz kalan bir cesetten daha çabuk çürürdü.)

Gazetelerdeki gravürlere bakarak ve saygıdeğer eşimin çığır açıcı yapıtını okumuş olduğumdan, söz konusu tabutun On Dokuzuncu Hanedan'dan kalma olduğunu anladım. Ressam, duygusallık katma çabasıyla çehreye salakça bir güzellik verse de ayrıntılar o döneme özgüydü: Ağır ve süslü peruk, hareketsiz göğsün üstünde kavuşturulmuş kollar, geleneksel dinsel semboller ve hiyeroglif şeritleri. Gravürde bunlar net görünmüyordu ama bir muhabir, Bay O'Connell'ın girişimci bir rakibi, kopyalarını çıkarmıştı. Ölülerin Tanrısı'na hitaben yazılmış standart mezar formülünü tanıdım: "İsis'in, Henutmehit'in Dişi Şarkıcısı Busiris'in vs... vs... Lordu Osiris'e sesleniyor..."

Demek ki o leydi (her halükârda bir kadındı), bir prenses ya da karanlık ve sinsi bir mezhebin rahibesi falan değildi. Bunu tabutun biçiminden tahmin etmiştim zaten. Unvanlarından belliydi, çünkü her ne kadar tapınakta bir görevli idiyse de, çağdaş bir rahibin karısından ya da kızkardeşinden daha sıra dışı bir konumu yoktu. Bu güzel ama sıradan tabut neden bir ölüm ve tehlike kaynağı olarak seçilmişti ki?

Cevap, Emerson'un çoktan söylediği gibi, muhabirlerin yaratıcı beyinlerindeydi mutlaka. O'Connell bu habere akbaba gibi atlayacak tek gazeteci değildi, yaratıcılığı ve kaleminin kıvraklığı konusunda kendisinden üstün değilse bile onunla boy ölçüşebilecek en az bir rakibi vardı, *Morning Mirror*'da yazan M. M. Minton diye biri. Minton, müteveffa Kont'un yanında çalışan (en azından bunu iddia eden) bir genç kızı bulup röportaj yapmayı başaracak kadar zekice davranmıştı. Bay Minton'ın yönlendirmeleri sayesinde kız, mumyanın bulunduğu odanın tozunu alması söylendiğinde "bütün tüylerinin diken diken olduğunu" hatırlıyordu. Aynı odada parçalanmış vazolar ve biblolar bulunmuştu, dolunay zamanları oradan tuhaf çığlıklar ve iniltiler gelmişti.

Bütün bunlar, müze ziyaretçilerinin başına gelen kazaların öyküleri kadar saçmaydı elbette. İnsan doğasıyla benim kadar ilgilenen biri için çok daha ilginç olanıysa, bu öykünün zayıf iradeli bireylerdeki etkisiydi. Bazıları mumyanın önüne çiçekler bırakmış ya da aynı amaçla müzeye para göndermişlerdi. Bazıları benzer okült deneyimlerini yazmışlardı. Ünlü bir medyum, Prenses Henemut'un (*aynen* böyle yazılmıştı) ruhuyla iletişim kurduğunu, kadının müzenin resmi görevlilerinin ve mütevellilerinin kendisini halka sergilemelerinden utandığını söylediğini öne sürmüştü. (En hafif deyişle, haksız bir suçlamaydı bu, çünkü o kadın sargılar içinde ve tabutta durduğuna göre, kendisine bakmaya gelen bayanların bazılarından çok daha kapalıydı.) Kadın, mezarına geri götürülmeyi talep ediyordu. Ama mezarının yeri bilinmediğinden, müze yetkilileri bu talebi ciddiye alacak kadar delirseler bile, yerine getirilmesi mümkün değildi.

Mumyanın hayranlarından en ilginci, onu arada sırada bir *sem* rahibi kılığında ziyaret eden bir zırdeliydi (başka bir şey olamazdı). Rahip kıyafetinin ilginç tarafı adamın omuzlarına koyduğu leopar derisi pelerindi. O zırdeli, bu deriyi takmakla ve görevi cenaze ayinlerini yönetmek olan rahipleri taklit etmekle, Eski Mısır geleneklerini bildiğini gösteriyordu ama Bay Budge kendisiyle yapılan bir röportajda o zırdelinin bir araştırmacı olabileceği fikrine dudak büküyordu. "Herif peruk takıyor. Herodotos'un bize söylediği gibi, rahipler kafalarını ve *vücutlarının diğer bütün kısımlarını* tıraş ederlerdi." (İtalikler bana ait değil. Bay Budge'a da ait olmadıklarını umarım.)

Budge, muhabirlerin çılgınca teorilerini desteklediğini asla söylemiyordu. Hatta onları resmi bir dille reddediyordu. Kendisine sorulan bazı soruların cevaplarında batıl inançları yeterince reddetmeyişi belki de bütünüyle onun suçu değildi. "Ama Eski Mısırlılar lanetlerin gücüne inanmazlar mıydı Bay Budge?" "Elbette, kesinlikle. Elimizde böyle örnekler var." "Peki rahiplerin büyü güçleri vardı, değil mi?" "*Kitabı Mukaddes*'in otantikliğini inkâr etmek istemeyiz, *Exodus*'ta rahiplerin asalarını yılana dönüştürdüklerini okuruz..."

"Salak" dedim yüksek sesle. Yanımdaki güverte sandalyesinde oturan yaşlı beyefendi bana hayretle baktı.

Emerson aceleden ya da (daha muhtemelen) kasıtlı bir kandırma girişimiyle, gece bekçisinin ölümünün ilginç bir ayrıntısını atlamıştı. Böyle işler yapan insanların çoğu gibi Albert Gore da yaşlı, eğitimsiz ve alkole aşırı düşkün biriydi. Bu yetersizliklerinden hiçbiri işlerini yapmasını engellemiyordu, en azından öyle sanılıyordu. Tek yapması gereken geceleri müzenin bazı bölümlerini birkaç kez turlamak ve kalan zamanlarda kapının yanındaki odacıkta uyuklamaktı. Bir hırsızın müzeye girmeyi göze alması küçük bir olasılıktı; içerideki eşsiz nesneleri açık pazarda satmak imkânı olmaması gibi zorluklar bir yana, bina hep sımsıkı kilitli tutulurdu ve civarındaki sokaklarda polisler sürekli kol gezerdi.

Yani zavallı Albert Gore'un Mısır Galerileri'nde devriye gezerken beyin kanaması geçirmiş olması muhtemeldi, çünkü yemeye içmeye aşırı düşkünlüğün böyle bir sonuca yol açtığı görülmemiş değildir. Kevin'ın "cesedin yüzündeki donup kalmış korku ifadesi" lafınıysa tipik bir muhabir abartısı olarak göz ardı ettim.

Ama tuhaf bir şey vardı. Cesedin çevresinde ve altında toplanmış ve odaya saçılmış bazı tuhaf nesneler bulunmuştu... Kırık cam parçaları, kâğıt ve kumaş parçaları, kara bir sıvının kurumuş lekeleri ve en tuhafı, birkaç ezilmiş, solmuş çiçek.

Okumayı bitirdikten sonra Emerson'u taklit ederek kupürleri denize attım. Ona hak veriyordum, bu konu mantıklı bir insanın ilgisine layık olmayan bir şarlatanlıktı. Ama bizim için konu orada kapanmayacaktı. Adlarımız geçmiş, otoritemize başvurulmuştu, ithamı olabildiğince canla başla reddetmeyi kendimize ve mesleki saygınlığımıza borçluyduk.

Şarlatanlık olduğu su götürmezdi. Ancak yine de oradaki o solgun çiçekler...

2

Spenser'ın zamanından yakın geçmişe kadar, "solgun menek-
şelerin boy attığı minik papatyaların akşamları kapandığı, ba-
kire zambaklarla çuhaçiçeklerinin serpildiği" yeşil kıyıların
arasından "tatlı Themmes usul usul" akardı. Çocukluklarında
Greenwich'in pastoral güzelliklerine yaptıkları keyifli yolcu-
lukları hâlâ hatırlayabilen Londralılarla konuşmuşluğum var-
dır. Ama söz ettiğim zamandan çok öncesinde, Köpekler Ada-
sı'nın ağaçları, yerini Londra göğünde bir tabut örtüsü gibi
asılmış pis bulutu oluşturan kara dumanları yayan çirkin fab-
rikalara bırakmıştı. Çirkin evlerle, kömür rıhtımlarıyla ve de-
polarla çevrili nehir, tarifsiz ve akıl almaz çöplerle kirleniyor,
kasvetli bir halde, ağır ağır akıyordu. Vapurumuzun Royal Al-
bert Rıhtımı'na yaklaşması sırasında güvertede dururken yağ-
mur yağdığını fark ettim. İngiltere'ye döndüğümüz günler hep
yağışlı oluyordu sanki.

Her ne kadar Mısır'ın sıcak, mavi göğünü hoş bir nostal-
jiyle düşünsem de şehirlerin en büyüğüne... İmparatorluğun
merkezine, entelektüellerin ve sanatçıların memleketine, hür-
ler diyarına ve gerçek İngilizlerin yurduna yaklaşıyor olmanın
heyecanını yaşıyordum ister istemez.

Bunu Emerson'a söyledim. "Emerson'cuğum, İmpara-
torluğun merkezine, entelektüellerin ve sanatçıların memle-
ketine..."

"Böyle sala... eee... saçma laflar etme Amelia" diye homurdandı Emerson, mendiliyle yanağımı sildikten sonra is lekesini göstererek. "Hava da zift gibi."

Ramses aramızda duruyordu, Emerson'la ben birer kolundan tutmuştuk ve o da fikrini söylemese çatlardı elbette. "Londralıların kadavraları üstünde yapılan anatomik çalışmalar, bu havanın uzun süre solunmasının ciğerleri kapkara yaptığını kanıtlıyor. Ancak annem sanırım fiziksel ortamdan çok zihinsel..."

"Kıpraşma Ramses" dedim otomatik olarak.

"Annenin ne demek istediğinin gayet iyi farkındayım" dedi Emerson kaşlarını çatarak. "Ne dolaplar peşindesin Amelia? Kitabımı bitireceksem herhalde bu pis şehirde isteyebileceğimden çok kalmam gerekecek..."

"Gelecek sonbaharda Mısır'a geri dönmemizden önce bitirmek istiyorsan Londra'da *epeyce* kalman gerekeceği *kesin*. Oxford Üniversitesi Yayınları'nın bu kitabı yayımlayacağını bir yıl önce duyurduğunu düşünürsek..."

"Dırdır etme Amelia!"

Emerson'a azarlayıcı, Ramses'e anlamlı birer bakış fırlattım. Ramses gözlerini baykuş gibi açmış, ilgiyle dinlemekteydi. Emerson tatlı bir gülümseyiş takındı. "Ha-ha. Annenle şakalaşıyoruz Ramses. O hiç dırdır etmez, etse bile ben bunu söyleyecek kadar kabalaşmam."

"Ha-ha" dedi Ramses.

"Dediğim gibi" diye devam etti Emerson, kaşlarını çattığını Ramses görmesin diye başını çevirerek. "Acıların kol gezdiği bu hastalıklı karınca yuvasına ansızın âşık olmanın nedeni acaba..."

"Şu işe bak" dedim. "Hepimiz biraz kirlenmeye başlamışız. Ramses, burnun... Hah, şimdi daha iyi oldu. Kedi Bastet nerede?"

"Kabinde tabii ki" dedi Emerson. "Bu kirli havaya çıkmayacak kadar akıllı."

"Öyleyse biz de gidip valizlerimizi hazırlayalım" diye önerdim. "Ramses, Bastet'in tasması sende mi? Unutma, kayışı bileğine bağlayacaksın ve sakın..." Ancak Ramses elimden yılan balığı kıvraklığıyla kurtulup gitmişti bile.

İç karartıcı gökyüzü güvertede tekrar durduğumuzda da aynı biçimde karanlıktı ama rıhtımda gördüğüm kişiler bence onu aydınlatıyorlardı: Emerson'un sevgili kardeşi Walter, öz kardeşim gibi sevdiğim karısı Evelyn, sadık yardımcımız Rose ve bize candan bağlı uşağımız John. Bizi görür görmez el sallayıp gülümsemeye ve seslenmeye başladılar. Özellikle Evelyn'in o pis havaya katlanmasından etkilendim. Londra'dan nefret ederdi ve narin sarışın güzelliği o kasvetli rıhtım ile çok tezattı.

Emerson bu kez de düşüncelerimi paylaşıyordu, her ne kadar benim kadar güzel ifade edemese de. Yengesine gözlerini kısarak baktı. "Yine hamile kalmış olamaz değil mi?" dedi sert bir sesle. "Bu normal değil Peabody. Neden bir kadın..."

"Sus Emerson" dedim, güneş şemsiyemle onu hafifçe dürterek.

Emerson bezgince Ramses'e doğru baktı. Ramses'le geçen kış yapmak zorunda kaldığı, normalde İngiliz centilmenlerini yirmi beş-otuz yaşlarından önce ilgilendirmeyen bazı konulara dair bir konuşmadan sonra kendini hâlâ toparlayamamıştı.

Ramses, daracık omuzlarında yatan kedinin ağırlığıyla iki büklüm ayakta duruyordu ama Ramses'in daha zor koşullarda bile, uzun uzadıya konuştuğu görülmüştü. "Evelyn Hala'ya bu konuyu sormak için sabırsızlanıyorum" dedi. "Babacığım, bana verdiğin bilgiler şunu açıklamakta yetersizdi: Neden mantıklı bir adam, hele bir kadın, kendini en iyi tabirle anormal, en kötü..."

"Kıpraşma Ramses" diye bağırdı Emerson kızararak. "Sana böyle konuları asla tartışmamanı..."

"Evelyn Hala'na kesinlikle böyle şeyler sormayacaksın" diye haykırdım.

Ramses bir şey demedi. Sessizliği, koyduğum yasağın bir açığını bulmaya çalıştığının göstergesiydi. Bunun üstesinden geleceğinden kuşkum yoktu.

Emerson'un haşmetli fiziği ve gür sesi sayesinde ilk inenlerden olduk ve kollarımı açıp Evelyn'e koştum. Tam onun tarafından sevgiyle kucaklanmak üzereyken siyah redingotlu, ipek şapkalı, uzun boylu, şişman bir adam bana koca göbeğiyle sıkı sıkıya sarılıp bıyığını batıra batıra öptüğünde yaşadığım şaşkınlığı hayal edin. Kendimi hemen ondan kurtardım ve kullanışlı güneş şemsiyemle tam da sert bir darbe indirerek karşılık vermek üzereyken adam, "Sevgili kardeşim!" diye haykırdı.

Gerçekten de *kardeşiydim*. Yani o benim ağabeyimdi, demek istiyorum... Yıllardır görmediğim (görmemek için çabaladığım) ağabeyim James.

Kendisini hemen tanıyamamış olmam normaldi. Bir zamanlar sağlam yapılıydı. Şimdiyse cüssesine en uygun sözcükler şişko, obez ve fil gibi... olabilirdi. Sarkık favorilerinin çevrelediği suratı bir dolunay kadar yuvarlak ve kırmızıydı. Çenesi normal bir boyna dönüşmek yerine gerdan gerdan aşağı iniyordu, ta ki bel namına bir şey sergilemeyen koca bir göbekle buluşana kadar. Şimdiki gibi gülümsediğinde yanakları şişip kalkıyor, gözleri kısılıyordu.

"Burada ne işin var James?" diye sordum sert bir sesle.

Yanda duran Evelyn'ciğim kibarca öksürerek sitem etti. Kendisine özür niyetine başımı salladım ama kullandığım kaba da olsa mazur görülebilir dil için James'ten özür dilemek durumunda olduğumu düşünmüyordum.

"Seni karşılamaya geldim tabii ki" diyerek cevabı yapıştırdı James. "Görüşmeyeli epeyce olmuştu, kızkardeşlerin en tatlısı. Yanlış anlamalardan kaynaklanan ayrılıklara aile sevgisiyle son vermenin zamanı gelmişti."

Emerson hiç zaman kaybetmeden kardeşinin elini kavrayıp İngilizlerin topluluk içinde âdetleri olduğu üzere, hararetle sıkmıştı. Evelyn'in zayıf omuzlarına ağabey edasıyla sarıldıktan sonra, "James mi bu?" dedi. "Ulu Tanrım, ne kadar şişmanlamış Peabody. İngiltere'nin rozbifi insanı böyle yapıyor herhalde ha? Bir de Porto, Madeira ve kırmızı Bordo şarapları! Eee, niye gitmiyor?"

"Bizi karşılamaya gelmiş, öyle diyor" diye açıkladım.

"Bu çok saçma Peabody. Senden bir şey istiyor olmalı, yoksa bize hayatta gelmez. Ne istiyormuş öğren, ona 'hayır' de ve gidelim."

James titreyen zorlama gülümseyişini korumayı başardı. "Ha ha! Radcliffe'ciğim, senin şu esprilerin yok mu... Gerçekten de o kadar..." Elini uzattı.

Emerson uzatılan eli, dudaklarını büzerek bir an baktıktan sonra öyle bir kavradı ki ağabeyim acıyla ciyakladı. "Bebek eli gibi yumuşacık" diyen Emerson o uzvu bir kenara attı. "Hadi gel Peabody."

Ancak James'ten o kadar kolay kurtulamayacaktık. Bizler uzun süre sonra görüşen dostların yaptığı gibi birbirimize hoş ve önemsiz ailevi haberler verirken o olduğu yerde gülümseyerek ve başını sallayarak kaldı.

Rose, Ramses'e (ve kediye) sımsıkı sarılmayı sürdürüyordu. Nedense o çocuğa çok bağlıydı ve onu her durumda savunan çok az kişiden biriydi. Bu hiç rastlanmamış bir durum değil sanırım, Rose'un kendi çocuğu yoktu. Her ne kadar resmi konumu sofra hizmetçimiz olsa da evimizin direklerinden biriydi ve istenen her hizmeti seve seve yapardı. Londra'ya, yalnızca o şehirde geçirmeye niyetlendiğimiz birkaç gün boyunca Ramses'e bakıcılık yapmak için gelmişti. Gerçi onunla başa çıkabilecek kapasitede değildi ama Emerson'un dediği gibi, o kapasite zaten kimsede yoktu.

Bir kış bizimle Mısır'a gitmiş olan John -o da Ramses'le başa çıkamamıştı- Abdullah ve Selim ve diğer arkadaşları hakkında sorularla doluydu. James'in bayağı bir uşakla samimiyetimizi görünce takındığı şaşkınlık ve horgörü ifadesi çok eğlenceliydi ama sonunda Evelyn'in hafifçe öksürmesi bana rutubetli havayı hatırlattı ve John'a sevgiyle veda ettik, o valizlerimizle birlikte hemen Kent'e dönecekti.

At arabasına hepimiz sığmayacağımızdan Walter, bu arabaya bayanların binmesini, kendisinin ağabeyiyle birlikte başka bir araba tutmasını önerdi. Benim ağabeyimden söz ettiğini işitmedim ama bu durum James'in onlara katılmasını engellemedi. Neyse ki Emerson arabaya çoktan binmiş olduğundan, tepkisine tanık olmaktan kurtuldum.

Ramses'le Rose bizimle birlikte at arabasına bindiler. Ramses hemen bitmek bilmez monologlarından birine başlayarak, kışın yaptıklarını anlattı, Rose onu budalaca bir gülümsemeyle dinledi. Yanımda oturan Evelyn'e döndüm.

"Londra'da ne kadar kalmayı düşünüyorsun canım?"

"Yalnızca sana hoşgeldin diyerek, yazı benimle birlikte Yorkshire'daki Chalfont Şatosu'nda geçirmeye ikna edene kadar Amelia'cığım. Seni ve sevgili minik Ramses'i o kadar özledim ki, yeğenleri de durmadan onu soruyorlar..."

"Hah!" dedim inanmayarak.

Ramses konuşmasına ara vererek bana uzun uzun, dik dik baktı. Bir şey demesine fırsat tanımadan devam ettim: "Emerson'un planlarından emin değilim Evelyn ama Londra'da epeyce kalması gerekecek galiba. Yazdığı *Eski Mısır Tarihi* kitabının birinci cildini bitirmesine yardım etmeye çalışıyorum. Oxford Üniversitesi Yayınları çok ısrar ediyor artık, ki haklılar da, çünkü onlara bir yıl önce teslim edeceğini söylemişti. Sonra kazı raporumuzun basıma hazırlanması..."

"Walter da öyle demişti" dedi Evelyn. "Bu yüzden hoşuna gideceğini umduğum küçük bir plan yaptım. Radcliffe otel yerine şehirdeki evimizde kalabilir. Ama en azından senin..."

"Ah, Emerson bensiz yapamaz ki" dedim. "Taşranın dinginliğinde keyif çatmayı çok istesem de ve seninle olmaktan büyük keyif alsam da, Emerson'u böyle bir zamanda yalnız bırakamam canım, hayatta bırakmam. Ona yardım etmezsem ve ufak tefek şeyleri hatırlatmazsam o kitabı asla bitiremez."

"Elbette." Evelyn'in zarif dudaklarının kenarlarında bir gülümseyiş belirdi. "Anlıyorum."

"Evelyn Hala." Ramses öne eğildi. "Evelyn Hala, bir bilgiye ihtiyacım var, o yüzden lütfen seninle annemin sözünüzü kesmemi bağışla..."

"Ramses, sana o konuyu açmanı yasaklamıştım" dedim tavizsizce.

"Ama anne..."

"Beni işittin Ramses."

"Evet, anne ama..."

"Kesinlikle olmaz Ramses."

"Amelia, bırak da çocukcağız konuşsun" dedi Evelyn gülümseyerek. "Beni rahatsız edecek ne söyleyebilir, anlamıyorum."

Bu son derece saf soruya karşılık vermeme fırsat kalmadan Ramses hemen boşluğu değerlendirdi. "James Amca, Chalfont Konağı'nda kalıyormuş" dedi bir çırpıda.

"Ramses, bir lafı bir kez söyledim mi... Ne dedin?"

"Rose dedi ki, uşağıyla ve valizleriyle oraya gelip yerleşmiş. Bunu bilmek istersin diye düşündüm anneciğim, senin ve babamın onu ne kadar soğuk karşıladığınızı görünce..."

"Ah. Bu konuyu açmanın nedenlerini uzun uzun açıklamana gerek yok Ramses. İtiraf etmeliyim ki bu bilgiyi ve doğurabileceği sonuçları baban yokken konuşma fırsatını verdiğin için minnettarım. Korkarım bu durum babanın hiç hoşuna gitmeyecek."

"Beni suçlamamalısın Amelia" diye söze başladı Evelyn, kucağında kavuşturduğu elleriyle oynayarak. "Sevgili kızcağızım! İyi yürekli olmak gibi şahane bir zaafın yüzünden seni nasıl suçlayabilirim ki? James'i bilirim, eminim ki ellerinde torba ve valizleriyle paldır küldür yerleşivermiştir, güya bana duyduğu sevgi kadar uzak bir akrabalık ilişkisi yüzünden haddini aşarak." Karşımda oturan Rose'un rujlu dudakları ve pembe yanaklarıyla kukla gibi başını salladığını gördüm. "Soru şu: James'in niyeti ne acaba? Çünkü Emerson'un bilgece belirttiği gibi, bir şey istiyor olmalı."

"Çok şüphecisin Amelia" diye payladı Evelyn. "Bay Peabody benimle açık konuştu. İki aile arasındaki üzücü soğukluktan esef duyuyormuş ve yeniden sevgi dolu bir ilişki..."

"Yenidenmiş, hah!" dedim. "James'le benim aramda, hele James'le Emerson'un arasında hiçbir zaman sevgi dolu ilişkiler olmadı. Ama sen ikiyüzlü insanları tanıyamayacak kadar hayattan kopuk yaşıyorsun, ayrıca onlara hak ettikleri muameleyi gösteremeyecek kadar kibarsın. Boşver, onu başımdan savarım... Emerson çoktan bunu yapmadıysa tabii."

Ancak sonradan öğrendim ki Emerson'a, James'in evde kaldığı söylenmemişti, herhalde kendisi sürekli konuştuğu ve Walter'la James'e tek kelime ettirmediği için. Aslında James'in arabadan indiğini görünce rahatladım (oflayıp puflamalarını tasvire girişmeyeceğim), çünkü Emerson canı sıkılırsa onu yaka paça dışarı atabilecek kapasitedeydi. Peşinden çevikçe yere atlayan Emerson onun elini kaptı, vahşice burkup bıraktı ve arkasını döndü. Evelyn'le beni ellerimizden tutarak bahçe kapısından hızla geçirip eve götürmeye başladı.

Emerson beni koşturarak eve sokmadan önce, bana ağabeyimin planlarını unutturan bir şey gördüm. Yağmur şiddetlenmişti ve çevrede pek kimse yoktu. Açık havada yalnızca tek bir kişi durmaktaydı. Sokağın karşı tarafındaki park parmaklığının önünde duruyordu ve saçı dağınık ve parlak kırmızıydı.

Bu kişi benimle göz göze gelince parmak uçlarında yükselip tuhaf hareketler yapmaya başladı, önce başparmağını kıvırarak elini kaldırdı, sonra dudaklarına görünmez bir kap götürüp içer gibi yaptı, sonra da işaret parmağıyla bir şeyi gösterdi ve ardından yeniden gösterdi. Büyük bir şevk ve vurguyla yaptığı bu jestlerin ardından başına eski püskü kepini geçirerek süzülürcesine hızla uzaklaştı.

James kendisinden beklemediğim kadar akıllıca davranarak, öğle yemeğine inmedi. Yemekten sonra Emerson'la Walter, çay saatine kadar Mısırbilimiyle ilgili konularda tartışmanın zevkini çıkarmak üzere kütüphaneye çekildiler. Evelyn'i yatıp biraz dinlenmeye ikna ettim (Emerson'un onun hamileliğine dair yaptığı üstünkörü tahmin, bizzat Evelyn tarafından doğrulanmıştı). Rose'a hiç ilgilenmediği konularda nutuk çeken Ramses'i de kendi haline bırakarak, Bay Kevin O'Connell'ın tuhaf davranışını düşünme fırsatı buldum.

Neden yazılı bir mesaj bırakmak yerine bizi rıhtımdan buraya kadar takip etmiş ve manyak bir pandomimci gibi davranmıştı anlayamıyordum. Muhtemelen Emerson'un öyle bir mektuba el koymasından ya da merak etmesinden çekinmişti, diye düşündüm. Ben de Emerson'un bu işe karışmasını onun kadar istemiyordum ve Bay O'Connell'la konuşmaya can atıyordum. Kendisine söyleyeceklerim vardı.

Saat dörtte buluşmamızı işaret etmiş olduğundan, randevuya kadar zamanım çok azdı ve kalan süreyi geçen haftanın gazetelerine göz atarak geçirdim. Düzgünce toplanıp kaldırılmışlardı ama uşaklardan birine söyleyip onları odama getirttim.

Okumayı bitirdiğimde, Bay O'Connell'a beslediğim keyifli hoşgörü bütünüyle kaybolmuştu. Hayali bir suç vakasını araştırmaya karar verdiğimiz konusunda hiç istifini bozmadan söylediği yalan yeterince kötüydü. Hakkımızda en son söyledikleriyse insanı resmen çileden çıkaracak türdeydi.

O sözde gizem aslında gizem değil, yalnızca anlamsız bir rastlantı dizisi olduğundan, O'Connell'la basındaki suç ortakları çeşitli şüphe uyandırıcı stratejilerle üstüne gitmeseler konu kendiliğinden kapanacaktı. Halkın içindeki kaçıklardan bazılarının, örneğin daha önceki bir yazıda sözü geçen *sem* rahibinin yaptıkları, ekmeklerine yağ sürüyordu. Bu kişi müzeye düzenli olarak gidiyor, üstünde uzun beyaz bir cübbe ve güve delikli leopar derisi peleriniyle yere kapaklanarak, herhalde mumyayı sakinleştirmek için, gizemli ayinler yapıyordu.

Emerson'la ben, Bay O'Connell'ın baş kurbanlarıydık. Geçmişte yaptıklarımızla ilgili bir sürü haber çıkmıştı. Bunların birinde Emerson'un öyle bir resmi kullanılmıştı ki Emerson bunu görse kesinlikle gözünü kan bürürdü. Ressam geçen yaz British Müzesi'nin merdiveninde gerçekleşen bir olayı resmetmişti. Emerson yumruğunu Bay Budge'ın burnunun dibinde sallamıştı, o kadar, ona kesinlikle vurmamıştı ama o resim bir macera romanı ilüstrasyonu gibiydi... "Al bakalım, seni korkak köpek!" Budge'ın pörtlemiş gözleriyle yüzündeki sefilce korku ifadesi zekice resmedilmişti. (Fazlasıyla abartılan o tartışma, Emerson'un bir Mısır çömlekleri sergisiyle ilgili haklı eleştirilerine, Budge'ın *The Times*'ta küstahça karşı çıkması yüzünden çıkmıştı. Budge'ın yazısında hiçbir centilmenin bir başkasına karşı kullanmaması gereken sözcükler vardı.)

Bay O'Connell mesleğinde sansasyon yaratmak uğruna masum bir çocuğu kullanmaktan bile çekinmemişti. Ramses'ten söz eden paragraflar zevksizliğin doruğuydu. Bazı Mısırlıların (en cahil ve batıl inançlı olanların) Ramses'i bir tür çocuk cin, genç bir insan kılığına girmiş bir iblis olarak görmelerinden söz etmek gereksizdi. O'Connell'ın, öylesine küçük ve "narin" bir çocuğu (onun tabiriydi, benim değil) bir arkeolojik kazının sağlıksız ortamına ve çeşitli tehlikelerine ancak ihmalkâr, düşüncesiz anne babaların maruz bırakacağını ima etmesine de çok içerlemiştim. Londra'ya kıyasla Mısır kaplıca gibidir ve ben Ramses'in ıssız piramitleri keşfe çıkmasını, diri diri kumlara gömülmesini ve Suç Üstatları tarafından kaçırılmasını engellemek için bir insan ve kadın olarak elimden geleni yapmıştım.

Yani o randevuya hazırlanırken benim de gözümü neredeyse Emerson'unki kadar kan bürümüştü. Güneş şemsiyemi yanıma almak niyetindeydim elbette. Londra'da da Mısır'da da onsuz asla dışarı çıkmam. Hayal edilebilecek en kullanışlı alettir, yalnızca güneşten ve yağmurdan korumakla kalmaz, gerektiğinde koruyucu bir silah olarak da işe yarar. Son dakikada çalışma odasına geri dönüp bir şey daha aldım. Emerson kemerimle hep dalga geçer, oysa bele sarılan eski tarz anahtar zincirlerindeki gibi üstüne takılı aletler bizi korkunç ve yavaş ölümlerden birden fazla kez kurtarmıştır. Su geçirmez bir kutudaki kibritler, ufak bir matara dolusu saf su, not defteri ve kalem, makas, bıçak... Bu örnekler, kemerimin her diyarda ve ülkede (Londra'nın bazı bölümleri de dahil olmak üzere) neden vazgeçilmez bir yardımcı olduğunu açıklamaya yeter. Kemer sert deriden yapılmaydı, beş santim enindeydi ve bir seferinde (kısa ama hayati önem taşıyan bir süre boyunca) bana çok iyi hizmet etmiş, ölümden daha kötü bir felaketten kurtulmamı sağlamıştı unutulmaz bir biçimde.

Evden uşak Gargery dışında kimseye görünmeden çıkmayı başardım. Gargery görevinde yeniydi, İngiltere'ye son gelişimden sonra işe alınmıştı. Saman sarısı saçlı, orta boylu ve yapılı, işinin gerektirdiği kusursuz soğukkanlılığı henüz kotaramamış saf bir surata sahip, genç denebilecek bir adamdı. Kemerimle üstündeki tıngırdayan aletlere sanki hayatında ilk kez böyle bir şey görüyormuşçasına bakakaldı (büyük ihtimalle de ilk kez görüyordu).

St. James Meydanı, Pall Mall'dan ve Regent Sokağı'nın yoğun trafiğinden uzakta değildir ama o iç karartıcı ilkbahar akşamüstü şehirden binlerce kilometre ötede gibiydi. Sis, tekerleklerle at nallarının takırtısını boğuklaştırıyor ve meydanın ortasındaki havuzu çevreleyen, tomurcuklanmış ağaçları hayalete dönüştürüyordu.

O'Connell'ın tarif etmiş olduğu yönde giderek York Sokağı'na ve ardından soldaki ilk sokağa saptım. Doğru yoldan gittiğimi umuyor ve o lanet olası adam keşke o kadar muğlak ve teatral davranmasaydı diye düşünüyordum. İçer gibi yapması, bir restoranı mı, bir çay salonunu mu yoksa bir kafeyi mi kast ettiğini açıklamıyordu. Yapabileceğim tek şey sıvı satılan bir yer bulana ya da O'Connell'ı görene kadar yürümekti.

Biraz sonra kendimi St. James Meydanı'nın aristokrat ortamından çok farklı bir mahallede buldum. Gerçi saygın görünüyordu ama evler çok sıkışıktı ve telaşla giden insanlarda salaş ve dağınık bir hal vardı. Ortalıkta çok fazla şemsiye yoktu, benimkini iyice kaldırarak sağa sola dikkatle bakınıp tanıdık bir yüz ve vücut aradım.

O'Connell'ın önce yüzünü ya da vücudunu değil, koyu bir Londra sisinin bile matlaştıramayacağı kadar parlak kızıl saçlarını gördüm. "Yeşil Adam" gibi tuhaf bir adı olan bir işletmenin içerlek kapısında durmuş bakınıyordu, yaklaştığımı görünce kepini salladı ve çilli suratına geniş bir gülümseme yayıldı.

Şemsiyemi kapayıp yanına gittim. Şemsiyeme ihtiyatla bakarak söze başladı: "Bu kasvetli günü kesinlikle aydınlatıyorsunuz Bayan Emerson. Hatta şu Gençlik Pınarı denen şey Mısır'da olsa gerek, çünkü her görüşmemizde gençliğiniz ve güzelliğiniz..."

Şemsiyemi ona doğru salladım. "İrlanda aksanınızla boş iltifatlar etmeyi kesin Bay O'Connell. Size gerçekten kızgınım."

"Boş, öyle mi? Oysa ben en derin... Lütfen madam, şu korkunç güneş şemsiyenizi açsanız da birlikte konuşabileceğimiz bir yerlere gitsek?"

"Burası iyidir" dedim kapıyı göstererek.

O'Connell'ın gözleri yuvalarından fırladı. "Sevgili Bayan Emerson, bence burası..."

"Meyhane, değil mi? Çok ilginç. Böyle bir yere hiç girmemiştim. Emerson genelde çok anlayışlı bir erkek olsa da benimle böyle bir yere girmeyi hep reddetti. Gelin Bay O'Connell, zamanım çok az ve size söyleyeceğim çok şey var."

"Eminim vardır" diye mırıldandı O'Connell. Omuz silkerek peşimden içeri girdi.

Girişimiz bir hareketlenmeye yol açtı ama nedenini anlayamadım, içerideki tek kadın ben değildim oysa. Hatta barın arkasında bir kadın duruyordu, yanaklarını öyle cart pembeye boyamasa gayet güzel denebilecek tombulca bir genç bayan.

Peşimde Bay O'Connell'la bir masa seçtim ve güneş şemsiyemi sallayarak bayan barmeni çağırdım. Zavallıcık biraz aptaldı galiba. Bir fincan çay istediğimde ağzı açık bakakaldı bana.

"Korkarım..." diye söze başladı O'Connell.

"Ah, anlıyorum. Burası yalnızca alkol satılan bir işletme, öyle mi? Bu durumda bir viski soda alayım."

O'Connell da sipariş verdikten sonra kibarca ekledim: "Bu masa yapış yapış, genç bayan. Lütfen silin." Aval aval bakmayı sürdürüyordu. Güneş şemsiyemle hafifçe dürtükleyip, "Çabuk, çabuk. Zaman değerlidir" dedim.

Bay O'Connell ancak güneş şemsiyemi sandalyemin altına koyduğumda rahatladı. Dirseklerini masaya dayayıp bana doğru eğildi.

"Geciktiniz Bayan E. Talimatlarımı uygulamakta mı zorlandınız?"

"Kesinlikle hayır, gerçi biraz daha net olabilirlerdi. Ama size gerçekten kızmış olmasam onlara uyma zahmetine girmezdim. Burada bulunmamın tek nedeni şu sefil gazetenizde hakkımızda yazdığınız şeyler konusunda bizden özür dilemenizi ve sözlerinizi geri almanızı talep etmek."

"Ama size ve Bay Emerson'a iltifatlar yağdırdım o kadar" diye itiraz etti O'Connell.

"Anneliğe yakışmadığımı ima etmişsiniz."

"Öyle bir şey demedim! Aynen şöyle yazdım: Kendisi olabilecek en sevgi dolu ebeveyndir..."

" '... ki bu durum, o çocukcağızın başından geçen tüyler ürpertici maceraları daha da şaşırtıcı kılıyor.' "

O'Connell dik bakışlarıma Eire gölleri kadar mavi, duru ve sakin gözlerle karşılık verdi.

"Şey" dedim bir an sonra, "tamam, belki de tamamen yanlış bir laf değildir. Peki ama Profesör Emerson'la benim o habis mumya olayını çözmeyi kabul ettiğimizi söylerken o saygın zihninden neler geçiyordu Kevin? Bu kesinlikle uydurma."

"Öyle bir şey demedim. Dedim ki..."

"Lafı kıvıracaksan buna zamanım yok" dedim sert bir sesle. "Evden Emerson'dan gizlice çıktım, yokluğumu fark ederse kıyameti koparır."

Kevin'ın kaslı vücuduna bir ürperti yayıldı. "Gayet yerinde bir söz kullandınız Bayan E."

Genç bayan bir tepsiyle nemli bir bez taşıyarak, ayaklarını sürüye sürüye geldi. Bez pek temiz sayılmazdı ama kadının masayı canla başla silmesi, beni memnun etme arzusunu sergilediğinden itiraz etmedim, gözden kaçırdığı birkaç lekeyi göstermekle yetindim o kadar. Kevin kadehini çoktan kapıp çoğunu boşaltmıştı bile. Aynısından bir tane daha istedi ve ben olabilecek en kibar biçimde, "Genç bayan, bu çok güzel bir elbise ama bağrını fazla açmışsın, üşütebilirsin" dedim. "Eşarbın ya da şalın yok mu?"

Kız hayır anlamında başını salladı salakça. "Öyleyse benimkini al" dedim boynumdan çözerek. Güzel, kalın bir ekose yündü. "İşte. Hayır, sımsıkı sar... evet... Böyle çok daha iyi oldu. Şimdi çabuk şu beyefendiye şey getir bakayım... Neydi Bay O'Connell? Stout birası mı? Bira için tuhaf bir ad."

Ama O'Connell'ın kolları masada, başıysa kollarının üstündeydi ve omuzları titriyordu. Nesi olduğunu sorduğumda gayet iyiyim dedi, oysa suratı neredeyse saçı kadar kızarmıştı ve dudakları titriyordu.

"Şimdi" dedim viskimi yudumlayarak. "Neden söz ediyorduk?"

O'Connell başını salladı. "Hiçbir fikrim yok. Sizinle konuşmak zihnimde tuhaf bir etki yaratıyor Bayan Emerson."

"İnsanlar genellikle zihnimin işleyişini takip etmekte zorlanır" diye itiraf ettim. "Ama senin mesleğin gereği hızlı düşünebilmen, kıvrak olabilmen, odaklanabilmen gerekiyor Kevin. Özellikle bu sonuncusu önemli. Odaklanmayı öğrenmelisin. Profesör Emerson'la benim şu lanet olayını araştırmayı kabul ettiğimizi yazmanı tartışıyorduk."

"Kabul ettiniz demedim ki. Size danışılacağını söyledim."

"Kim danışacakmış? *Daily Yell* mi?"

"Keşke öyle olsa" diye haykırdı Kevin, elini çileden çıkarıcı bir esrime parodisiyle kalbine bastırarak. "Editörlerim sizin ve profesörün fikirlerinizi almak için hiçbir masraftan, yani makul ölçüdeyse, kaçınmazlar. Acaba bu konuda bir umut..."

"Hayır, hiç umutlanma. Adlarımızın herhangi bir gazetede, hele *Daily Yell* gibi iğrenç, iftiracı bir paçavrada, çıkması saygınlığımıza yakışmaz, ayrıca danışılacak bir şey de yok. Bizler detektif değiliz Bay O'Connell. Bizler bilginiz!"

"Ama Baskerville cinayetini çözmüştünüz..."

"O apayrı bir konuydu. Lord Baskerville'in başlattığı çalışmayı devam ettirmek üzere Mısırbilimciler olarak çağrılmıştık, ki kendisinin gizemli ölümünü çok ciddi, tehlikeli ve dikkat dağıtıcı başka olaylar takip etmişti. Buradaki olay bambaşka. Bay Kevin O'Connell'ın uydurduğu önemsiz bir şey o kadar."

"Ama bana haksızlık ediyorsunuz madam. Suçlu ben değilim ki. Lütfen açıklamama izin verir misiniz?"

"Başından beri açıklamanı bekliyorum zaten."

Kevin alev rengi bukleleriyle oynadı. "O haberi başlatan ben değildim. Başka... biriydi. O kadar çok tutulunca editörlerim devamını getirmemiz gerektiğini düşündüler. Eski Mısır ve doğaüstü lanetler konularında bir çeşit uzman olarak görüldüğümden... Yani işimi kaybetmek istemiyorsam bunu reddedemezdim Bayan E. Ne yapabilirdim ki?"

"Hımm" dedim düşünceli bir tavırla. "Sözünü ettiğin rakibin, *Morning Mirror*'daki M. M. Minton olmasın? Adını pek çok haberde gördüğümü ve *Mirror*'ın sansasyon uğruna o kadar alçalabilmesine şaşırdığımı hatırlıyorum. Acıklı bir öykü anlattınız Bay O'Connell ama benimle olan tanışıklığınızı aşağılık bir biçimde kullandığınız gerçeğini değiştirmiyor."

"Ama siz benim en büyük hazinemsiniz" diye açıkladı O'Connell safça. "Sizlerle tanışlığım... Arkadaşlığım demeye cesaret edebilir miyim? Hayır, sanırım hayır... Tamam öyleyse, sizinle ve profesörle tanışlığım, rakibim olan diğer muhabirlere karşı elimdeki tek avantaj. Tanınmamı Baskerville olayıyla kişisel ilişkime borçluyum... Okuyucular açısından bakarsak, aynı durum sizin için de geçerli. Sizin ve profesörün yaptıklarınız haber oluyor Bayan E. İnsanlar arkeolojiye ve arkeologlara büyük ilgi duyuyorlar. Ayrıca, nasıl desem?.. Özgüveniniz, gelenekleri umursamayışınız, olağanüstü detektiflik yeteneğiniz..."

"Özgüven lafı benim için yeterli" diye sözünü kestim. "Emerson'la ben neden sürekli cinayet olaylarına karışıyoruz bilmiyorum. Bunun nedenini belirli bir zihinsel duruma, daha az zeki insanların gözünden kaçan şüpheli durumları fark edebilme yetisine bağlamaya meyilliyim."

"Eminim öyledir" dedi Kevin ciddiyetle başını sallayarak. "Sonuçta adlarınızdan neden söz etmek zorunda kaldığımı anlıyorsunuzdur."

"Bir şeyi anlamak demek, onu affetmek demek değildir" diye karşılık verdim. "Bu iş bitmeli Bay O'Connell. Adlarımız bir daha asla gazetenizde çıkmamalı."

"Ama bir röportaj umuyordum" diye haykırdı O'Connell. "Bu geçtiğimiz sezon yaptığınız arkeolojik kazılarla ilgili, her zamanki gibi bir röportaj."

Yumuşak, mavi gözleri benimkilere öyle içten bir ifadeyle bakıyordu ki onu hiç tanımasam hemen ona güvenebilirdim. Alayla gülümsedim. "Beni aptal sanıyorsun galiba Kevin. Fraser olayı hakkındaki hararetli yazılarını okudum.* Emerson günlerce öfkeden köpürdü. Sağlığından kaygılandım."

"Bilgilerimi Bayan Fraser'dan almıştım" diye haykırdı Kevin. "Hararetli dediğiniz yazılarım, o genç bayanla kocasının sözlerinden birebir alıntıydı."

Ona sinirlenmem güçtü, çünkü içten içe hak veriyordum.

Enid Fraser (kızlık soyadı Debenham'dı) yalnızca gerçeği söylemişti ve "hararetli" sözü bana değil Emerson'a aitti.

Beni kurnazca izleyen O'Connell devam etti: "O ve

---

* Bkz. *Vadideki Aslan.*

ölümden ya da rezil olmaktan kurtardığınız başkaları, dünyaya sizi övdüler. Niye övmesinler ki? Cesaretin ve iyi kalpliliğin hak ettiği karşılığı aldığı çok enderdir! Siz bütün İngiliz ulusuna örneksiniz Bayan E."

"Hımm. Tamam o zaman. Madem öyle diyorsun..."

"Masumları savunmak uğruna canınızı ve canınızdan daha önemli olan bir şeyi, tehlikeye attınız" diye devam etti Kevin coşkuyla. "Profesör ne büyük acılar çekmiştir kimbilir, o gözü dönmüş caniye karşı sizin boyun eğmez ruhunuzun ve fiziksel cesaretinizin bile yetmeyeceğinden korkarak ne ıstıraplar yaşamıştır... Siz neler hissetmiştiniz Bayan E?"

Budala gibi başımı sallayarak gülümsemekteydim. Sonra söylediklerini anlayınca haykırmam, sinmesine ve kollarını kendini korumak için kaldırmasına yol açtı. "Tanrı cezanı versin Kevin... Öyle bir şeyi nasıl ima edersin... Kimden duydun? Kesinlikle yalan... Hele bir Enid'le konuşayım. O zaman..."

"Sakin olun Bayan Amelia" diye yalvardı Kevin. "Bayan Fraser size ihanet etmedi, hatta kocası ağzından laf kaçırdıktan sonra bile olanları şiddetle inkâr etmeyi sürdürdü (bu arada kocası çok zeki bir adam sayılmaz, değil mi?), tek kelime yayınlarsam başıma çok kötü şeyler geleceğini söyleyip beni tehdit etti."

"Seni temin ederim ki onun tehditleri Emerson'unkilerin yanında hiç kalır" dedim. "En ufak bir imada..."

Cümlemi bitirmedim, buna gerek yoktu. Kevin'ın benzi solmuştu. Kuşkulanamayacağım bir içtenlikle "Bunu bilmiyor muyum sanıyorsunuz?" diye haykırdı. "Size saygım büyüktür Bayan Emerson, bu yüzden namusunuza dil uzatmam kesinlikle söz konusu değil. Hem zaten editörlerim öyle bir durumda dava açılabileceğini söylediler."

Bu son sözü, namusumu düşündüğü iddiasından daha ikna ediciydi. Üstüne üstlük Emerson'dan ödünün patladığını da düşününce (ki bu sefer korkmakta kesinlikle haklıydı) çenesini tutacağına güvenebileceğime karar verdim. "Pekâlâ" dedim viskimi bitirerek ve peçeteye benzer bir şey bulma umuduyla çevreme boş yere bakınarak. "Aylaklık yapacak zamanım yok Bay O'Connell. Hava epeyce karardı ve Emerson beni arıyordur. Madem beni davet ettiniz, hesabı siz ödersiniz."

Bana eve kadar eşlik etmekte ısrarlıydı ve her ne kadar kaygı duymasam da -karanlıkta yürüdüğüm bazı yerlerden sonra Londra hiç korkutmuyordu- arzusunu yerine getirdim. Kapıya doğru yaklaşırken genç kadın yanıma sokulup eşarbımı geri vermeyi önerdi. Boynuna dolanmış uçlarından çekerek düzelttim ve kadına eşarbın onda kalabileceğini söyledim, çünkü bende çok vardı.

Kevin'ın varlığından memnundum, çünkü kolumu tutması kayarak düşmemi önlüyordu. Yerler çamur, su ve çeşitli sümüksü maddeler yüzünden kayganlaşmıştı. Bastıran sis, gaz lambalarını hastalıklı bir sarımtırak ışık yayan hayaletimsi kürelere, yoldan geçen insanlarıysa çarpık çurpuk canavarlara dönüştürüyordu. Ama o manzaranın tüyler ürpertici cazibesinden etkilendim ve sevgili Londra'nın sinsi ve pis kokulu büyüsüyle Kahire'nin kenar mahallelerinin bile boy ölçüşemeyeceğini söyledim. Kevin'ın verdiği tek karşılık beni daha sıkı tutup koşturmak oldu.

York Sokağı'nın meydana açıldığı yerde durup artık yanımdan ayrılmak istediğini belirtti. "Buradan sonrasını sağ salim gidersiniz Bayan E."

"Hep sağ salim oldum zaten Bay O. Teşekkürler, meyhanede iyi zaman geçirdim, benim için çok ilginç bir deneyimdi. Ama dediklerimi unutmayın."

"Unutmam efendim."

"Bir daha adımı kullanmayacaksınız."

"Elbette hayır, Bayan E. Ancak..." diye ekledi Kevin, "ilginç bir şeyler olursa ve diğer muhabirler öğrenip yazarlarsa durum değişir. Öyle bir haberi atlayan, Londra'daki tek muhabir olmamı beklemezsiniz herhalde?"

"Ulu Tanrım, aynen Ramses gibi konuşuyorsun O'Connell" dedim bezgince. "Öyle bir şey olmayacak. British Müzesi'ndeki saçmalıklara karışmaya hiç niyetim yok."

"Ya, öyle mi?" Geniş ağzı açıldı, bir gülümsemeyle değil, hiddet ifadesiyle. "Lanet olsun, tahmin etmeliydim... Vay alçak! Vay hain yılancık vay..."

"Kim? Nerede?"

"Orada." Kevin gösterdi. "Şu büyük sarı şemsiyeyi görüyor musunuz?"

"Hava fırtınalı olduğundan bir sürü şemsiye var" diye karşılık verdim. "Bu korkunç siste renkleri ayırt etmek olanaksız..."

"İşte, tam şurada... Chalfont Konağı'nın önünde." Kevin genzinden homurdandı. "Gulyabani gibi pusuya yatmış... Vay rezil yaratık!"

Aslında söz ettiği şemsiyeyi seçmek güç değildi, çünkü kaldırımlardaki diğer insanlarınkilerin tersine, Chalfont Konağı'nın bahçesini çevreleyen yüksek demir parmaklığın hemen dışında hareketsiz duruyordu. Yakınında bir sokak lambası bulunsa da, şemsiyeden başka bir şey görmüyordum pek. Çok büyük bir şemsiyeydi.

"Kim o?" diye sordum, daha iyi görmek için gözlerimi kısarak.

"Minton denen sinsi yılandan başka kim olacak? Arka kapıdan içeri girseniz iyi olur Bayan E."

"Saçmalamayın. Eve hırsız gibi gizli gizli girmeyi reddediyorum. Siz koşa koşa gidin Bay O'Connell (eve gidince hemen botlarınızı çıkarıp çoraplarınızı değiştirmeyi unutmayın). Minton'la tartışmanız zaman kaybı ve tatsızlıktan başka bir sonuç getirmez."

"Ama Bayan E..."

"Haddini bilmez muhabirlerle gayet güzel başa çıkabilirim. Bunu biliyor olmanız gerekirdi."

"Ama..."

Chalfont Konağı'nın ağır kapıları açılıverdi. Basamaklara ışık vurdu, beliren silüetten çıkan ses rutubet ve sis yüzünden çarpılıp tuhaflaştı. "Peabody! Neredesiiiiiiiin Peabody? Lanet olsun!"

Uşağın, Emerson'un ceketinin eteğini çekiştirdiğini, onu sakinleştirmeye çalıştığını görebiliyordum ama boşunaydı. Emerson şapkasız, paltosuz, atkısız ve şemsiyesiz bir halde merdivenden inip bahçe kapısına koştu. Heyecandan mandalı açamadı, parmaklığı yumruklayarak bağırmaya başladı. "Peeeeea-body! Kahretsin, neredesiiiiiiin?"

"Gitmeliyim" dedim. Ama boşluğa konuşuyordum, Kevin O'Connell'a dair tek belirti hızla uzaklaşan bir gölgeydi.

Telaşlı eşime seslendiysem de sinir bozucu yinelemeleri, benim sesimi bastırdı. Kendisine ulaştığımda sarı şemsiye saldırıya geçmişti. Emerson saldırıyı hiç gerilemeden karşıladı, aralarında yalnızca bahçe kapısı vardı. Susmuştu, tiz ve çabuk konuşan bir başka ses işittim. "Peki sizin fikriniz nedir Profesör?.." diye soruyordu.

"Emerson, bu kahro... bu siste şapkasız ne işin var?" diye sordum sert bir sesle.

Emerson bana bir bakış fırlattı. "Ah, işte oradasın Peabody. Olağanüstü bir şey... Baksana."

Sonra şemsiyeyi kapıp tekerlek gibi döndürdü. Anlayamadığım bir biçimde şemsiyeye bağlanmış gibi görünen altındaki kişi onunla birlikte dönünce lambanın ışığı kadının yüzünü aydınlattı. Evet sevgili okuyucu.. *kadının* yüzünü! Muhabir... Bir kadındı!

"Ulu Tanrım" diye haykırdım. "Seni erkek sanmıştım."

"Herhangi bir erkek kadar becerikliyimdir" diye sert bir karşılık geldi, burnumun dibinde bir not defteri sallanırken. Yazmak için elleri serbest kalsın diye şemsiyesini kemerine bağlamıştı ve münasebetsizliğinden nefret etsem de buluşundaki dehayı takdir ettim ister istemez. "Söylesenize Bayan Emerson" diye devam etti durup soluklanmadan, "cinayet olayı konusunda Scotland Yard'la birlikte mi çalışıyorsunuz?"

"Hangi cinayet olayı? Böyle bir şey..."

"Amelia!" Emerson o azimli muhabirin dişi olduğunu keşfetmenin şaşkınlığını -"olağanüstü" demesinden çıkarmıştım şaşırdığını- üstünden atmıştı. Beni kolumdan tuttuğu gibi bahçeye sürüklemeye çalıştı. Kapı hâlâ kapalı olduğundan başaramadı. "O... o kişiyle konuşmasana" dedi ısrarla. "Tek kelime etme. Bu akbabalar, kusura bakmayın madam, 'evet' ya da 'hayır' gibi sözcükleri bile çarpıtırlar ve sen de biliyorsun ki ne yazık ki çenen düşüktür ve..."

"Lütfen ama Emerson!" diye haykırdım. "Bu konuyu başka zaman konuşuruz. Bir röportaja izin vermeye niyetim yok, hele kendi kapımın önünde pusuya düşürülmekten hiç hazzetmem. Ancak izninle şunu belirteyim ki kapıyı açmazsan içeri giremem."

Konuşurken hareket edip Emerson'la Bayan Minton'ın arasına girdim. Açık şemsiyemin sivri uçları yüzünden gerilemek zorunda kalan kadın, yeterince uzaklaşınca ısrarla durup sorularını yineledi. Yüz hatlarını şimdi daha net seçebiliyordum. Tahminimden daha gençti. Güzel denemezdi. Yüz hatları fazla keskin, çenesi erkeksi, kaşları kalın ve haşindi. Gür siyah saçını kontrol altında tutmaya çalışan tokalar ve taraklar mücadeleyi kaybetmişlerdi, simsiyah ıslak bukleleri kulaklarına düşmüştü.

Emerson küfürler savurarak (ama hakkını yemeyeyim, fısıldıyordu) mandalla boğuştu. Bayan Minton öne sıçramak istercesine parmak uçlarında yükselmişti ve dikkatini dağıtan bir şey çıkmasa eminim öyle yapacak, ta ev kapısına kadar peşimizden gelecekti.

O tuhaf, inanılmaz görüntüyü ilk gören ben oldum ve attığım hayret çığlığı Bayan Minton'ın dönmesine, Emerson'unsa başını kaldırmasına neden oldu. Bir an üçümüz de şaşkınlıkla kalakaldık. Çünkü karşı kaldırımda ölçülü adımlarla yürüdüğünü gördüğümüz şey, uzun beyaz bir cübbe giymiş, leopar derisi bir pelerin takmış olan bir Eski Mısır rahibiydi. Giysilerine yapışan uzun, soluk sis şeritleri yüzünden sarmalanmış bir mumya gibi görünüyordu ve lambanın ışığı kıvırcık peruğunun siyah dalgalarını ışıldatıyordu. Öbek öbek sisin içinden geçerek, gözden kayboldu.

3

İlk harekete geçen Bayan Minton oldu. Bir av köpeği gibi ses çıkararak takibe başladı, koşarken şemsiyesi inip kalkıyordu.

Peşinden gitmeye davrandım. Emerson parmaklarıyla omuzlarımı kavrayıp beni bahçe kapısının demir parmaklıklarına bastırdı.

"Hadi kımılda bakalım Peabody" diye tısladı. "Bir adım, bir adımcık, bile atarsan seni..." Kapıyı nihayet açmayı başardı, böylece tehdidin gerisini işitemedim. Beni sertçe kendine çekti, hızla ev kapısına doğru yürüttü. İç karartıcı bir sessizliğe bürünmüştü ve ihtiyatlı biri olsam aynısını yapardım ama ihtiyatlılığın beni doğruları yapmaktan asla alıkoymadığını gururla söyleyebilirim.

"Emerson" diye haykırdım, çelik gibi elinden kurtulmaya çalışarak. "Emerson, kafanı çalıştır! O kadında, kendi kızımda görmek istemeyeceğim nitelikler var ama sonuçta genç, düşüncesiz, bir kadın! Belki büyük bir tehlikeyle karşı karşıyadır, ona yardım etmeyecek misin? Buna inanamam... sen ki hemcinslerinin içinde en şövalye ruhlu olanısın!"

Emerson'un adımları yavaşladı. "Şey... Hımm" dedi.

Yakarışımın boşa gitmeyeceğini biliyordum. Emerson da biraz düşüncesiz davranır (aslında bu kesinlikle erkeksi bir özelliktir ve haksız yere kadınlara mal edilir) ama erkeklerin en yufka yüreklisidir. Beni bir an önce eve götürmek istediğinden o genç kadını unutmuştu ama hatırlatılınca her zamanki gibi, bir İngiliz erkeğinin görevini yerine getirmeye hazırdı.

"Seni içeri bırakır bırakmaz onun peşinden gitmek niyetindeydim" diye homurdandı. "Sana güvenemem Amelia, gerçekten güvenemem."

"Ama o zaman çok geç olabilir" diye haykırdım. "O uğursuz adam hangi felaketlerin habercisi kimbilir? O pis herifin eline geçince..."

Emerson merdivenin dibinde durmuştu. Beni dalgınca sarstı. "Amelia. Yalvarırım böyle konuşma. Bu metropolün bazı sakinleri sokaklarda ve müzelerde tuhaf kostümlerle gezmekten hoşlanır. İklim beyinlerini sulandırmış herhalde. Bu hapsedilmesi gereken kaçıklar..."

"Kesinlikle haklısın Emerson. Hatta Bayan Minton şu anda tımarhane kaçkını bir delinin insafına kalmış durumda olabilir. Hadi tartışmayla zaman harcamayıp hemen onun peşine..."

Emerson'un yüzü gevşedi. Beni döndürdü. "Kaygılanman gereksiz Amelia."

Bayan Minton artık yalnız değildi. Karşısında uzun bir palto giymiş, ipek şapkalı, uzunca boylu, zayıf bir genç adam duruyordu. Tartışıyor gibiydiler. Biri bariton, diğeriyse tiz bir alto olan iki ses, tutkulu bir düette birbirlerine karışıyordu.

Emerson seslendi. "Yardıma ihtiyacınız var mı Bayan? Şey... yoksa kendisi bir arkadaşınız mı?"

Genç bayan çevreye fütursuzca sular sıçratarak, o kişiden ayrılıp kaldırımda koşmaya başladı. Emerson bahçe kapısını kapayarak önlem almıştı. Daha fazla ilerleyemeyen kadın parmaklıkları kavrayarak aralarından bakmaya başladı, cezaevindeki bir mahkûm gibi.

"Profesör, Bayan Emerson, lütfen... Kısacık bir röportaj? Yalnızca birkaç dakika sürer..."

Emerson gürledi. "Lanet olsun, sende onur diye bir şey yok mu be kadın? Oyalanmamızın tek nedeni düşüncesizce davranışının seni zor duruma düşürmediğine emin olmaktı, sense iyilikseverliğimizin mükafatı olarak kalkmış..."

"Yapma Emerson" diye sözünü kestim. "Demek istediğini gayet güzel anlattın zaten."

"Kesinlikle" dedi bahçe kapısındaki Bayan Minton'ın yanına gelen genç adam. Gözlüklüydü, gözlüğü belki de yağmur yüzünden kayıp duruyordu ve daha sonraki konuşmada sürekli onu düzeltip durdu. "İyi akşamlar Bayan Emerson... Profesör. Sizinle geçen yıl Müze'de, Bay Budge'ın ofisinde tanışma onuruna erişmiştim. Adım Wilson. Beni hatırlamazsınız herhalde."

"Hayal meyal" diye karşılık verdi Emerson. "Kimsin sen be a..."

"Emerson, sesin ta meydandan işitilebiliyordur" dedim. "Bahçe kapısına gitsek bağırmana gerek kalmayacak."

"Hayatta olmaz Peabody" diye karşılık verdi kocam, beni daha sıkı tutarak.

"Bayan Minton'ın arkadaşıyım" diye devam etti genç adam. "İlginiz için teşekkürler ama onun için kaygılanmanız gereksiz. Sizi ve Bayan Emerson'u rahatsız etmesin diye elimden geleni yaptım ama olmadı. Kendimi ona eşlik etmeye mecbur hissettim doğal olarak ama benim uzakta durmamı istedi."

"Uzakta durman gerekir ama utançtan" diye bağırdı Emerson. "Şu rezalete bak! Sen, bir meslektaş olarak, böyle bir şeye yardım ve yataklık..."

"Onun suçu yok" diye bağırdı genç bayan, şemsiyesini sallayarak. "Beni durdurmak için elinden geleni yaptı."

"Tamam, tamam" dedi Emerson şaşırtıcı bir iyi huylulukla. "Sanırım anlıyorum. O zırdeli kaçtı sanırım."

Genç bayan kaşlarını çattı. Arkadaşı "Öyle birini görmedim Profesör" dedi utangaç bir halde. "Hava çok sisli."

"Emerson" diye mırıldandım, "eve doğru gelen şu iri yarı adam polise benziyor."

Emerson bunu söylememi hiç umursamayacaktı ama genç Bay Wilson, yağmurluğu lamba ışığında ıslak ıslak parlayan kişiyi görünce boğuk bir çığlık atıp genç bayanı çekerek uzaklaştırdı. Emerson, biz eve girerken bahçe kapısının önünde duraksayıp bizi merakla süzen polise neşeyle el salladı.

Bütün ev halkı holde toplanmıştı. Evelyn bana koştu. "Amelia, sırılsıklam olmuşsun. Islak giysilerini hemen değiştirsen daha iyi olmaz mı?"

"Kesinlikle" diye karşılık verdim, güneş şemsiyemle eşarbımı uşağa vererek. "Umarım çaya gecikmemişimdir. O güzelim içecekten bir fincan çok iyi gelir doğrusu."

"Viski sodayı tercih etmez misin?" diye sordu kayınbiraderim parlak gözlerle. Walter son derece sevimli bir adamdır, hep gülmek üzereymiş gibi bir hali vardır. Tam hayır demek üzereyken içtiğim son viskinin kokusunu taşıyor olabileceğimi fark ettim. Geleneksel akşam yemeği öncesi ritüellerimiz sırasında Emerson bu kokuyu kesinlikle fark edecekti ve böylece kaçınmak istediğim sorular soracaktı.

"Harika bir fikir" dedim. "Yukarı çıkarken bir kadeh alayım. Soğuk algınlığını önlemeye birebirdir."

Odalarımızın mahremiyetine girdiğimizde, Emerson'un tahmin ettiğim şeyi yapmasından önce bir yudum viski içmeyi başardım. "Bari elbisem kuruyana kadar bekle" dedim. "Senin de üstünü değiştirmen gerek, gömleğin acayip..."

"Mmmmm" dedi Emerson, o anda daha uzun konuşamadığından. Önerdiğim değişikliği yapmama tahmin ve takdir ettiğim bir çeviklikle yardım etti, son birkaç dakikadır yapmakta olduğu şeye ara vermeden.

Devam etmeye can atsam da yemek çanını işitince, Emerson'a bizi aşağıda bekleyeceklerini ve gecikmemizin dedikodulara yol açabileceğini hatırlatmak durumunda hissettim kendimi.

"Saçma" diye karşılık verdi Emerson tembelce. "Walter'la Evelyn asla dedikodu yapmayacak kadar görgülüdürler, hem yapsalar bile hakkımızda iyi şeyler söylerler mutlaka. Biz kanunen evliyiz Peabody, bunu unuttuysan belleğini tazeleyeyim. İşte böyle. Bir de böyle..."

"Ah, Emerson. Yapma Emerson... Ah, Emerson'cuğum!"

Ne yazık ki tam o sırada kapının tıklandığını işittik ve Emerson öfkeli sözler söyleyerek giyinme odasına koştu. Neyse ki gelen, âdetlerimize alışık olmayan uşaklardan biri değil de Rose'du. Bir odaya varlığını belli etmeden asla girmemeyi, acılı (özellikle de zavallı Emerson için acılı) deneyimlerden sonra öğrenmişti.

"Yemek çanı çaldı madam" diye mırıldandı Rose, kibarlığı nedeniyle çok az araladığı kapının ardından.

"İşittim. On dakika sonra gel, Rose."

Kapı kapandı. Emerson giyinme odasından çıktı. Pantolonu üstündeydi ama gömleğini çıkarmıştı ve bronz, kaslı tenini görünce içimde kabaran çok tuhaf duygular Kent'teki evimizi özlememe yol açtı. Orada aşçı akşam yemeğini yarım saat bekletmeye hep hazır olurdu.

Ancak deminki müdahale Emerson'a şikâyetlerini hatırlatmıştı ve onları dile getirmekte gecikmedi.

"Kimseye bir şey söylemeden bu evden çıkıp gitmeye nasıl cesaret edersin?" diye sordu sert bir sesle. "Bu şehrin sokaklarında tek başına, korumasız gezmeye nasıl cesaret edersin?.."

"İşim vardı" diye karşılık verdim istifimi bozmadan. "Akşam gömleğin şurada Emerson, sandalyede."

"Akşam yemeği için giyinmekten nefret ediyorum" diye homurdandı Emerson. "Neden zorundayım ki? Walter'la Evelyn..."

"Âdet böyle. Takma kafana canım, yakında evimizde olacağız, o zaman istediğin kadar görgüsüzlük yapabilirsin."

"Buna can atıyorum" dedi Emerson. "Şehre geleli daha bir gün olmamışken, şimdiden peşine gecelik entarili zırdeliler takıldı. Bizi nasıl bulmuş ki lanet olası? Ona telgraf falan mı çektin?"

"Herhalde şaka yapıyorsun Emerson. Gazeteler yaptıklarımızı ayrıntılarıyla yazdı. Hem yolcu listesinde adlarımız vardı, geliş saatimizi öğrenmek isteyen herkes bunu vapur şirketinin ofislerinden bulabilirdi."

"O genç bayanın gelişi şimdi anlaşıldı" diye kabul etti Emerson. "Ne olağanüstü bir şey, Peabody."

"Bir kadının muhabir olması mı? Sıra dışı olduğu kesin, şüphesiz övgüye değer de. O mesleği sevmesem de kızkardeşlerimin böyle atılımlarda bulunduğunu görmek gururlandırıyor."

"Ne dediğimi anlamadın. Olağanüstü olan şey, aradaki benzerlikti."

"Kime benzerlik Emerson?"

"Sana Peabody. Bunu fark etmedin mi?"

"Saçmalama" diye karşılık verdim, saçımdaki tokaları çıkararak. "İlgisi yoktu."

"Kızkardeşin olmadığına emin misin?"

"Çok eminim. Saçma sapan konuşma Emerson."

Rose'un geri dönüşüyle tartışma sona erdi. Emerson bir kez daha giyinme odasına girerken Rose robumun düğmelerini ilikledi ve dağılmış saçlarımı düzeltmeye çalıştı. Emerson kapıyı kapamadığından, kendi kendine mırıldandığını işitebiliyordum. Çıktığında tamamen giyinmişti, bir tek yaka düğmeleri ve kol zincirleri yoktu, çünkü onların yerini hiçbir zaman bulamaz. Mırıldanmayı sürdürerek makyaj malzemelerimin arasında o kayıp nesneleri aramaya başladı.

Rose onları her zamanki yerlerinde, şifonyerin en üst çekmecesinde bulup Emerson'un yanına gitti. "Efendim, izninizle..."

"Ah. Sağol Rose. Az önce bahçe kapısındaki genç bayanı fark etmiş miydin?"

"Hayır efendim. İşim gücüm varken pencereden bakmakla zaman harcayamam."

"Bayan Emerson'a çok benziyordu" dedi kocam, Rose tarafından sertçe dürtüklenince çenesini kaldırarak.

"Sahi mi efendim?"

Verdiği kısa, soğuk karşılıklar Rose'a hiç uymuyordu. Çünkü normalde ikimizle de çok iyi geçinir ve giyinmeme yardım ederken çoğu zaman bana yerel dedikoduları biraz anlatmaya, arkadaşça şakalaşmaya tenezzül ederdi. Dönüp ona bakınca Emerson'u hafif bir tür işkenceye tabi tuttuğunu, yaka düğmelerini geçirirken onu dürtükleyip canını yaktığını fark ettim.

"Ramses nerede?" diye sordum. "Holde yoktu, oysa normalde olay çıktığında ilk gelen o olur."

Rose'dan aldığım tek karşılık gürültülü ve oldukça sümüklü bir burun çekişti. Emerson kaşlarını çattı. "Ramses kabahat işledi. Ben çıkmasına izin verene kadar odasında kalacak. Onun yanına dönsen iyi olur Rose, ona güvenmiyorum... Ah!"

Bağırmasının nedeni Rose'un zinciri bağlarken Emerson'un bileğini sinsice burkmasıydı. "Peki efendim" dedi Rose öfkeyle. Geçit törenindeki bir asker gibi topuğunun üstünde dönerek, marş adımlarıyla odadan çıktı.

"Rose'u gücendirmişsin" dedim.

"Hep Ramses'in tarafını tutuyor" diye homurdandı Emerson. "Ne yaptı gördün mü Peabody? Elime tırnaklarını batırdı..."

"Seni temin ederim ki bir kazaydı Emerson. Rose öyle çocukluklar yapmaz. Ramses'in kabahati nedir?"

"Şuraya baksana" dedi Emerson, masadaki kâğıt yığınını göstererek.

Eski Mısır Tarihi'nin müsveddesiydi. Daha önce dikkatimi çekmiş ve bir üretkenlik kanıtı olarak hoşuma gitmişti ama daha sonraki olaylar yüzünden yakından bakmamıştım. Şimdi masaya yaklaşıp en üst sayfayı aldım. Üstü sıkışık yazılmış düzeltmelerle, tashihlerle ve değiştirmelerle kaplıydı. Tam Emerson'u çalışkanlığı için kutlamak üzereyken, el yazısının ona ait olmadığını fark ettim. Kimin el yazısı olduğunu biliyordum.

"Ah, hayır" diye mırıldandım. "Bunu yapmış ola... Şey, en azından şu konuda haklı, Dördüncü Hanedan'ın başlangıç tarihi..."

Emerson eliyle alnına vurdu. "*Et tu*, Peabody? Evimde yılan beslediğim yetmezmiş gibi bir de sen..."

"Ah, Emerson, bu kadar teatral olma. Ramses müsveddeni gözden geçirme küstahlığında bulunduysa bile..."

"Gözden geçirmek mi? O küçük haylaz resmen baştan aşağı yeniden yazmış! Tarihlerimi, tarihsel olaylarla ilgili analizlerimi, mumyalaştırmanın kökenlerine dair savımı düzeltmiş."

"Sentaksını da" dedim elimde olmadan gülümseyerek. "Ramses'in İngilizce grameri üzerine çok tuhaf fikirleri var gerçekten." Emerson'un hindi gibi kızardığını görünce gülümsemeyi kesip ciddileşerek, "Ramses çok yaramazlık yapmış canım. Ben onu azarlarım" dedim.

"İşlediği suça göre fazla hafif bir ceza olur."

"Ona... Ona vurmadın değil mi Emerson?"

Emerson beni buz gibi bir bakışla payladı. "Dayak cezasıyla ilgili fikirlerimi bilirsin Amelia. Hayatımda hiçbir çocuğa ya da kadına vurmadım... Asla da vurmayacağım. Ama bu akşam sınıra çok yaklaştım ve umarım bir daha o kadar yaklaşmam."

Dayak cezasına karşı olmak konusunda Emerson'la hemfikirdim ama aynı nedenlerden değil. Onunkiler etik ve idealistti, benimkilerse tamamen pratik. Ramses'i dövsem benim daha çok canım acırdı, çünkü kemikleri son derece sivri ve sertti, ayrıca onun acı eşiği çok yüksekti.

Zavallı Emerson'u anlıyordum. Sonuçta kötü bir gün geçirmişti ve ağabeyim James'i, üstelik daha da afallatıcı bir biçimde tombullaşmış halde görmek iyice sinirlenmesine yol açmıştı. James göze girmeye can atar gibiydi: Emerson'un laflarına ölçüsüzce, espri yapmadığı zamanlarda bile güldü ve elbisemi, genel görünüşümü ve annelik niteliklerimi yere göğe sığdıramadı. Akşam yemeği ilerledikçe gerçek niyetini anlamaya başlar gibi oldum ama o kadar inanılmaz geldi ki ciddiye almakta zorlandım.

James ağzındaki baklayı ancak yemekten sonra çıkardı. Bayanların gitmesini bekleyip duruyordu ve sonunda Evelyn bile açıklama yapma zorunluluğu hissetti. "Sevgili Bay Peabody, Amelia bu âdetin devrinin geçtiğine ve kadınlara hakaret olduğuna inanır" dedi.

"Hakaret mi?" James bana bakakaldı.

"Erkekler normalde zekice sohbetleri, buna kapasiteleri varsa tabii, şarap ve puro zamanına saklar" dedim. "Ben de biraz şarap severim, zekice sohbetlerden hoşlanırım ve güzel bir puronun kokusuna hayır demem."

"Ah" dedi James şaşkınlıkla.

"Genellikle Mısırbilim konusunda konuşuruz" diye devam ettim. "Bu konu sana sıkıcı gelecekse sen misafir odasına çekilebilirsin James."

Evelyn fazla ileri gitmişim gibi baktı ama James şaka yapmışım gibi davranmaya karar verdi... ki yapmıyordum. Kahkahayı basarak masanın üstünden eğilip elime pat pat vurdu. "Amelia'cığım. Küçücük bir kızken de aynen böyleydin. Hatırlıyor musun, hani..."

Sonra sustu, muhtemelen çocukluğumuza dair güzel bir anı hatırlayamadığından. Benim güzel anılarımda o yoktu kesinlikle. Bu yaklaşımdan vazgeçerek bir yenisini denedi. "Babacığımız en zekimizin sen olduğunu söylerdi hep" dedi. "Haklıydı da. (Walter'cığım, şarabı uzatsana evladım.) Hayatta oldukça başarılı oldun ha?"

"Yatırımlarım konusunda tavsiyeler veren mükemmel bir hukuk danışmanım var" diye karşılık verdim sakince.

Emerson bir süredir James'i yeni ve çirkin bir organla karşılaşmış bir anatomistin hafif tiksintisiyle incelemekteydi. Birden omuz silkerek Walter'a dönüp, Berlin Sözlüğü'yle ilgili daha önce başlattıkları bir tartışmayı devam ettirdi. Bu James'e uymuştu, kendine şarap koyarken benimle sesini alçaltarak konuştu.

"Keşke senin kadar akıllı olabilseydim kardeşim. Gerçi benim suçum değildi. Hayır. O kahrolası gemilerin batması benim suçum değildi. Onca yük kayboldu..."

"Paraya ihtiyacın olduğunu mu söylüyorsun James?" diye sordum. "Çünkü para koparmayı umuyorsan zırnık alamazsın."

"Hayır, hayır. Hayır. Sorun değil. Toparlanabilirim." Tombul bir parmağını burnunun yanına koyup göz kırptı. "Sır. Büyük projeler. Tek sorun şu..."

"Hayır James. Bir peni bile vermem."

James gözlerini kırpıştırdı. "Para istemiyorum" dedi gücenmiş bir sesle. "Teklif etsen de kabul etmem. İstediğim şey o sevgi dolu ana kalbinin zavallı talihsiz çocuklar için..."

"Kimin çocukları?" diye sordum merakla.

"Benim. Başka kimin çocuğu için yardım isteyeyim ki?"

"Kimsenin, James. Böyle kayıtsız bir sevgi belirtisi sergilemen bile çok şaşırttı. Ama seninkilerin niye anneye ihtiyacı var ki? Karın var değil mi? En azından vardı... Ona ne yaptın? Adı neydi bakayım?.."

Kadının adını hatırlayamadım ve başta James de hatırlayamamış gibi geldi. İnsanın unutmak isteyeceği türden bir kadındı... İri yarı ve hamur suratlıydı, dudaksız ağzı gibi, küçücük ve katı bir beyni vardı.

" 'Lizabeth" dedi James. "Evet, adı bu. Zavallı 'Lizabeth. Sinir hastası oldu. Doktor reçete yazdı... Tedavi için kaplıcalara gitmesi gerekiyormuş. Tamamen sessizliğe, dinlenmeye, değişikliğe ihtiyacı varmış. Gerçekten. Ben de Doğu'ya gideceğim. Hindistan'a. Söz ettiğim şu özel konu için. Oradan zengin bir adam olarak döneceğim, bak buraya yazıyorum! Artık neden insafına sığındığımı anlıyorsundur sevgili kardeşim... Kendim için değil, kimsesiz kalan zavallı çocuklarım için. Onlara bakar mısın Amelia? Yalnızca bu yaz için. Üç ay sonra geri dönerim, Emily de, şey, yani Elizabeth, daha önce dönmüş olur. Doktor altı hafta demişti. Bunu yapar mısın Amelia? Eski... zamanların hatırına?"

"Ama bu çok tuhaf bir istek James" diye haykırdım. "Eğitimleri ne olacak peki? Percy yatılı okula gidiyordur herhalde ve..."

"Özel ders alıyor" dedi James. "Percy okula gitmiyor. Bir süre ders almasa ölmez ya. Eğitim neden bu kadar abartılıyor anlamıyorum. Benim oğlum bir beyefendi olacak. Beyefendilerin eğitime falan ihtiyaçları yoktur."

Emerson kıkırdadı. "En azından bu konuda haklı."

Evelyn çoktan ikna olmuştu bile. Kendisi çok iyi bir kızdır ve dünyadaki en yakın dostumdur ama fazla tatlı bir insan olduğundan laf ebesi alçaklara çabucak kanar. Hele çocuklar söz konusuysa, ki onlara son derece düşkündür (Ramses'i sevmesi bu konuda hiç seçici olmadığının yeterli kanıtıdır), onlara gelince eleştirel bakışı tamamen bir kenara bırakır. Gözleri yaşarmıştı, ellerini çırparak, "Ah Amelia, tabii ki evet diyeceksin" diye haykırdı. "Dememen mümkün mü? O zavallı çocukcağızlar..."

Kendime adil davranmak uğruna, neden kan ve aile bağlarının gereği gibi görünen tereddütsüz bir sıcakkanlılıkla karşılık vermediğimi okuyucuya açıklamalıyım. Kan bağıyla sevgi tamamen farklı iki şeydir. Birincisi benim için önemsizdir. Doğum gibi rastlantısal bir şeyin insanlara sorumluluklar yüklediğine asla inanmadım. Bence bir çocuk kendi başının çaresine bakabilecek kadar büyüdükten, yetişkin olduktan, sağlık ve eğitim konularında kendisine her türlü avantaj sağlandıktan ve ister erkek olsun ister kadın, ayaklarının üstünde durabilecek hale geldikten sonra, ebeveynle çocuk arasında bile olmaması gereken bir şeydir sorumluluk. Sevgi ise kan bağının tersine kazanılması gereken bir şeydir. Sevdiklerim için canımı, kutsal onurumu, bütün malımı mülkümü veririm... Onların da benim için aynısını yapacaklarını farz ederim.

Ağabeylerimle aramda hiçbir zaman sevgi bağı olmamıştı. James en büyükleriydi, benden yedi yaş büyüktü. Diğerleri ben yokmuşum gibi davranırlardı ama James çocukluğum boyunca duygusal masallardaki gibi koruyucum ve hamım değil, iğrenç bir işkenceci olmuştu bana karşı. Oyuncak bebeklerimi çalıp fidye isterdi, fidye dediği de doğum günlerinde ve Noellerde akrabalardan topladığım birkaç şilindi. Param yoksa rehineleri parçalardı. Milletin içinde beni çimdikleyip dürtükleyip dururdu. Ona karşı koyarsam sorun çıkarıyorum diye azarlanırdım. Gençliğimdeki en mutlu gün James'in okula gönderildiği gündü.

Ağabeylerim zamanla kariyer peşinde koşup aile kurdular ve geride ben kaldım, babama bakmak için. Babacığımın muğlaklığıyla ağabeylerimin zalimliği ve kayıtsızlığı beni erkeklerden soğuttuğundan hayırlı bir evlilik yapamayacak hınç dolu bir kız kurusu gibi görülmeye başlandım.

İntikam tatlıdır, der eski bir atasözü. İntikam bir Hıristiyan kadına yakışmaz, der *Kitabı Mukaddes*. Bu konuda *Kitabı*

Mukaddes yanılıyor. Babamın muazzam servetini bana bıraktığı ortaya çıkınca canım ağabeylerim nasıl da küplere binmişlerdi! Hatta James aciz, yaşlı babamı uygunsuz bir biçimde etkilediğimi öne sürerek, bana dava açmaya bile kalkmıştı. Babamın mükemmel vekilharcı Bay Fletcher ve kusursuz karakterim sayesinde bu girişim boşa çıksa da, ağabeyime sevecenlik duymama yol açmamıştı. Sonradan üstünkörü bir uzlaşma yapılmıştı. James düğünüme gelmişti, gerçi günün birinde parama konma hayalleri karı koca sevgisinin alevlerinde yanıp kül olurken takındığı yüz ifadesi düğünden çok cenazeye daha uygundu. Daha sonra yalnızca bir kez görüşmüştük, bu seferki gerçekten bir cenazeydi, sindirim bozukluğundan ölen ağabeyim Henry'nin cenazesinde. (Sevgi dolu baldızlarının fısıldadığı, uzun süredir acı çeken karısı tarafından zehirlendiği dedikodusu muhtemelen yanlıştı ama gerçek olsa bile o kadını suçlamazdım kesinlikle.)

Bu üzücü anılar kâğıda dökülmelerinden çok daha kısa süre içinde aklımdan geçiverdi ama yeniden kendime gelince bütün konuşmaların kesildiğini ve Emerson da dahil olmak üzere herkesin bana baktığını gördüm. James'in ricasını işitmişti mutlaka ama kendisinden beklediğim sinirli sözleri söylemek yerine suskunluğunu koruyordu ve yüzü alışılmadık biçimde gizemliydi, hislerini hiç ele vermiyordu.

James tombul parmaklarını kadehinin dibine dolamış, öne eğilmiş, dirseğini kabaca masaya dayıyordu. Kızarmış yanaklarından ter süzülüyordu, sarkık kalın dudakları, niyetlendiği yalvaran ifadenin yerine her zamanki suratsızlığını sergiliyordu. "İyi kalpli, canım kardeşim" diye söze başladı.

Emerson'a döndüm. Ne büyük... Ne ulvi bir fark vardı aralarında! O sağlam ve biçimli dudaklar, zayıf kahverengi yanaklar ve delici gözler, başını taçlandıran siyah kıvırcık bukleler, o belirgin gamzeli (Emerson ona yarık der ve sözünü etmeyi pek sevmez) çıkık çene. Uzuvlarıma yumuşak ama elektrikli bir sıcaklık yayıldı. O hissi bastırdım... bir süreliğine.

"Kocama danışmalıyım" dedim. "Böyle bir kararı onun tavsiyesini ve rızasını almadan veremem."

Emerson'un gözleri önce faltaşı gibi açıldı, sonra gizleyemediği bir neşeyle kısıldı. "Tam beklediğim gibi konuştun Peabody. Biz önemli konularda mutlaka birbirimize danışırız, değil mi?"

"Kesinlikle Emerson. James, biz durumu konuştuktan sonra kararımızı sana bildiririz."

Ama James bir erkek olduğundan ne zaman durması gerektiğini bilmiyordu. Sandalyesinde yan dönerek ellerini yalvarmak için açtı ve bu arada kadehini devirerek Emerson'a hitap etti. "Radcliffe... Canım kardeşim... Evinin efendisi olduğunu görmek ne güzel. Kardeşim iyi kadındır... Ama biraz fazla buyurgandır. Sen ona söylersin ha? Söylersin... kadının görevi... annelik... dünyayı dolaşmak... zavallı çocuklar..."

"Ulu Tanrım" dedi Emerson. "Peabody, bence gerçekten istediğini yapmalıyız, yalnızca bu iğrenç şeyin talihsiz çocukları uğruna. Nasıl böyle bir akraban oldu ki senin?"

James iki güçlü kuvvetli uşağın yardımıyla, yatağına gitmeye ikna edildi. Bu zor olmadı, çünkü kazandığını o sarhoş haliyle bile sezmişti. Emerson'un sözü beni çok etkilemişti, ayrıca Evelyn'in yalvarmaları da etkili olmuştu, özellikle de çocuklara bizzat bakmayı teklif etme salaklığını yapabileceği için. İtiraz eden tek kişi Walter oldu. Usul, yumuşak sesiyle "Ramses'i de düşünmek gerekmez mi sizce?" dedi. "O tam olarak... Alışkanlıkları... Belki istemez..."

"Gevelemeyi kes de konuş Walter" diye karşılık verdi Emerson kaşlarını çatarak. "Ramses'in terbiyeli çocuklara uygun bir arkadaş olmadığını ima ediyorsan haklısın. Ramses'in fikrini almamız gerektiğini söylüyorsan kusura bakma ama haddini aşıyorsun. Onu fazla şımarttık zaten."

Walter gülümseyerek omuz silkip sustu ama daha sonra odamıza çekildiğimizde o konuyu yeniden açtım. "Emerson, sana bunu sormam gerektiğini hissediyorum. Çocukları almak isterim ama James'in arzusunu yerine getirmeye bu kadar hevesli olmana anlam veremiyorum. Bunu yalnızca Ramses kitabını baştan yazdı diye, onu cezalandırmak için yapmadığına emin misin?"

"Hayatımda bu kadar haksız bir suçlama işitmedim" diye haykırdı Emerson. "Ramses'i cezalandırmak mı? Bacak kadar çocuktan intikam alacak kadar alçalacağıma inanıyor musun gerçekten? Kendi öz evladımdan? Tek varisimden, ihtiyarlık günlerimin dayanağından..."

"Ben de öyle düşünmüştüm" dedim. "Gidip ona iyi geceler dileyelim mi?"

"Uyuyordur" dedi Emerson.

"Hayır, uyumuyordur."

Tabii ki uyumuyordu. Odası, bir lambadan yayılan hafif ışık dışında karanlıktı.. Sevgi dolu bir anne olan Evelyn, küçük çocuklar karanlıktan korkmasınlar diye geceleri lamba yakılması gerektiğine inanırdı. Ramses'in ne karanlıktan ne de anladığım kadarıyla başka herhangi bir şeyden korkusu vardı ama ışık sayesinde yatakta kitap okuyabiliyordu. Odaya girer girmez elindeki kalın cildi bırakıp doğruldu.

"İyi akşamlar anneciğim, iyi akşamlar babacığım. Babamın haklı öfkesinin sizleri gelip iyi geceler dilemekten alıkoyacağından korkmuştum, yanıldığımı öğrenmekten mutluyum. Her ne kadar Bay Wallis Budge'ın son kitabını okuyarak oyalanmaya çalışsam da, mumyalama işlemine dair saçma lafları bile beni tamamen avuta..."

"Bu zayıf ışıkta okumamalısın Ramses." Yatağının kenarına oturup kitabı elinden aldım. "Uyuyor ya da vicdanını yokluyor olmalıydın. Baban kızmakta haklıydı. Kendisine bir özür borçlusun."

"Özür diledim zaten" diye karşılık verdi Ramses. "Defalarca. Ama anne..."

"Aması maması yok Ramses."

"Babama yardım ediyorum sanıyordum. Ne kadar meşgul olduğunu ve Oxford Üniversitesi Yayınları'nın kitabı ondan defalarca istediğini bildiğimden ve senin babama kitabını artık bitirmesini defalarca söylediğini işittiğimden..."

"Ulu Tanrım!" Ayağa fırladım. O ana kadar Ramses'e acımıştım, o loş ışıkta neredeyse sıradan bir çocuk gibi görünüyordu, minik suratı ciddiydi ve siyah bukleleri bebeksi alnına düşmüştü. O küçük serserinin yaptığı şey için *beni* suçlaması tam ona yakışan bir hareketti! "Kabahatini kabul edip bir daha asla tekrarlamamaya söz versen iyi olur" dedim hışımla. "Bir daha babanın çalışma müsveddelerine asla dokunmayacaksın Ramses. Anlaşıldı mı?"

"Peki ya yangın çıkarsa ya da köpeklerden biri onları kaparsa ya da..."

Ayağımı yere vurdum. Ne yazık ki Ramses sık sık beni bu çocuksu hareketi yapmaya zorluyordu. "Yeter Ramses. Ne demek istediğimi biliyorsun. Babanın müsveddelerine yazmayacak, onları düzeltmeyecek, herhangi bir biçimde değiştirmeyeceksin."

"Ah" dedi Ramses düşünceli bir tavırla. "Söylemek istediğin şeyi böyle açıkça ifade ettiğine göre elbette emrine uyarım anne."

"Güzel." Gitmek için döndüm. Arkamdan ince bir ses "Bana iyi geceler öpücüğü vermeyecek misin anneciğim?" dedi.

Kollarını kavuşturmuş, kaşlarını çatmış, kaskatı duran

Emerson fark edilir biçimde gevşedi. "Babanın seni öpmesini istemiyor musun evladım?"

"Bu beni anlatamayacağım kadar sevindirir babacığım. Sormaya cesaret edememiştim, çünkü öfken, *haklı* öfken yüzünden hayır diyebileceğini, o zaman çok inceneceğimi düşünmüştüm. Oysa soylu bir karakterin göstergesi olan bağışlama niteliğini sergileyeceğini tahmin etmeliydim, ki *Kur'an*'a göre..."

Bu noktada hemen Ramses'in üstüne eğilip istediği öpücüğü verdim, gerçi itiraf etmeliyim ki davranışımda şefkat duygusu kadar onu susturma arzusunun da payı vardı. Benden sonra Emerson öptü onu. Çocuğa sarılışında gerçek bir baba sevgisi vardı. Ramses yeniden monoloğa başlamasın diye odasından apar topar çıktığımızda, "Ramses'e çocuklardan söz etmedin" dedim.

"Yarın söylerim" diye homurdandı Emerson, odamızın kapısını açarak ve yol vermek için geri çekilerek. Oldukça şaşırmış görünüyordu. Bunu tahmin etmiştim. Emerson, Ramses'e çok bağlıdır ve genellikle sert konuşur konuşmaz pişman olur.

"Belki de onları almasak iyi olacak Emerson."

"Fikrimi değiştirmedim Peabody. Ramses iyi bir çocuk, kendi çapında, eminim ki gerçekten yardım etmeye çalışıyordu ve belki ona biraz sert davrandım. Ama o... bazen... o gerçekten biraz *tuhaf*, değil mi Peabody? Yetişkinlerle fazla zaman geçirdi. Sıradan gençlerin masum oyunlarına katılması iyi gelir. Kriket ve... eee... gibi şeyler."

"Sen hiç kriket oynadın mı Emerson?"

"Ben mi? Ulu Tanrım, hayır! *Benim* insanoğlunun icat ettiği muhtemelen en kahrolası, en akıl dışı ve anlamsız aktiviteyle zaman harcayacağımı düşünebiliyor musun?"

Bu açıdan bakınca itiraf etmeliyim ki düşünemiyordum.

4

O akşamın başlarında gerçekleşen ilginç olayları, özellikle de o tuhaf görünüşlü adamı unuttuğumu ya da önemsemediğimi düşünmeyin sevgili okuyucu. Ama bunların anlamları üstünde düşünmek için, ancak ertesi sabah fırsat bulabildim.

Genellikle Emerson'dan önce uyanırım. Bazen o boşluğu fırsat bilip mektuplar ve arkeoloji dergileri için makaleler yazarım, çoğunlukla yatakta sessizce uzanıp günlük işlerimi planlarım. Emerson'un yanımdaki varlığının zihinsel süreçlerimi hızlandırdığını belirtmeliyim. Derin nefesleri, sağlamlığı ve sıcaklığı bana pek çok açıdan en şanslı kadınlardan biri olduğumu hatırlatır.

Yanlış hatırlamıyorsam (ki bu çok nadiren olur) o sabah şöyle şeyler düşünüyordum.

Taklit, suç tarihinde görülmemiş bir şey değildir. Aslında zeki bir suçlu bir dizi cinayetin ya da soygunun arasına kendisininkini sıkıştırarak (deyim yerindeyse), diğerlerininkine benzer bir yöntem kullanarak, gerçek amacını gizleyebilir. Kendine özgü bir tuhaflık icat edemeyecek kadar yaratıcılık fakiri ikinci bir kaçığın, asıl *sem* rahibini taklit etmiş olması mümkündü. Ancak bu büyük bir olasılık değil gibiydi. Gördüğüm kişinin British Müzesi'nin koridorlarında gezinen kişiyle aynı olduğuna şüphem yoktu. Londra'nın çoğu sakini gibi o da kaldığımız yeri ve oraya muhtemel geliş tarihimizi kolayca öğrenebilirdi. Bizi merak etmesi şaşırtıcı değildi, gazeteler

Müze'nin bize danışmak üzere olduğunu ima etmişlerdi. Ama her ne kadar manyak bir katilin ilgisini çektiğimi ummak hoşuma giderse de, bu olasılık şu basit nedenden dolayı mantıksız görünüyordu: Cinayet falan işlenmemişti. Emerson baştan beri haklıydı ve ben... ben de haklıydım, çünkü o habis mumya hikâyesinin gazetecilerin uydurmasından başka bir şey olduğuna asla inanmamıştım. O kaçık bizi öldürmek istemiyordu, bize ateş bile etmemişti.

Düşüncelerimde bu noktaya varmıştım ve ulaştığım sonuçların yol açtığı hayal kırıklığı ve can sıkıntısıyla başa çıkmaya çalışırken kapı açıldı ve Rose başını içeri uzattı.

"Şşşt" dedim. "Profesör hâlâ uyuyor."

"Öyle mi madam?" Sesi alçak değildi, hatta biraz yüksekti. "Ramses odasından çıkabilir mi diye sormaya geldimdi."

"Bilemiyorum Rose. Oda hapsi cezasını veren profesördü, bu yüzden çıkıp çıkamayacağını da o söyleyebilir."

"Peki madam." Rose'un sesi iyice yükselip tizleşti. "Acaba kendisine sora..."

"Hayır, soramazsın. Profesörü uyandırmanı istemiyorum."

"Elbette madam. Sağolun madam." Kapıyı küt diye çarptı. Emerson sinirle kıpırdandı. "Hep Ramses'in tarafını tutuyor" diye mırıldanarak yorganı başına çekti.

Uyanık ve sinirli olduğu belliydi. Yatakta kalmam anlamsızdı, çünkü uygun durumlarda aklına gelen eylemi yapacak ruh halinde olmadığı ortadaydı. Bu yüzden kalkıp giyindim -Rose'dan yardım istemek akıllıca gelmedi- ve aşağı indim.

Emerson'u Londra'dan bir an önce çıkarmak istiyordum... Onu Londra'ya bir an önce geri döndürebilmek için. Her ne kadar Mısır ruhani yurdum ve güzel, tertipli bir mezar en sevdiğim ev olsa da, Kent'teki evimizi de çok beğenirim. Ahım şahım olmayan, açık kırmızı tuğladan yapılma, Kraliçe

Anne döneminden kalma bir köşktür (sekiz büyük yatak odası, dört büyük salonu ve elbette çalışma odaları vardır). Çevresindeki bahçe ve çiftliklerin toplamı yüz hektardır. Köşkü Ramses'in doğumundan sonra almış ve ilişkimizin başladığı yerin anısına, adını değiştirerek Amarna Köşkü adını vermiştik. Emerson üniversitede çalışırken hep orada kalmıştık. Oraya geri dönmek her zaman keyifliydi ama bu yaz orada çok kalacağımızı sanmıyordum. Hayır. Sisli, iç karartıcı, pis Londra bizi esir edecekti... En azından Emerson kitabını bitirene kadar. Ne kadar çabuk başlarsa, ki bunu kendisine sık sık hatırlatmaktaydım, İngiltere'deki yuvamızın açık yeşil tarlalarına ve miskin huzuruna o kadar çabuk geri dönebilirdik.

Emerson geldiğinde ertesi günkü yolculuğun hazırlıklarının çoğunu tamamlamıştım. Yanında Ramses vardı ve ikisinin de yüzünü süsleyen gülümseyişler (oğlumun normalde somurtan suratını bile), barıştıklarını gösteriyordu.

Ama Ramses çok yakında yeğenlerinin geleceğini babasından öğrenmedi. Hayır, bu bilgiyi, zayıf yanağını acıtacak kadar sert çimdikleyen James'ten aldı. "Ne güzel olacak değil mi evlat?" diye hırıldadı James. "Yaşıtlarınla oynama zamanın gelmişti. Oğlum Percy iyi çocuktur, solgun yanaklarında güller açtırır, kaslarını sertleştirir..."

Ramses pazusunun sıkılıp dürtüklenmesini tahminimden daha soğukkanlılıkla karşıladı. "Yeğenlerimin yaşları kaç, James Amca ve kaç tane yeğenim var acaba? Şimdiye kadar onları pek aklıma getirmediğimi itiraf etmeliyim ve bilmediğim..."

"Kıpraşma Ramses" dedim. "Konuşup durursan amcan nasıl sana cevap versin?"

"Eee... şey" dedi James. "İki taneler... Percy ile minik Violet. Violet'a 'minik' derim, çünkü babacığının biricik kızıdır o. Yaşları mı? Düşüneyim... Percy dokuz yaşında galiba. On da olabilir. Evet. Minik Violet'cığımsa... şey..."

Emerson'un bükülen dudağı, biricik kızının ve varisinin yaşlarını hatırlayamayan bu adamla ilgili kanısını ele veriyordu ama bir şey demedi, hatta James'le tek kelime bile konuşmadı.

Ramses sandalyesinden kalktı. "İzninizle. Kahvaltımı bitirdim ve şimdi Bastet'e bir şeyler götürmeliyim. Bu sabah çok tuhaf davranıyor, anneciğim, ona bir baksan iyi olur çünkü..." "Birazdan gelirim Ramses."

O gidince James başını salladı. "Hayatımda böyle konuşan bir çocuk görmedim. Ama Percy'm onu hizaya getirir çabucak. Percy'm sağlam çocuktur. Açık havada sağlıklı egzersizler yaptırmalı, işin püf noktası bu. Kısa sürede oğlunun sağlığı düzelir. Böylece ailemizin belası olan zafiyet eğilimini yenmiş olursun, değil mi Amelia?"

Kahvaltısını hapur hupur mideye indirmeye geri dönmesini sessiz bir horgörüyle izledim. Ailemizde zafiyet eğilimi falan yoktur. James bunu yalnızca bize kıyak yapıyormuş gibi görünmek için söylemişti.

James masadaki her şeyi silip süpürerek gittikten sonra hepimiz rahatladık. Bana çocukları hafta sonu getireceğini söylemişti. İstasyona gitmek için at arabasına binerken sırıttığını görmek kararımı sorgulamama yol açtı. Ancak ok yaydan çıkmıştı bir kere. Amelia Peabody Emerson görevden kaçan ya da başladığı işi yarım bırakan biri değildir.

James gidince Emerson'un keyfi yerine geldi ama ne yazık sabah gazetesini okuyunca yine morali bozuldu. Bayan Minton'ın dün gece bizimle yaşadıklarıyla ilgili bir haber vardı. O genç bayanın üslubu oldukça akıcı ve eğlenceliydi ama verdiği bilgilerin doğruluğu su götürürdü. Gördüğümüz "hayalet" konuşmaya benzer tuhaf sesler çıkarmamış, hoplayıp zıplamamış, müstehcen ve tehditkâr hareketlerde bulunmamıştı. Emerson kollarını sıvayıp onu dövüşe çağırmamıştı, ben de Emerson beni eve doğru sürüklerken korkudan bayılmamıştım kesinlikle. (Hareketlerim çırpınma gibi görünmüş olabilirdi biraz ama yalnızca Emerson beni çekiştirdiği için.)

Emerson gazeteyi salonda lime lime edip üstünde tepindikten sonra biraz kendine geldi. Sonra yaz aylarında yapacaklarımızı konuşmaya başladık. Walter'la Evelyn cömertliklerini sürdürerek, Chalfont Konağı teklifini yinelediler ve tekliflerini uygun teşekkürlerle kabul ettim. Emerson'un suratı asıldı. İncik kemiğine uyarı niyetine bir tekme savurdum, böyle küçük hatırlatmalara alışık olduğundan kurtuldu, neyse ki böyle bir hatırlatmaya gerek yoktu zaten. Emerson hak ettiğinden çok daha az takdir edilen yufka yüreği sayesinde öfkesini dizginledi ve uygun bir biçimde teşekkür etti.

Aslında Chalfont Konağı, gösterişi sevmeyen ve konforu tercih eden bizim gibi sade insanlara çok uygun bir yer değildir. O "kahrolası mezarev" (Emerson'un taktığı eğlenceli ad) evden çok müzeyi andırır, elliden fazla odası ve çok az penceresi vardır. Meydandaki en eski evlerden biridir, on sekizinci yüzyılın başında inşa edilmiştir ama 1860'larda Evelyn'in dedesi, Rothschild'larla boy ölçüşmek için (her ne kadar bunu başaramadıysa da) epeyce tadilat yaptırmıştı. Büyük iç merdivenin ilhamı Roma'daki Palazzo Braschi'den, balo salonunun tasarımıysa Versailles Sarayı'ndan alınmıştı, bilardo odasının tavanı kubbeli, duvarlarıysa Çin ipekleriyle bezeliydi. Sonradan Konak'ta yaşayan kişiler en azından bir konuda o yaşlı beyefendiyle Bay Rothschild'a minnettar olabilirlerdi. Her yatak odasının bir banyosu bulunuyordu.

Akşamüzerini, British Müzesi'nde geçirme fikri Walter'dan çıktı. Benden çıksa Emerson itiraz ederdi, Walter'dan gelince sevimli homurdanmayla yetindi.

"Umarım bizi o meşhur mumyaya götürmeyi düşünmüyorsundur Walter. O tarz sansasyonlardan nefret ederiz bilirsin."

Walter mahrem düşüncelere dalmış bir halde kendi kendine gülümseyen karısına bir bakış fırlattı. "Aklımdan bile geçmemişti Radcliffe'ciğim. Gerçi itiraf etmeliyim ki merak içindeyim. Senin gibi soğukkanlı, tarafsız bir bilimadamı değilim ben."

"Hah!" dedi Emerson.

"İncelemek istediğim bir papirüs var" diye devam etti Walter. "Leyden Büyü Metni çevirimin üstünde çalışıyorum, biliyorsun. Kafamı karıştıran bazı şeyler var: B. M. 29465'te paralellikler bulmayı umuyorum."

"Ha, öyleyse sana seve seve eşlik ederim" diye karşılık verdi Emerson. "Bari geleceğimi bildireyim de o Budge denen salak, çalışma odamı başkasına vermesin. İçinde yalnızca bir masayla birkaç kitap rafı bulunan penceresiz, kutu gibi bir yere çalışma odası denilebilirse tabii. Bizimle gelmek istemezsin sanırım, Peabody."

"Çok yanılıyorsun Emerson. Bay Budge'ın geçen yıl müzeye verdiğimiz çanak çömlekleri nasıl sergilediğini görmek için can atıyorum."

"Benim tanıdığım Budge, bağışlarımızı kutularından çıkarmamıştır bile" diye homurdandı Emerson. "Herif kendisinden başka bütün bilimadamlarını, ad vermeyeceğim Peabody, ölesiye kıskanıyor."

Evelyn sözümü dinleyerek daveti geri çevirdi. Ona güzelce biraz dinlenmesini söylediğimde uysalca başını sallayarak kabul etti ama çocuklarla zaman geçirme eğilimini bildiğimden, Emerson'un yanımıza Ramses'i de almamız önerisine peki dedim. Ramses ayak altında olmazsa Evelyn'in dinlenme olasılığı epeyce artardı.

Ramses davete bayıldı. Bunu her zamanki gibi kendini ele vermeyen ifadesiz suratından değil, bu konu hakkında yaptığı upuzun, karmaşık konuşmadan anladım.

Budge ofisinde yoktu. Emerson'un çıkardığı gürültü, "Hey Budge, hangi cehennemdesin?" gibisinden laflar, genç bir adamın yakındaki bir kapı eşiğinde belirmesine yol açtı. Dün gece Bayan Minton'a gönülsüzce eşlik eden kişiydi bu. Kendisini altın çerçeveli gözlüğünden ve çekingen, kararsız tavrından tanıdım, çünkü sis, karanlık ve giydiği kalın giysiler daha fazlasını görmemi engellemişti. Gün ışığında zayıf, orta boylu, uzun ve ince suratlı, siyah gözlü, yumuşak bakışlı, tığ gibi bir delikanlı olduğu ortaya çıktı.

Bizi soğuk karşılamasını gençliğine verdim ama Emerson elini sıkıp son görüşmemiz hakkında biraz şakalaşarak onu kısa sürede rahatlattı. Genç adama kızarmak yakışıyordu.

"Tekrar özür dilerim Profesör. Son derece talihsiz bir..."

"Neden özür diliyorsun ki? Bayan Minton'ın eylemlerinden sen sorumlu değilsin. Ama belki de olmak isterdin ha? Ne de olsa kendisi gayet güzel ve oldukça... eee... enerjik bir genç bayan."

Wilson'ın yanaklarındaki kızarıklıklar saçına ve çenesine doğru yayıldı. Gözlüğünü düzeltti. "Yanlış anlıyorsunuz Profesör. Hayranım ve saygı duyuyorum... Ama asla sanmıyorum ki..."

"Tamam, tamam" dedi Emerson konudan sıkılarak. "Budge kaytarmış demek ha? Güzel. Onunla zaman harcamam gerekmeyecek. Bir hafta sonra Londra'ya dönüyorum Wilbur... ah evet, Wilson. Çalışma odamı hazırlat, oldu mu? Kuzeyde, en uçtaki."

"Ama o oda başkasına..." Genç adam kasılırcasına yutkundu. "Peki Profesör. Elbette. Bu konuyla ilgileneceğim."

Emerson'la Walter papirüsleri incelemeye gittiler, ben de Ramses'i kitap ve elyazması koleksiyonuna götürdüm, onun şiddetli itirazlarına kulak asmadan. "Yalnızca Mısır'a ait tarihi eserlerle ilgilendiğini biliyorum" dedim ona. "Ama genel eğitimin ne yazık ki çok eksik kaldı. Edebiyat ve tarih konularında kendini geliştirmenin zamanı geldi."

Eserlerin bulunduğu camekânların üst kısmı, yaşına göre ufak tefek olan Ramses'in burnuna, daha doğrusu gözlerine, kadar geliyordu. Shakespeare folyosuyla Gutenberg İncili'ne, Anglosaxon Tarihçesi'yle İngiltere krallarının ve kraliçelerinin imzalarına birlikte göz attıktan ve ben bunlar hakkında kısaca bilgi verdikten sonra, yiğit Nelson'ın amiral gemisi H.M.S. *Victory*'nin seyir defterini inceledik. Ramses'in yiğit Nelson'ı hiç duymamış olması canımı sıksa da beni şaşırtmadı. Boynuna kramp girdiğinden yakındı, bu yüzden Trafalgar Savaşı'nı anlattıktan sonra şimdilik bu kadar bilginin muhtemelen yeterli olduğunu kabullenerek, beni Mısır Galerileri'ne götürmesi için izin verme lütfunu gösterdim.

Ramses habis mumya konusunu nereden öğrenmişti bilmiyorum. Çevrede o varken bu konuyu açmamaya özen göstermiştim oysa. Ancak Ramses'in özellikle kendisini ilgilendirmeyen konularda neredeyse tekinsiz bir biçimde bilgilenebilmek gibi bir özelliği vardı. Kulaklarıyla gözleri anormal keskindi ve her ne kadar gizlice dinleme huyundan vazgeçmeyi gönülsüzce kabul etse de ("daha önemli etik kaygıların öncelik kazandığı durumlar dışında anneciğim"), Emerson dilini tutmaya her zaman dikkat etmiyordu.

Her halükârda Ramses konuyu işitmişti ve kendisine, neden normalde ilgisini çekecek eserlerin yanından geçip de dosdoğru mumyaların bulunduğu odaya gittiğini sorduğumda bunu açıkça itiraf etti. Bu seferki dürüstlüğünün hakkını vermeliyim. Mantıklı bir biçimde rol yaparak mumyaları görmeyi Mısır bilimi ile ilgili nedenlerden dolayı istediğini söylemek yerine, "Gazetelere göre *sem* rahibi kılığına giren kişi genellikle bu saatlerde ortaya çıkıyormuş" dedi.

"Zavallı bir akıl hastasının tuhaflıklarıyla neden ilgileniyorsun anlamadım Ramses."

"Eğer akıl hastasıysa tabii" dedi Ramses tekinsizce.

Aynı kaygıya ben de kapılmış olduğumdan onu azarlayamadım. Ancak bu konuyu konuşmak istemediğimden -en azından Ramses'le- sustum.

Sözde Mumya Odası, tuhaf ya da kaba zevklere sahip ziyaretçilerle dolu olurdu hep. Bugünkü seyirciler tek bir sandukanın çevresinde toplanmışlardı ve bir çeşit teatral gösterinin gerçekleştiği hemen anlaşılıyordu. Yaklaşırken ilgi odağının rahip değil, Raffaello öncesi döneme özgü uzun ve ince giysilere bürünmüş bir kadın olduğunu gördüm. Birkaç yıl öncesinde seansları epeyce ses getiren bir medyumdu bu, ta ki Psişik Araştırmalar Derneği'nin bir temsilcisi onun yöntemlerini yerden yere vuran bir makale yayımlayana kadar. O adamın dediğine göre kadının tarzı sıradan sahne sihirbazlarınkinden bile daha kabaydı.

Kadının kariyerinde ilerlemek ya da eski günlerine dönmek için, halkın cehaletinin yol açtığı bu yeni sansasyonu kullanmak istemesi doğaldı ama keşke daha yaratıcı olsaydı. Performansı, medyumla "kontrolündeki varlık"ın ya da "rehber ruh"un sesi arasında gerçekleşen tipik ve bayıcı bir soru cevap diyaloğundan ibaretti. Madam Blatantowski'nin rehberi büyüleyici (ve dediklerinin anlaşılması olanaksız) Fetet-ra idi ve adamın bariton sesi, kadının kendi boğuk sesine çok benziyordu. Adam "prenses"in mezarına geri konulmasını isteyen herkesi Madam'a bağışta bulunmaya çağırır gibiydi.

Seyirciler saflık derecelerine göre saygılı bir ciddiyetle ya da alayla sırıtarak dinlemekteydiler. Yakındaki bir yüzde tanıdık bir alaycı sırıtış görünce ona yaklaştım.

"Bu tarz sansasyonlarla ilgilenmediğini sanıyordum" diye belirttim.

"Beni Walter getirdi" dedi Emerson. "Selam Ramses, evladım. İyi izle bak, böyle çarpıcı bir budalalık örneğini zor görürsün."

Walter beni başını sallayıp gülümseyerek selamladı ama yanındaki Bay Wilson bu keyifli hali paylaşmıyordu.

"Aman Tanrım, aman Tanrım" diye meliyordu koyun gibi, ki gerçekten de koyuna benziyordu. "Bay Budge ne diyecek? Böyle şeylere göz yummamamı söylemişti..."

Walter onun sırtına pat pat vurdu. "Neşelen biraz Wilson. Böyle şeyler müzeye gelenlerin sayısını artırır, bazıları diğer bölümleri de gezip zihinlerini geliştirebilirler."

Wilson sıska ellerini ovuşturuyordu. "Çok zekisiniz efendim, bu fikrinizi Bay Budge'a söyleyeceğim kesinlikle ama kendisi... Bana talimat vermişti..."

"Bir kerelik olsun Budge'la hemfikirim" diye belirtti Emerson. "Zaman kaybı bu. Şu sefil kadın insanların ilgisini çekmeyi hiç bilmiyor."

"Senin şeytan kovma ayinlerin çok daha etkili" diye katıldım. "Ama senin gibi oyunculuğa yetenekli çok insan yok ki Emerson."

"Doğru" dedi Emerson. "Emeklerine karşılık bir şeyler hak ediyor sanırım." Kendisini durdurmama fırsat kalmadan cebinden bozuk paralar çıkardı. Paraları izleyicilerin başlarının üstünden öyle ustalıkla fırlattı ki Madam'ın ayaklarının dibine düşen paralar, mermer zeminde müzikal şıngırtılar çıkardı.

Bunun üzerine gösteri sona erdi. Kahkahayı basan bazı seyirciler de peniler fırlattı. Eğilip paraları toplamaya çalışanlar oldu. Emerson müşfik bir gülümsemeyle izliyordu.

"Çok kabasın Emerson" diye azarladım.

"Aptallara tahammülüm azdır" dedi Emerson. "Eğer bu kadın... Hah! Şuraya bak Peabody. Prolog kısmı bitti, piyes başlamak üzere."

"Rahip" girişinin zamanlamasını iyi ayarlamıştı. Bütün gözler medyumda odaklanmıştı, ben de dahil kimse onun yaklaştığını görmemişti. Sanki duvarda dizili tabutlardan birinden çıkagelmişti. Kollarını göğsünde kavuşturmuş, kımıldamadan duruyordu. Tabutlardaki boyalı yüzler kadar hareketsizdi yüzü.

Bu şaşırtıcı değildi, çünkü maske takmıştı... Yalnızca yüzü örten modern maskelerden değildi, bazen mumyaların başlarına yerleştirilen kartonpiyer maskelerin usta bir taklidiydi. Biçimlendirilmiş saç lüleleri, İmparatorluğun son döneminin ayrıntılı peruklarının tıpatıp benzeriydi. Yüz hatları özenle biçimlendirilmiş, dudaklar renklendirilmiş, kaşlar siyah boyayla çizilmişti. Gözler boş deliklerdi.

Leopar derisi gerçekti. Bu ayrıntı neden dikkatimi çekti bilmiyorum. Belki de hırlama ifadesindeki vahşilikle yumuşak pençeleri arasındaki tezat yüzünden. Bir omza atılmış ve bağlanmış olduğundan, hayvanın kafası adamın göğsünde duruyordu. Altındaysa uzun, beyaz bir cübbe vardı.

O tuhaf kişi etkileyiciden de öteydi. Seyirciler huşu içinde kalakalmışlardı. Adam hareket ettiğinde karşısındakiler, eskiden imanlıların rahiplere ve krallara yol vermeleri gibi iki yana çekiliyorlardı. Adam sağa sola bakmadan dosdoğru mumya sandukasına gitti.

Leydi Henutmehit tabutlar konusunda zevkliydi. Onunkisi, sıradan tabutlar gibi parlak, cafcaflı tanrı ve iblis resimleriyle kaplanmak yerine, açık altın sarısına boyanmıştı. İnsanın aklına daha saygın kişilerin tabutlarının bu değerli madenden yapılmış olup olamayacağı sorusunu getiriyordu. (Ne yazık ki doğrulanması imkânsız bir varsayım, çünkü tarihi mezar soyguncularının becerikliliği yüzünden hiçbir kral tabutu bulunamadı ve bulunacak gibi de görünmüyor.)

Konuyla belki de daha çok ilgili bir şey, tabutun maddi ve sosyal açılardan sıradan birine ait olduğu gerçeğiydi. Kadında taç ya da kutsal engerek sembolü gibi kraliyet simgeleri yoktu.. Siyah saçını çevreleyen çelenk, basit bir lotus çiçeğiyle süslenmişti.

Rahip eğilerek selam verdikten sonra hareketsiz kalıp gözlerini Henutmehit'in dingin yüzüne dikti. Bu sahnede etkileyici bir taraf vardı ama kolay etkilenen biri olmayan Emerson kısa sürede sıkıldı. Genç Wilson'a dönerek, "Bu performans öncekinden de bayıcı" dedi yüksek sesle. "Neden talimatları yerine getirmiyorsun Wilbur? Git şu zırdelinin maskesini çıkar, kim olduğunu öğren ve onu kaçtığı tımarhanenin bakıcılarına teslim et."

Ama Wilson ellerini ovuşturup kaygıyla mırıldanmaktan başka bir şey yapamıyordu. Bekçilerden biri yavaşça Emerson'a yaklaştı. "Bu zavallıcık sorun çıkarmıyor ki Profesör. Gördüğünüz gibi öylece duruyor o kadar. Ama odayı boşaltmamı isterseniz elbette..."

"Zahmet etme Smith" diye karşılık verdi Emerson. "Bir odanın boşalmasını istersem bizzat boşaltırım."

Maskeli figür dönüp işaret etti. Uzun süren hareketsiz duruşundan sonra bu davranışı öyle irkilticiydi ki en yakınındakiler inleyip geri çekildiler. Kısık, boğuk bir ses mırıldandı:

> *"Kızkardeşi koruyucusuydu onun,*
> *Düşmanı kovan,*
> *Rahatsız edicinin yaptıklarını boşa çıkaran*
> *Kudretiyle sözlerinin."*

"Vay canına" diye mırıldandı Emerson. "Peabody, bu..."

Ama performansçının işi bitmemişti. Sesi yükseldi. "Zeki dilli, beyhude konuşmayan. Takdire... şayandır..."

Ses tuhaf bir kararsızlıkla kesildi. Nefesimi tuttum. Sessizliği nasıl bir derin ve ciddi uyarı bozacaktı acaba?

Sessizliği bozan ses derin ve ciddi değil, ince ve tizdi. "Emirleri takdire şayan" diye cırladı Ramses. "Güçlü İsis korurdu..."

Emerson kahkahayı bastı. "Güçlü İsis ha? Olamaz, Tanrı aşkına... seni kast ediyor Peabody! Zeki dilli... Ha ha ha! Beyhude konuşmayan..." Neşesini dizginleyemeyince karnını tutarak iki büklüm oldu.

Ramses'i tuttum. "Nereye gidiyorsun? Yanımda kal."

"Ama kaçıyor" diye haykırdı Ramses.

Doğru söylüyordu. "Rahip" şaşırtıcı bir hızla, sandaletlerini taş zemine vura vura kapıya ulaştı ve gözden kayboldu.

"Boşver" dedim. "Emerson, kendini rezil ediyorsun. O zırdeli kaçtı..."

"Kaçsın" dedi Emerson soluk soluğa. "O herifi çok sevdim. Zeki ve klas biri olduğu belli. Ah, ulu Tanrım! 'Beyhude konuşmayan'..."

"Çok hoş bir iltifat" dedi Walter, Emerson'la aynı hissi paylaştığından dudakları titremekteydi. (Emerson'un kahkahası yersiz de olsa öyle neşelidir ki oldukça bulaşıcıdır.) "'Düşmanı kovan, rahatsız edicinin yaptıklarını boşa çıkaran.' Bundan daha doğru bir laf edilmemiştir Amelia'cığım."

"Hımm" dedim. "Walter, galiba haklısın. Emerson, lütfen kendine hâkim ol. Eve gitme zamanı geldi."

Günün geri kalanı en sevdiğimiz insanlarla yatıştırıcı aile sohbetleri yapmakla geçti ve kedi Bastet'in sağlığı konusunda Ramses'in içini rahatlatmayı başardım. Bastet tuhaf bir heyecana kapılmış gibiydi ama iştahıyla ateşi normaldi, bu yüzden uzun yolculuk ve kapalı tutulmanın sıkıntısı nedeniyle biraz sinirlerinin bozulduğuna karar verdim. Ne de olsa onu Londra'da dışarı bırakmamıştık elbette. Gece uyuyup güzelce dinlendikten sonra, yakında yeniden görüşme vaatleriyle vedalaştık, daha genç Emerson'lar Yorkshire'a, bizse Kent'e doğru yola çıktık, hayatlarımızın en büyük dehşetlerinden biri üstümüze çökmeden önce kısacık bir pastoral huzur yaşayacağımızdan habersiz.

Eski uşağımız Wilkins'ın kaç yaşında olduğunu sık sık merak etsem de açıkça sorma küstahlığında asla bulunmadım. Hoşlanmadığı bir şeyi yapması istendiğinde (ki evimizde sık başına gelir), yığılmak üzere olan bir ihtiyar gibi titreyip mırıldanır. Oysa görünüşü on yıldır değişmedi ve yirmi beş yaşında bir adamdan bile daha hızlı hareket ettiğine defalarca tanık oldum, hepsi de Ramses'le ilgili durumlardı. Olduğundan yaşlı görünmek için saçını boyadığından şüpheleniyorum.

Bizi gördüğüne öyle sevindi ki merdiveni koşarak indi ve Emerson'un içtenlikle uzattığı eli sıktıktan sonra efendinin uşağıyla el sıkışmaması gerektiğini hatırladı. Bizi daha sonra John karşıladı ve valizlerimizin sorunsuz geldiğini pişmiş kelle gibi sırıtarak bildirdi. Ardından sırayla aşçılar, sofra hizmetçileri ve bahçıvanlar geldiler. John'ın karısının kucağında yeni bebeği vardı ve onu övmek, babasına çok benzediğini söylemek zorunda kaldık (oysa aslında pembecik tombul yanaklarıyla biçimsiz yüz hatları dışında pek bir şey görünmüyordu).

Ramses valizlerini açmak için odasına koştu. Onu daha sonra kontrole gittiğimde, odasının tahmin ettiğim gibi kaos halinde olduğunu ve Ramses'in içi kum dolu gibi görünen küçük bir sandığı ya da kutuyu düşünceli bir tavırla incelediğini gördüm. "Bunu Mısır'dan mı getirdin?" diye haykırdım. "Burada yeterince toz toprak var zaten Ramses, ayrıca masrafları düşününce..."

"Bu toprak ya da sıradan kum değil anne" diye karşılık verdi Ramses. "Natron. Babam mumyalaştırma üzerine bazı deneyler yapmama izin vermişti hatırlarsan..."

"Neyse, evi kirletme de" dedim tiksintiyle. "Gerçekten Ramses, bazen merak ediyorum da..."

"Tuhaf görünüyor olabilir anne ama seni temin ederim ki

öyle eğilimlerim yok. Ana etmenin sıvı natron banyosu olduğunu öne süren Bay Budge'ın ve eski otoritelerin, özellikle de Bay Pettigrew'ün, yanıldıklarına eminim. Orijinal Yunanca metinlerin yanlış çevirisi..."

"Yanlış çeviri Budge'ın uzmanlık alanıdır" dedi peşimden odaya girmiş olan Emerson. "Hayatında kendine ait tek bir fikri bile olmadı. Kendisi araştırmaya gerek duymaksızın, Pettigrew'ün hatasını tekrarlayıp durdu, o kadar..."

Onları sohbetlerinde baş başa bıraktım. Gündelik hayatımda bir sürü mumyayla karşılaştığımdan onlara karşı profesyonelce bir kayıtsızlık geliştirmiştim, bazıları gerçekten çok iğrenç olsa da. Ancak böyle konuların üstünde durmanın gerekliliğine inanmıyorum.

Ramses'in yeğenlerinin, özellikle de Violet'ın, geleceğini öğrenince sevinmesine biraz şaşırdım. Ondan söz ederken siyah gözlerinin ışıldaması beni biraz kaygılandırdı. Geçen kış karşı cinsler arasındaki ilişkiler hakkında sorduğu sorulara afallayan babası hâlâ şoktan tamamen çıkabilmiş değildi ve annesi de oldukça huzursuz olmuştu ama düşününce, bu büyümüş de küçülmüş tavrın göründüğü kadar şaşırtıcı olmadığını fark etmiştim. Ramses hayatının çoğunu Mısırlıların yanında geçirmişti ki onlar Avrupalılardan çok daha erken olgunlaşır ve çoğunlukla ergenliğe ulaşmadan evlenirler. Ramses merakını başkalarının yanında sergilememesi yolundaki sert nasihatları dikkate almıştı (öyle olduğunu umuyordum). Ama bundan çok da emin değildim.

James zaman kaybetmedi. Biz daha valizlerimizi boşaltmayı bitirmeden çocuklarıyla çıkageldi ve akşam yemeğine bile kalmayı reddederek, öyle apar topar ayrıldı ki içi fesat biri onlardan bir an önce kurtulmaya can attığını düşünebilirdi. (Gerçi ona kalmasını teklif eden de olmamıştı.) Çocuklar sözümü dinleyerek, "Güle güle babacığım" diye el salladılar ama at arabası yolda uzaklaşırken, genç yüzleri tuhaf bir biçimde hissizdi.

Çocuklar güzeldi... Ebeveynlerini tanıyan biri olarak tahminimden çok daha güzeldiler. Percy kahverengi saçlıydı ve sanki biraz bana benziyordu. Kardeşi sarışındı ve daha çok annesi tarafına çekmişti, tombul yanakları, minik ve büzük bir ağzı ve çok iri, bomboş mavi gözleri vardı. Bu özellikler yetişkin bir kadında çok hoş durmasalar da bir çocuğa gayet yakışır. Ramses'in onu büyüleyici bulduğu kesindi. Durup soğukkanlı bir biçimde, gözlerini kırpmaksızın bakmaya başladı, ta ki kız kıkırdayarak, ağabeyinin arkasına saklanana kadar.

Kıkırdamak dışında -yakında sinirimi bozmaya başlayacağını tahmin ediyordum- tavırlarında bir kusur bulamadım. Percy, Emerson'a "efendim" (bazen abartarak her cümlesinde kullanıyordu), bana da "Amelia Hala'cığım" diye hitap ediyordu. Violet'ın çok az konuşmasıysa tam tersine alışık olan benim için hoş bir sürprizdi.

Kısacası, ilk izlenimleri olumluydu ve Emerson'la o akşam yemekte bu konuyu konuştuğumda benimle hemfikir olduğunu öğrenmek hoşuma gitti. Percy hakkında "Percival Peabody adını taşıyacak kadar bahtsız bir çocuk için tavırları hiç fena değil", Violet içinse "Hoş bir balmumu bebek" diye yorum yaptı. "Kız biraz şapşal galiba" diye ekledi tatlı bir biçimde. "Ama zamane kızları böyle oluyor sanırım. Onu yakında hizaya getirirsin Peabody."

Geri dönüşümüzü takip eden günlerde Ramses'e arkadaş bulacak kadar basiretli olduğum için kendimi kutladım, çünkü eskisi gibi beni sürekli meşgul etse ve aptalca şeyler yapsa aklımı kaçırırdım. Emerson kendini kütüphaneye kilitlemiş, rahatsız etme cüretinde bulunan herkesi ağza alınamayacak bir biçimde cezalandıracağı tehdidini savurmuştu. Bense uzun bir yokluğun ardından ve bir yenisinden önce, insanın karşısına çıkan sayısız ayrıntıyla boğuşuyordum sabahtan akşama kadar. Hava güzel olduğundan çocuklar zamanın çoğunu dışarıda geçirebiliyorlardı.

Birkaç talihsizlik yaşandı elbette, ki çocuklar eğlenirken böyle şeyler normaldir... Özellikle de çocuklardan biri Ramses ise. Merdivenden düşünce alnında kocaman, mor bir şişlik belirdi ve o sırada yanında bulunan minik Violet'a bakmaktan adımını attığı yere dikkat etmediğini itiraf etti. Gerçekleşen biraz daha ciddi bir başka olaysa (bu günlüğün mahrem sayfalarında itiraf edebilirim ki) beni oldukça kaygılandırdı.

Evde geçen kış yapılan harcamaları kontrol ederken, ön kapıya yaklaşan çığlıklar ve bağrışmalar yüzünden koltuğumdan fırladım. Emerson rahatsız olmadan gürültüyü durdurmak umuduyla hole daldım ama John'ın kucağında oğlumun gevşek bedenini taşıdığını görünce daha önemsiz kaygılar aklımdan çıkıverdi. Ramses'in gözlerinin yalnızca akları görünüyordu ve kesik kesik, hırıltılı soluyordu.

Violet ondan daha iyi durumda sayılmazdı. Çığlıklarının tizliği kesinlikle afallatıcıydı. Onu ilk kez babasına benzettim, çünkü kırmızı, şişmiş suratı, yanaklarından akıp fırfırlarını ıslatan yaşlarla parlıyordu. "Öldü, öldü" diye bağırıp duruyordu. "Ah, ah, öldü, ah, öldü, öldü..." Merdivenden koşarak inen Rose'a (kepinin şeritleri uçuşuyordu), yerde kıvranarak hıçkıran Violet ile ilgilenmesini söyledim.

Gruptaki hâlâ aklı başında tek kişi olan Percy'den bir açıklama talep ettim, çünkü her ne kadar ellerim, yüreğim ve beynim çocuğuma yardım etmeye can atsalar da, durumunun nedenini bilmeden elimden bir şey gelmezdi. Percy paniğini erkekçe kontrol altında tutuyordu; omuzları dimdik, yumrukları sıkılı duruyor, gözlerini yüzümden hiç ayırmıyordu. "Benim suçumdu Amelia Hala. Yalan söyleyemem. Beni dövün, kırbaçlayın... ya da belki de bunu Radcliffe Amca yapsa daha iyi olur, o daha kuvvetli. Cezayı hak ediyorum. Kabahatliyim, akılsızlık ettim..."

Onu tutup sarstım. "Ne yaptın?"

"Kriket topu karnına çarptı Amelia Hala. Ramses'e topa vurmayı vurmayı öğretiyordum ve..."

Yeniden Ramses'e döndüm. Gözlerinin, henüz tam odaklanamasalar da, eski haline döndüğünü ve daha kolay soluduğunu görmek içimi rahatlattı. *Solar plexus*'a inen bir darbe acılı ve korkutucu olabilir ama en azından gençlerde ölüme yol açtığı nadirdir. Çocukken James'in orama iri bir taşla vurduğunu çok iyi hatırlıyorum. (Babama ayağımın kaydığını ve düştüğümü söylemişti.)

"Bir şeyi yok" dedim rahatlayıp uzun uzun nefes alarak. "John, onu yukarıya, yatağına götür. Percy, nasıl bu kadar dikkatsiz olabildin?"

Percy'nin dudakları titriyordu ama alçak, düzgün bir sesle cevapladı. "Bütün sorumluluğu alıyorum Amelia Hala. Ellerim kaydı... ama bu mazeret değil."

Arkamdan tuhaf, hırıltılı bir mırıltı geldi. "Fırlatılan... ya da sopayla vurulan... bir nesnenin... gideceği yönü belirleme... yetisi... her zaman atıcının elinde değildir..."

"Çok haklısın Ramses" dedim, oğlumun terleyen alnına düşmüş saçı geriye atarak. "Bir kazaydı ve Percy'ye haksızlık ettim. Ama nutuk çekeceğine neden baştan söylemedin ki? Üstelik böyle nefes nefeseyken..."

"Ancak bazı koşullarda..." diye inledi Ramses.

"Yeter Ramses! Onu yukarı çıkar John. Ben hemen geliyorum."

John emrime uydu, Rose hıçkıran Violet'ı götürdü. Ben de dikkatimi ceza bekleyen minik bir asker gibi dimdik duran Percy'ye yönelttim. Elimi omzuna koyduğumda fark edilir biçimde yüzünü ekşittiğini görünce hemen içini rahatlattım.

"Bu evde kimse kırbaçlanmaz ya da dövülmez Percy... Ne insanlar ne hayvanlar, hatta ne de çocuklar. Talihsiz bir kaza olmuş ve senin suçu üstlenmen cesurcaydı."

Çocuğun yaşadığı şaşkınlık, yetişkinlerden iyi, mantıklı davranışlar görmeye alışık olmadığını anlamamı sağladı. Bunun üzerine çocuk yetiştirme yöntemlerimizin onun ebeveyninkinden üstün olduğunu kanıtlama arzum iyice pekişti.

Hafta sonuna doğru, uslu çocukların Ramses'i iyi yönde etkileyebileceklerine dair iyimserliğim azalmaya başladı. Percy evde üzgün üzgün dolanır olmuştu. Sıkıştırılınca yalnızlık çektiğini, yalnızca "anacığını ve babacığını" değil, oyun arkadaşlarını da özlediğini itiraf ediyordu. Ramses onunla oynamıyormuş. Ramses onu sevmiyormuş, Percy bunu kederle söyledi.

Ramses'i bir kenara çekip, misafirlere kibar davranmak konusunda kısa bir ders verdim. "Percy annesiyle babasını özlüyor Ramses, ki bu çok doğal. Biraz taviz vermelisin, hobilerine bir süreliğine ara verip Percy'nin hoşuna giden şeylerle ilgilenmelisin."

Ramses, Percy'nin eğlence anlayışını paylaşmadığını, ayrıca babası hakkında söylediklerinden anladığı kadarıyla onu hiç özlemediğine kanaat getirdiğini açıklayarak karşılık verdi. Her çeşit dedikodudan, özellikle de çocuklarınkinden nefret ettiğimden oldukça sert bir tavırla Ramses'in sözünü kestim. "Percy kendisini sevmediğini söyledi."

"Doğru söylemiş" dedi Ramses. "Sevmiyorum."

"Belki onu daha iyi tanımaya çalışsan seversin."

"Hiç sanmam. Benim işim gücüm var anneciğim. Mumyalaştırma üstüne çalışmalarım..."

Yine çabuk ve sert bir karşılık verdim, çünkü Ramses'in mumyalaştırma çalışmaları şimdiden tatsız bir olaya yol açmıştı. İyi durumdaki numunelerinden birini Violet'a göstererek kızı etkilemeye çalışmıştı. Kız sinir krizi geçirince Emerson hışımla kütüphaneden çıkmıştı.

Kısa süre sonra, çocuklarla ilgili kaygılarımı böyle konulardaki fikirlerine değer verdiğim biriyle paylaşma fırsatı buldum. Kendisi mahalledeki konuştuğum az sayıda bayanlardan biriydi... Civardaki bir okulun müdüresiydi ve kadınların eğitim hakları, oy kullanma hakları, düzgün giyinmeleri gibi önemli konularda fikirlerimi paylaşırdı. Kendisine gelişimi bir mesajla bildirmiş ve misafirliğe davet etmiştim ama kendisi ancak hafta sonunda gelebildi.

Kırmızı yüzlü, gri düşmüş kahverengi saçlı, çukura kaçmış kurnaz gözlere sahip gürbüz bir İskoç kadındı. Tüvit jimnastik pantolonuyla büyük çizmelerini fark edince, "O kadar yolu bisikletle gelmedin herhalde?" dedim.

"Tabii ki öyle yaptım. On beş kilometre bile değil, ayrıca..." diye ekledi gülerek, "Ana Cadde'den geçerken köyün namuslu kadınları taş atmıyorlar artık."

Emerson adına özür dileyerek, gece gündüz kitabı üstünde çalıştığını söyledim. İşin doğrusu kendisi, Helen'den pek hazzetmez ve birlikte olduğumuzda kendisine konuşma fırsatı tanımadığımızı öne sürerdi. Helen söylediğim bahaneyi soğukkanlılıkla karşıladı, o da Emerson'dan pek hazzetmiyordu.

"Daha iyi ya" dedi. "Kadın kadına konuşabiliriz. Son maceralarını anlatsana Amelia. Gazetelerde okudum ama onlara güven olmaz."

"Gazetelerde okuduklarına kesinlikle inanmamalısın. Bayan Debenham'a, şimdi Bayan Fraser, zor zamanında yardım ettiğimiz doğru..."

"Ayrıca bir katilin maskesini düşürmüş ve masum bir adamı temize çıkarmışsınız?"

"Evet, onlar da var. Ama okumuş olabileceğin başka her şey..."

"Sonra Suç Üstatlarının korkunç imaları (kusura bakma, elimde olmadan gülümsüyorum, çok komik bir ad, bir romandan fırlamış gibi) ve kaçırılman..."

"Fazlasıyla abartıldı" dedim. "Aslında bu konuda daha fazla konuşmamayı tercih ederim Helen."

Yaptığımız kazıları kısaca anlattım ve son olarak "Emerson, piramidin Üçüncü Hanedan'dan Snefru'ya ait olduğuna emin" dedim. "Cenaze tapınağını kazmayı gelecek sezon bitirmeyi, hatta belki içini araştırmayı umuyoruz."

Helen hafif dalgın bir ifadeyle dinliyordu. Kendisi bir klasik tarihçiydi ve Orta Doğu mimarisi hakkında pek bilgili değildi. Konuyu değiştirerek Ramses'i sordu.

"Son zamanlarda kafayı mumyalaştırma işlemine taktı" dedim yüzümü ekşiterek.

Helen candan bir kahkaha patlattı. Ramses'i çok eğlenceli buluyordu... Şüphesiz onu çok az görebildiği için. "O olağanüstü bir çocuk Amelia. Sakın küçük İngiliz oğlanlarına çevirmeye kalkma, çünkü onlar iğrenç oluyorlar."

"Ramses'i istemediği bir şeye dönüştürmek olanaksızdır" dedim. "Açıkçası sohbet fırsatı bulmamıza sevindim Helen. Ramses için kaygılanıyorum ve çocuklar konusundaki uzmanlığın..."

"Yalnızca kızlarda uzmanım Amelia. Ama çok şey bilmesem de her zaman hizmetindeyim."

Ona Ramses'in yeğeni Percy'ye karşı duyduğu antipatiden söz ettim. "Dövüşüyorlar Helen, bunu biliyorum. Tartışmaları Ramses çıkarıyor olmalı, çünkü Percy'yi sevmediğini hiç gizlemiyor, zavallı Percy ise arkadaşlık kurmaya can atıyor. Ramses'e başka çocuklarla oynamak iyi gelir sanmıştım ama durum daha kötü oldu galiba."

"Bu, çocuklar hakkında pek bir şey bilmediğini gösterir, o kadar" diye avuttu Helen. "Ramses tek çocuk ve... Nasıl desem... sıra dışı ortamlarda yetişti. Ebeveyninin bütün ilgisini sürekli üstünde toplamaya alışık. Bunu başka çocuklarla paylaşmak zorunda kalmaktan hoşlanmıyordur elbette."

"Gerçekten böyle mi düşünüyorsun?"

"Böyle olduğunu biliyorum. Aynı şeyi kızlarımda da gördüm. Eve yeni bir çocuk gelince çoğunlukla tavırlarında değişiklikler olur."

"Ama Percy bebek değil ki."

"Daha kötü ya. Bütün küçük oğlanlar dövüşür Amelia... Evet, bazı küçük kızlar da dövüşür, gerçi onlar hoşlanmadıkları çocuklardan hınçlarını çıkarmak konusunda daha kurnaz ve zekice davranırlar genellikle."

Bana mesleğinde yaşadıklarını biraz anlatınca başka bir iş seçtiğime sevindim.

Bazı teorileri bana abartılı geldi, okuduğum kitaplardaki otoritelerin fikirlerinden farklı oldukları kesindi ama sonuçta o otoritelere pek saygı duyduğum söylenemezdi.

Gitme zamanı geldiğinde, tasarımını öve öve bitiremediği yeni güvenli bisikletini denemek isteyebileceğimi söyledi.

Ama evden çıktığımızda ortalıkta bisiklet falan yoktu. "Buraya bırakmıştım" dedi Helen, şaşkın şaşkın çevreye bakınarak.

Sonra Violet'ın terasta dizili duran büyük ölü külü vazolarından birinin arkasında çömeldiğini gördüm. "Orada ne yapıyorsun Violet?" diye sordum. "Bu bayanın bisikletini gördün mü?"

"Evet 'Melia Hala."

"Çömelmesene" dedim sertçe. "Gel buraya."

"Çocuğu korkutuyorsun Amelia" dedi Helen.

"Ben mi? Bir çocuğu mu korkutuyorum? Bunu nasıl..."

"Bırak onunla ben konuşayım." Elini uzatıp gülümseyerek ilerledi. "Sen Violet mısın? Halan senin çok iyi bir kız olduğunu söyledi. Gelip beni öpsene."

Violet bir parmağı ağzında, gözleriyle yan yan bana bakarak tereddütle yürüdü. Gören de ona her gün dayak attığımı sanırdı. Helen eğilip çocuğu anaç bir tavırla kucakladı. "Bisikletime ne olduğunu söylesene Violet'cığım" dedi tatlı bir sesle.

Violet işaret etti. "Ramses aldı."

Evin kapısıyla bahçe kapısı arasında dört yüz metre vardır. Çakıllı araba yolu terasın önünde çember biçimindedir, ağaçlar ve çalılar yüzünden çemberin diğer ucuyla yolun düz kısmı görünmez. Birden ağaçların arasından bisikletin çıktığını gördüm. Ramses yüksek seleye tünemişti. Bacakları pedallara ancak en yukarı geldiklerinde dokunabildiğinden hızlı hızlı çeviriyor, yalpalıyor ve düşmesi, göründüğü kadarıyla, bisikletin yanında koşan Percy tarafından engelleniyordu.

Helen hiddet ve kaygıyla inledi. Oğlanlar yaklaşırken fark ettim ki Percy bisikletin devrilmemesine yardım etmiyor, onu durdurmaya çalışıyordu. Bu sonuca varmamda, "Dursana kuzen ama yapmamalısın, izin almadın" gibi haykırışlarının da etkisi oldu.

Ramses beni fark etti. Bacaklarının hareketi kesildiği anda Percy gidonu kavradı. Sonucu tahmin edebilirsiniz. Bisikletle sürücüsü iç bulandırıcı bir çatırtıyla devrildiler. Percy çevik bir hareketle kendini kurtarmayı başardı.

Helen enkaza doğru koştu. Violet çığlık atmaya başladı. "Öldü! Öldü!" diye tuhaf haykırışları yeri göğü çınlatırken, hemen Helen'in yanına gittim.

Başlangıçta Ramses bisiklete ayrılamayacak kadar dolanmış gibiydi ama sonunda onu kurtarmayı başardık. Kollarıyla yüzü sıyrılmış kanıyordu ve yeni gemici üniforması mahvolmuştu. Bisiklet de.

Sağ salim olduğuna kanaat getirdikten sonra onu hafifçe sarstım. "Neden böyle bir şey yaptın Ramses? Yaptığın yalnızca kendini aptalca tehlikeye atmak değildi, aynı zamanda çok yanlıştı. Bisiklet senin değildi ve izinsiz binmeye hakkın yoktu."

"Violet bana dedi ki..." diye söze başladı Ramses.

"Ramses, Ramses." Helen üzüntüyle başını salladı. "Bir küçük bey kendi yaptıklarının sorumluluğunu genç bir bayana atmaz. Violet'ın istediği şeyi yapmak gibi bir yükümlülüğün yoktu."

"Madam, Amelia Hala... Affedersiniz" dedi Percy usulca. "Violet, Ramses'in bisiklete bindiğini görmekten çok hoşlanacağını söyledi o kadar. Ramses çok iyi bisiklete bindiğini söyleyerek biraz hava atıyordu. Onu engellemeliydim. Bütün sorumluluğu üstleniyorum."

Ramses dönüp yeğeninin incik kemiğini tekmeledi. "Benim sorumluluğumu üstlenemezsin! Sen kimsin ki benim sorumluluğumu üstleniyorsun?"

Percy bağırmadı ama yüzü acıyla buruştu ve hemen Ramses'ten uzaklaştı. Ramses'i yakasından tutmasam onun üstüne yürüyecekti.

"Kes şunu Ramses! Senden çok utanıyorum. Üslubun, yeğenine saldırman, Bayan McIntosh'un bisikletini harap etmen..."

Ramses kıpırdanmayı bıraktı. "Bayan McIntosh'tan özür dilerim" dedi nefes nefese, kanayan yüzünü kanlı yeniyle silerek. "Kendisine bisikletin parasını en kısa zamanda ödeyeceğim. Şu anda on iki şilin altı buçuk penim var ve yakında... Anneciğim, yakamı çektiğin için nefes borum acı verici bir biçimde eziliyor, tıpkı bir cellat ilmiğinin bir suçluyu..."

"Bırak onu Amelia" diye emretti Helen. Sözünü hemen dinledim, çünkü Ramses'in suratı fark edilir biçimde kararmıştı. O kadar sert davranmak istememiştim aslında. Helen eğilip çocuğun çizilmiş yüzüne dokundu.

"Sana kızmadım Ramses ama hayal kırıklığına uğradığımı itiraf etmeliyim. Bisiklet konusunda değil, niyetin ona zarar vermek değildi. Beni neden hayal kırıklığına uğrattın, biliyor musun?"

Ramses kendi çapında Helen'ı sevmişti hep ama o an ona baktığı biçimde bana baksa polis çağırırdım. Sonra incinmiş ifadesi her zamanki soğukkanlı fütursuzluğa büründü. "Bir küçük bey gibi davranmadığımı düşündüğünüz için mi?" diye sordu.

"Kesinlikle. Bir beyefendi başkalarının malını izinsiz almaz, davranışlarının suçunu başkalarına atmaz, kötü sözler söylemez ve asla, asla bir başkasını tekmelemez."

"Hımm." Ramses bunlar üstünde düşündü. "Annemle babamın hakkını teslim etmek adına şunu söyleyeyim ki böyle standartlara uymam için çabaladılar, gerçi hiç bu kadar otoriter biçimde ifade etmemişlerdi, ancak şu ana kadar hiç derinlemesine düşünmediğim zorluklar..."

"Odana git, Ramses" diye haykırdım.

"Peki anneciğim. Ama şunu belirtmek isterim ki..."

"Odana!"

Ramses gitti. Topalladığını fark ettim.

Helen'a at arabası getirttim, Percy'yi iyi niyeti ve erkekçe tavrından dolayı övdüm, Violet ile konuştum, kimsenin kendisiyle ilgilenmediğini fark edince feryadı kesmişti. Bezgin bir halde eve girdim.

Ramses'le uzun, ciddi bir konuşma yaptım. Bacağını incelememe ve üstünde beliren morluğa soğuk pansuman yapmama göz yumdu ama söylediği tek söz, iyi niyetle çektiğim nutuğun pek de etkili olmadığını gösteriyordu. "Bir küçük bey olmak" dedi benden çok kendine, "onca zahmete değmezmiş gibi görünüyor."

Bisiklet olayından sonra çocuklar arasındaki husumet azaldı... Bunun nedeni Ramses'e üç gün oda hapsi cezası vermem olabilir. Böylece ev işlerimi bitirmeyi ve Londra'dan ayrılma planları yapmayı başardım. Emerson kütüphaneye kapanmıştı, yalnızca yemek almak ve bizlere homurdanmak için çıkıyordu. Başlangıçta Ramses'in kitabında yaptığı değişiklikleri keşfettikçe öfkeyle bağırdığını işitiyordum ama zaman geçtikçe bunlar azaldı ve sonunda bana artık British Müzesi'ndeki referans kaynaklarına bakması gerektiğini söyledi. Ben de ona istediği zaman gidebileceğimizi söyledim.

Aramızda hır gür çıkmasını kesinlikle istemediğimden, o tuhaf habis mumya vakasını ağzıma bile almıyordum ama bir şeyler oluyor mu diye her gün hevesle gazetelere bakmayı ihmal etmediğime emin olabilirsin sevgili okuyucu. Sonuç tam bir hayal kırıklığıydı. Bay O'Connell'la hasmı ellerinden geleni yapıyorlardı ama tek haber malzemeleri, mumya sandukasını düzenli olarak ziyaret eden o rahip kılığındaki kaçıktı. Ziyaretçilerin ya da müze görevlilerinin başına hiçbir şey geldiği yoktu, bir kâğıt kesiği bile olmamıştı.

O konuyu tamamen unutmuşken bir sabah, sanırım Salı'ydı, Wilkins ziyaretçim olduğunu söyledi. Gelen genç hanım tanımadığı biriydi ve adını vermemişti. "Ama sanırım kendisiyle görüşmek istersiniz madam" dedi Wilkins çok tuhaf bir tavırla.

"Gerçekten mi Wilkins? Peki böyle düşünmenin nedeni nedir?"

Wilkins hoşnutsuzlukla öksürdü. "O genç hanım çok ısrar etti madam."

"Hanım" lafını ısrarla kullanıp durması anlamlıydı, Wilkins tam bir züppedir ve böyle ayrıntılara önem verir.

"İçeri al öyleyse" dedim kalemimi bırakarak. "Ya da hayır... Ben ona gitsem daha iyi olacak, böylece daha kolay başımdan savabilirim. Onu nereye bıraktın Wilkins?"

Salona bırakmıştı... Bu da bir başka sosyal statü göstergesiydi. Oraya gittim.

"Genç *hanım*" şömine rafına dizili aile fotoğraflarını incelemekle meşguldü. Sırtı bana dönük olsa da, başını sorgulayıcı bir tavırla yana eğmesinden ve bir not defterine bir şeyler çiziktirmesinden kim olduğunu hemen anladım.

"Genç hanım mı demiştin Wilkins?" dedim yüksek sesle. Kadın haykırarak döndü. Gerçekten de Bayan Minton'ın ta kendisiydi, üstünde ısmarlama dikilmiş güzel, çizgili, mavi bir tüvit gömlek vardı. Başının tepesinde hasır bir denizci şapkası duruyordu.

Wilkins basiretle çekildi ve Bayan Minton, hanım falan olmadığını kanıtladı. Selam vermeden ya da özür dilemeden, not defterini kaldırarak üstüme koştu. "Beni dinlemelisiniz Bayan Emerson, mutlaka dinlemelisiniz!"

Dikeldim. *"Bana* emir mi veriyorsunuz Bayan Minton? Kiminle konuştuğunuzun farkında değilsiniz!"

"Ah, gayet iyi farkındayım! Yoksa burada işim ne? Özür dilerim Bayan Emerson, kötü davrandığımın farkındayım ama kibarlığa zamanım yok, gerçekten yok. Tren istasyonundaki tek at arabasını tuttum ama o herifin şeytani zekâsını küçümsemiyorum, kısa sürede başka bir taşıt bulup peşimden..." Kapalı kapının ardından bile işitilen darbeler ve seslenişler, konuşmasını yarıda kesip yine hafif bir çığlık atmasına yol açtı.

Bayan Minton tepindi. "Lanet olsun! Tahminimden daha çabuk davrandı. Bayan Emerson, lütfen..."

Kadın sözünü bitiremedi. Dışarıdaki karmaşa, salon kapısının pat diye açılmasıyla son buldu. Eşikte Kevin O'Connell duruyordu. Şapkasızdı, rüzgâr saçını dağıtmıştı, cilt ve saç renkleri biraz benziyordu, yanakları ter içindeydi, telaş, bitkinlik ve hiddet yüzünden bir an konuşamadı.

Arkasında Wilkins'ın holün zemininde oturduğunu gördüm. Ayağı kaymış ya da takılmış mıydı, yoksa itilmiş miydi bilmiyordum ama kımıldamadan, gözlerini bile kırpmadan oturmayı sürdürmekteydi.

İki genç insan aynı anda konuşmaya başladılar. Bayan Minton bir şeyler yapmamı istiyordu ısrarla... Ne yapmamı istediğine emin olamıyordum. Kevin ise yalnızca Bayan Minton'a küfretmekteydi. Sık sık yinelediği bir laf şuydu: "Ah, sen erkek olacaktın ki..."

Bu durumun daha fazla sürmesine göz yummadığımı söylemem gereksiz. Durum değerlendirmesi yaptıktan sonra Wilkins'ın beklemesi gerektiğine karar verdim, yaralanmamış, yalnızca sersemlemiş gibiydi. Önce kapıyı kapadım. Sonra "Susun!" dedim.

Böyle konuşmayı Ramses sayesinde öğrenmiştim, çünkü onunla bol bol pratik yapma fırsatım olmuştu. Hemen sessizlik çöktü.

"Oturun" diye emrettim. "Bayan Minton, siz şuraya geçin. Bay O'Connell, siz de odanın diğer ucundaki şu sandalyeye oturun."

Ayakta kalarak sert bir sesle konuşmayı sürdürdüm: "Bu kadar çirkin bir manzaraya çok az tanık olmuşumdur. Özellikle siz Bay O'Connell, bir insanın evine böyle zorla dalmakla fiziksel sağlığınızı büyük tehlikeye atıyorsunuz. Umarım profesör gürültüyü işitmemiştir. Kendisi bugünlerde pek havasında değil."

Kevin bu hatırlatma sayesinde hemen kendine geldi. "Evet, kesinlikle haklısınız Bayan E." dedi huzursuzca. "Açıkçası şu arsız yosmanın beni kandırmasına öyle sinirlenmiştim ki gözüm döndü..."

Bayan Minton minik yumruklarını sıkarak sandalyesinden fırladı. Onu iterek gerisin geri oturttum. "Aklınızı mı kaçırdınız? Buraya geliş nedeninizi hemen açıklayın. Hayır, Bay O'Connell siz susun, konuşma sıranız gelecek."

Kız çantasından bir gazete çıkardı. Gazeteyi bana fırlattı. Gözleri heyecanla parlıyordu. "Mumya yine iş başında. Bir cinayet daha işlendi!"

5

Ben gazeteyi incelerken, Kevin'la Bayan Minton fısıldaşmayı sürdürdüler. *Mirror*'ın son sayısıydı, matbaadan yeni çıkmıştı (bunu parmaklarıma bulaşan mürekkepten anladım).

Bayan Milton "bir cinayet daha" derken bir gazeteci olarak abartmıştı, çünkü bekçinin doğal bir nedenden ölmediği kanıtlanmış değildi. Ancak son olay bu kanıya ciddi olarak gölge düşürüyordu, çünkü ikinci ölümün cinayet olduğu kesindi. Bir insanın kendi boğazını kesmesi mümkündür ama yara öyle derindi ki nefes borusu yarılmış ve omurilik zedelenmişti. Dolayısıyla bu küçük bir olasılık gibi görünüyordu. İkinci kurban basit bir işçi de değildi. (Sosyal açıdan konuşuyorum, yoksa Tanrı'nın gözünde, sıradan konumdaki bir insan bir hükümdardan daha değerli olabilir.) Kimliği teşhis edilmişti: Jonas Oldacre adında, Mısır ve Asur tarihi eserlerine bekçilik eden bir asistandı.

"Ceset rıhtımda bulunmuş" diye mırıldandım. "Müze'de değil..."

"Ama rıhtımda nerede?" diye sordu Bayan Minton kalemini kaldırarak, "Cleopatra'nın İğnesi'nin dibinde!"

"O uygunsuz adın kalıcı hale gelmesi ne acı" dedim gazeteyi incelemeyi sürdürerek. "Cleopatra'nın o anıtla, ki aslında bir dikilitaştır, ilgisi yoktu. Kral 3. Tutmois tarafından dikilmişti ve üstünde onun adı yazılıdır. Bayan Minton, bunları o deftere yazmayı sürdürürseniz, onu elinizden almak zorunda kalacağım."

"Peki madam." Genç kadın defteri kapayıp cebine koydu. "Nasıl isterseniz Bayan Emerson. Ama sonuçta bir Mısır anıtı, değil mi?"

"Elbette. İzin verin de bitireyim... Cesedin elinde bulunduğu öne sürülen kâğıt parçası... Sizde mesajın kopyası var mı?"

"Hayır" diye itiraf etti Bayan Minton.

"Öyleyse ne yazıldığını nereden biliyorsunuz? Burada harfiyen alıntılamışsınız da... İngilizce çevirisini."

Bayan Minton ilk kez cevap veremedi. Mantıklı bir açıklama düşünmesine fırsat kalmadan, kendini güç bela dizginlemekte olan Kevin patladı: "Polise rüşvet verdi! Hem de yalnızca para değil, onu ben de denedim, işe yaramadı, iğrenç kadınsı cilveleriyle..."

"Bu ne cüret?" diye haykırdı Bayan Minton kızararak.

"Gülümsemeleriyle, gamzeleriyle ve tatlı diliyle" diye devam etti Kevin öfkeyle. "Kaslarına parmağıyla çekingen bir tavırla dokunup ona ne kadar cesur ve kuvvetli olduğunu söyleyerek..."

Bayan Minton ayağa fırladı, Kevin'a koştu, suratına şamarı indirdi ve sandalyesine geri döndü. Onu azarlamak içimden gelmedi, çünkü aynısını ben de yapardım.

"Çok ayıp Bay O'Connell" dedim sert bir sesle.

Kevin kızaran yanağını ovuşturdu. Tokat acıtmış olmalıydı, epeyce ses çıkarmıştı. "Ah, şey" diye mırıldandı.

Gazeteyi masaya serdim. "Mesajı nasıl tercüme ettirdiğinizi sormayacağım Bayan Minton, çünkü bildiğimi sanıyorum. Gerçekten bir mesaj var *idiyse* tabii..."

"Bir mesaj vardı" dedi Kevin. "Polis o kadarını itiraf etti."

"Öyleyse herhalde ikinizden biri yazdınız. Buna benzer bir yazıt hiç görmemiştim. Hımm. Bu olayın gerçekleri yeterince açık gibi..."

"Sizinki gibi keskin bir zekâ için açık olabilir" dedi Kevin. "Ben şahsen şaşırıp kaldığımı itiraf etmeliyim."

Tam onu aydınlatacakken Bayan Minton'ın not defterini gizlice cebinden çıkarmış olduğunu ve Kevin'ın bana dikkatle baktığını gördüm. "Öyleyse şaşırıp kalma haliniz devam etmeli" diye kestirip attım. "Ta Londra'dan buraya röportaj yapmaya geldiyseniz, hayal kırıklığına uğramaya mahkûmsunuz. Gulyabaniler gibisiniz, küflü bir kemik yüzünden hırlaşan köpekler gibi benim için kavga ediyorsunuz!"

Aynı anda itiraza başladılar. Anlaşılan çok yanılmıştım. Benimle röportaj yapmaya değil, gazetelerinin resmi danışmanlığını yaparak ün ve servet kazanmam için teklifte bulunmaya gelmişlerdi.

Oldukça cazip bir teklifti. Maaşın birkaç dakikada bin elli şilinden üç bin yüz elli şiline fırlayıvermesi daha da ilginçti. Her ne kadar içimden susup basın endüstrisindeki değerimin tam miktarını öğrenmek gelse de, bu gürültü devam ederse adını vermeye gerek olmadığını düşündüğüm birinin müdahale edeceğinden çekindim.

"Kesinlikle olmaz" dedim kararlılıkla. "Hiçbir koşulda. Görüşme bitmiştir. Gitmeden önce size bir şeyler ikram edemediğim için üzgünüm ama sonuçta sizi ben davet etmemiştim zaten. Size iyi günler."

Reddedişimi beklediğimden daha sakin karşıladılar. Kevin'ın gözlerindeki parıltı pes etmediğini, başka zaman yeniden şansını denemek niyetinde olduğunu gösteriyordu. Bayan Minton, "Onun *teklifini* kabul etmediğiniz sürece sorun yok..." dedi.

Onları daha fazla olay çıkmadan evden sepetleme umudum ne yazık ki gerçekleşmeyecekti. Salonumun hırpalanmış kapısı bir kez daha sertçe açıldı, bu kez Kevin O'Connell'ınkinden daha kaslı bir kol tarafından.

Emerson fiziksel rahatlığın zihinsel eforlar için şart olduğuna inanır (kendisiyle tamamen hemfikirim), bu yüzden üstünde kravat ya da fanila değil, yalnızca gömlek vardı. Saçı dağınıktı ve suratı mürekkep lekeleriyle kaplıydı. Kendi inatçı yazılarıyla amansızca boğuştuğunun (gerçi kazanıyordu) şaşmaz göstergesiydi bunlar. Mavi gözleri parlıyordu, kaşları çatıktı, ani öfkesi zayıf kahverengi yanaklarına hoş bir pembelik katmıştı.

"Ah" dedi usulca. "Sizi sesinizden tanıdım, Bay O'Connell."

Kevin gül ağacından ve kızıl pelüşten yapılma devasa oyma kanepenin ardına sığındı. Emerson başıyla Bayan Minton'a kibarca selam verdikten sonra bana döndü: "Amelia, Wilkins neden holde yerde oturuyor?"

"Hiçbir fikrim yok Emerson. Neden Wilkins'a sormuyorsun?"

"Konuşamıyor gibi" diye karşılık verdi Emerson.

"Ona elimi bile sürmedim" diye haykırdı Kevin. "Öyle ihtiyar birine hayatta el kaldırmam..."

"Ona elini bile sürmedin demek" diye yineledi Emerson. Gömleğinin kollarını sıyırmaya başladı.

"Yapma Emerson, yapma!" diye haykırarak, tir tir titreyen muhabirin üstüne yürüyüşünü durdurmak için onu tuttum. "Dövüşmeye tenezzül edersen, tam da Bay O'Connell'ın işine gelecek biçimde davranmış olursun."

Emerson'u dizginlemekte bu savım fiziksel çabalarımdan daha etkili oldu. "Her zamanki gibi haklısın Peabody" dedi. "Ama yalvarırım şu herifi evimden bir an önce at. Benim kadar mantıklı erkek yoktur ama benim gibi sakin bir adam bile üstüne fazla gelinirse çileden çıkabilir. Bir adamın evine girip de karısını sorguya çekme küstahlığı..."

"Sandığın gibi değil Emerson" diye karşılık verdim. "Bir cinayet daha işlenmiş!"

"Bir cinayet daha mı dedin Peabody?"

"Şey... yani bir cinayet işlenmiş. Bay Oldacre, Doğu Tarihi Eserleri'nin bekçisi olan asistan."

"Oldacre mi? Onu tanırdım. Kendini beğenmiş gerizekâlının tekiydi, Budge'ın himayesindeki herkes gibi... Nasıl ölmüş ki?"

Açıkladım. Emerson kibarca dinledi. "Üzücü bir trajedi. Ama bizimle ilgisi yok. Bu gençlere veda edip işlerimize dönelim."

Kevin mobilyaların ardına gizlenip parmak uçlarında yürüyerek usul usul kapıya gitmişti. Emerson'u çok iyi tanırdı ve hislerine göre davranan kocamın aldatıcı sakinliğine kesinlikle kanmamıştı. Emerson onu göz ucuyla izlemekteydi, yüzü tuhaf bir biçimde ciddiyetini korusa da, biçimli dudaklarının kenarlarının hafifçe titremesi aslında eğlendiğinin kanıtıydı. Kevin kapıya ulaşınca durdu.

"Evet Bay O'Connell?" diye sordu Emerson.

"Ben... şey... Bayan Minton'a eşlik etmeyi bekliyordum... Yani, beni istasyona bırakabileceğini umuyordum da."

"Ah, evet. Bayan Minton." Emerson'un gözleri genç bayana çevrildi. Kadın sinirli bir hareketle elini şapkasına götürdü. "Bay O'Connell'ın evime sızmayı nasıl başardığını anlıyorum" diye devam etti Emerson. "Dedesi yaşındaki bir adama karşı kaba kuvvet kullanmış. İrlanda terbiyesinin mükemmel bir örneği, değil mi Peabody? Peki siz, Bayan Minton, Wilkins'ı sizi içeri almaya nasıl ikna ettiniz? Eminim ki kartvizitinizi Bayan Emerson'a verse, kendisi sizi kabul etmeye razı olmazdı."

"Kesinlikle haklısın Emerson" dedim. "Bayan Minton adını söylemeyi reddetti. Wilkins'ı işinin acil olduğuna bir biçimde ikna etmiş, nasıl becerdi bilmiyorum."

"Nasıl becerdi bilmiyorsun demek" dedi Emerson düşünceli bir ifadeyle. "Ama ben tahmin yürütme riskine girebilirim sanırım. Şu pek işe yarayan benzerlik... Wilkins'a ne söylediniz Bayan Minton? Bayan Emerson'un uzun süredir kayıp kızkardeşi olduğunuzu mu ya da bir gençlik basiretsizliğinin terk edilmiş hatırası olduğu..."

Bayan Minton'ın öfkeli itirazı benimkinden birazcık daha yüksekti o kadar. "Emerson, bu ne cüret!"

"*Çok* gençken yapılmış bir basiretsizlik" diye düzeltti Emerson. "Eee, Bayan Minton?"

"Öyle bir şey söylemedim" diye karşılık verdi Bayan Minton. "Uşağınız yanlış bir sonuç çıkarmayı seçtiyse benim suçum değil."

"Ah ama bence sizin suçunuz" dedi Emerson neşeyle. "Gidin, Bayan Minton."

Bayan Minton'ın üstüne yürüyünce kadının gülümsemesi soldu. "Bir kadına vuramazsınız" diye inledi.

"Aklınıza böyle bir fikir gelmesi beni derinden yaraladı" diye karşılık verdi Emerson. "Ancak sizi nazikçe ve saygıyla tutup taşıyarak evimden çıkarmamı engelleyecek bir şey yok."

"Gidiyorum, gidiyorum" diye kaygılı bir karşılık geldi.

"Öyleyse gidin hadi." Emerson kapıya doğru gerileyen kadını takip etti. Ama kadın orada durdu. "Bu son görüşmemiz olmayacak Profesör" diye haykırdı gözlerini iri iri açarak. "O kadar kolay pes etmem ben."

Kevin onu kolundan tutup dışarı sürükledi. Wilkins hâlâ yerde oturmaktaydı ve Ramses'in yanında durmuş, onun hareketsiz bedenine merak ve ciddiyetle baktığını görünce hiç şaşırmasam da canım sıkıldı. Ramses'in salonda konuşulan, daha doğrusu haykırılan, her sözcüğü işittiğine emindim. Bayan Minton'la O'Connell'ı görünce onlara daha da yoğun bir merakla baktı. Emerson seslendi. "Ayağa kalk Wilkins, kapıyı da kapa. Sürgülemeyi unutma."

Sonra salon kapısını kapayıp bana döndü. "Vay canına Peabody" dedi. "Vay canına."

"Ne saçma" dedim. "Gördüğünü sandığın sözde benzerlik..."

"İnkâr etmek hoşuna gidiyorsa devam et Peabody. Eğlenceli ama önemsiz bir konu bu. O genç kadının aranızdaki benzerliği dâhice kullanmasından oldukça etkilendiğimi itiraf etmeliyim." Gazeteyi alıp bir koltuğa çöktü ve okumaya başladı.

"Bunun yalnızca tuhaf bir rastlantıdan ibaret olduğunu ve gece bekçisinin ölümüyle ilgisinin bulunmadığını öne süreceksin herhalde" diye söze başladım.

"Yine sonuç çıkarmakta acele ediyorsun Peabody" dedi Emerson usulca. "En azından bırak da kararımı vermeden önce gerçekleri... Pardon, daha doğrusu gazetede yazılanları, ki aynı şey değil, inceleyelim. Hımm, hımm. Evet. Dikilitaşın dibinde bulunan kanlı ceset... "Mezarı kirletenleri lanetlesinler" diye tanrılara seslenen bir mesajın yazılı olduğu bir kâğıt parçası... Rıhtımda yoğun siste dolanan esrarengiz beyaz cübbeli kişi... Bayan Minton'ın kalemi kuvvetli, değil mi? Bir ortak noktanız daha."

"Senin o zararsız kaçık pek de zararsız değilmiş anlaşılan" diye mırıldandım, son sözünü duymazdan gelerek.

"Polis, rahibin orada olduğundan emin değilmiş ki ben de olsam şüpheyle yaklaşırdım. Tanık kendine hâkim olma ilkesiyle tanınan biri değilmiş anlaşılan. O cinayeti Bay O'Connell'ın işlediğini duyarsam, hiç şaşırmam. Bu muhabirler amaçlarına ulaşmak için her yolu mübah..."

"Komikleşme Emerson."

"Neden? Oldacre'nin ölümü dünya için büyük bir kayıp değildi. Züppe bir yalakaydı, kumarbazdı, zamparaydı, pislik yuvalarına giden..."

"Günah yuvaları mı Emerson?"

"Haşhaş ve sulandırılmış rom satılan yerleri kast etmiştim, bir de... şey... yani evet, günah yuvaları denebilir." Emerson gazeteyi kenara attı. Kaşlarını çatarak çenesindeki gamzeyi okşamaya başladı, derin düşüncelere dalınca hep öyle yapar.

Bunu umut verici bir işaret olarak gördüm. "Öyleyse bu vaka soruşturulmaya değer mi sence Emerson?"

"Soruşturulması gerektiği kesin ve bence polis bunu yapıyor."

"Ah, Emerson, ne demek istediğimi biliyorsun!"

"Evet Peabody, ne demek istediğini biliyorum." Emerson çenesini okşamayı sürdürüyordu. "Bu vakada ilgimi çeken bir şey var" dedi ciddiyetle.

"Arkeolojik yönü" diye haykırdım. "Biliyordum Emerson, senin..."

"Hayır Peabody. Bu vakada aristokratlardan eser olmadığı gerçeğini kast ediyordum. Ne bir lord var ne de bir leydi, sör falan yok, hatta saygın bir insan bile yok! Basit bir gece bekçisi, ardından da bir bekçi asistan, o kadar. İçimden neredeyse müdahale etmek geliyor Peabody."

"Emerson, bazen şu mizah anlayışın..." Nefesimi tuttum. "Emerson! Ne dediğinin farkında mısın? Bir gece bekçisi ve ardından bir asistan... O kaçık sosyal basamakları tırmanıyor. Bir sonraki hedefi kim olacak?"

Emerson'un asık suratı neşelendi. "Budge!" diye haykırdı. "Ne şahane bir fikir Peabody!"

"Emerson, böyle uygunsuz esprilerini işiten olsa yanlış yorumlanabilir. Ben seni tanıyorum, Bay Budge'ın korkunç bir biçimde öldürülmesini istemezsin aslında..."

"Haklısın" diye itiraf etti Emerson. "Onun sağ kalıp acı çekmesini tercih ederim."

"Peki, ya sıradaki kurban Bay Budge değilse? Londra'da bir sürü Doğu âlimi var Emerson. Yakında aralarına bir yenisi katılacak... En yüceleri, en saygınları."

Gülümsemesinden anladığım kadarıyla, Bay Budge'ın

çekeceği acıları düşünerek keyiflenmekte olan Emerson bana baktı. Yaptığım imadan çok etkilenmiş gibiydi. Gür siyah kaşları inip kalkıyor, dudakları en uygun sözcüğü bulmak istercesine kımıldıyordu. Nihayet aradığı sözcüğü buldu.

"Çılgınlık" diye bağırdı. "Şimdiye kadarki çılgınca teorilerinin arasında, ki sayıları epeyce fazla Peabody'ciğim, en... tuhafı bu... en... Ama... ama kendimi toplamalıyım. Yılların acılı deneyimleriyle kazandığım irademi kullanmalıyım."

"Evet, bunu gerçekten yapmalısın" diye hak verdim. "Yüzüne kan hücum etti Emerson. Hislerini ya kontrol et ya da ifade et... rahatla. Gazeteyi yırt Emerson. Bir şeyleri parçala. Örneğin şu vazodan hep nefret etmişimdir..."

Emerson sandalyesinden fırladı. Vazoya uzandı ama sonra vazgeçti. Yumruklarını sıkmış kaskatı duruyor, kendi kendine kesik kesik bir şeyler mırıldanıyordu. Yanaklarının kızarıklığı giderek azaldı, hafif bir kahkaha attı. "Beni az daha kandırıyordun Peabody. Ne şakacısın. Söylediğin şeye sen de inanmıyorsun. Benimle dalga geçiyordun o kadar."

Bir şey demedim. Onu yine sinirlendirmekten çekindiğimden gerçeği söyleyemiyordum, yalan söylemekse benim gibi açıksözlü ve içten birine yakışmazdı.

"Bir bahaneydi" dedi Emerson düşünceli bir ifadeyle. "Kusura bakma ama iyi bir bahane de değildi üstelik, genellikle cinayet olaylarına burnunu sokmak için daha mantıklı bahaneler bulursun. Bu seferkine burnunu sokacaksın, değil mi Peabody?"

"Tabii ki hayır Emerson. Asla burnumu sokmam ben."

Gerçeği söylüyordum okuyucu. Başka insanların işlerine asla burnumu sokmam. Nefret ettiğim bir şeydir bu. Bazen küçük bir imanın ya da yardımseverce bir tavsiyenin gereksiz acıları önleyebildiği olur ki öyle durumlarda harekete geçmekten çekinmem. Ama burnumu sokmak... Asla.

Emerson kendine gelmişti. Kahverengi yanaklarına sağlıklı bir kızarıklık yayılmıştı. Genzinde toplanan karşı konulmaz kıkırtısı, aralanıp sağlam beyaz dişlerini sergileyen dudaklarının arasından yükseldi. Bana sarıldı.

"Çok soğukkanlı bir yalancısın Peabody. Başlamak için sabırsızlanıyorsun. Londra'ya gittiğimiz gün hemen Scotland Yard'a, Budge'a, mumyaya..."

"Emerson, bu hem haksız hem de saçma ithamı protesto..." Ama mantıklı bir biçimde tartışmayı sürdüremedim, çünkü Emerson'un eylemleri odaklanma yeteneğimi tuhaf bir biçimde sekteye uğratıyordu, sık sık böyle olur. Son bir itirazda bulundum: "Emerson, ellerine gazete mürekkebi bulaşmış, bluzumu leke içinde bırakıyorsun eminim ve Wilkins görünce ne düşünür... Ah, Emerson'cuğum!"

"Wilkins'ın ne düşündüğü kimin umurunda?" diye mırıldandı Emerson. Konunun özüne her zamanki keskin zekâsıyla indiğini kabul etmek zorundaydım.

Kimse *bana* "batıl inançlı" demeye cesaret edemez herhalde. Amelia Peabody Emerson küçük düşürücü ve mantıksız inançların kurbanı olacakmış ha? Böyle bir fikre verilebilecek tek yanıt kısa, sert bir kahkaha olur.

Ama yine de sevgili okuyucu, yine de... Hayatımda bir ara rüyaların gerçek çıkabileceğine inanmak zorunda kaldığım olmuştu, gördüğüm bir rüya sonradan aynen gerçekleştiğinde. Hep böyle olur demiyorum. Artık (ben bu sözcükleri yazarken) bazı otoritelerin öne sürdüğü gibi, rüyalar başka, daha da iğrenç öğeleri... Aşağılık, tiksindirici ırksal anıları, bastırılmış anormal arzuları falan yansıtıyor olabilirler. Kesinlikle dogmatik değilim, zihnim yeni fikirlere her zaman açıktır, pek muhtemel ya da hoş gelmeseler bile.

Ama bu kadar felsefe yeter. Şu kadarını söyleyeyim: O gece öyle korkunç bir rüya gördüm ki sonrasında yıllar boyunca bu rüyanın yalnızca aklıma gelmesi bile zangır zangır titrememe yol açtı.

Küflü karanlıkta sinmiş, bilmediğim bir şeyden korkuyordum. Sırtımda soğuk bir taş duvar vardı, çıplak ayaklarımın tabanlarında soğuk taş zemini hissediyordum. Başta çıt çıkmıyordu. Sonra bir ses işitmeye başladım, o kadar uzaktan geliyordu ki akan kanımın şırıltısı olabilirdi. Giderek yükseldi. Kalın ve ciddi bir şarkıya dönüştü. Sonra... Sonra damarlarımdaki sözünü ettiğim kan, buza dönüştü, çünkü o şeytani şarkıyı biliyordum.

Şarkıyla beraber ortalık aydınlanmaya başladı. Işıklar başlangıçta yalnızca uzakta ağır ağır hareket eden minicik meşalelerden gelmekteydi. Yaklaştılar, karanlık yerini ürkütücü parıltılarına bıraktı.

Kayaya oyulmuş geniş bir odanın tepesindeki bir çıkıntıda ayakta ya da çömelmiş durmaktaydım. Saten gibi pürüzsüz olan boyalı duvarlar, meşale ışıklarını çoğaltıyordu. Meşaleleri taşıyanlar beyaz cübbeli ve korkunç maskeler takmış figürlerdi... Canlı gibi görünen timsah ve şahin, aslan ve ibis maskeleri. Meşale taşıyanlar dev bir heykelin önündeki alçak bir sunağın çevresindeki yerlerini aldıkça oda aydınlandı. Heykel ölülerin hükümdarı, yüce yargıç Osiris'indi. Vücudu mumya sargılarıyla sımsıkı bandajlanmış, kolları göğsünde kavuşmuş, elleri ikiz asaları tutmaktaydı. Uzun beyaz tacıyla kar beyazı kaymaktaşı omuzları, simsiyah yüzüyle ellerine tezat oluşturacak biçimde parlıyordu (pagan Mısırlılar tanrılarını böyle tasvir ederlerdi... İlginç ama henüz nedeni açıklanamamış bir fenomendi bu.)

Meşale taşıyanların ardından ağır ağır baş rahip gelmekteydi. Kafası tıraşlı astlarının tersine, sıra sıra lülelerle kaplı büyük bir kıvırcık peruk takmıştı. Adamın yüzünü gizleyen, bir insan silüeti taşıyan kaskatı maske ölümün çehresi gibiydi. Bu korkunç görüntüye, onu dehşet içinde tanımak dışında bir ilgi göstermedim, çünkü arkasından gelen, çıplak köleleler tarafından bir sedyeyle taşınan kişi de tanıdıktı.

Onu zincire vurmuşlardı ve güçlü kaslarıyla kurtulmak için boşuna çabalıyordu. Çıplak kollarıyla göğsü, kutsal yağ ve terden cilalı tunç gibi ışıl ışıl parlıyor, dişleri görünüyor, gözleri ateş saçıyordu. Ama onun yiğitliği bile para etmiyordu; kalın sesler iğrenç bir duayla alçalıp yükselirken, hoyrat eller onu sedyeden alıp sunağın üstüne fırlattılar. Baş rahip elinde adak bıçağıyla yaklaştı. Sonra... Ah, sonra... Şimdi bile hatırlarken yüreğim sızlıyor... Felakete mahkûm adamın safir gözleri dona kalmış bir halde durduğum yere çevrildi, beni karanlıkta bile buldu ve dudaklarında bir sözcük biçimlendi:

"Peabody! Peeeeea-body!.."

"Emerson!" diye çığlığı bastım.

"Ne oluyor sana yahu?" diye sordu Emerson sert bir sesle. "Aç kalmış bir domuz yavrusu gibi homurdanıp kıvranıyordun."

Bir ilkbahar gündoğumunun hafif ışığı, o sevgili, tıraşsız yüzüyle dağınık saçını, uykulu gözleriyle bildik kaş çatışını aydınlatıyordu.

"Ah, Emerson..." Boynuna sarıldım.

"Hımm" dedi Emerson hoşnut bir sesle. "Gerçi böyle sıcak, yumuşacık bir kıpraşmaya itirazım olmaz..." Ama o konuşmanın geri kalanının anlattığım konuyla ilgisi yok ve korkarım gereğinden fazla şey söyledim bile.

Rüyamı Emerson'a anlatmamın akıllıca olmayacağını düşündüm. Bir kere ona diğer rüyayı hatırlatırdı, ki onun korkunç biçimde gerçekleştiğine kendi gözleriyle tanık olmuştu* ve bunu hatırlamak kan basıncını hâlâ kötü etkiliyordu. Ayrıca bu durum, başkalarının işine burnunu sokmak konusunda kaba alaylara ve laflara neden olurdu. Emerson bana asla bir şeyi yap ya da yapma diye buyurmazdı, *bunun* boşunalığını bilirdi. Ama bana yeni bir cinayet olayına karışmamam için yalvarmıştı. O yaz yapılacak yığınla işi olduğunu söylemişti acınacak bir halde, dikkatinin yeniden dağıtılmasını kesinlikle istemiyordu.

Sonuç her zamanki gibi olacaktı elbette. İkimiz arkeolojide olduğu gibi, detektiflikte de el ele yürüyecek, yeni bir hain caninin izini sürecektik. Böylece Emerson gizliden can attığı şeyi yapacak, üstelik bütün suçu *bana* atarak daha da büyük haz alacaktı. Gözlemlerime göre kocaların sevdiği bir numaradır bu ve Emerson her ne kadar hemcinslerinin çoğundan üstün olsa da, erkeksi zayıflıklardan bütünüyle kurtulmuş değildir.

Bana gelince, kararımı vermiştim. O iğrenç rüya geleceğin birebir habercisi olamazdı. Her ne kadar eğitimli bilgin zihnim uykuda bile işleyerek, rahip kostümlerini ve tanrı heykelini inandırıcı bir biçimde sergilese de, bu senaryoda bazı tutarsızlıklar vardı. Bir kere Mısırlılar insan kurban etmezdi... En azından o dönemde. En azından...

Kendime bu konuyu daha sonra inceleme sözü verdim. Şimdilik yalnızca Emerson'u düşünebiliyordum. O rüya bir uyarıydı. Gerçi Emerson, son tapınanı binlerce yıl önce ölmüş bir tanrının sunağında kurban edilme tehlikesiyle karşı karşıya değildi. Bu rüya zihnimin, sevgili kocamın bir çeşit tehditle karşı karşıya olduğu konusunda beni uyarmak için seçtiği bir semboldü o kadar. Batıl inançlı mı? Hayır, kesinlikle değil-

---

* Bkz. *Vadideki Aslan.*

dim! Ama Emerson'u bana çelik çemberlerle bağlayan (Shakespeare'den alıntı yapıyorum) derin sevginin, derin bir mistik bağ oluşturduğunu ve bu koşullar altında her şeyin mümkün olduğunu ilk kabullenen -hayır, bunda ısrar eden- kişi ben olurdum. Henüz teorimin doğruluğu konusunda somut bir kanıtım yoktu. Ama olsaydı... Ah, sevgili okuyucu, eğer olsaydı... Yeni bir katilin geceleri Londra'nın sisli sokaklarında talihsiz, terk edilmiş kadınları değil Mısırbilimcileri avladığını bilseydim...

Bu olasılığı gözardı etmek bir eş olarak sorumluluklarımı yerine getirmemek ve sevdiğim her şeyi (Ramses dışında tabii) yok olma riskine atmak anlamına gelirdi. Bu yüzden kalan işlerimi çabucak bitirdim ve ertesi sabah Londra'ya doğru yola çıktık.

Araba yolculuğunun ilk kısmı hoştu. Dikenli çalı çitlere dolanmış goncalı yaban böğürtlenleriyle bezeli alçak taşra yollarından ve yeni ekinlerle yeşermiş tarlaların yanından geçtik. Ancak at arabası beşimize birden biraz dar geliyordu, özellikle de bu beş kişiden üçünün çocuk olduğunu düşünürsek. Amarna Köşkü'nün bahçesinden çıkmamızdan on dakika sonra Londra'ya ne zaman varacağımızı sormaya başladılar. Hareketsizlikten hazzetmeyen Emerson da neredeyse onlar kadar huysuzdu. Londra'ya tek başına trenle gitmeyi, beni çocuklarla ve valizlerle baş başa bırakmayı önermişti ciddi ciddi. Bu teklifi hemen reddettiğimi söylememe gerek yok. Violet, Percy ve ben bir sırada, Ramses'le Emerson ise karşımızda oturdular. Böylece oğlanları birbirlerinden uzak tutarak, hırlaşmalarını engellemeyi umuyordum.

Ancak Ramses'in suratı asıktı, çünkü yanından hiç ayrılmayan kedisinden yoksundu. Kedi Bastet kaybolmuştu.

Kedinin tuhaf davranışlarının nedeni eve gidince anlaşıldı. On beş kilometrelik bir alandaki bütün erkek kedilerin toplanmış olması, en azından bana, neler olduğunu açıkça gösteriyordu. Her ne kadar insanların ve hayvanların cinsel arzularına sempatiyle yaklaşsam da, Bastet'in hayranlarının, başımdaki dertleri epeyce artırdığını itiraf etmeliyim. Bütün gece şehvetli şarkılar söyleyerek, uyumayı imkânsızlaştırıyor, birbirleriyle ve köpeklerle kavga ediyorlardı. Bastet'in nihayet hayranlarından birini seçip onunla kaçması biraz rahatlatıcı oldu. Ancak ayrıldığımızda henüz geri dönmemişti ve Ramses'in onu beklemek için yalvarmasına kulak tıkamak zorunda kalmıştım. Ona korktuğum şeyi... Yani Bastet'in belki de hiç geri dönmeyeceğini söyleyecek kadar zalim olamazdım asla. Hayatta kalacağına şüphem yoktu. Bastet çoğu ev kedisinden daha iri ve güçlüydü, ayrıca zorlu Mısır çölünde büyümüştü. Vahşi doğadan gelmiş ve hayatlarımızı bir süreliğine paylaşmaya yüce gönüllülükle razı olmuştu, eninde sonunda o vahşi doğaya geri dönebilirdi. Bu olasılık Ramses'in hiç aklına gelmemişti, kedinin sadakatinin kendisininki kadar derin olduğunu düşünüyordu. Dokunaklı, çocukça bir fikirdi bu... Ramses'in hayatı boyunca ifade ettiği pek az çocukça fikirden biri olduğundan, yanlışını düzeltmemeyi tercih etmiştim.

Ramses'in sessizce oturup kara kara düşünmesi, Emerson'un huzursuzca kıpırdanması, Percy'nin taramalı tüfek gibi sorular sorması ve Violet'ın emdiği şekerler yüzünden (sızlanmasını önlemenin tek yoluydu) giderek yapış yapış olması nedeniyle yolculuktan pek keyif alamadım. Ancak çekilen her acının bir sonu vardır. Yeşil tarlalar yerlerini önce banliyö villalarına, sonra da şehir denen yabani tuğla ve harç yığınına bıraktı. Altından gri suların yavaş yavaş aktığı köprüden geçtikten ve sahil yolu trafiğinin kaosuna katlandıktan sonra, St. James Meydanı'nın göreceli sakinliğine ulaştık.

Öğle yemeği bizi bekliyordu ama Emerson yemeyeceğini söyledi.

"Dışarı mı çıkıyorsun?" diye sordum. Sesimin her zamanki kadar sakin ve tatlı olduğunu umuyordum, ancak Emerson yüreğimin en derin sırlarını okur. Ellerindeki şapkasıyla oynayarak ve gözlerini dikkatli bakışlarımdan kaçırarak, "Şey, burada yapabileceğim hiçbir şey yok, Peabody" dedi. "Sana yardım edebileceğim bir konu olsaydı..."

"Ah ama benim de yapacak işim yok Emerson. Yalnızca çocukları yerleştireceğim, valizleri açacağım, aşçıyla akşam yemeği hakkında konuşacağım, hizmetçilere Ramses'in deneylerine ne olursa olsun kesinlikle el sürmemeleri gerektiğini açıklayacağım, bir düzine kadar mektuba ve nota cevap yazacağım..."

"Ne mektubu, ne notu?" diye sordu Emerson sert bir sesle. "Lanet olsun Amelia. Sosyal yükümlülüklerin dikkatimi dağıtmasına izin vermeyeceğim. O mektupları, notları yazan kişiler Londra'da olduğumuzu nasıl öğrenmişler ki?"

"Herhalde herkes biliyordur" diye karşılık verdim. "Evelyn buradaki personele tahmini geliş zamanımızı bildirmişti, bilirsin ki hizmetçiler bizim gibi kişiler hakkında dedikodu yaparlar."

"Ayrıca sen tanıdığın herkese yazarak bize davet etmişsindir" diye homurdandı Emerson.

"Yalnızca görmek isteyeceğini bildiğim profesyonel arkadaşları çağırdım Emerson. Howard Carter'la Bay Quibell'i, üniversitede çalışan Frank Griffith'i..."

"Öyleyse kahrolası notlarınla mektuplarını oku da onlara cevap yaz. Konuklarını öğle yemeklerinde, çay saatlerinde eğlendirmemi bekleme benden. İşim gücüm var benim, Peabody!"

Şapkasını hışımla başına geçirerek, çıkıp gitti.

Aslında Evelyn'ciğim Londra'daki geçici ikametimizi olabildiğince rahat geçirmemiz için elinden gelebilecek her şeyi yapmıştı. Chalfont Konağı'nda her zaman yedek personel bulunurdu. Bu personel, aile orada kalmadığı dönemde maaşlı çalışırdı. Aslında sayıları gerekenden çok fazlaydı, çünkü dünyanın en iyi kalpli insanı olan Evelyn hırpani kızları alıp onlara başlarını sokacak bir yuva sağlar dururdu hep. Kâhya kadına da, hırpani ya da genç olmamasına rağmen, iyilik yapar dururdu. Evelyn'in çoktan ölmüş annesinin uzaktan akrabası olan bu kadın eskiden bir köy rahibiyle evliydi ve kocasının ölümü üzerine işsiz ve kimsesiz kalmıştı. Bu sınıftan kadınların -eğitimsiz, kültürsüz, parasız hanımefendilerin- sıkıntılarını çok iyi bilen Evelyn, ona yalnızca başını sokacağı bir ev değil, bir hedef ve iş de sağlamıştı. Minnettar Bayan Watson buna karşılık olarak, yufka yürekli işvereninin işine yaramayı kafasına koymuştu. Eğittiği genç kızlar -bazıları öyle korkunç durumlardan kurtarılıyorlardı ki anlatarak okuyucunun canını sıkmak istemiyorum- ona anne gözüyle bakıyorlardı ve birçoğu hayatta çok iyi yerlere geliyor ya da evleniyorlardı.

Bu iyi kalpli bayanın işleri gayet güzel idare ettiğini bildiğimden, Emerson'a yakınırken biraz abartmıştım. Yine de konuşulması gereken bazı konular olduğundan Bayan Watson'ı karşıma aldım.

Yanımızda hizmetçi getirmemiştik. Rose ikinci kaptanımdı, Amarna Köşkü onsuz olmazdı. Wilkins, açıkçası, uğraşmaya değmezdi. John'ı getirmeyi düşünmüştüm, ne de olsa bize alışıktı (Ramses'in mumyalarına bile) ama John'dan genç ailesini bırakmasını istemek haksızlık olurdu.

Bayan Watson beni sorun çıkmayacağı konusunda temin etti. "Kızlarımızdan üçü aramızdan yeni ayrıldılar ama yerlerini alacak bir sürü kız var."

"Ne yazık ki" diye iç geçirdim.

"Evet." Kâhya kadın başını salladı. Gençliğinin resmi giysilerine tutkusu sürüyordu ve beyaz saçlı güzel başına mutlaka kep geçirirdi. Bu kepler beklenmedik bir hoppalığı sergilerdi. Her birinin kurdeleleri, dantelleri ve fiyonkları bir öncekinden daha gösterişli olurdu. O gün sanki başına bir iri lavanta kelebekleri sürüsü konmuş gibi görünüyordu.

"*Post*'a ilan veririm" dedim. "Çocuklara göz kulak olacak birini arıyoruz. Minik Violet için bir dadı, oğlanlar içinse... şey... daha güçlü kuvvetli biri gerekli."

"Bir öğretmen?"

"Bir bekçi" diye karşılık verdim. "Acaba senin uşaklardan biri..."

"Hepsi iyi çocuklar" diye karşılık verdi kâhya kadın şüpheyle. "Ama hiçbirinin eğitimi yeterli değil ve onların alışkanlıkları da oğlunuzun edinmesini isteyeceğiniz türden sayılmaz."

"Aslında kaygım Ramses'in eğitimi değil, kendini... ya da yeğenini öldürmesini engellemek" dedim. "Geçinemiyorlar Bayan Watson. Sürekli kavga ediyorlar."

"Erkek çocukları işte, normaldir" dedi Bayan Watson hoşgörülü bir gülümsemeyle.

"Hah!" dedim.

"Hizmetçilerden biri, Kitty ya da Jane, şimdilik dadılık yapabilir" dedi Bayan Watson düşünceli bir ifadeyle. "Bob da güçlü bir delikanlıdır..."

"Bu işi size bırakacağım Bayan Watson. Kararlarınıza sonuna kadar güveniyorum." Bu konuyu hallettikten sonra şapkamla güneş şemsiyemi alarak evden çıktım.

Güzel bir ilkbahar günüydü. Kuzey batıdan esen sert bir esinti dumanların bir kısmını alıp götürmüştü ve yer yer mavi gökyüzü görülüyordu. Hızlı adımlarla yürürken gördüğüm diğer bayanlara horgörüyle ve acıyarak baktım. Daracık dantelli korseleri ve yüksek topuklu ayakkabıları yüzünden bırakın güzel, sağlıklı bir yürüyüş yapmayı, hareket bile edemiyorlardı neredeyse. Toplum kurallarının zavallı, aptal kurbanlarıydılar... Ama (diye hatırlattım kendime) gönüllü kurbanlardılar, tıpkı çift eşli kocalarının cenazelerinde kendilerini ateşe atan cahil Hintli kadınlar gibi. Modern İngiliz kanunları bu korkunç geleneğe resmi olarak son vermişti. İngilizlerin, İngiliz kadınlarına zulmedilmesine kayıtsız kalmaları ne acıydı.

Böyle düşüncelere daldığımdan peşimden gelen ayak seslerini fark edemedim, ta ki nefes nefese kalmış biri "İyi günler Bayan Emerson" diyene kadar.

Adımlarımı yavaşlatmadan, "İyi günler ve hoşçakalın Bayan Minton" diye karşılık verdim. "Beni takip etmeniz anlamsız, çünkü okuyucularınızın ilgisini çekecek herhangi bir şey yapmayacağım."

"Lütfen, bir dakika durur musunuz? Çok hızlı yürüyorsunuz, hem yürüyüp hem konuşamıyorum. Özür dilemek istiyorum."

Durmak zorunda kaldım, çünkü geçmek istediğim Regent Sokağı'nın iki kaldırımı da yaya kaynıyordu. "Çok kötü davrandım" dedi Bayan Minton. "Kendimden utanıyorum gerçekten. Ama... hepsi o adamın suçuydu Bayan Emerson. Sinirlerimi tepeme çıkarıyor... O zaman da kendimi kaybediyorum."

Trafiğin azalmasını fırsat bilerek karşıya geçmeye başladım. Bayan Minton peşimden geldi ama az kalsın bir otobüsün altında kalıyordu.

"Bay O'Connell'dan söz ediyorsunuz sanırım" dedim.

"Şey... evet. Gerçi diğerlerinin de ondan farkı yok ya. Erkeklerin dünyasında yaşıyoruz Bayan Emerson, yükselmek isteyen bir kadının onlar kadar kaba ve agresif olması gerekiyor."

"Ama kadınlığını kaybetmeyi göze almamalı Bayan Minton. İnsan herhangi bir mesleği başarıyla yaparken hanımefendiliğini de koruyabilir."

"Bu sizin için kesinlikle geçerli" dedi Bayan Minton içtenlikle. "Ama siz eşsiz bir insansınız Bayan Emerson. Size bir itirafta bulunabilir miyim? Mısır maceralarınızı okumaya başladığımdan beri hayranınızım. Bu haberi ısrarla kovalamamın nedenlerinden biri de sizinle... İdolümle, idealimle tanışma fırsatını bulma umudumdu."

"Hımm. Pekâlâ Bayan Minton. Hayallerinizi anlıyorum ve seçtiğiniz mesleğin bir kadın için zorluklarının farkındayım."

"Öyleyse beni bağışlıyorsunuz?" diye sordu genç bayan, ellerini kenetleyerek.

"Hıristiyanlık bağışlamayı gerektirir, ben de Hıristiyanlık görevlerimi her zaman yerine getirmek isterim. Kin tutmam ama bu sansasyon koparma çabalarınıza yardım edeceğim anlamına gelmiyor kesinlikle."

"Elbette. Şey... Scotland Yard'a gidiyor olamazsınız, değil mi?"

Ona ters ters bakınca gülümsediğini gördüm. "Ah" dedim. "Bana küçük bir şaka yaptınız. Çok komik, gerçekten. Aslında *Post*'a ilan vereceğim. Taziye sayfalarına gizemli mesajlar yazacak falan değilim, bir uşak arıyorum o kadar. Daha sonra British Müzesi'nde kocamla buluşacağım, kendisi orada çalışıyor da... Ama mumyanın sırrı konusuyla değil, yazmakta olduğu Eski Mısır tarihi kitabıyla ilgileniyor. Gördüğünüz gibi bütün bunlar gayet zararsız ve olağan işler. İsterseniz beni takip edebilirsiniz, ne de olsa sizi engelleyemem ama hem zamanınızı boşa harcamış olursunuz hem de yürümekten canınız çıkar."

Bayan Minton'ın gözleri faltaşı gibi açıldı. "Ta Fleet Sokağı'na, oradan da Bloomsbury'ye mi yürüyeceksiniz?"

"Elbette. *Mens sana in corpore sano**, Bayan Minton,

---

* Sağlam kafa sağlam vücutta bulunur.

bence bir *mens sana*, bir *corpore sano*'ya bağlıdır ve düzenli egzersizler..."

"Ah, kesinlikle hemfikirim" diye haykırdı Bayan Minton. "Bu kadar genç, güzel ve zinde görünmenizin nedenini şimdi anlıyorum. Umarım böyle konuşmama kızmamışsınızdır."

Gülümseyerek hayır anlamında başımı salladım. Bu kız istediği zaman gayet hoş, gayet tatlı davranabiliyordu gerçekten. "Kıyafetiniz de" diye devam etti, "Hem son derece şık hem de rahat."

"Keşke aynı şeyi sizin için söyleyebilsem" dedim keyifle. "Gerçi kıyafetiniz çok güzel değil demiyorum. Gördüğüm kadarıyla giysilerin kolları iyice genişlemiş (ki bu mümkün değil sanıyordum) ve eteğinizin bolluğu rahat yürümenizi sağlıyor. Rengi, bu yıl ne diyorlar... safran, hardal, çiçek sarısı? Cildinizle çok uyumlu. Bileklerdeki ve klapalardaki şu kurdeleler de... Ceketinizi iliklesiniz iyi olur Bayan Minton, rüzgâr biraz soğuk esiyor. Durun ben yapayım. Evet, tam tahmin ettiğim gibi, korseniz dar geliyor. Nasıl nefes alabiliyorsunuz hayret." Sonra ona dar korselerin iç organlara zararları konusunda kısa bir ders verdim ve beni ilgisini gizlemeye çalışmadan dinledi. Sonra birden "Bunlar çok ilginç Bayan Emerson" deyiverdi. "Acaba... Bu konuşmaya bir yerde çay içerek devam etsek, mümkün mü?"

Tereddütte kaldım, çünkü bir genç bayanı daha aydınlatmak, ona mantıklı giyinmenin avantajlarını tanıtarak belki de sağlığını, hatta hayatını kurtarmak fırsatını geri çevirmek istemiyordum. İkna edici bir biçimde devam etti: "Hiç zaman kaybetmezsiniz, söz veriyorum, çünkü özür ve teşekkür niyetine size küçücük bir hizmette bulunma hazzını yaşamama izin verirseniz, *Post*'a ilanınızı kendim seve seve veririm. Zaten Fleet Sokağı'na gideceğim. Böylece fazladan yürümekten kurtulur, doğrudan Müze'ye gidebilirsiniz."

Şemsiyesini sallayarak yakındaki bir dükkânı gösterdi. Buranın adını hatırladım, duyduğuma göre sayıları giderek artan (gerçi hâlâ yeterli değildi) saygın, çalışan kadınlara hizmet veren bir kafe zincirine aitti.

Keyifli bir sohbet oldu. Modadan kadın haklarına, evlilikten (kişisel deneyimim neredeyse tamamen olumlu geçse de ciddi itirazlar beslediğim bir kurumdu) muhabirlik mesleğine kadar bir sürü konu hakkında konuştuk. Ancak asıl hedefim Bayan Minton'ın habis mumya vakası hakkında bildiği her şeyi çaktırmadan öğrenmekti (bunu itiraf ediyorum, çünkü okuyucu zaten tahmin etmiştir).

Bayan Minton, rahip kılığındaki zırdelinin kimliğini bulmanın çok önemli olduğu konusunda benimle hemfikirdi. Adam şimdiye kadar defalarca kez tekinsiz denebilecek bir biçimde ansızın ortadan kayboluvermişti. Durup dururken yok oluverdiği söylentisi abartıydı şüphesiz ama metaforik açıdan uygun bir tasvirdi. Ancak Bayan Minton onun şimdiye kadar takip edilmeyişinin nedeninin, kimsenin kararlılıkla peşine düşmemesi olduğunu söylüyordu ısrarla.

"Zırdelilerden biriydi işte" dedi alayla gülümseyerek. "Oysa şimdi..."

"Polis onu cinayet mahallinin civarında gördüğünü öne süren tanığa inanmadı sanıyordum."

"İnanmadıklarını söylüyorlar. Ama Scotland Yard yalnızca o zırdeli kendini güvende hissetsin diye numara yapmış olabilir. Her durumda basının çok ilgisini çekiyor. Onu yakalayıp da maskesini indiren kişi olmayı öyle çok isterdim ki! Muhteşem bir muhabirlik başarısı olurdu!" Gözleri parladı.

"Aklınızda bir plan var" dedim kurnazca. "Müze'deki genç dostunuzla ilgili olabilir mi?"

"Eustace'la mı?" Kız kahkahayı bastı. "Yok canım. Eustace bu vakadan ve gazetecilik mesleğinden vazgeçtiğimi görmek için can atıyor."

"Ama onu kullanmaktan geri kalmıyorsunuz" dedim. "Çok ayıp Bayan Minton. Bir delikanlıdan bilgi almak için hislerini sömürmek gerçekten... Kendisi öldürülen adamı tanıyordu herhalde?"

"Evet." Bir an duraksadı ama teşvik edici gülümseyişimle hevesli tavrıma dayanamadı. "Bunu söylememeliyim ama kulağıma gelenlere göre Bay Oldacre'ın ölümü çok büyük bir kayıp olmamış."

"Tuhaf. Emerson da öyle demişti."

"Kendisiyle bu vakayla ilk ilgilenmeye başladığımda tanışma fırsatım olmuştu" diye devam etti kız. Yumuşacık ağzı tiksintiyle kasıldı. "Ellerine hâkim olamayan -ne demek istediğimi anlamışsınızdır Bayan Emerson- gözleriyle sanki insanın giysilerinin içini gören, kaypak, laf ebesi bir zamparaydı. Meslektaşlarıyla fazla samimi olur, amirlerine yalakalık yapardı. Maddi ve kültürel açılardan yaşama imkânı bulamadığı bir hayat tarzını taklit etmeye çalışırdı hep..."

"Ah" dedim ilgiyle. "Yani borca mı girmişti?"

"Sürekli."

"Öyleyse belki de onu öldüren kişi bir tefecidir."

"Tefeciler altın yumurtlayan kazları kesmezler" dedi Bayan Minton. "Teminatsız borç vermeyi de sürdürmezler. Oldacre servet sahibi biri değildi. Müze'den aldığı maaş da istediği tarzda yaşamasına yetmezdi. Ne demek istediğimi anlıyorsunuz değil mi, Bayan Emerson?"

"Şantaj."

"Çok doğru. Şantaj kurbanları bazen saldırgan olur."

"Ama bu teori durumu açıklığa kavuşturmaktan çok, yeni sorulara yol açıyor" dedim. "Kime ve nasıl şantaj yapıyordu? Ayrıca o zırdeli rahibin konuyla ilgisi ne? Yürüttüğünüz mantık dâhice Bayan Minton ama böyle konularda benim kadar tecrübeli değilsiniz ve şunu söylemeliyim ki..."

Düşüncelerimi uzun uzun anlattıktan sonra nihayet, "Evet, sana bol şans diliyorum canım" dedim. "Kibirli erkeklerin başaramadığı şeyi bir kadının başardığını görmek çok zevkli olur."

Gözleri parladı. "Madem böyle düşünüyorsunuz..." diye söze başladı.

"Yardımlarıma bel bağlamamalısınız Bayan Minton. Bu vakayla hiç ilgilenmiyorum. İlgilenecek zamanım yok. Bu yaz çok meşgul olacağım. Profesöre Eski Mısır tarihiyle ilgili kitabı için yardım edeceğim, kazı raporumuzu yayıma hazırlayacağım, Eski Mısır Anıtlarını Koruma Derneği'nin yıllık toplantısına katılacağım (orada Kara Piramit'in mezar odasını su basması konusunda bir yazı okuyacağıma söz verdim). Başka bir sürü şey daha var. Yani artık gitsem iyi olacak."

Birbirimize hürmetlerimizi ifade ederek ayrılırken kendisine ilan konusunda yeniden teşekkür ettim.

İnce, diri bedeninin gözden kaybolmasını bekledikten sonra yürümeye başladım. Ne tarafa gittiğimi görmesini istemiyordum... Çünkü Russell Meydanı'na giden en kestirme yol olan Piccadilly ve Shaftesbury Caddesi'ne değil, Bayan Minton'ın peşinden sahile, rıhtıma gitmekteydim. Güneş şemsiyemi sallayarak, neşeyle yürüyordum, çünkü kendimden oldukça memnundum. Tek bir yalan söylemeden (çünkü bu tiksindiğim bir alışkanlıktır) Bayan Minton'ı yanlış yönlendirmeyi başarmıştım.

Emerson olsa kendimi beğenmişliğimin cezasını çektiğimi söylerdi. Ama o tatlı, gülümseyen yüzün öylesine karanlık bir ikiyüzlülüğü gizlediğini kim tahmin edebilirdi ki?

Benim gibi açıksözlü ve dürüst bir insan asla tahmin edemezdi.

6

Şimdiye kadar bütün detektiflik araştırmalarımı Orta Doğu'da yaptığımdan New Scotland Yard'a uğrama fırsatım olmamıştı. Binayı her önünden geçişimde mesleki bir ilgiyle incelerdim elbette ve mimarisine dudak büken estetikçilere katılmıyordum. Beyaz Portland taşıyla şeritlendirilmiş kırmızı tuğlaları ona pitoresk bir hoşluk katıyordu ve her köşesindeki yuvarlak taretler, baron şatolarına benzemesini sağlıyordu. Görünüşü işlevinin ciddiyetine uymayabilirdi ama insanların içinde kısılı kaldığı hapishane, kale, fabrika gibi yerlerin hoş görünmemesi için bir neden göremiyorum.

Mısır polislerinin kaprislerine ve onların İngiliz amirlerinin kabalıklarına alıştığımdan, gayet hızlı ve canayakın bir biçimde ağırlanmak hoşuma gitti. Bay Oldacre cinayetinden sorumlu kişiyle görüşmek istediğimi söyleyince beni rıhtıma bakan (oldukça iç karartıcı) bir ofise soktular. İçeride iki masa, üç sandalye, bir sürü dolap, üniformalı bir polisle mumya gibi sıska ve yüzü binlerce kırışıkla kaplı kırçıl bir adam vardı. Adım söylenince adam incecik dudaklarıyla gülümsemeye çalışarak hemen beni ağırlamaya koştu.

"Bayan Emerson! Gerçekten *o* Bayan Emerson musunuz, diye sormama gerek yok, çünkü yüzünüzü arada sırada gazetelerde yer alan resimlerinizden tanıyorum. Lütfen oturun. Bir fincan çay içer misiniz?"

Bu teklifi kısmen kibarlıktan, kısmen de Scotland

Yard'daki içeceklerin nasıl olduğunu merak ettiğimden kabul ettim. Adam bana teklif ettiği sandalyenin tozunu aldıktan sonra oturdum ve polis hemen amirinin buyruğunu yerine getirmeye koştu.

"Ben Komiser Cuff" dedi kırçıl beyefendi, masasına otururken. "Sizi bekliyordum Bayan Emerson. Aslında beni daha önce onurlandıracağınızı umuyordum."

Dudakları gülümseme çabasından vazgeçse de, keskin gri gözleri dostça ve hayranlıkla ışıldıyordu. Hoşnutluğumu dile getirdikten sonra, "Daha önce gelmediğim için özür dilerim Komiser" dedim. "Ailevi ve mesleki işlerim vardı, bilirsiniz."

"Sizi gayet iyi anlıyorum madam. Ama suçluları tespit etme konusundaki meşhur yeteneklerinizle bize yardım etmek, İngiliz vatandaşlarına ve çalışkan Metropolitan Polisleri'ne karşı görevinizdir."

Gözlerimi alçak gönüllülükle indirdim. "Ah, o konuda pek iddialı olamam Komiser..."

"Bana ketum davranmanıza gerek yok Bayan Emerson. Hakkınızda her şeyi biliyorum. Sizin hayranlarınızdan olan ortak bir tanıdığımız var. Eskiden Kahire polisine danışmanlık yapan Bay Blakeney Jones."

"Bay Jones... Tabii ya! Kendisini çok iyi hatırlıyorum. Bir keresinde ifademi almıştı, canımı sıkan iki azılı suçluyu kendisine teslim etmeyi başarmıştım. Londra'ya döndü mü ki?"

"Evet, bir yıldan fazladır burada. Sizi kaçırdığına üzülecek, şu anda tatilde."

"Kendisini bir daha görürseniz lütfen selamlarımı iletin." Eldivenlerimi çıkardım, ellerimi kavuşturdum ve Cuff'a samimiyetle baktım. "Ama bu kadar iltifat yeter Komiser. Artık işimize bakalım."

"Elbette madam." Gözleri ışıl ışıldı. "Size nasıl yardımcı olabilirim? Yoksa siz, bana yardıma mı geldiniz?"

"Umarım bir yararım olur Komiser. Ama şu anda bilgi arayışındayım. Bana cinayetle ilgili her şeyi anlatın."

Bay Cuff öksürük krizine tutuldu. Tam o sırada polis, içlerinde bulanık bir sıvı bulunun iki ağır, beyaz fincanla dönünce birini Komiser'e uzattım. "Sağolun madam. Şu lanet olası, pardon, Londra sisi yüzünden. Gidebilirsin Jenkins, sana ihtiyacım olmayacak."

Polis gidince Cuff sandalyesine yaslandı. "Cinayete gelince, korkarım halka açıklanandan çok fazlasını bilmiyoruz. Yaranın ağırlığı ve silah bulunmaması, intihar ihtimalini ortadan kaldırıyor. Cesette saat, cüzdan gibi değerli şeyler yoktu..."

"Ama cinayet nedeni hırsızlık olamaz" diye sözünü kestim.

"Haklısınız Bayan Emerson. Geceleri sokaklarımızda cirit atan başıboş serserilerden biri cesede rastlayınca sözünü ettiğim değerli şeyleri çalmış. Aslında o herifi nezarette tutuyoruz, iyi tanıdığımız biri ama Bay Oldacre'ı öldürdüğünü sanmıyoruz."

"Şimdiye kadar bana herkesin bildiklerini söylediniz o kadar" dedim. "Hatta onları bile eksik anlattınız. Peki, ya cesedin kaskatı parmaklarla kavradığı tuhaf mesaj?"

"Ne güzel söylediniz" dedi Komiser Cuff hayranlıkla. "Evet, mesaj. Bir kopyası burada var."

Masa dağınıklığı konusunda ancak saygıdeğer kocamla boy ölçüşebilirdi. Tıpkı Emerson gibi Cuff da aradığı kâğıdı hemen bulmayı başardı. Birbirine benzeyen belgeler yığınından çekip çıkararak bana uzattı.

"Bunlar hakiki hiyeroglif" dedim. "Ama Mısır yazınında böyle bir metin yok: 'Mezarıma zorla giren çabuk ölür.' "

"Diğer otoriteler de öyle demişti madam."

"Öyleyse neden bana sordunuz?" diye sordum sert bir sesle, kâğıdı masaya atarak.

"Görmek istediniz sanmıştım" dedi Cuff usulca. "Hem başka uzmanlara... Özellikle de sizin gibi yetenekli birine sormaktan zarar gelmez. Belki bu kopyayı alıp profesöre göstermek istersiniz."

"Evet, sanırım öyle yapacağım, teşekkürler. Ama sizi bir konuda uyarmalıyım Komiser. Emerson'u size yardıma ikna edersem, ona karşı dikkatli davranmanız gerekecek. Kendisi polise yardım etme konusuna biraz önyargıyla yaklaşır da."

"Ben de öyle işitmiştim" dedi Komiser Cuff.

Sorularımı ısrarla sürdürsem de, polisin, her zaman olduğu gibi, şaşkın durumda olduğuna inanmak zorunda kaldım. Rahibin, cesedin civarında görüldüğünün söylendiğini anlattığımda Komiser buna inanmadığını tuhaf bir gülümsemeyle belirtti. "Tanık sarhoştu Bayan Emerson. Acayip hayaller görme alışkanlığı vardı: Yılanlar, ejderhalar ve... eee... yarı çıplak kadınlar."

"Anlıyorum. Komiser, yeni bir Karındeşen Jack ile karşı karşıya olduğunuzu düşündünüz mü?"

"Hayır" dedi Komiser yavaşça. "Hayır Bayan Emerson, bunu düşündüğümü söyleyemem."

Teorimden etkilendiği belliydi ve kanıtları bu olasılık ışığında yeniden değerlendireceğine söz verdi. "Ancak" diye ekledi, "Tanrı esirgesin, yeni bir cinayet işlenmediği sürece bu teoride ısrar edebileceğimizi sanmıyorum... Şimdilik. Bekle ve gör... Bayan Emerson, sloganımız bu olsun ha? Bekle ve gör."

Aziz Nicholas gibi parmağını burnunun kenarına dayayarak, ki ona başka hiçbir açıdan benzemiyordu, bana göz kırptı.

Gayet hoş bir biçimde vedalaştık. Adam kendini o kadar hoş ifade ediyordu ki ister istemez hoşlanmıştım ama binadan çıkarken kendime hafif ve alaycı bir gülümseme için izni verdim. Komiser Cuff beni iltifatlarıyla ve o iğrenç çayıyla kandırdığını sanıyorsa çok yanılıyordu. Bana anlattıklarından fazlasını biliyordu. Şimdiye kadar tanıştığım bütün o diğer sinir bozucu polislerden farkı yoktu. Bir kadının detektiflik konusunda kendisiyle aşık atabileceğini -alçakgönüllü olmasam "üstünlük" sözcüğünü kullanacağım- kabullenmeye yanaşmıyordu. Neyse, Komiser'in dediği gibi... Bekleyeceğiz ve göreceğiz!

Zaman azaldığından -yorulduğumdan değil, çünkü yorulmamıştım- bir taksi tuttum ve çabucak Great Russell Sokağı'na gittim (bu araçlar hızlarıyla haklı olarak meşhurdur). Müze'yi görünce, bu bilgi ve arkeolojik hazine merkezine saygı ve hayranlık duyduğumu söylemek isterdim ama yapamam. Yunan tapınağı biçimindeki orijinal tasarımı güzeldi ama tamamlanışından otuz küsur yıl sonra Londra'nın pis havası yüzünden rengi iç karartıcı bir koyu griye dönmüştü. Sergilenen eserlerin durumuna gelince... Evet, içerisi her zaman fazla kalabalıktır, sürekli yeni kanatlar ve galeriler eklenmesine rağmen, eserlerin yanlış adlandırılmasının ve sözde "rehberlerin" bu yanlışlıkları bilgisiz ama hevesli ziyaretçilere tekrarlamasındaki cehaletin bahanesi olamaz. Hep söylemişimdir, British Müzesi'ne bir müdire gerekli.

Emerson, Okuma Salonu'nda da, "çalışma odasında" da yoktu. Bunu zaten tahmin ettiğimden hemen üst kattaki Mısır Galerileri'ne yöneldim.

İkinci Mısır Galerisi ilk gelişimdekinden bile kalabalıktı. Kozmopolit bir topluluk vardı (hatta çok dilli bile denebilirdi, çünkü bir iki tane sarıklı Hindu gördüm ve İngiliz şivesinden oldukça farklı olan Yorkshire, İskoçya gibi uzak yerlerin şiveleri işitiliyordu). Son moda giyinmiş bayanlar, eldivenli ellerini siper ederek dedikodu yapıyor ve kıkırdaşıyor, şık giyimli ruhsuz tacirler ve kâtiplerle dirsek temasında bulunuyorlardı. Bir sürü çocuk ve muhabir oldukları belli birkaç kişi vardı, hatta bir fotoğrafçı bile bulunmaktaydı, ki makinesinin siyah örtüsü yüzünden yalnızca bacakları görünüyordu. Özel bir olayın gerçekleşeceğini anlamak için dâhi olmaya gerek yoktu.

Ünlü mumya sandukasına bırakın yaklaşmayı, onu görmek bile imkânsızdı. Kalabalığın arasından ite kaka geçerek, mor sarıklı ve gür siyah sakallı, esmer tenli bir beyefendiye ulaştım.

"Selam Peabody" dedi. "Burada ne işin var?"

"Aynı soruyu *ben* sana sormalıyım Emerson."

"Şey, gazetede bir ilan gördüm, sanırım sen de görmüşsündür. Bay Budge bir konuşma yapacakmış. Mısırbilimi konusunda aydınlanmamı sağlayacak bu fırsatı nasıl kaçırabilirdim?"

Sesindeki berbat alaycılığın tarifi mümkün değildi.

"Onu boşver de Emerson, asıl senin şu tuhaf kostümle burada işin ne diye sormak istiyorum" karşılığını verdim. "Sakalın biraz abartılı değil mi, ne dersin?"

Emerson sözünü ettiğim ilaveyi sevgiyle sıvazladı. Onunla tanıştığımda sakallıydı. Benim isteğim üzerine tıraş etmişti ama sakalını özleyip özlemediğini hep merak etmiştim.

"Muhteşem bir sakal bu Peabody. Bu konuda eleştiri kaldıramam."

"Bay Budge seni tanısın istemiyorsun, değil mi?"

"Ah, yapma Peabody, tartışmayalım" diye homurdandı Emerson. "Buraya geliş nedenim seninkiyle aynı. O zırdeli eninde sonunda gelecek, gazeteleri takip ediyordur ve böyle bir meydan okumayı reddedemez. O serseriyi yakalayıp bu saçmalığa bir nokta koymak niyetindeyim."

"Sakalın çok işe yarayacaktır Emerson."

Galerinin diğer ucunda kopan ve Bay Budge'ın gelişini haber veren bir kargaşa, Emerson'un karşılık vermesini engelledi. Bay Budge'ın çevresini saran korumalar sergi camekânıyla fotoğraf makinesi arasında hoyrat bir tavırla boşluk açtılar. Bay Budge poz verdi, bir parıltı ve duman, fotoğrafın çekildiğinin belirtisi oldu.

Fotoğraftan memnun kalmasını umdum. O sıralar otuzlarının sonundaydı ama daha yaşlı görünüyordu. Amerikalı bir meslektaşımızdan (Emerson'un yeni neslin en gelecek vadeden Mısırbilimcilerinden biri olarak gördüğü, Chicagolu Bay Breasted'dan) alıntı yaparsam, Budge "bodur, yavaş, suratı ter içinde" biriydi ve el sıkışı "bir balık kuyruğu kadar dostaneydi". Kalın gözlük camlarının ardındaki kısık, soğuk gözleri dünyaya şüpheyle bakardı. Müze'deki amirlerinin onunla ilgili görüşleri takdir ve hoşnutsuzluğun karışımıydı. Takdir ediyorlardı, çünkü Müze odalarını seçkin nesnelerle doldururdu. Ondan hoşnut değillerdi, çünkü o nesneleri ele geçiriş yöntemleri, arkeoloji topluluğunun bütün saygın üyeleriyle arasının açılmasına yol açıyordu. Mısırbilimi'nin yanı sıra Asurbilimi de dahil olmak üzere her türlü akademik konuda otoriter bir havayla yalan yanlış şeyler yazardı. Rüşvetten ve gümrük kaçakçılığından, düpedüz hırsızlığa kadar uzanan şüpheli yöntemlerinin öyküleri, bütün Doğu âlimlerinin çay masalarında dedikodu kaynağıydı.

Yani seyircilerinin karşısına çıkıp da Eski Mısır'daki mumyalama yöntemleri hakkında bilgi verecek olan adam böyle biriydi.

Budge'ın konuşması, her zamanki gibi başkalarından aşırdığı bilgilerle palavraların karışımıydı. Müze'nin en seçkin eserlerinden biri olan ve Budge'ın, ancak son derece sorguya açık denebilecek yöntemlerle, bizzat ele geçirdiği Ani Papirüsü'nden söz edip duruyordu. Bu bir mezar papirüsü olduğundan, cenaze törenlerini tasvirde kullanması az çok anlaşılır bir durumdu herhalde ama oraya Eski Mısır'ın prenseslerini, lanet ve büyülerini dinlemeye gelmiş olan seyirciler sıkılmaya başladılar. Bayanlar yeniden fısıldaşıp kıkırdaşmaya başlarken, bazı dinleyiciler yavaşça uzaklaştılar.

Budge sıkıcı konuşmasını sürdürüyordu. "Doğru ve Gerçek ya da Kanun sembolü olarak ölünün kalbinin ağırlığı bir kuş tüyününkiyle karşılaştırılırdı. Bu ayinin yapılışı..."

Emerson bu sefer konuşmayı alaycı laflarla bölmedi. Sakalını çekiştirip duruyor (zamk kaşındırıyordu herhalde) ve odayı tarıyordu. Onun kadar uzun boylu olmadığımdan pek az şey görebiliyordum ama Kevin O'Connell'ı, şapkasını alnını örtecek kadar indirerek saçını gizlemesine rağmen, tanıdım. Ondan biraz uzakta tanıdık bir safran (ya da çiçek sarısı) döpiyes görünce, Bayan Minton'ı mesleğini canla başla icra ettiği için içimden kutladım. Konuşmayı dinlemeye geleceğinden söz etmeye gerek duymamıştı ama sonuçta ben de niyetimden ona söz etmeye gerek duymamıştım.

Birkaç kişi daha gitti ve başkaları geldi. Oda rahatsız edici derecede kalabalıklaşıyordu. Gelenleri engelleyecek kimse yoktu. Bekçiler tipik özelliklerine uygun biçimde dikey dinlenme moduna geçmişlerdi ve bu durumda kimse onları suçlayamazdı.

Budge, Mısırlıların cenaze ayinlerinin ruhsal yönlerini uzun uzadıya anlattıktan sonra mumyalama yöntemlerine geçince seyirciler pür dikkat kesildi. Herodotos'tan yaptığı standart alıntılar her zamanki ürpertilerle ve dehşet mırıltılarıyla karşılandı. "İlk ve en pahalı yöntemde, beyin demir bir sonda vasıtasıyla burundan çekilirdi ve barsaklar böğürde açılan bir yara sayesinde vücuttan tamamen çıkarılırdı. Barsaklar temizlenir ve palmiye şarabıyla yıkanırdı..."

Ancak bu sefer o nahoş organlara ne yapıldığını öğrenemeyecektik. Seyircilerin birçoğu konuşmacıya dikkat kesilmişti, diğerleri de yarı koma halindeydiler. Budge fotoğraf makinesine kibirle sırıtıyordu. Dalgalanan beyaz cübbeyle ve leopar derisinden pelerinle boğazından ayaklarına kadar örtülü olan bir silüetin belirişindeki anilik, oradakilerin çoğuna neredeyse doğaüstü gelmiş olmalıydı.

Parmaklarım Emerson'un kolunu sıktı. Kasları granit gibi katılaşsa da kımıldamadı. Aklından geçenleri biliyordum. O zırdelinin odaya iyice girmesini, herhangi bir çıkış noktasıyla arasında düzinelerce kişinin bulunmasını bekliyordu. Yalnızca iki kapı vardı ve odanın birer ucundaydılar.

Yeni gelen kişiyi neredeyse en son gören Budge oldu. Sözünü yarıda kesip tiz bir şaşkınlık çığlığı attı ve o haşmetli figür seyircilerin çabucak açtığı bir yoldan geçerek yavaşça üstüne gelirken geriledi.

"Tutun şunu!" diye haykırdı. "Neden kazık gibi duruyorsunuz? Daha fazla yaklaşmasına izin vermeyin!"

Bu sözleri o hayalin ansızın belirişiyle gafil avlanmış olan bekçilere söylemişti herhalde. Nihayet diğerlerinden biraz daha cesur ve daha az uykulu olan bir tanesi "rahibe" doğru yürüdü.

"Bekle!" Ses maskın içindeki boşlukta yankılandı. Ramses olsa o herifin rolünün provasını yapmış olduğunu söylerdi. Ses tonu öncekinden kalın ve özgüvenliydi ve bir elini ağırbaşlılıkla kaldırışındaki vakar büyük Sör Henry Irving'i bile kıskandırabilirdi.

"Bana dokunursanız sorumluluk kabul etmem!" dedi o kalın ses. "Tanrıların kutsadığı kişiye dokunan her kâfirin sonu mutlaka ölümdür!"

Nefeslerin kesildiği, herkesin dona kaldığı bir sessizlik çöktü ve yalnızca yeni bir negatif takma telaşındaki fotoğrafçının çıkardığı sesler işitildi. "Rahip" daha yavaş ama daha da vakur bir edayla, dua okurcasına konuşarak, "Buraya zarar vermek için değil korumak için geldim" dedi. "Merhamet ve bağışlama için dua edeceğim. Ben aracılık edip yalvarmazsam, Eski Mısır'ın laneti bu odadaki herkesin... *herkesin*!.. üstüne çöker!"

"Bu kadarı fazla" diyen Emerson yenini elimden çekip kurtardı.

Ne yazık ki haklıydı. Ürkütücü bir uğursuzlukla savrulan tehdit, kalabalığın paniğe kapılmasına yol açtı. Herkes aynı anda harekete geçti. Kimileri bir kapıya, kimileriyse diğerine ulaşmaya çalışıyor, bazıları kaygıyla haykırıyor, bazıları histerik kahkahalar atıyordu. Bir hanım bayıldı. Daha cesur kişiler (ve muhabirler) o zırdeliye ulaşmaya çalıştılar. Sallanıp devrilen fotoğraf makinesi, kızıl boneli minik bir yaşlı bayanla sarışın bir çocuğu ezdi. Kendine özgü küfürleri o hengâmede bile işitilen Emerson, bayılırken düşmek için tuhaf bir biçimde onun kaslı göğsünü seçmiş olan hanım yüzünden hareket edemedi.

Soğukkanlılığımı koruduğumu söylememe gerek yok. Kımıldayamıyordum, hatta kaçan seyirciler tarafından dört bir yandan itildiğimden yalnızca ayakta durmak için bile bütün gücümü harcamam gerekiyordu. Zırdeli, tabutun bulunduğu vitrine... Ve vitrinin yanında duran Budge'a doğru atıldı. Budge panikle dönüp kaçmaya çalıştıysa da, cüssesi hızlı hareket etmesine izin vermedi. Mermer zeminde ayağı kayınca, korkuyla tiz çığlıklar atarak ve nefes nefese yardım isteyerek yere yuvarlandı.

Zırdeli ona dokunmadı. Tabutun kapağındaki oyma figüre anlaşılmaz bir şeyler söylemesine yetecek kadar duraksadıktan sonra, odanın arka tarafındaki bir perdeye doğru zorlukla ilerleyerek perdenin ardında gözden kayboldu.

İşlerin kötüleşmesini kahraman Emerson'um önledi. Bayılan hanımı bir kolunun altına sıkıştırarak Budge'ın yanına gitti ve tepesinde durarak onu ayak altında ezilmekten kurtardı (buna eminim). Küfür Babası gibi gurur duyulacak bir unvanı kazanmasını sağlamış olan sesiyle, panik içindeki kalabalığa hitap etti.

"Susun!" diye bağırdı. "Olduğunuz yerde kalın! O gitti! Tehlike geçti!" Bunlara benzer cesaretlendirici sözler söyledi.

Kalabalık böylesine otoriter birine ister istemez itaat edince, Emerson daha sonra zavallı müdürü ayağa kaldırdı. Budge gözlüğünü kaybetmişti, kravatı sol kulağının altında kıvrılmıştı ve yüzü hiddet ve utançtan kızarmıştı. Emerson bayılan hanımı ona bıraktı. Budge sendeledi ama ayakta kalmayı başardı. "İdareyi eline alsana sersem" dedi Emerson. "Her zaman 'yerlilere' kabadayılık taslamakla övünüp durursun, biraz da burada otoriteni görelim."

Emerson karşılık beklemeden (ki Budge zaten o sırada karşılık verecek halde değildi) bana yöneldi. O hanımı düşüp ciddi bir biçimde yaralanmasın diye, kuşatılmış bir aslan gibi sımsıkı tutarken bile... Planının bozuluşunu soğukkanlılıkla seyredip acizlere yardım etmeye çalışırken bile... O zaman bile gözleri beni aramış ve dudaklarında bir soru belirmişti. Güneş şemsiyemi hazırda tutar halde dimdik ve sakin durduğumu görünce görevine devam etti. Görevi tamamlanınca yanıma dönüp şefkatle, "İyi misin Peabody?" diye sordu. "İyi. O herif çoktan gitti elbette ama yine de izini sürebiliriz."

Rahibin ardında kaybolduğu perde kalın kahverengi kadifeydi ve ilk bakışta tek parça gibi görünüyordu. Emerson itiş kakış ve küfürlerle geçen bir süreden sonra zırdelinin içinden geçtiği aralığı buldu. Kadifeyi kenara çekti. Ardında boş bir mermer duvar vardı.

Emerson (tıpkı benim gibi) odada iki uçtaki kemerli geçitler dışında bir çıkış bulunmadığını biliyordu ama kendisi Emerson olduğu için bariz gerçeklere inanmayı reddediyordu. O da gözden kaybolarak, duvar boyunca perdenin bittiği yere kadar yürüdü. İlerleyişi kadifenin şiddetle dalgalanışından ve yoğun bir toz bulutu kalkmasından anlaşılıyordu.

Budge yanında bekçilerle bana doğru koştu.

"Burada neler oluyor yahu?" diye sordu sert bir sesle. "Bakın Bayan Emerson..."

Emerson'un başı perdelerin arasında belirdi. Gözleri korkunç bir biçimde ateş saçıyordu. "Karımın yanında konuşmana dikkat et Budge."

Budge yumruğunu salladı. "Buraya gelin, Profesör!" Emerson'un geri kalan kısmı başını takip etti. "Boş bir duvardan başka bir şey yok" diye mırıldandı.

"Ve epeyce miktarda tozdan" diye ekledim, Emerson'un yenini silerek. "Gerçekten Bay Budge, burayı hiç temiz..."

Budge iki yumruğunu birden salladı. "Dışarı!" diye mırıldandı morarmış halde. "Hepiniz çıkın dışarı! Bu galeri şu andan itibaren kamuya kapanmıştır..."

"Mantıklı" diye hak verdi Emerson. Odada kalmış diğer kişilere baktı... Şu işine düşkün muhabirler, O'Connell'la Bayan Minton, bir de tanımadığım üçüncü biri vardı. "Lanet olası muhabirler" dedi Emerson. "Kovsana şunları."

İkisi de ısrarla yerlerinde kaldılar ve üçüncü bir kişi özgüvenle gülümseyerek öne çıktı. Daracık siyah redingotu sırım gibi, atletik bir vücudu olduğunu belli etse de, gençliğinin baharında değildi. Uzun almıyla çökük avurtlarında derin çizgiler ve gözlerinin altında torbalar vardı. İpek şapkasıyla kar beyazı keten gömleği birinci sınıftı ve altın başlı bir bastonu eldivenli parmaklarıyla çeviriyordu.

"Koyduğunuz yasağın beni kapsamadığına eminim Bay Budge" dedi ağır ağır.

Budge'ın tavrı birden değişti. Kekeledi, sırıttı, neredeyse koşup adamın ayaklarına kapanacaktı. "Tabii ki Lord'um. Her zaman başımızın üstünde yeriniz var Lord'um. Lord'um müsaade buyururlarsa..."

"Sen iyi bir adamsın Budge" dedi Lord, Budge'ın davranışlarıyla teşvik ettiği bir horgörüyle. "Beni tanıştırmayacak mısın? Bu hanımefendiyle beyefendiyi ad olarak tanıyorum, kendilerini tanımayan var mı ki? Ancak kendileriyle tanışma zevkine erişebilmiş değilim."

Bay Budge bizi kekeleyerek tanıştırırken, lord hazretleri beni monoklünün ardından inceledi. Monokllardan, münasebetsiz bakışlardan ve aristokratlardan hiç hazzetmediği bilinen Emerson'u sımsıkı tuttum ama o yalnızca sakince, "Lord St. John St. Simon. Canterbury'nin en küçük oğlusunuz sanırım?" demekle yetindi.

Lord şapkasını çıkarıp eğilerek selam verdi. Uzun saçı pomat kullanılarak özenle yatırılmış olsa da başının tepesindeki kelini gizleyemiyordu. "İltifat ediyorsunuz Profesör. Benim gibi bir amatörün ilginizi çekeceğini düşünmemiştim."

"Yaptıklarınız bilinen şeyler" dedi Emerson. "Şu meşhur tabutu Müze'ye veren kişinin oğlunun dostusunuz sanırım?"

Bunu bilmiyordum ve Emerson'un neden o sahte rahibin peşine düşmek yerine, orada durup çene çaldığını anlamaya başladım.

"Evet, evet" dedi Budge kibirle. "Lord Liverpool muhteşem bir delikanlıdır ve cömert bir hamidir. Bugün onun da size eşlik ettiğini ummaya cesaret edebilir miyim Lord'um?"

"Buralarda bir yerde sanırım" dedi Lord St. John, esnemesini mükemmel eldiveninin ardında gizleyerek.

"Sahi mi? Gerçekten mi? Öyleyse kendisini bulmalıyım. Kendisine en iyi dileklerimi iletmek..."

Emerson, Lord'a dik dik bakmayı sürdürmekteydi ve sonunda o kibirli beyefendi bile rahatsızlık belirtileri sergilemeye başladı. Bastonunu çevirerek, "Eee Profesör, şimdi ne olacak?" diye sordu. "Rahibin peşine düşersiniz sanıyordum. Tilki avına çıkar gibi. Yoksa bazı muhabirler gibi siz de onun doğaüstü güçlere sahip olduğuna ve ortadan kaybolabildiğine mi inanıyorsunuz?"

"Saçma" dedi Emerson.

"Ah, çok haklısınız Profesör. Ama şu perdenin arkasına girdi ve dışarı çıkmadı. Kapı, çıkış falan olmadığını söylediğinizi işittim..."

"Çözüm çok basit olmalı Lord'um" dedim. "Tek yapması gereken maskla peruğu -ki tek parçaydılar- ve cübbeyi çıkarıp seyircilerin arasına karışmaktı. O hengamede..."

"Öyleyse şu kapıdan çıkmış olmalı" dedi Emerson göstererek. "Kalabalığa karışıp Üçüncü Mısır Galerisi'nden geçerek merdivene gitmiştir. O merdiven Heykel Salonu'na iner, oradan da Great Russell Sokağı'na açılan ana kapıya ulaşabilir. Peşinden gidebiliriz. Bekçilerden biri büyük bir paket ya da çanta taşıyan birini fark etmiş olabilir."

"Kostümünü koyduğu çanta mı?" dedi Lord. "Harikasınız Profesör. Bayan Emerson, size kolumu sunabilir miyim?"

"Gördüğünüz gibi bende bir tane var Lord'um... Daha doğrusu üç tane, çünkü benimkilerin yanı sıra kocam kendininkini ödünç verdi."

Lord St. John'ın gülümseyişi genişledi. "Hoş bir espri anlayışınız var Bayan Emerson. Bayan Minton, siz ne dersiniz?"

"Bayan Minton gitse iyi olacak" dedi Emerson kaşlarını çatarak.

Budge ona hak vermek zorunda kaldı. "Evet, evet, gidin genç bayan. Siz de O'Connell. Başvurular uygun biçimde yapıldığı takdirde basınla görüşmeye her zaman açığımdır ama sıradan muhabirlerin..."

"Bayan Minton sıradan bir muhabir değildir" dedi Lord usulca. "Sıradan bir genç kadın olsa bir gazetede çalışamazdı herhalde? Ninesi..."

"Sakın söyleme" diye bağırdı Bayan Minton.

"... Durham Düşesi'dir ve eskiden *Morning Mirror*'ın sahibi ve yayıncısının yakın bir... şey... arkadaşıydı. Tam bir kadın hakları savunucusu olan o yaşlı hanım, Bayan Minton'ın... Sayın Bayan Minton'ın hedeflerini tamamen desteklemektedir..."

Adamın konuşması birden "Seni alçak herif!" diye bir bağırmayla ve ufak tefek, eldivenli bir elin, adamın dudaklarına acıtacak kadar sert vurmasıyla yarıda kesildi. Bayan Minton daha sonra hüngür hüngür ağlayıp odadan kaçarak, bu muhteşem itirazının etkisini berbat etti.

Lord güldü. "Tanrı bayanları ve cezbedici tutarsızlıklarını kutsasın! Erkek gibi muamele görmek istiyorlar ama kadın gibi tepki gösteriyorlar."

"Hiç istemesem de size katılıyorum" dedim. "O genç bayan eminim öfkeden ağlıyordu ama yine de davranışları küçük düşürücüydü. Bayan Minton'la biraz konuşmam gerekecek."

"Hayır, konuşmayacaksın" diye homurdandı Emerson. Öfkeyle ekledi: "Lanet olsun! Lanet olsun!" Sonra gözleri, Bayan Minton'ın kimliği ifşa edildiğinde, "Vay anasını!" diye mırıldanmak dışında düşünceli bir suskunluk içinde kalmış olan O'Connell'a rast geldiğinde parladı. "Eee Bay O'Connell" dedi sevecenlikle. "Neden o genç bayanı avutmak için peşinden gitmediniz?"

"Çünkü güneş şemsiyesiyle bana vururdu" dedi O'Connell.

"Büyük olasılıkla. Kadınlar şeytan gibi olabiliyorlar, değil mi?"

"Evet efendim. Bana kızmadığınıza sevindim Profesör. Biliyorsunuz ki yalnızca işimi yapmaya çalışıyordum..."

"Ah evet, şüphesiz" dedi Emerson gülümseyerek. "Bir daha sizin o paçavranızda benim ya da Bayan Emerson'un adı yayımlanırsa, ofisine gelip seni dayaktan gebertirim. İyi günler Bay O'Connell."

O'Connell hemen ortadan kayboldu.

"Canına yandığımın basınından da kurtulduk" dedi Emerson tatminle. "Budge, sen de gidebilirsin, hiç işe yaramıyorsun. Lanet olası yalakalıkların bana epeyce zaman kaybettirdi zaten."

Budge öfkeyle, ağzından tükürükler saçarak ve anlaşılmaz sözler söyleyerek uzaklaştı. Ben, Emerson'un suçlamasının biraz haksız olabileceğinden kaygılıydım. Bir yerde kalmak istemiyorsa sırf kibarlık olsun diye hayatta kalmazdı. Lorda karşı sergilediği şaşırtıcı hoşgörü sürmekteydi. Gülümseyerek ünlü bir detektifin nasıl çalıştığını görmeyi hep istediğini söyleyip peşimizden gelmesine bile itiraz etmedi.

Ancak araştırmamız boşa çıktı. Kaçak, Üçüncü Mısır Galerisi'nden bir sürü yere gitmiş olabilirdi. Üst kattaki batı galerisinden geçerek ana merdivene ulaşmış ya da arka merdivenden inip alt kattan çıkmış olabilirdi. Bekçilerin hiçbiri büyük bir paket taşıyan ya da -benim önerimle bunu da sorduk- tuhaf biçimde aşırı şişman birini fark etmemişti.

Lord pek konuşmasa da Emerson'un her hareketini izledi. Dikkati artmış, kibri azalmış gibiydi ve söylediği birkaç söz keskin zekâsının kanıtıydı. Emerson kendisiyle, kısa süreliğine bile olsa, temas kuran herkesteki en iyi tarafı ortaya çıkarır.

Ana girişe vardığımızda Lord hâlâ peşimizdeydi ve son ziyaretçilerin de çıkmakta olduğunu, bekçilerin Müze'yi kapamaya hazırlandığını gördük. Emerson bekçilerden çoğunu şahsen tanırdı. Onlarla konuşarak belleklerini tazelemeye çalışırken, genç bir adam yaslandığı sütundan ayrılarak uzun adımlarla yaklaştı.

"Sonunda seni buldum" dedi hafif, boğuk bir sesle. "Kaç saattir yoksun Jack. Sıkıntıdan kafayı yiyecektim neredeyse."

"Senin suçun Ned, çünkü çok tembelsin" diye karşılık verdi Lord. "Macerayı kaçırdın."

"Öyle mi?" Genç adam, bastonunu emzik emen bir bebek gibi kaldırıp ağzına götürerek bize uykulu gözlerle baktı.

Bu kadınsı genç adamın Liverpool Kont'u olduğunu hemen tahmin ettim. Lord bizi rahat bir zarafetle tanıştırdıktan sonra, "Profesör'le Bayan Emerson, hani sana şu sözünü ettiğim meşhur arkeolog detektifler Ned" diye ekledi. "Az önce onların çalışmalarını izlemek çok ilginçti."

Alaycı bir ima olduğu belliydi ve Emerson bu söze sinirlendi. Kont tiz bir sesle kıkırdadı. "Hadi ya, öyle mi?" Arkadaşından bile daha züppece giyinmiş olmasına, kravatında ve parmaklarında iri elmaslar ışıldamasına rağmen, kendisinden yaşça büyük olan diğer adam kadar etkileyici değildi, sıskaydı ve göğsü göçüktü. Yüzü uçuk sarıydı ve gülerken yaşlı bir adamınkiler gibi kahverengileşip çürümüş olan dişleri meydana çıkıyordu.

"Biz detektif değil, arkeoloğuz Lord Liverpool" diye düzelttim. "Müteveffa babanızın Müze'ye verdiği tabutu inceliyorduk. Yaptığı cömert bir davranıştı, ancak sonuçlarının talihsiz olduğunu söylemeliyim."

"Öyle mi? Şey... Evet, sanırım öyle oldu. Ne yazık. Zavallı ihtiyar babacığım yaşasaydı... şey... çok şaşırırdı..."

"Bir de canı sıkılırdı" diye ekledi Lord St. John usulca.

"Şey... Evet. Kesinlikle." Kont bastonunu emerek baktı. "Bayan Emerson... siz şu... şey... mumyaları kazıp çıkaran bayansınız, değil mi? Biraz... şey... tuhaf bir iş değil mi sizce?"

"Çok şakacısın Ned." Lord, arkadaşını kolundan tuttu. "Bayan Emerson son derece saygın bir âlimdir. Belki de kendisini Mauldy Malikânesi'ne davet edip babanın koleksiyonunu göstermek istersin."

"Şey... Ne? Ah, evet." Kont uykulu uykulu gülümsedi. "Onlardan daha bir sürü var... Mumyalar ve... şey, mumya değil, babamın elinde yalnızca bir tane vardı... küçük şişeler ve heykeller falan. Ne zaman isterseniz. Her zaman."

"Hiçbir zaman" diye bağırdı Emerson, bu davet için teşekkür etmeme fırsat vermeden. "Böyle şeylere zamanımız yok bizim. Kibarca bir teklif herhalde ama yapacak daha iyi işlerimiz var."

"Ah, eminim siz ve Bayan Emerson, Mauldy Malikânesi'nde ilginç objeler bulabilirsiniz" dedi Lord.

"Kesinlikle, kesinlikle" diye katılan Kont yine kıs kıs güldü.

Ama Emerson'un sabrı tükenmişti. Aceleyle vedalaşıp beni çekerek uzaklaştırdı.

Şehrin üstünde kara bulutlar toplanmıştı. O kasvetli perdedeki bir yarıktan görülen parlak bir kızıllık, güneşin alçaldığının göstergesiydi. Biz bakarken iki adam batıya doğru yürüdüler, sıska olanı arkadaşının koluna yaslanıyordu ve sanki en azından birini beklediği kesin olan cehenneme doğru gider gibiydiler.

"O bir afyonkeş Emerson" diye mırıldandım. "Zavallıcık, uyuşturucu beynini etkilemiş, doğru düzgün konuşamıyor."

"Beynini çürüten şey afyon değil, hastalık Peabody. İnsanın Tanrı'nın gazabına, intikamına inanası geliyor. O çocuğun günahları ne olursa olsun, ki saymakla bitmez, öyle bir ölümü hak etmiyor." Sonra sevgili Emerson'umun doğal iyimserliği baskın çıktı, biraz silkelenerek "Aman" dedi, "o zavallı genç soyludan daha üstün erkek ve kadınlar daha korkunç biçimlerde ölüyorlar her gün. Çayıma ihtiyacım var Peabody. Ya da belki daha kuvvetli bir şeye."

Saat geç olduğundan Emerson'un bir araba çevirme önerisine katıldım. Deri koltukları gıcırdayan bu küf kokulu araçların kocamda tuhaf bir etkileri vardır. Belki de tırıs giden atların toynak sesleri hafif müzik gibi geldiğinden ya da gölgeli, kapalı bir yerde bulunmanın verdiği güvenlik hissi yüzünden. Her nedense daha içeri girer girmez hemen dikkat dağıtıcı hareketlere başlayınca, onu en azından önce doğal bir sakaldan bile daha sert ve rahatsız edici olan takma sakalını çıkarmaya ikna etmekte zorlandım. İlgisi her zamanki gibi ustaca ve azimli olsa da, içindeki huzursuzluğu ve siniri sezdiğimden dostça bir şakayla yatıştırmaya çalıştım.

"Emerson'cuğum, baksana aristokratlar da olaya karıştı."

"Evet, lanet olsun" diye homurdandı Emerson. "En azından muhabirlerden uzak durabilirim sanmıştım. Uzun zamandır çile çeken kocana bir kıyak yap, Peabody. O genç bayana kol kanat germe. Tehlikeleri ve zaman kayıplarını kabullendim ama duygusal davranıp genç âşıkların yardımına koşmana bir daha katlanamam."

"Buna gerek kalacağını sanmam Emerson" dedim teskin ederek. "Bayan Minton'ın âşık olduğu biri yok gibi görünüyor. Tabii eğer Lord..."

"Yapma Peabody, adamın suratına yumruğu yapıştırdı!"

"Sen bu konularda tecrübesizsin Emerson. Öyle hareketler çoğunlukla ilgi göstergesidir. Hatırlarsan daha önceki bazı..."

"Hatırlamak istemiyorum, Peabody."

"Sonra geçen akşam yanındaki şu Wilson denen delikanlı var" diye devam ettim. "Onu tanıdığını söylemiştin..."

"Galler Prensi olur muhtemelen" dedi Emerson keyifsizce. "Kraliyet mensupları hiç ilgi alanıma girmiyor, Peabody. Aristokrasi yeterince kötü zaten."

Araba evin önünde durunca, Emerson inmeme yardım ettikten sonra sürücüye ödeme yapmak için döndü. Yağmurdan çok isten ibaret olan bir ahmak ıslatan alacakaranlığı karartıyordu. Kapının yanındaki biçimsiz objeyi önce çöp torbası sandım. Sonra kımıldayınca, Londra sokaklarında yaşayan zavallı evsizlerden biri olduğunu fark ettim. Polisler bu talihsizleri genellikle St. James Meydanı gibi lüks semtlerden uzak tutardı. Bu seferki kanundan kaçabilmişti besbelli.

Bahçe kapısına yaklaşırken silüet ayaklandı ve sessiz bir yakarışla elini uzattı. Acıyarak, "Bu daha çocuk, Emerson" dedim. "Bir şeyler..."

Emerson cebini karıştırmaya başlamıştı bile. "Hepsine biz bakamayız ki Amelia" diye homurdandı. Her zamanki homurtusu değil, merhamet ve aciz bir öfke sergileyen daha yumuşak bir sesti bu. "Al evladım." Kalın gümüş yüzüğüne çarpan bozuk paralar şıngırdadı. "Karnını doyur ve kendine yatacak yer bul. Bekçi birazdan gelir, yani acele etsen iyi olur."

Çocuk minik eliyle Emerson'un verdiği hazineyi kaparken, inleyerek minnetini belli etti. Biz eve doğru giderken Emerson usulca küfretti.

"Evet" diyerek hak verdim. "Bu üzücü bir dünya, Emerson. Bir yerlerde böyle insanlar için daha iyi bir dünya olduğunu umalım."

"Saçma" dedi Emerson.

"Öyle diyorsun ama sen bile emin olamazsın ki hayatım. En azından bu gece küçük bir çocuk karnını doyurup sıcak bir yatakta yatacak. Çok geç kaldık! Bizim çocuklar çayı bekliyordur. Şükretmeli ve çocuklara da bunu öğretmeliyiz."

Ama salonda çocuklardan yalnızca ikisi beklemekteydi. Violet'ın kabarık fırfırlarıyla dev kuşağı, eninin neredeyse boyu kadar görünmesine yol açıyordu. Biz odaya girince Percy ayağa fırladı. "İyi akşamlar efendim. İyi akşamlar Amelia Hala."

"İyi akşamlar Percy" diye karşılık verdim. "Geciktiğimiz için üzgünüm. Bayan Watson, hizmetçilerden birine Ramses'i çağırmasını söyler misiniz?"

Kâhya kadın ellerini ovuşturdu. "Ah, madam..."

"Ah" dedim. "Yine mi kayboldu?"

"Nasıl dışarı çıkmış anlamadım" diye inledi zavallı kadın. "Gözümün önünden ayırmıyordum... O sevgili çocuğun huyunu suyunu bilirim..."

"Sevgili Bayan Watson, sizden daha kurnaz dadılar bile Ramses'le başa çıkamadılar" diyerek içini rahatlattım. "Emerson, lütfen otur ve saçını yolmayı kes."

"Oturmayacağım" diye karşılık verdi Emerson hiddetle. "Bak Amelia, sakinliğin övünülecek bir şey değil. Evet, Ramses'in bunu daha önce de yaptığını ve başına bir şey gelmediğini biliyorum ama her şeyin bir ilki vardır ve bu canına yandığımın şehri..."

"Madem öyle, en iyisi onu gidip ben bulayım" dedim ayağa kalkarak. "Hıyarlı bir sandviç ye Emerson, seni sakinleştirir."

Ama Emerson peşimden hole geldi tabii, diğerleri de. Direktifim üzerine baş uşak kapıyı açtı, paltomu vermeye çalıştıysa da el sallayarak istemediğimi belirttim.

İyi ki o zaman dışarı çıkmışım. Zavallı dilenci çocuk kaçıp gidememiş, zebellah gibi bir polisin eline düşmüştü. Tiz itirazları polisin homurtularına karışıyordu. "Gitsene çocuğum, burada kalamazsın. Ah... ya, demek öyle ha... seni küçük..."

"Polis bey" diye seslendim, araba yolunda koşturarak. "Çocuğu bırakın gitsin."

"Ama madam, burada pusuya yatmış bekli..."

"Hayır, eve geri dönmeye çalışıyordu sanırım" diye karşılık verdim. "Ramses, polis beye tekme mi attın?"

"Onu ısırmak zorunda kaldım, çünkü ayakkabım yok" diye karşılık verdi Ramses.

"Aman Tanrım. Emerson, lütfen..."

Yine bozukluklar şıngırdadı. Polis, şapkasına dokunduktan sonra başını sallayarak uzaklaştı. Elimi oğlumun yakasına uzattıysam da sonra vazgeçtim ve ona dokunmadan bahçe kapısından geçirdim. Gergin bir sessizlik içinde eve döndük.

Yapay aydınlığın ışıltısında Ramses'in görüntüsü nefes kesiciydi. Şunu itiraf etmeliyim ki bir işi aklına koydu mu gayet güzel yapıyordu. Çıplak ayakları siyah ve maviydi... Kirden kararmış, soğuktan mavileşmişlerdi... Çünkü akşam hava epeyce serinlemişti. Üstünde hayatımda gördüğüm en iğrenç paçavralar vardı, gömleğindeki ve pantolonundaki uzun yırtıklar ya açık duruyordu ya da dev toplu iğnelerle üstünkörü tutturulmuşlardı. Giysileri berbat bir yağmur, is ve çamur karışımıyla ağırlaşmıştı. Ramses'in kokusu da görünüşü kadar kötüydü. Bayan Watson burnunu kapayarak geriledi.

Ramses kepini çıkardı. (Görgü kuralları derslerimin biraz işe yaradığını gördüğüme sevindim.) Pis gömleğinin içinden ıslak bir demet fulya çıkardı, bunları parktaki bakımlı bahçelerden topladığına emindim. Violet'a yaklaşarak, "Bunları sana getirdim..." diye söze başladı.

Violet bal ya da eşek arılarının saldırısına uğramışçasına ellerini sallayarak geriledi. Yüzü allak bullaktı. "Iyy, ıyy, iğrenç, iğrenç" diye haykırdı. "Iyy, iğrenç..."

Ramses'in suratı asıldıysa da, hayal kırıklığını erkekçe gizlemeyi başardı. Bana dönerek gömleğinin altından bir başka berbat demet (çoğu saptı) çıkardı.

"Senin için anneciğim."

"Teşekkürler Ramses" dedim, o pek zavallı armağanı parmak uçlarımla tutarak. "Çok düşüncelisin ama korkarım ki canını sıktığın insanlara verdiğimiz paraları senin harçlığından çıkarmamız gerekecek. Meblağ giderek artıyor, Ramses."

Emerson kurbağa gibi ağzını açıp kapamaktaydı. "Neden bu biçimde giyinmiş Peabody?" diye sordu cılız bir sesle.

"Kılık değiştirme pratiği yapıyorum" diye açıkladı Ramses. "Hani şu kılık değiştirme ustasının ininde bulduğumuz şeyleri almama izin vermiştiniz ya, hani şu lakabı..."

Hemen araya girdim, çünkü Emerson'un yüzü allak bullak olmuştu. O inanılmaz olayı ve daha da inanılmaz adamı hatırlatan her şey zavallı kocacığımın kan basıncını etkiliyordu.

"Evden asla izinsiz çıkmamalısın Ramses" dedim, bu yasağın işe yaramayacağını bilerek, çünkü Ramses şimdiden bir çıkış yolu düşünmeye başlamıştı. "Yukarı çık ve... Bir dakika. Alnındaki şu sıyrık ne? Sakın bana, Percy yaptı deme."

"Demeyeceğim zaten" dedi Ramses.

Percy genzini temizleyip öne çıktı. "Ama benim suçum

Amelia Hala... Yani Ramses'in evden izinsiz çıkması. Onunla şakalaşıyor, benimle oynamasını istiyordum. Bahçeye çıkıp koleksiyonum için kelebek toplamak istiyordum. O çıkmak istemeyince de, yanında dadısı ya da annesi olmadan çıkmaya korktuğunu söylemiş olabilirim. Yalnızca bir şakaydı efendim ama bütün sorumluluğu üstüme..."

Ramses, saygıdeğer babasını gururlandıracak bir hırıltıyla kuzeninin üstüne yürüdü. Emerson onu yakasından kavradı.

"Sakın sarsma onu Emerson" diye bağırdım. "Tanrı aşkına, sakın..."

Ama çok geçti.

Hepimiz üstümüzü değiştirmek için yukarı çıktık. O iğrenç sıvıların üstüne bulaşmadığı tek kişi Violet'tı. Ramses yanından usul usul geçerken Violet tombul, beyaz bir parmağıyla onu gösterdi. "Iyy" dedi. "İğrenç." Ramses, saçları darmadağınık olmuş başını iyice öne eğdi.

O akşam, çayı oldukça geç bir saatte içtik, ancak çocuk yetiştirme teorilerime göre bir aile olarak, mümkünse günde bir saati birlikte geçirmemiz gerektiğinden bu ritüeli uygulamakta kararlıydım. Bir fedakârlıktı ama bunu yapmanın ahlaki bir sorumluluk olduğunu hissediyordum. Emerson böyle bir sorumluluk hissetmese de yapıyordu, çünkü ben ısrar ediyordum.

Violet oturup en sevdiği oyuncak bebekle, neredeyse boyu kadar olan ve (gerçeği söylemek zorundayım) porselen suratındaki aptalca sırıtışla ve kalın sarı bukleleriyle kendisine çok benzeyen balmumu kafalı bir şeyle oynamaktaydı. Ona sandviç parçaları yedirip çay içirir (bol sütlü olduğunu eminim ki eklememe gerek yok) gibi yapıyordu. Ramses'in gözlerini dikmiş baktığını fark edince gülümseyerek onu kendisine ve "arkadaşı Helen"e eşlik etmeye davet etti ve "Çiçekler konusundaki kabalığım için özür dilerim kuzen Ramses. Ama gerçekten çok ama çok iğrençtiler" diye ekledi.

Ramses'in kibar bir horgörüyle karşılık vermesini bekliyordum ama daveti kabul etti ve hatta oyuncağı dizine oturtup altın sarısı buklelerini okşayacak kadar ileri gitti. Yaşadığı talihsizlikten daha fazla söz edilmedi. Devamlı azarlamaya karşıyım, hem Ramses cezasını zaten kabullenmişti... Suç Üstadı'nın gizli karargâhından almasına, itirazıma rağmen, izin verilmiş olan bütün kılık değiştirme ekipmanlarına el konmuştu. Bunların çoğu saç ve ten rengini değiştiren boyalar ve tozlardı. Ayrıca ağza sokulunca yüzün biçimini değiştirebilen dâhice destekler, bir sürü takma diş seti, hepsi de kurnazca insan saçından yapılmış olan bıyıklar, sakallar ve peruklar vardı. Peruklardan biri modaya düşkün bütün bayanları kıskandırabilecek kadar güzeldi: Kat kat altın sarısı dalgalara ve buklelere sahipti, ipeksi yumuşaklıktaydı ve bal kadar pürüzsüzdü. Ramses saçı kısaltıp iç kısmına destek koyarak, bunu zekice değiştirmiş ve kendi başına uygun hale getirmişti.

Emerson, Percy ile erkek erkeğe sohbet etmeye çalıştıysa da hanedanlık öncesi çömlekçilikten ve katmanlaşma ilkelerinden hiç anlamayan bir çocukla doğru dürüst konuşmanın imkânsız olduğunu kavrayınca kısa sürede vazgeçti. O akşam gazetesini alıp sayfaları çevirirken, ben "Bugünkü maceranın haberini boşuna arama Emerson" dedim. "Elindeki gazete o olaydan önce basılmıştır herhalde."

"Macera mı Amelia Hala?" diye haykırdı Percy. "Nasıl bir macera olduğunu sorabilir miyim efendim?"

Bu konuyu çocukların, özellikle de Ramses'in bilmemesi tercihimdi, ancak çocuk zihnini benim kadar iyi tanımayan Emerson hemen heyecanla anlatmaya girişti. Emerson'un, Bay Budge'la ilgili alaycı sözlerini Percy anlamadı sanırım ama zırdeli rahiple ve az kalsın kopan panikle ilgili tasvirleri ağzı açık dinledi.

"Çok heyecanlıymış efendim!"

"İğrenç" diye mırıldandı Violet.

"İğrenç?" diye tekrarladı Emerson öfkeyle.

"Mumyaları kast ediyor efendim. Kızlar nasıldır bilirsiniz efendim. Bence siz çok cesurca davranmışsınız efendim. Ne yazık o adamı elinizden kaçırmışsınız."

Ramses genzini temizledi. "Söz konusu şahıs anlaşılan mükemmel bir zamanlama anlayışına sahip ve güruh alışkanlıkları denebilecek şeyi bilen birisi. Büyük bir kalabalık toplanacağını tahmin etmiş ve takip edilmemek için kalabalıktan yararlanmayı düşünmüş. İnsan böyle zeki bir adama fütursuzca 'zırdeli' denmesinin uygun olup olmadığını merak ediyor."

Konuşurken oyuncak bebeğin buklelerini okşamayı sürdürüyordu. Bu görüntüyü komik olduğu kadar kaygılandırıcı buldum, çünkü Ramses böyle aptalca davranacak kadar düştüyse, kuzenine duyduğu ilgi sandığımdan güçlüydü demek ki.

"İlginç bir fikir Ramses" dedi babası düşünceli bir tavırla. "Ancak zırdeli denen kişiler beyinsiz değildirler. Yalnızca zihinsel bir tuhaflıkları ya da çarpıklıkları var diye zekâlarının tamamen düşük olması anlamına gelmez."

"Şu Karındeşen Jack gibi" dedi Percy. "Onu da yakalayamadılar, değil mi efendim?"

"Tanrı aşkına Percy" diye haykırdım. "Annenle babanın senin o korkunç olayı işitmene göz yummalarına şaşırdım doğrusu."

"Hizmetçiler hâlâ ondan söz ediyorlar, Amelia Hala. Hizmetçiler nasıl geveze olurlar bilirsin."

"İğrenç" dedi Violet. Düşünceli bir ifadeyle ekledi: "Ölü."

"Tanrım!" dedi Emerson, çocuğu dehşet içinde süzerek.

"O ne dediğini bilmiyor Emerson" dedim, gerçeği söylediğimi umut ederek.

"Bunun" dedi Ramses, "benzer bir vaka olmadığını umalım. Çünkü katil tek bir mesleğe saplantılı bir nefret besleyen manyak bir katilse, Müze'yle ilgisi olan herkes tehlikede demektir."

Bu söylediği öyle korkunç ihtimalleri akla getiriyordu ki zili çalıp çay sofrasının toplanmasını emrettim. *Ramses'in*, Karındeşen Jack'i nereden bildiğini ve özellikle de talihsiz genç kadınları öldüren o katilin, doğru dürüst "meslek" denemeyecek bir şeye saplantılı nefret beslediğini nasıl öğrendiğini açıklamasını dinlemek arzusunda değildim.

Emerson'un, Ramses'in "manyak katil" sözüne tepkisini gözlemledikten sonra (bu terim ona neredeyse "Suç Üstadı" kadar acı verir), konuyu tekrar açmadan önce, yatışması için ona biraz zaman tanımaya karar verdim. Akşam yemeğinin ortasına kadar bekledim.

"Ramses'in böyle şeylere ilgi duymasından nefret etsem de, suçları çözme yeteneği (herhalde kalıtımsaldır) var" dedim. "Benim teorimin aynısını söylediğini fark ettin mi Emerson?"

Emerson oldukça kalın bir biftek dilimine saldırmaktaydı. Bıçak kayınca biftek yere düştü.

"Ne yazık ki kedi Bastet burada değil, yoksa hemen kapıp götürürdü" dedi, Gargery'nin, yiyeceği almak için masanın altında sürünmesini izlerken. "Ondan haber var mı Peabody?"

"Henüz yok. Rosa'ya o geri döner dönmez bana telgraf çekmesini söyledim. Konuyu değiştirmeye çalışma Emerson. Durum çok ciddi."

"Bana hizmetçilerin yanında ciddi konular konuşma deyip duran sensin" diye karşılık verdi Emerson. "Bana hep saçma bir kural gibi geldi. Bizim Gargery mantıklı sohbetlerle herkes kadar ilgilenir, değil mi Gargery?"

"Şey... Tabii ki efendim" cevabını veren baş uşak büfenin yanına çekildi.

"Sana doğru düzgün davranmayı öğretme umudumu çoktan kaybettim Emerson" dedim. "Ayrıca şimdiki koşullarda o tarz kuralların esnetilmesi gerekiyor. İçinde bulunduğun tehlikeyi düşündükçe..."

"Ah, saçmalama Peabody" diye bağırdı Emerson. "Manyak katil fikri Ramses'ten de gelse, senden de gelse aynı derecede mantıksız. İki kişinin ölmesi (hem de biri doğal bir nedenden) bir suç dalgası demek değildir ki!" Sonra baş uşağa göz atarak ekledi, "Bayan Emerson'a aldırma sen Gargery. O hep öyle konuşur. Tehlikede değilim."

"Ben... bunu işittiğime sevindim efendim" dedi Gargery samimiyetle. "Biraz daha biftek alır mısınız efendim?"

Emerson kendine servis yaptı. "Rahibin, Oldacre'nin ölümüyle ilgisi yoktu" diye bildirdi. "Öyle bir adamın düzinelerce düşmanı vardı mutlaka. Kendisini ben de sevmezdim. Müze'de olanlara gelince, ya hasta bir zihnin ya tuhaf bir eşek şakasının sonucu."

"Ah" diye mırıldandım. "Yani bu ihtimal senin de aklına geldi?"

"Şimdi ilk senin aklına geldiğini öne süreceksin" diye homurdandı Emerson. "Hep öyle dersin. Ama bu imkânsız Peabody, benim aklıma ancak Lord St. John'ın bu işe karıştığını fark ettiğimde geldi. Onun gibi ahlaksız, dejenere insanların eğlenceli bulabileceği türden bir şey bu. Onun kim olduğunu biliyorsun, değil mi?"

Bu soru çok açık bir biçimde retorik olduğundan cevaplama zahmetine girmedim. Emerson sözüne devam ederek Lord'un kısa bir biyografisini anlattı. Eşimin önyargılarını ve abartmalarını göz önüne aldığımda bile çirkin ve bir anlamda trajik bir tabloydu bu. Yakışıklı, çok zengin ve zeki bir insan

olan Lord St. John çok parlak bir gelecek vadeden bir delikan-
lı olarak görülmüştü. Üniversite yaşamı, iyi bir aileden gelme
genç bir adamda normal kabul edilen maceralar ve kaba eşek
şakaları (ki çoğu kamuya açık yerlere tuvalet kapları koymak-
tı) dışında lekesizdi. Ayrıca '84'te Hartum'da başarıyla asker-
lik yapmıştı. Sonra Galler veliahtı, soylu kabadayı Prens Al-
bert Victor'ı destekleyen bir gruba katılmıştı. Prensin zamansız
ölümü ulusta ve ebeveyninde yalnızca üzüntüye değil, rahat-
lamaya da yol açmıştı; ne de olsa Prens "Eddy"nin tavırlarının
onun hükümdarlık kapasitesinin çok ciddi bir biçimde sorgu-
lanmasına yol açtığı sır değildi.

Prens'in '92'deki ölümünden sonra Lord St. John, genç
Kont'u (o sıralar Vikont Blackpool'du) "çevresine" çekmişti.
Sonucu bizzat görmüştüm (Emerson'un dediğine göre.) O
genç adamın Makyavelist akıl hocasından öğrenmediği doğal
ya da sapıkça tek bir ahlaksızlık bile yoktu.

"Doğal ya da sapıkça" diye yineledim. "Açıkçası Emer-
son, ahlaksızlık söz konusuysa ikisi arasında fark var mı, emin
değilim."

Emerson bana buz gibi bir bakış fırlattı. "O farkı bilmene
gerek yok, Peabody."

"Ah" dedim. "Anladım galiba. Peki, Lord St. John'ın sah-
te rahip olduğunu mu ima ediyorsun, Emerson?"

"Hayır" dedi Emerson gönülsüzce. "O olamaz. Rahip gir-
meden hemen önce onu seyircilerin arasında görmüştüm."

"Gizlice çıkıp son anda kılık değiştirmediğine emin mi-
sin?"

"Bu imkânsız Peabody'ciğim. Şuna bak." Emerson cebin-
den bir kurşunkalem çıkarıp (akşam yemeği için giyinmeyi
her zamanki gibi reddetmişti) masa örtüsüne çizim yapmaya
başladı. "Yerlere kadar inen cübbe bir sürü günahı, daha da
önemlisi bir pantolonu gizleyebilir. Kolları dirsek altına kadar

iniyordu, ceket ve gömlek kolları kıvrılarak ya da sıvanarak cübbenin kollarının içine saklanabilirdi. Bunları yapmak yalnızca birkaç saniye sürerdi ama aynı zamanda leopar derisini giymesi, maskeyi başına geçirmesi, ayakkabılarıyla çoraplarını çıkarıp sandalet giymesi gerekirdi."

"Evet" diye katıldım. "Aslında On Dokuzuncu Hanedan kıyafetlerinin fena bir kopyası sayılmazdı. Ama orijinalleri yalnızca kumaştan ibaretti sanırım. Bir de rahip resimlerinde peruğa pek rastlanmaz, onların kafaları genellikle tıraşlı oluyordu."

"Değişiklikleri gizlenme ihtiyacından yaptığı belli" diye karşılık verdi Emerson sabırsızca. "Ayrıca Budge'ın ve şu fazlasıyla alıntılanan Herodotos denen otoritenin tersine... Bu arada Herodotos söz konusu dönemden iki bin yıl sonraki yaygın aletleri tasvir ederdi ve söylediklerinin hepsi doğru değildi... Ne diyordum?"

"Hem *sem* rahibi kostümü giyip hem de süslü peruk takmış insan resimlerinin bulunduğunu söylüyordun" diye karşılık verdim. "Gerçi bu önemli değil, dediğin gibi otantikliğin yerini pratikliğin alması gerekiyordu."

"Doğru. Ama işini bilen bir havası vardı Peabody. Mumyaya ne dediğini işittin mi?"

Gargery'nin artık yemek servisi yapma numarasını tamamen bir kenara bırakıp Emerson'un omzunun üstünden eğilerek, masa örtüsüne ne çizdiğini görmeye çalıştığını fark edince salona geçeceğimizi bildirdim. Gargery hayal kırıklığına cesurca göğüs gerdi.

Rahatça oturduktan sonra Emerson'un sorusunu cevapladım. "Hayır, zırdelinin mumyaya ne dediğini işitmedim Emerson. Çok gürültü vardı."

"Ama ben daha yakındaydım" diye karşılık verdi Emerson. "Hem bildiğin gibi dudak okumada oldukça iyiyimdir. Hatırladığım kadarıyla şöyle dedi."

Etrafta masa örtüsü bulunmadığından ve kâğıt arayamayacak kadar sabırsız olduğundan yenine karalamaya başladığı hiyeroglifleri yazarken yüksek sesle okudu.

"Hımm" dedim. "Çok güzel Emerson. Ama rahip İngilizce konuştuysa neden sen Eski Mısırca konuşuyorsun?"

"İngilizce konuşmuyordu ki Peabody."

"Ulu Tanrım, bu çok şaşırtıcı. Ama bu demek oluyor ki... yani..."

"Ne demek oluyor bilmiyorum Peabody, sen de bilmiyorsun."

"Daha önce İngilizce konuşmuştu."

"Kesinlikle. Davranışlarında tutarlılık yok, gerçi bir zırdeliden de bu beklenir, değil mi? Mısırbilimi'ni biraz bildiği belli ama zeki herhangi bir amatör de o kadarını öğrenebilir, özellikle de hayatı boyunca o konuya saplantılı bir ilgisi varsa, ki bu çok mümkün."

"Kendini ne güzel ifade ediyorsun Emerson." Hiyeroglifleri tekrar okuyabilmek için kolunu tutup çevirdim. "Oldukça düzgün bir Mısırca yazı."

"Ezberlenmiş bir formül Peabody. 'Leydi Henutmehit'in ruhuna bin somun ekmek ve bir testi bira.' Standart mezar adağı formülüdür."

Parmakları birden benimkilere dolanıp kavradı. Bu şefkatli hareket ve bir daha asla konuşmamaya yeminli olduğu bir konuyla ilgilenmesi, bende onunla bir şeyi paylaşmak isteği uyandırdı.

"O standart bir formül olabilir ama bu değil." Cebimden yaşlı Oldacre'nin cesedinin elinde bulunan mesajın kopyasını çıkardım.

Emerson'un kaşları çatıldı. "Bunu nereden buldun Peabody? O kahrolası gazeteci dostlarından birinden herhalde. Lanet olsun Peabody, sana demiştim ki... Hımm. Bu kesinlikle tuhaf ve karmakarışık bir yazı. Standart bir formül olmadığı kesin, böylesini ilk kez görüyorum."

"Ben de Emerson. Söz konusu tabutun üstündeki yazılardan alıntı olabilir mi? Dış yüzeyinde böyle bir şey yok ama belki içinde..."

"Şimdi kahrolası bir muhabir gibi konuşmaya başladın Amelia. Bildiğim kadarıyla o tabut hiç açılmadı. O zırdelide altıncı his bulunduğunu mu söylemek istiyorsun... Ya da, hayır, işte daha iyi bir hikâye: O zırdeli, aşkı için tabutu süslemiş olan kâtibin reenkarnasyonu. Ha ha! O yakın dostun O'Connell'ın bunu akıl etmemesine şaşırdım doğrusu."

Gözleri neşeyle parlıyordu ve anlamlı dudaklarında beliren gülümsemeye kendimi tutamayıp karşılık verdim. "Çok güzel Emerson. Seni böyle keyifli görmekten çok memnunum, canım."

"Mmm" dedi Emerson, elimi dudaklarına götürüp parmaklarımı teker teker öperek. "Birazdan daha da keyiflenmeyi umuyorum, Peabody. Acaba şey yapsak mı?.."

Böylece yaptık. Emerson'un o akşamki okşayışları benim için daha yoğun bir dokunaklılık taşıyordu, çünkü Ramses'in teorisi (ve benim teorim) doğru çıkarsa neleri kaybedebileceğimi hatırlatıyordu. Sanırım bu düşünce beni normalden daha tutkulu kılınca Emerson memnuniyetini açıkça belirtti. Ancak son sözü uykulu bir halde kıkırdayıp "Baksana Peabody, Budge'ın yerde sırt üstü bok böceği gibi devrilmiş halde yatarak debelenirken keçi gibi melemesini unutabilir misin sence?" diye mırıldanmak oldu.

7

Emerson kahvaltıdan sonra o gün çok çalışması gerektiğini ve öğle yemeğine gelmeyeceğini söyleyerek aceleyle evden çıktı. Çok keyifliydi (nedenini açıklamama gerek yok), bu yüzden canı sıkılmasın diye sabah gazetesini ortadan kaldırdım. Gazetede Mumya Odası'nda yaşananlar akıcı bir üslupla anlatılıyordu ve bayılan hanımı tutan Emerson'un öyle bir resmi vardı ki, bir sonraki kurbanını seçmeye çalışan Karındeşen Jack gibi görünüyordu.

İkinci fincan çayımı içerken, Mary Ann bir telgrafla geldi. Rose göndermişti, Bastet'in geri döndüğünü bildiriyor ve "Ramses'e söyleyin. Her şey yolunda. Keşke burada olsanız" diyordu.

Laf kalabalığını (ve böylece telgrafın maliyetini) artırmasına kızmadım, çünkü bu haber umut etmeye cesaret edebildiğimden iyiydi. Rose'un söylediğini yapmak için hemen yukarı çıktım. Ramses'in kapısı kilitliydi ve açmaya razı olması için kendimi tanıtmak zorunda kaldım.

"Kilitli kapıları sevmiyorum Ramses" dedim ona. "Ya hastalanırsan?"

"Güzel bir noktaya değindin" dedi Ramses, farkında olmadan babası gibi çenesini sıvazlayarak. "Ancak ansızın yardım çağıramayacak kadar hastalanmam pek mümkün görünmüyor anneciğim, ayrıca karşı savlarla birlikte değerlendirildiğinde, örneğin her zaman tanıma nezaketini gösterdiğin mahremiyet ihtiyacımla ve birilerinin numunelerimi karıştırma ihtimaliyle..."

"Pekâlâ Ramses. Gerçi" diye ekledim, uzun ve çıplak kuyruğundan tuttuğu numuneye tiksintiyle göz atarak, "aklı başında herhangi bir insanın numunelerine dokunmak isteyeceğini pek sanmıyorum ya. Şunu nereden buldun?"

"Bahçıvanın oğlu Ben'den aldım. Görevlerinden biri tuzaklar kurmak, özellikle böyle yaratıkların bolca bulunduğu ahırlarda. Tuzakların kullanılmasından ve herhangi bir hayvanın boş yere öldürülmesinden nefret etsem de, bu durumda zorunluluğa boyun eğmeliyim, çünkü fareler tahılları yerler ve ayrıca pire taşırlar, ki bunlar bazı yetkililere göre..."

"Yeter, Ramses."

"Peki anneciğim. Numunelerden birkaçını incelemek ister misin? Küçüklerden pek çoğunda kuruma sürecinin epeyce ilerlemiş olması, katı değil de sıvı natron..."

"Hayır, teşekkürler." Pencerenin yanındaki masaya, Ramses'in numunelerini koyduğu küçük kaplara baktım. Masadaki diğer şeyleri incelememeyi tercih ettim, çünkü Ramses'in Mısırbilimi konularına tamamen mantıksal yaklaştığını bildiğimden, bir vücudu mumyalaştırma sürecindeki son aşamaya hazırlarken, hiçbir olası yöntemi göz ardı etmediğine emindim.

Ramses'e hemen iyi haberi verip, mumyalaştırma konusunda nutuk çekerek dikkatimi dağıtmasaydı bunu daha önce iletmiş olacağımı da ekledim. Nadir gülümsemelerinden biriyle karşılık verdi. "Zaten geri döneceğine emindim" dedi. "Ama Kur'an'da dendiği gibi..."

"Kur'an'da ne dendiğini söyleme bana Ramses. Şimdi gitmeliyim, yapacak bir sürü işim var. Sana Bastet'i haber vermek için ayaküstü uğramıştım o kadar."

"Çok teşekkür ederim anneciğim. British Müzesi esrarı

denebilecek şeyde yeni gelişmeler olup olmadığını sorabilir miyim?"

"Sanmıyorum Ramses."

"Dün akşam söylediğim teori biraz yetersizdi" dedi Ramses düşünceli bir tavırla. "Yine de, o kişinin babam için en ufak bir tehdit oluşturmadığına inandığını işitmek beni epeyce rahatlatır anneciğim."

Sesi her zamanki gibi sakindi, yüz ifadesi değişmemişti. Dağınık buklelerine pat pat vurarak rahatlatıcı bir tavırla, "Babanın tehlikede olmadığına eminim Ramses" dedim. "Olsaydı bile, ki dediğim gibi bu hiç mümkün görünmüyor, o kendisini son derece becerikli ve enerjik bir biçimde savunabilir. Sen o güzel mumyalarınla ilgilen ve babanı merak etme."

Gece boyunca yağmur yağmıştı ama evden çıktığımda güneş, Londra'nın daimi duman örtüsünü yarmaya çalışıyordu. Su birikintilerini şapır şupur aşıp da çamurlu sokaklarda karşıdan karşıya koşarak geçerken çizmelerimin sağlamlığına şükrettim. Sahilden doğuya doğru gittiğimde, trafik yoğunlaştı ve gürültü sağır edici bir hal aldı. Yük arabalarıyla otobüsler gümbürdüyor, at toynakları takırdıyor, sokak satıcıları bağırarak mallarını pazarlıyorlardı. Yine de o manzaranın canlı bir hoşluğu vardı ve ileride St. Paul's'ün göğe yükselen, kabarık kıvrımları duman bulutlarıyla iffetli bir biçimde örtülmüş kubbesi, sanki insanların koşuşturmalarının boşunalığına dair ilahi bir yorumdu.

Daily Yell'in binası Fleet Sokağı'ndaydı. Oraya gitme fırsatım hiç olmamıştı ve Bay O'Connell'ın çalışma saatlerinden emin değildim ama en azından şansımı denemeye karar verdim. İşverenlerinde ev adresi bulunurdu mutlaka.

Binanın ana kapısındaki resepsiyonist, Bay O'Connell'ın içeride olduğunu söyledi. Resepsiyonist beni yukarıya, çoğu dolu olan masalarla kaplı geniş, kalabalık ve son derece pis bir odaya çıkardı. Havada yoğun bir puro ve sigara bulutu vardı ve insanlar fesatlık taşırmış gibi görünmeden avazları çıktığı kadar bağırarak kaba saba laflar ediyorlardı. Küfürlerin çoğu masadan masaya koşarak, bir takım kâğıtları getirip götüren delikanlılara yönelikti.

Dördüncü kattaki "beyefendiler"den çoğu gömlekliydi ve bazıları şapkalıydı. Gelişimi fark eden olmadı diyemem ama ne şapkasını çıkaran, ceketini giyen oldu ne de sandalyesinden kalkıp bana nasıl yardımcı olabileceğini soran. Buna bozulmadım. Oğlumdan bile daha görgüsüz adamlarla karşılaşmak hoştu.

Mavi duman bulutlarının arasından bakınırken, parlak kırmızımtırak bir saç görür gibi oldum. Yalnızca kısa bir anlığına ama yeterliydi. Seslendim.

"Bay O'Connell!"

Bütün konuşmalar bir anda kesiliverdi. O derin sessizlikte sürünen ayak seslerini andıran bir ses işitildi. "Sizi işitiyorum Bay O'Connell" diye bağırdım. "Hemen buraya gelin lütfen."

Odanın yan tarafındaki bir adam, sandalyesinden yana eğilerek göremediğim birine bir şeyler fısıldadı. Bir an sonra O'Connell koyun gibi ayaklandı. Masasının ardında saklandığı adam sırıtarak, "İşte burada madam" dedi. "Ne yaptı ki... Ailenizde bir faciaya mı yol açtı?"

"Muhabirlerin espri anlayışı buysa hiç hoşuma gitmedi" diye karşılık verdim, Kevin o şakacıya öfkeyle bakarken. "Buraya gelin Bay O'Connell. Bu kadar korkak olmayın, yalnızca sizinle konuşmak istiyorum."

"Korkak mı? Hiçbir O'Connell, erkek ya da kadın, hiçbir zaman..."

"Evet, tabii. Ama çabuk olun."

Kevin bir sandalyenin sırtından ceketini kaptı, şapkasını

başına geçirdi ve bana yaklaştı. "Çabuk olunmuş" diye mırıldandı. "Beni kesinlikle rezil ettiniz Bayan E."

Dışarı çıkınca Kevin uzun uzun iç geçirdi. "Özür dilerim Bayan Emerson. Bob'la sonra konuşacağım. Ama öyle yerlere gelmemeniz gerekir."

"Daha kötü yerler gördüm" diye karşılık verdim. "Hem Bayan Minton'a ne demeli? O da aynen böyle bir yerde çalışıyor."

"Ah, yapmayın, böylesi kibar bir bayanın sıradan, basit muhabirlerle aynı odayı paylaşmak isteyeceğini düşünmüyorsunuz herhalde."

"O sıradan, basit muhabirlerin Bayan Minton'la aynı odada bulunmak istediklerini sanmam" dedim soğuk bir tavırla. "Beyefendilik içgüdülerini tamamen kaybetmiş olamazlar, inanılmaz gibi görünse de, bir bayanın varlığı onları rahatsız edebilir. Peki o *Mirror*'ın binasında değilse nerede peki?"

"Godolphin Sokağı'nda dul bir bayanla kalıyor" diye karşılık verdi Kevin. "Haberlerini gazeteye bir ulakla gönderiyor. Ninesi, güya kadınların oy kullanma hakkını savunan biri ama saygıdeğer torununun kaba saba adamlarla dirsek temasında bulunmasını istemiyor. Bekçinin ölümünün sansasyon olması tamamen tesadüftü. Bayan Minton'ın editörü ona o işi yalnızca ayak altından çekilsin de zarar görmesin diye vermişti, şüphesiz bu küçük hobisinden kısa sürede sıkılacağını umarak..."

"Saçma. O haberi sansasyonel kılan Bayan Minton'dı, senin de dediğin gibi. Hem yazıları gayet iyi... Muhabirlik mesleği açısından."

"Öğreniyor" dedi Kevin gönülsüzce. "Ama asıl ailevi bağlantıları ve Müze'deki o gözlüklü züppeyi tanıyor olması..."

"Kıskanıyorsunuz Bay O'Connell. Hem kıskanıyorsunuz hem de erkeklere özgü körlüğünüz yüzünden kadınların üstün niteliklerini göremiyorsunuz. Evine gidip onunla görüşmek istiyorum. Adresi nedir?"

"İzin verirseniz sizinle gelmek istiyorum. Böyle güzel, güneşli bir günde dışarıda olmayı tercih ederim."

Adamın asıl gerekçesini biliyordum, ancak kendisinden, ne yazık ki, çok az şey öğrendiysem de, onun da benden fazla bir şey öğrenemediğini söylemek gurur vericiydi. Yalnızca Lord St. John'dan söz ettiğimde kendini kaybederek ağzından laf kaçırdı.

"Pis, aşağılık herifin teki o! Ninesinin mezarında... şey... keçiler otursun!"

"Lord'la ne alıp veremediğiniz var ki?" diye sordum.

Bay O'Connell'ın Lord'la epeyce alıp veremediği şeyler vardı. "Bizler *Daily Yell'*de bile yayımlanamayacak şeyler öğreniriz Bayan Emerson. Sorun, bayanlara ve çocuklara uygun olmayan haberler olmaları değil, dava açılması ihtimalidir. Size Lord hakkında bildiğim her şeyi anlatsam..."

"Afallayacağımı ya da şaşıracağımı sanmam" diye karşılık verdim soğukkanlılıkla. "Ama iyi bir izlenim uyandırıyor, değil mi?"

"Ah, bayanlara çekici geliyor! Ayrıca" dedi Kevin gönülsüzce, "son bir iki yıldır oldukça sakin duruyor. Düzeldiğini söylüyor. Belki de dediği gibi yeni bir sayfa açmıştır ama sanmıyorum."

Godolphin Sokağı, nehirle Manastır arasındaki eski tarz bir mahalleydi. İki tarafında geçen yüzyılda inşa edilmiş binalar uzanıyordu ve Bayan Minton'ın konakladığı da bunlardan biriydi. Bunlar yüksek ve dar evlerdi, görünüşleri insanı neredeyse ürkütecek kadar saygındı, kapılarının önünde yüksek merdivenler vardı. Biz yaklaşırken kapı açıldı ve dışarı Bay Eustace Wilson çıktı.

Elinde tuttuğu bir kâğıda kaşlarını çatarak bakarken derin düşüncelere dalmıştı ve beni ancak yüz yüze geldiğimizde fark etti. "Ah" diye bağırdı şapkasını çıkararak. "Siz misiniz Bayan Emerson? Sizi beklemi..."

"Bayan Minton'ı görmeye geldim."

"Ben de. Birlikte öğle yemeğine çıkacaktık. Ama evde yok."

"Sizi ekti mi yani?"

Delikanlının gevşeyen dudaklarında utangaç ve oldukça çekici bir tebessüm belirdi. "Bu ilk kez olmuyor ki Bayan Emerson. Kendisi... Ama genç bayanlar nasıldır bilirsiniz. Bana bir not bırakacak kadar kibar bir bayan. Dediğine göre, acilen Londra dışına çağrılmış ve ne zaman döneceği belli değilmiş."

"Ah, şey, öyleyse kabalığının bir mazereti varmış. Belki de ninesi hastalanmıştır."

O'Connell, Bayan Minton'ın orada olmadığını işitene kadar uzakta kalmıştı. Şimdi yanımıza geldi, elleri ceplerindeydi, kepini iyice aşağı çekmişti, Wilson adlı o şık delikanlıdan olabildiğince farklı görünmek istercesine kamburunu çıkarmıştı.

"Utançtan kaçmıştır mutlaka" dedi horgörüyle sırıtarak. "Ailesiyle ilgili sır açığa çıkınca..."

"Onun utanacak bir şeyi yok Bay O'Connell" dedim sert bir sesle. "Yüksek tabakadan olması suç değil, diğer tabakalardan kişilerle eşit derecede saygı görmeyi hak ediyor."

"Çok güzel dediniz Bayan Emerson" dedi Bay Wilson, O'Connell'a öfkeyle bakarak. "Bayan Minton'ın konumunu ayrıcalıklar elde etmekte kullanmayı reddetmesi takdire şayan. Gerçi ben onun öyle iğrenç, aşağılık bir meslekte çalışmasından nefret ediyorum..."

"Aşağılık ha?" O'Connell yumruklarını sıktı. "O sözcüğü bir daha kullan da şu incecik boynunu sıkıvereyim senin yavru horoz!"

"Bu ne kabalık" diye bağırdı Bay Wilson, gözlüğünü düzelterek.

"Yapmayın çocuklar, kavga etmeyin" dedim. "En azından sokakta."

"Özür dilerim, madam" dedi Bay Wilson kibarca. "Dün yaralanmadığınıza sevindiğimi söylemek istiyorum. Anladığım kadarıyla kocanız kahramanca davranmış."

"Bay Budge'ın öyle davranmadığı kesin" diye karşılık verdim.

Wilson gülümsedi. "Bu sabah çok huysuzdu. Yarım gün çalışıp kaçtığıma seviniyorum."

"Biraz huzursuzdur herhalde" dedim. "Siz de öyle olmalısınız Bay Wilson. O zırdeli British Müzesi'ne ve çalışanlarına kin duyuyor gibi görünüyor."

Wilson'ın gülümseyişi soldu. "Ne demek istiyorsunuz Bayan Emerson? O herif zararsız biri."

"Bu kadar emin olmayın Bay Wilson. Şimdiden iki kişi öldü... Üstelik ikisi de yalnızca Müze'yle değil, Doğu Departmanı'yla bağlantılıydılar! Rahip zararsız olabilir de olmayabilir de, katil olabilir de olmayabilir de ama katil, büyük olasılıkla Oryantalistler'den haz etmeyen biri. Teorileri horgörülmüş eski bir âlim olabilir, ya da başarı kazanmamış bir öğrenci... Ne kadar da çenem düştü. Bunlar şimdilik kanıtlanmamış teoriler o kadar Bay Wilson. Tamamen yanılıyor da olabilirim."

"Aman Tanrım" diyerek inledi Bay Wilson.

"Pardon Bayan E." O'Connell yanaştı. "Şey mi dediniz?.. 'Manyak katil' dediğinizi mi işittim?"

"Hayır, işitmedin ve sanki demişim gibi yazarsan..." Güneş şemsiyemi şakacıktan kaldırdım. O'Connell gözlerini kırpmadı bile. Gazetecilik aşkı, fikirlerime ve güneş şemsiyeme duyduğu korkuyu bastırmıştı. Bay Wilson gözlüğüyle oynayarak, Alice'teki beyaz tavşan gibi "Aman Tanrım, aman Tanrım" diye mırıldanıyordu.

"Ne güzel bir fikir" diye bağırdı O'Connell. "Neden benim aklıma gelmedi acaba! Aslında... Tanrım, benim aklıma geldi! Sizden alıntı yapıyor olmayacağım Bayan E. Teorimi bana hatırlattığınız için teşekkürler. Aha! Saygıdeğer Bayan Minton yarınki *Daily Yell*'i okuyana kadar bekleyin!"

İblisçe kıkırdayarak koşar adım uzaklaştı.

"Ciddi miydiniz Bayan Emerson?" diye sordu Wilson. Beti benzi atmıştı.

"Kendimi sözlerle bağlamayı sevmem Bay Wilson. Ama şu konuda söz veriyorum. Profesör Emerson'la ben iz üstündeyiz ve şimdiye kadar bir düşmanı yakalamayı... Şey, en azından planlarını boşa çıkarmayı başaramadığımız olmadı. Gerçi bu övünülecek bir şey değil, çünkü suçlular çok aptal oluyor. Korkmayın Bay Wilson. Sıradaki kurban siz olmayabilirsiniz. Belki de Bay Budge olabilir."

Bu fikir Bay Wilson'ın pek hoşuna gitmemiş gibiydi.

O omuzları düşük, başı eğik halde yürüyerek uzaklaşırken, içimden onu geri çağırıp Bayan Minton gibi genç bayanlara nasıl davranması gerektiği konusunda dostça bir tavsiye vermek geldi, çünkü ona beslediği hislerin arkadaşlıktan öte olduğu belliydi. Ancak uğraşmamaya karar verdim. Öyle bir genç bayanı elde edemeyecek kadar çekingen ve özgüvensiz biriydi... ki bence onu hak etmiyordu da.

Mağazalarda birkaç saat geçirdim, çünkü gardırobumun yenilenmesi gerekiyordu ne yazık ki. Londra'da kazı işlerine uygun kıyafetler bulunmaz. Ayrıca Emerson için gömlekler sipariş ettim, çünkü soyunmakta acele ettiği zamanlarda dalgınlıkla onları yırtıveriyordu. Giysilerini farklı nedenlerden dolayı olsa da (ki bunu eklememe gerek yok aslında) tıpkı babası gibi harap eden Ramses için de birkaç takım elbise siparişi verdim.

Eve erken döndüm, çünkü çay saatinde çocuklarla uğraşmadan önce biraz dinlenip düşünmem gerektiğini hissediyordum. Bayan Watson'la Gargery beni bekliyorlardı. Bayan Watson, Ramses'i Percy'ye vurup yere sererek üstüne atladığı için odasına hapsettiğini, Gargery ise bir beyefendinin beni beklediğini söyledi.

Ramses'e yapacağım kaçınılmaz ziyareti ertelemekten memnuniyet duyarak yeşil salona gittim. Bu son derece resmi ve şık oda (adını duvarlarıyla tavanını kaplayan yeşil Çin ipeğinden almıştır) pek kullanılmazdı, dolayısıyla Gargery tarafından böyle onurlandırılan ziyaretçinin yüksek mevkili saygın biri olduğu sonucuna vardım ve haklı çıktım.

Lord St. John, malakit şömine rafının tepesinde asılı duran, Gainsborough'un yaptığı güzel bir Üçüncü Dük portresini incelemekle meşguldü. Ben içeri girer girmez hemen, rahatsız ettiği için özür diledi.

"Kusura bakmayın Bayan Emerson ama baş uşağınız birazdan geleceğinizi söyledi ve size söylemem gereken önemli bir şey var."

"Sorun değil Lord. Lütfen oturun." Zili çaldım ve gelen hizmetçiye çay getirmesini söyledim. "Ama çocuklara getirme" dedim. "Onlara şimdi değil."

"O minik yavrucakları benim yüzümden bekletmeyin" diye yalvardı Lord. "Çocuklarınızla tanışmak benim için bir şereftir."

"Ne dediğinizi bilmiyorsunuz" dedim ona. "Aslında profesörle benim bir oğlumuz var o kadar ama bu yaz ağabeyimin çocuklarından ikisine de biz bakıyoruz."

"Ne kadar iyisiniz. Ama sizden de bunu beklerdim zaten, iyi kalpliliğiniz de yorulmak bilmeden bilginin peşinde koşmanız kadar meşhurdur."

Gülümseyince bütün çehresi değişti, bitkinlik (ya da Emerson'un muhtemelen diyeceği gibi sefahat) çizgileri kayboldu. Ancak ben kibarlığa, boş gülümsemelere kanmayacak kadar dünyayı bilen bir kadın olmakla övünürüm. İltifatını başımı eğerek kabul ettim, Emerson'un yokluğu için özür diledim ve çay koydum.

"Ama belki de daha sert bir şeyler istersiniz Lord? Size viski soda ikram edebilir miyim?"

"Hayır, teşekkürler." Hafif, kurnazca gülerek ekledi: "Kendime çeki düzen verdim Bayan Emerson. Çoğu insan artık zamanı gelmişti der herhalde."

Teklifimi reddetmesine biraz bozulmuştum, o kibarca çayını yudumlarken karşısında oturup içki içemezdim. Fincanıyla birlikte bir sandviç aldıktan sonra ciddileşerek konuşmaya devam etti. "Eskiden serserinin tekiydim, Bayan Emerson. Pek çok delikanlının kabahatleri olur..."

"Sizinkiler epeyce fazlaymış anladığım kadarıyla."

Lord kahkahayı bastı. "Bravo Bayan Emerson. Dobra konuşan bir kadın ya da herhangi bir insan bulmak öyle rahatlatıcı ki. Açık sözlülüğünüz bana uyuyor. Evet, geçmişimdeki olaylardan gerçekten utanıyorum. Zaman bizi törpüler ve geliştirir, akıllı olursak. Artık durulmamın zamanı geldi. Öğrenmenin hazzını keşfediyorum. Orta yaşlarıma rahat ve huzurlu bir biçimde geçmemi sağlayacak iyi bir kadın arıyorum."

"Bayan Minton olabilir mi?"

"Yapmayın Bayan Emerson! Bayan Minton'ın hayatı asla rahat ve huzurlu geçmeyecek. Benim hayatın basit zevklerinin daha çok farkında olan, daha dingin birine ihtiyacım var." Öne eğilip fincanıyla tabağını bir masaya bıraktı. "Gelmemin nedenlerinden biri de bu, Bayan Emerson, dünkü terbiyesizliğimi açıklamak. Margaret'ı çocukluğundan beri tanırım, ailelerimiz Gloucestershire'ın aynı bölgesindendir. Onu kardeşim gibi görürüm ve takılmaktan geri duramam. Zavallıcık kendini öyle ciddiye alıyor ki! Ama sırrını açığa vurmam hoş değildi... Gerçi çoğu insan zaten bunu biliyordur ya..."

"Gerçekten de hoş değildi. Ama özür dilemeniz gereken kişi ben değilim, Bayan Minton. Eğer bana danışmak istediğiniz önemli konu buysa..."

"Hayır, ilgisi yok. Gerçi hakkımda iyi düşünmeniz benim için önemli Bayan Emerson." Lord sandviç tepsisini uzatan hizmetçiye dostça gülümsedi. Kız kıpkırmızı kesildi, çok genç ve güzeldi ve onu ilk kez fark ettiğimden, Bayan Watson'ın söz ettiği kızların gidişinden sonra evde daha yüksek bir mevkiye yeni getirilmiş olduğunu düşündüm.

Zaman ilerliyordu, Emerson yakında dönerdi ve her ne kadar Lord'un sohbetini son derece ilginç bulsam da, sadede gelmesini belirtmek zorunda kaldım. "Öyleyse..." dedim.

"Müze'deki tuhaf olaylar konusunda fikrinizi almak istedim elbette. Profesörle birlikte o vakayı araştırdığınız doğru mu? Bunu sormamın nedeni Müze'nin destekleyicilerinden biri ve Bay Budge'ın arkadaşı olarak..."

"Açıklama yapmanıza gerek yok. Ama herhangi bir şeyi araştırdığımızı söylemek abartı olur. Herkes gibi biz de meraklandık. Bu çok tuhaf bir durum. Ancak yetkililer bizimle resmi bir temas kurmadılar."

"Yakında kurarlar bence."

"Öyle mi?"

"Bay Budge... Şey, açıkçası korkuyor. Mısırbilimciler'e karşı bir intikam ya da düşmanlık fikri..."

"Bu ihtimali akıl eden tek kişi ben değilim yani" diye haykırdım. "Hah! Mantıklı tek açıklama bu, Lord'um. Peki teorimi destekleyecek başka bir şey oldu mu? Katil birilerine saldırdı mı, tehdit mektupları gönderdi mi?"

"Bildiğim kadarıyla hayır" dedi Lord yavaşça. "Ama imzasız bir mektup alan biri varsa bile, dalga geçilmekten korktuğu için bunu gizliyor olabilir."

"Doğru. Yine de elimde..."

O sırada görmeyi beklediğim son kişi konuşmamızı yarıda kesti: Maceraperest oğlum Ramses. Kapıyı ardına kadar açıp konuşamayacak kadar soluksuz bir halde öylece durdu.

Ayağa fırladım. "Ramses, sana odandan çıkmaman söylenmişti."

"Olağan istisnaların... kabul göreceğini... farz ettim" dedi Ramses soluk soluğa. "Anneciğim, odam..."

"Hemen yukarı geri dön."

"Odam yanıyor" dedi Ramses.

Gerçekten yanıyordu. Ramses'in doğru söylediğini hole çıkar çıkmaz üst kattan gelen çığlıklardan ve kesif bir yanık keten kokusundan anladım. Peşimde Lord ve Ramses'le birlikte merdiveni koşarak çıkınca, hizmetçilerin çocuğun kapısının önünde kaygıyla toplandıklarını ve uşaklardan birinin, kararmış ve dumanı tüten perdeleri becerikli Percy'nin yardımıyla söküp indirdiğini gördüm.

Etrafa çabucak göz atınca büyük bir hasar olmadığını anladım ama ciddi bir yangını ancak çabuk düşünülüp daha da çabuk harekete geçilmesi önlemişti. Uşağı övdüğümde, "Asıl küçük beye teşekkür edilmesi gerekir madam" dedi. "Geldiğimde alevleri söndürmüştü."

Percy alçak gönüllülükle köşeye çekilmişti. Elleriyle yüzü isle kaplı olsa da bir yerinin yanmadığını söyledi. "Küçük bir yangındı o kadar Amelia Hala. Bakın, Ramses'in kimyasal bir deney yapmasına yardım ediyordum. Benim suçumdu, elim Bunsen lambasına çarptı. Bütün sorumluluğu üstleniyorum."

Bu sözün her zamanki etkiyi uyandıracağını tahmin ederek, Ramses'i tutmak istedim ama yüzünde tuhaf, hesaplı bir ifadeyle öylece durup Percy'ye bakmakla yetindi. "Sorumlusu benim" dedi usulca. "Percy'nin deneyimde bana yardım etmesine izin vermemeliydim."

"Ne deneyi? Hayır, söyleme, gerçekten bilmek istemiyorum. Evet Ramses, odana misafir almanı yasaklamamıştım ve kimyasal deneyler yapacağını akıl edemediğimden Bunsen lambasını yasaklamayı da ihmal ettim, dolayısıyla seni suçlamam yersiz olur herhalde. Ucuz kurtulduğun için kuzenine teşekkür edebilirsin."

Ramses'in yalnızca dudakları kımıldadı ama o sözcüğü yüksek sesle söylemediğinden farketmemiş gibi yaptım.

Kapı eşiğinde duran Lord usulca kıkırdadı. "Kabahatler hakkında ne diyorduk, Bayan Emerson? Bu iki çocuğa oldukça kanım kaynadı. Hangisi sizinki?"

Çocukları tanıttım ve her zamanki gibi selam verdiler: Percy eğilerek ve el sıkamadığı için özür dileyerek -gösterdiği isli avucu geçerli mazeretti- Ramses ise Lord'u tepeden tırnağa, sonra da tırnaktan tepeye uzun uzun, küstahça süzerek. Tam sonu gelmez nutuklarından birine başlayacaktı ki koridordan gelen tiz bir çığlıkla hepimiz başımızı o tarafa döndürdük. Tanıdık ve akıldan çıkmayan bir nakarattı bu: "Öldü, öldü, ah, öldü..."

"Lanet olası çocuk" dedim sözlerime dikkat etmeden. "Percy, git de şuna yaralanmadığını söyle, yoksa yine kriz geçirecek."

Ancak çığlık çığlığa telaşla üstümüze koşan çocuğun önüne geçip onu kucaklayan kişi Lord St. John oldu. "Sus bakayım küçüğüm" dedi sevecenlikle. "Kimse ölmedi, küçük bir yangındı o kadar ve ağabeyciğinin kılına bile zarar gelmedi."

Violet'ın çığlıkları sanki bıçakla kesiliverdi. Kollarını Lord St. John'ın boynuna dolayıp da pişmiş kelle gibi sırıtarak kıkırdadığını görünce onu kaptığım gibi, bukleleri tokalarından kurtulup savrulana kadar sarsmak geldi içimden.

"Hemen odana dön Violet" dedim sertçe. "Onu yere bırakın Lord. Böyle bir manzaraya tanık olmanıza üzüldüm."

Lord, Violet'a sarıldı. Kız hazla ciyakladı. "Lütfen özür dilemeyin Bayan Emerson. Çocuklara bayılırım. Özellikle de küçük kızlara."

Emerson güya Bay Dickens'ın eserlerinden nefret eder ("senden sonra şimdiye kadar gördüğüm en abartılı duygusal kişi o Peabody") ama ondan sık sık alıntı yaptığı dikkatimden kaçmaz. Pazar sabahı kahvaltı masasına oturduğumuzda İngilizlerin dinsel tatil gününe verip veriştirmeye başladı ve her ne kadar sözlerinin kaynağından söz etmese de, *Küçük Dorrit*'ten bir pasaj olduğunu fark ettim.

"Aşırı çalışmış insanlara rahatlık verebilecek her şey cıvatalanmış ve sürgülenmişti... Sokaklardan, sokaklardan, sokaklardan başka görülecek bir şey yoktu. Sokaklardan, sokaklardan, sokaklardan başka solunacak bir şey yoktu. Bitkin emekçinin tek yapabileceği, yedinci gününün monotonluğunu altı gününün monotonluğuyla kıyaslamak, ne kadar yorucu bir hayat sürdüğünü düşünmek ve elinden geldiğince keyif almaya çalışmak... ya da olasılıklara göre en kötüsünü yaşamaktı."

Emerson haklıydı (Bay Dickens da). Dinsel tatil gününün dinlenmeye, düşünmeye ve yüksek idealler peşinde koşmaya ayrılması gerekirdi elbette. Oysa kiliseye arabacılarla gidip gelmekte ve sonrasında uşaklarının hazırladığı leziz yemekleri mideye indirmekte sakınca görmeyen insanlar, işçilerin herhangi bir biçimde eğitilmelerine ve doyasıya eğlenmelerine kesinlikle karşı çıkıyorlardı... Örneğin British Müzesi'ne alınmalarını istemiyorlardı, ki Emerson'un can sıkıntısının asıl kaynağı buydu bence.

Ramses tabii ki Bay Dickens'ın "en kötüsü" ile ne kastettiğini bilmek istedi. Emerson, benim tavsiyem üzerine cevap vermeyi reddetti.

Emerson kilise ayinlerine hiç katılmaz, çünkü bütün organize dinleri reddeder. Kent'teki evimizdeyken Ramses'i hep götürürdüm ama vaazlardan yararlandığını düşünmezdim, çünkü çok eskiden beri St. Winifred'in papazı olan sevgili yaşlı Bay Wentworth o kadar dermansızdı ki söylediklerinin tek kelimesi anlaşılmazdı. Ancak yumuşak sesinin mırıltısı oldukça rahatlatıcıydı ve cemaatinin mensupları o zamanı, alışkanlıklarına göre uyuklayarak ya da düşüncelere dalarak değerlendirirlerdi.

O Pazar günü çocukları Westminister'daki St. Margaret's'a, ülkenin en ünlü vaizlerinden biri olan Başdiyakoz Frederick William Farrar'ı dinlemeye götürdüm. Son derece eğitici bir konuşma yaptı ve "Kardeş Sevgisi" konulu vaazının yanımdaki kavgacılara ders olacağını umdum, çünkü onları kiliseye götürme uğraşı bütün sabrımı tüketmişti. En çok Violet sorun çıkarmıştı. Ben giyinirken attığı hiddetli çığlıklar dikkatimi dağıtmıştı. Çocuk odasına vardığımda, Ramses'in ona mumyalanmış bir fare ya da eski bir kalça kemiği (hazine koleksiyonundan) uzattığını görmeyi beklerken, dadının bir köşeye sinmiş olduğunu ve Violet'ın yere atılmış bir giysiler yığınının başında durmuş, onların hepsinin de fazla çirkin, fazla dar ya da fazla buruşuk olduğunu haykırdığını görmüştüm. Giysiler o sırada artık kesinlikle buruşuktular, çünkü Violet üzerlerinde tepinmişti. Onu aptalca sırıttığı uyuşukluğundan uyandıran nadir konulardan biri giysileriydi. Bu olaydan önce bile Violet'ı eğitmemin beni aşıp aşmadığını merak ediyordum zaten.

Vaaz gayet net bir sesle verilmiş olsa da fark edilir bir etki uyandırmadı. Violet ta eve gidene kadar robundan yakındı ve Ramses, Percy'ye "lanet olası bir koprolit" dedi.

"O sözcüğü nereden öğrendin?" diye sordum.

"Kütüphanede bulduğum bir Londra rehberinden" diye karşılık verdi Ramses. "Tavsiyene uyarak ilgi alanlarımı genişletmeye çalışıyordum ve kısa süre sonra karşıma 'Kıyı toprağının üst katmanları koprolit içeren kırmızı-sarı bir topraktan oluşur' cümlesi çıktı. Doğal olarak sözlüğe baktım, çünkü da-

ğarcığımı genişletmeyi her zaman isterim ve keşfettiğim il-
ginç..."

Günün geri kalanı boyunca Ramses'e oda hapsi cezası
verdim. Kısa süre düşündükten sonra Percy ile Violet'ı da
odalarına hapsettim. Bu haksızlıktı ama akıl sağlığım için ge-
rekliydi.

Emerson altı buçuk civarında döneceği mesajını bıraka-
rak dışarı çıkmıştı. İkindiyi kütüphanede onun müsveddesine
göz atıp birkaç düzeltme yapmakla geçirdikten sonra sakin
odamda sessizce güzel bir çay içtim.

Emerson'un ayak seslerini söylediği saatten kısa süre
sonra işitmek hoşuma gitti. Kapı birden açıldı, ancak Emerson
içeri girmek yerine eşikte kaldı ve daha ilk cümlesinden yal-
nız olmadığını anladım.

"Bakın Bayan Watkins, neden bu kadar abarttığınızı an-
lamıyorum. Bu kova o kızın taşıyamayacağı kadar ağır, kızca-
ğız yavru kedi gibi minicik. Uşaklarınızdan birini gönderip
ona taşıtmalıydınız."

"Ama Profesör, kendisi istedi..."

"Övgüye değer bir tavır. Ama onun da buna kalkışmama-
sı gerektiğini bilmesi gerekirdi. Hadi... verin onu bana... Şim-
di lütfen yoldan çekilin..."

Yürümesine fırsat kalmadan karşısına Gargery çıktı. "Bu
size geldi Profesör. Bir ulak yeni getirdi."

"Eee, karşımda kazık gibi durup burnumun dibinde sal-
lamasana" diye karşılık verdi Emerson. "İki elimde su dolu
kova varken onu nasıl alayım? Bayan Emerson'a ver."

Odaya girdi, bana neşeyle "İyi akşamlar Peabody" dedi
ve banyoya gitti. Bir gürültü ve şıpırtılar işitildi, Emerson ce-
ketiyle pantolonundaki ıslak lekeleri dalgınca silerek dışarı
çıktı.

"İyi akşamlar" diye karşılık verdim.

Bayan Watson gitmişti (profesörün tuhaf davranışına başını sallayarak gittiğine eminim). Doğal olarak başını utançla eğen oda hizmetçisi usulca banyoya girdi. Gargery ise gümüş bir tepsi taşıyarak bana yaklaşırken gayet sakin ve vakur görünüyordu, gizleyemediği sırıtışı dışında. Onun da pek çok kişi gibi Emerson'un karizmasına kapıldığı belliydi (bundan nedense Emerson'un emsallerinden çok, uşaklar ve alt tabakanın diğer mensupları etkileniyorlar).

"Teşekkürler Gargery" diyerek gümüş tepsinin üstünde duran nesneyi aldım. Tahminimin tersine bir mektup değil, sarılıp bağlanmış ve mühürlenmiş bir paketti.

Emerson yanımdaki koltuğa çöküp ayaklarını şömine paravanına dayadı.

"Ah" dedi uzun uzun iç geçirerek. "Eve dönmek güzel Peabody. Özellikle de... Baksana, çocuklar nerede?"

Açıkladım. Ne yazık ki Emerson, oğlunun dağarcığına eklediği son sözcüğe afallamaktan çok eğlenceli bulmuş gibiydi. "Koprolit ha! Daha kötüsünü öğrenebilirdi bence Peabody. Bunun dışında günün güzel geçti mi canım?"

"Bir kısmı güzeldi" diye karşılık verdim. "Peki ya sen Emerson'cuğum? Bütün gün nerelerdeydin?"

"Uzun bir yürüyüşe çıktım. Sonra da Budge'a gittim."

"Bay Budge'a mı? Aman Tanrım, niye ki Emerson? Budge'ı daha önce ziyaret ettiğini hatırlamıyorum!"

"O da şaşırmış gibiydi" dedi Emerson şeytani bir gülümsemeyle. "Düşünsene Peabody, o lanet olası gerizekâlı..."

"Lütfen sözlerine dikkat et Emerson." Banyo kapısını gösterdim.

"Niye yahu? Ha. O kız hâlâ içeride mi? Ne halt... Ne yapıyor ki?"

"Her akşamki gibi küveti dolduruyor Emerson. Bir de senin pisliğini temizliyor. Neyse, neden Bay Budge'a gittin?"

"Şey, ona bir teklifte bulundum" dedi Emerson, eklemleri çatırdayana kadar gerinerek. "Mumyanın sargılarını çözmeyi teklif ettim. *O* mumyanın."

"Sargılarını çözmek mi? Niye yahu?"

"Sözlerine dikkat et Peabody" dedi Emerson sırıtarak. "Bu fikir aklıma... şey... parkta yürürken geldi. Evet, Hyde Park'ta. Geçen gün öğleden sonra Müze'de çok daha ciddi şeyler olabilirdi. Halk iyice delirdi... Bu arada senin o muhabir arkadaşlarından birinin, prensesin rahip sevgilisinin reenkarne olduğunu haber diye yazdığını biliyor muydun? Okuyunca yıkıldım, çünkü bu fikri büyük bir meblağ karşılığında satmak niyetindeydim."

"Dalga geçme Emerson. Konuyu dağıtıyorsun."

"Haklısın" dedi Emerson uysalca. "Pekâlâ, bence birileri ciddi biçimde yaralanmadan bu saçmalığa bir son vermemizin zamanı geldi de geçiyor. Böyle olaylar Müze'ye zarar verir, beceriksizce yönetiliyor olsa da ayaklanma meydanı ya da teatral performanslar sahnesi olmasını istemeyiz."

"Kesinlikle katılıyorum Emerson. Peki ama mumyanın sargılarının çözülmesinin konuyla ilgisi nedir?"

"Saçma sapan spekülasyonları engellemenin en mantıklı yolu bu tabii ki. Tabutun içinde yazı var mı yok mu görürüz, o talihsiz bayanın kurumuş derisiyle etsiz sırıtışını ortaya çıkarırız. İyi muhafaza edilmiş bir mumyanın bile gayet sevimsiz bir görünüşü olduğunu bilirsin, Peabody. Bilimsel gerçekliğin acımasız bakışı karşısında güzel prenseslere dair romantik fanteziler sararıp solacaktır, tıpkı o bayanın vücudu gibi. Apseli dişleri olabilir Peabody. Orta yaşlı olabilir! Duygusallığı yok etmek için diş ağrısı çeken orta yaşlı, gri saçlı bir kadından daha iyisi mi olur?"

Ayaklarımı şömine paravanına, Emerson'unkilerin yanına koyup elini tuttum. "Emerson, bunu tekrar söyleyeceğim...

İnsan doğasını derinden kavrayışın, akademik zekândan bile üstün. Bu dâhice hayatım... dâhice!"

Kocaların böyle küçük iltifatlardan hoşlandıklarını fark ettim. Emerson sırıtarak elimi öptü.

Sağduyulu olduğum için söylemediğim şeyse, onun niyetinin kendi çıkarlarıyla tamamen ilgisiz olmadığından şüphelenişimdi. Emerson mumyalara karşı benim piramitlere duyduğum gibi bir tutku duymasa da onlardan hoşlanır. Ona dair en güzel ve en eski anılarımdan biri, bir mumyanın sargılarını keyifle açışıdır. (Ramses'in mumyalara düşkünlüğünü Emerson'dan aldığını söylememe gerek yok... Pek çok konuda olduğu gibi bunda da abartmıştır.)

"Ayrıca bunu fırsat bilip Eski Mısır lanetleri konusunda bir konferans verebilirsin" diye önerdim. "Böyle şeylerin olmadığını vurgulayabilirsin."

"Şey ama bu tamamen doğru sayılmaz ki Peabody. Khentika'nın *mastaba*sındaki yazıyı hatırlarsın: 'Mezarıma giren bütün kirli insanlar, iğrenç şeyler yemiş olanlar...' Devamı nasıldı?"

"Tam olarak hatırlamıyorum. Üzerlerine bir kuşun üstüne atlar gibi atlayacağını ve Yüce Tanrı'nın mahkemesinde yargılanacaklarını falan söylüyordu. Bu bir ölüm tehdidi sayılmaz ki Emerson, çünkü kastedilen mahkeme bütün dindar Mısırlıların ölümden *sonra* yüzleştikleri bir şeydi. Hem o ve onun gibi metinler nekropolün ihmalkâr bakıcılarına karşı yazılmışlardı."

"Bir de kâselerle çanak çömlek parçalarına yazılmış lanet metinleri var" dedi Emerson düşünceli bir ifadeyle. 'Filancanın oğlu şu ve şu nedenlerden dolayı ölecektir...' Klasik bir etkileşimli büyü örneği, kâse kırılınca o kişi ölüyordu."

"Evet, bu tip olaylardan söz edebilirsin kesinlikle" diye onayladım.

"Olabilirdi" dedi Emerson sıkıntıyla, "eğer bir konferans vererek mumyanın sargılarını açabilseydim."

"Budge kabul etmedi mi?"

"Ah, bunun mükemmel bir fikir olduğunu söyledi."

"Öyleyse neden..."

"Çünkü Peabody'ciğim, o canına yandığımın... şey... lanet olası... şey... alçak o işi bizzat yapacakmış!"

"Ah, aman Tanrım" dedim sempatiyle. "Hem de sen o kadar heveslenmişken... Ama bunu nasıl yapabilir? Sonuçta kalıntıları inceleyecek, cinsiyeti, yaşı ve... şey... benzeri şeyleri saptayacak kadar anatomi bilgisi yoksa metrelerce sargıyı öylesine açması anlamsız."

"Kraliyet Cerrahlar Üniversitesi'nden yalakanın teki de yanında duracakmış" dedi Emerson dişlerini gıcırdatarak. "Budge konuşup dinleyicileri hipnotize ederek olup bitenleri bildiğine inandıracak."

"Belki fikrini değiştirir Emerson."

Emerson'un çatık kaşları kalktı ve odaya neşeli kıkırtısı doldu. "Ne düşündüğünü biliyorum Peabody ve kesinlikle yasaklıyorum. Budge'a giderek onun fikrini değiştirmeye kalkmayacaksın."

"Ben yalnızca..."

"Biliyorum Peabody'ciğim. Beni düşünüyordun ve beni sevdiğin için kaygılanmandan ne kadar duygulandığımı anlatamam. Aslında bence Budge kararından şüpheye düştü. Yanından tam ayrılıyordum ki tuhaf bir şey oldu."

"Ne oldu?"

Emerson koltuğa iyice yerleşti. "Oldukça dramatikti canım. Budge'ın masasının ardına kurulmuş, her zamanki gibi kibirle saçma sapan laflar ettiğini gözünde canlandır. Senin mütevazı hizmetkârınsa odada hızla dolanarak..."

"Eleştiriler yağdırıyordu" diye tahminde bulundum.

"Gayet kibarca sohbet ediyordu" diye düzeltti Emerson. "İçeri bir paket taşıyan bir uşak girdi. Budge o çok sevdiği mektup açacağını -hani şu Asyut'ta bir mezarda bulduğunu iddia ettiği- alıp paketi açtı. Beti benzi attı... Sesi kesildi... Dehşetle bakakaldı..."

"Kopuk bir insan kulağına mı?" diye tahmin yürüttüm havaya girerek. "Mumyalanmış bir uzuv mu?"

"Uzuv mu?" diye tekrarladı Emerson şaşırarak. "Aklına nasıl bir organ geldi ki?.."

"Bir el ya da ayak, başka ne olacak?"

"Ah. Şey, öyle korkunç bir şey değildi. Aslında oldukça güzel bir antikaydı... Bir uşabti. Ama Budge'ı korkutan uşabti değildi. Yanındaki mesajdı."

"Mesajda ne yazılıydı Emerson?"

"Bilmiyorum. Budge onu göstermeyi de, uşabtiyi inceleememe izin vermeyi de reddetti. Ama sinirleri bozulmuştu Peabody, kesinlikle sinirleri bozulmuştu. Gerçi söz ettiğim bariz dehşet belirtilerini sergilemediğini itiraf ediyorum."

Konuşurken neşeyle kıkırdıyordu ama içime yayılarak buz kestiren bir korku yüzünden o masum eğlencesine katılamadım.

"Emerson" diye söze başladım.

"Evet Peabody?"

"Emerson... Gargery'nin getirdiği paket..."

"Aman Tanrım!" Emerson ayağa fırladı. "Nerede o Peabody? Ona ne yaptın? Lanet olsun, görünce tanıdık gelmişti zaten!"

"Şu yanındaki sehpanın üstünde Emerson."

"Ah." Emerson tekrar koltuğuna oturdu. Paketi her zamanki gibi şevkle parçalayarak açmak yerine sakin sakin oturarak nesneyi evirip çevirdi. "Evet, aynısı gibi görünüyor" dedi bir an sonra. "Kahverengi kâğıda sarılmış, adresi büyük harflerle ve siyah Hint mürekkebiyle, ucu körelmiş bir kalemle yazılmış. Eğitimli biri tarafından."

O ölümcül pakedin içindeki korkunç nesneleri görmekten çekinsem de bu sözler dikkatimi dağıttı. "Uyduruyorsun Emerson. Özellikle de eğitimli kısmını. Göndericinin eğitim düzeyini, hatta cinsiyetini nereden bilebilirsin ki?"

"El yazısı erkeksi... Kalın, iri, bastıra bastıra yazılmış. Diğerlerine gelince... Yöntemlerimi açıklamam uzun sürer Peabody."

"Ne saçmalık" diye bağırdım öfkeyle.

"Paket kâğıdından öğrenilebilecek her şey bu kadar gibi görünüyor" diye devam etti Emerson. "Yine de dikkatli açalım... işte böyle... saklayıp sonra tekrar incelemek için. İçine baktığımızda görüyoruz ki... Hah! Tam tahmin ettiğim gibi."

"Ne Emerson, ne?"

"Karton bir kutu."

Koltuğuma gerisin geri çöktüm. "Espri yapmanın hiç sırası değil, Emerson. Ben senin için korkuyorum, sense işin dalgasındasın."

"Özür dilerim, Peabody. Hımm. Kutuda dikkat çekici bir taraf yok. Yalnız..." Burnuna götürdü. "Hafif bir tütün kokusu kalmış. Hem de kaliteli tütün. Pipo içtiğim zamanlardan hatırladığım kadarıyla..."

"Emerson, şu kutuyu açmazsan çığlığı basacağım."

"Tekrar pipoya başlamayı düşünüyorum" dedi Emerson düşünceli bir ifadeyle. "Zihnimi açıyor. Peabody, detektiflikte iddialı olan biri için fazla sabırsızlık sergiliyorsun. Bu işi ağır ağır ve yöntemli bir biçimde yapmalı, muhtemel hiçbir ipucunu gözden kaçırmamalıyız."

Kutuyu elinden kaptığım gibi kapağını hışımla açtım.

Kalın bir pamuk ve yün tabakası içindekileri gizliyordu ama bu fazla uzun sürmedi. Tabakayı yere atıp içindeki nesneyi çıkardım.

"Bir şavabti!" diye haykırdım.

"Öyle tiyatrodaymış gibi sallayıp durma şunu" dedi Emerson istifini bozmadan. "Çiniden yapılma ve düşürürsen kırılır."

Şavabti (yani uşabti... Walter gibi kimileri ikinci sözcüğü tercih ederdi) figürleri, Mısırlıların ölümden sonraki yaşamın zorunluluklarına dair fantastik, ancak pratik yaklaşımlarının ilginç örnekleriydiler. Fonksiyonlarını açıklamak için en iyi örnek sanırım küçük heykellere yazılan büyü olur (sözde Ölüler Kitabı'nın, 6. Bölümü'nden alıntılıyorum.) "Ey şavabti, Osiris Senmut (ya da sahibinin adı her ne idiyse) Yeraltında yapılması gereken herhangi bir iş -tarlaları ekip biçmek, çöle su götürmek, Doğu'ya ya da Batı'ya kum taşımak gibi- için çağrılacak olursa, 'İşte buradayım! Ben yaparım!' diyeceksin."

Şavabtiler taştan ve cilalanmış ahşaptan, macunsu çinilere kadar değişen, çeşitli materyallerden yapılabilirdi ama her zaman mumyalanmış insan formuna benzerlerdi. Bazen bir mezarda o minik uşak figürlerinden düzinelerce, hatta yüzlerce bulunduğu olurdu. Ancak bu seferki numune tuhaftı, çünkü *nemes* sarığı takmış iki asa tutan bir firavuna aitti. Üzerindeki bir satır hiyeroglif sahibini belirtiyordu ama o sırada buna pek dikkat etmedim.

"Budge'ınki bununla aynı mıydı?" diye sordum.

"Aynısı gibi görünüyor. Ama emin değilim, çünkü incelemeye fırsat bulamadım." Emerson kutuyu benden almıştı. İçinden üzeri sıkışık yazılarla dolu bir kâğıt parçası çıkardı. "Vay vay, ne tuhaf bir rastlantı" dedi çabucak göz attıktan sonra. "Tam da bundan söz ediyorduk. Baksana Peabody."

Korkunç bir önsezi ellerimi zangır zangır titrettiğinden kâğıdı tutmakta zorlandım. Donuk bir biçimde yazıyı yüksek sesle okudum: "Mezarıma girecek olanlara gelince, üzerlerine bir kuşun üstüne atlar gibi atlayacağım..."

"Böyle önemli bir belgede 'atlamak' sözcüğü biraz şakacı ve ciddiyetsiz görünüyor" diye yorum yaptı Emerson. "'Saldırmak' ya da 'kavramak' sözcüklerini önerebilir miyim..."

"Off, sussana Emerson! Daha kötüsü de var. 'Emerson'a, Küfür Babası'na gelince... O ölecek!'"

O korkunç sözcüğün yankıları henüz bitmemişti ki yüksek bir metalik tangırtı koptu, sanki büyük bir zil çalıyormuşçasına. Yerimden fırladım, Emerson kıkırdamaya başladı ve elinde boş su testisini taşıyan (kapağını aceleyle kaparken o gürültüyü çıkarmıştı) oda hizmetçisi yengeç gibi yan yan yürüyerek odadan çıktı.

"Bağırmana gerek yoktu, Peabody" dedi Emeron. "Zavallı kızcağızın ödünü koparmış olmalısın."

"Varlığını unutmuşum" diye itiraf ettim. "İnsanlık hali, değil mi? Çarpık sosyal sistemimizin üzücü bir göstergesi. Sen nasıl öyle sakin sakin durabiliyorsun Emerson? Bu doğrudan bir tehdit... bir ölüm tehdidi... ya da daha kötüsü..."

"Daha kötüsü olamaz ki Peabody" diye cevapladı Emerson. Tehlikeye karşı kayıtsızlığı öyle muhteşemdi ki onu haksız çıkaracak örnekler vermek istemedim.

"Affedersin anneciğim, affedersin babacığım..."

Ramses daha kötü bir zamanda gelemezdi. Sinirlerim öyle bozulmuştu ki çığlığı basarak ona döndüm. "Ramses, odandan neden çıktın? Sana demiştim ki..."

"Teknik açıdan emirlere karşı geldiğimi biliyorum anne, ancak babama selam verebilecek kadar odamdan çıkmayı göze alabileceğimi düşündüm, çünkü onu kahvaltıdan beri görmüyorum, sonra koridorda ölüm tehdidine çok benzeyen bir yankı işitince de..."

"Kapıyı dinliyor olmasan işitemezdin" dedim öfkeyle.

"Boşver Peabody. Bir kereliğine kurallarını esnetiver."
Emerson odaya çekinerek giren oğluna memnuniyetle gülümsedi. Ramses uzun beyaz geceliğinin altından çıkmış minik çıplak ayaklarıyla ve babasının yüzüne çevrilmiş kara, ciddi gözleriyle aldatıcı bir biçimde toy ve masum görünmekteydi.
"Eh" dedim.

Bunu yeterli bulan Ramses, Emerson'a koşup Mısırlıların yaptığı gibi yerde yanına çömeldi. Bu arada sürekli konuştuğunu eklememe gerek yok sanırım.

"Anneciğim, eminim ki babam için kaygılanışım senin emirlerine böyle açık bir biçimde karşı gelişimi mazur gösterecektir, farklı koşullar altında elbette ki..."

"Bu yalnızca bir saçmalık evladım" dedi Emerson, o dağınık siyah buklelere pat pat vurarak. "Yine bir eşek şakası."

"Eğer gönderilen şeyi incelememe izin..."

"Göster bari Emerson" dedim pes ederek. "Yoksa hiç susmaz."

Böylece Emerson ona uşabtiyle mesajı verdi ve Ramses uşabtiye kısaca göz atıp da "Türünün güzel bir örneği" diyerek bir kenara bıraktıktan sonra çocuksu alnını kırıştırarak mesajın üstüne eğildi. "Hah" dedi kısa bir aradan sonra, "bu mesaj iki farklı metnin kombinasyonu gibi görünüyor, birincisi yanlış hatırlamıyorsam Teb'deki bir On Sekizinci Hanedan mezarından alınma. İkincisiyse, ki eminim size söylememe gerek yoktur, bir sözde lanet metninin adaptasyonu olabilir, hani şu sonradan kırılan kâselere ya da küçük heykellere yazılan türden..."

"Evet, bize söylemene gerek yok" dedi Emerson.

"İmlaya gelince" diye devam etti Ramses, "yazar Bay Budge'ın popüler kitabı Mısırca gramerinde belirttiği kurallara uymuş gibi görünüyor. Kanımca 'Emerson' adının yazılmasında kullanılan saz yaprağı..."

"Babanın güvenliği için kaygılanan biri olarak gayet soğukkanlısın" diye eleştiride bulundum.

"Merak etme anneciğim, kaygımı tamamen kontrol altında tutmam onu azaltmıyor. Hımm... Bu mesajdan, başka öğrenilecek pek bir şey yok, biraz eğitimli biri tarafından yazılmış olması dışında..."

"Ah, ulu Tanrım!" diye bağırdım.

"... Ve ucunun onarılması gereken bir kalemle. Aslında durum korktuğum kadar kötü değilmiş anneciğim, çünkü eğer Bay Budge'a da böyle bir uşabti geldiyse, yazar yalnızca babama fesatlık beslemiyor demektir. Müze'de çalışan başka âlimler ya da memurlar da böyle bir mesaj aldılar mı merak ettim."

"Kesinlikle" dedi Emerson, Ramses'in soluklanmak için duraksamasını fırsat bilerek. "Dedim sana Peabody, bir eşek şakası o kadar. Böyle şeyler birbirinden beslenir. Kaçığın teki gazetede okuduklarından etkilenip eğlenceye katılmaya karar vermiş olabilir..."

"Çünkü eğer durum gerçekten şüphelendiğim gibiyse..."

"Yatağına git Ramses" dedim.

"Peki anneciğim. İçimi rahatlatmama izin verdiğin için teşekkürler..."

"Hemen Ramses."

Babasıyla beni kucakladıktan sonra Ramses nihayet söyleneni yaptı. Şavabtiyi de yanında götürdüğünü ancak odadan çıkmasından sonra fark ettim.

"Bırak götürsün" dedi Emerson hoşgörüyle. "Zavallı çocukcağız, muhtemelen ona, tuhaf kimyasal deneylerinden birini uygulayacaktır. Dediğim gibi Peabody, bence onun fikri iyiydi. Dışarı çıkıp Petrie'yle Quibell'e böyle bir şey alıp almadıklarını sorayım..."

"Şimdi değil Emerson. Aşçı akşam yemeğini bekletiyor, oldukça geç geldin biliyorsun."

"Bu durumda" dedi Emerson, "yemek için üstümüzü değiştirmekle zaman kaybetmeyelim."

Umarım günün birinde birileri, bizimki gibi evlerde bilginin nasıl yayıldığı konusunda bir araştırma yapar. Ramses benzersiz bir vaka tabii, bizim Mısırlı işçiler gibi batıl inançlı insanların, onun duvarların arkasını görebildiğine ve işitebildiğine inandığı zamanlar olmuştur. Ramses'ten mi, banyodaki hizmetçiden mi yoksa başka bir yerden mi bilmiyorum ama Gargery, şavabtiyi ve tehdit mesajını daha Emerson ona söylemeden önce bir biçimde öğrenmişti. Başkalarının da böyle nesneler alıp almadığını öğrenmenin iyi olabileceği konusunda Emerson'la nazikçe hemfikir oldu.

"Araştırmaya bu akşam başlamak isterseniz yazacağınız mektupları gönderebilirim efendim."

"Çok iyisin, Gargery" dedi Emerson.

"Rica ederim efendim."

O bir sonraki servisle ilgilenmek için (mükemmel bir *Capon à la Godard* vardı) odadan çıkınca Emerson'la sertçe konuştum. "Baksana Emerson, Gargery'ye bu kadar güvenmen doğru mu sence? Evelyn baş uşağının akşam yemeği sofrasındaki sohbetlere katılmasından hiç hoşlanmazdı eminim."

"Şey ama Gargery, Wilkins gibi değil ki, o herife 'Bilemiyorum ki efendim'den başka bir söz söyletemiyordum. Gargery yararlı bir öneride bulundu. Acaba..."

"Evet Emerson?"

"Acaba bana bir pipo ödünç verebilir mi diye merak ettim. Yarın dükkânlar açılınca geri verebilirim."

Akşam yemeğinden sonra, Gargery'nin önerdiği mektupları yazmak için kütüphaneye çekildik. Ancak bu işi asla bitiremeyecektik. Daha oturup elimize kâğıt kalemi yeni almış-

ken -Emerson bir de Gargery'nin memnuniyetle verdiği pipo-
yu almıştı- baş uşak tekrar bitiverdi.

"Sizi görmek isteyen biri var Profesör... Bayan Emerson."

"Bu saatte mi?" diye bağırdı Emerson kalemini masaya
fırlatarak. "Bu ne haddini bilmezlik?"

"Arkadaşlarına bu saatte mesaj göndermekte sakınca gör-
müyordun" diye hatırlattım. "Kimmiş Gargery? Kartvizitini
ver bakayım."

"Kartviziti yok madam" dedi Gargery, neredeyse Wilkins
gibi horgörüyle sırıtarak. "Ama acil bir konuymuş. Adı O'Con-
nell..."

"O'Connell mı? O'Connell mı?" Emerson'un kaşları çatıl-
dı. "Bay O'Connell'ı alıp... ama yardıma ihtiyacın olacak Gar-
gery, kusura bakma ama biraz cılızsın. Uşaklardan en irisini ge-
tir ve söyle ona Bay O'Connell'ı yakasından tuttuğu gibi..."

"Hayır, bekle Emerson" dedim, çünkü Gargery'nin yü-
zünde idolünün her dediğini yapacakmış gibi bir ifade vardı.
"Bay O'Connell'ın vereceği acil bir haber olmasa buraya, hem
de bu saatte, gelmezdi. Onu bir dinlememiz gerekmez mi?"

"Haklısın, Peabody. Nasılsa sonradan onu zambaklı ha-
vuza bizzat atabilirim. Beyefendiyi içeri alıver Gargery."

"Peki efendim." Gargery çıktı. Emerson öne eğilirken
gözleri hevesle parlıyordu... Nedeni O'Connell'ın verebileceği
haberler miydi yoksa onu, sözünü ettiği gibi, havuza atabile-
cek olması mıydı bilmiyorum.

O'Connell bu sefer Emerson'un yanında kaygılı görün-
medi. Bizimle konuşmayı öyle çok istiyordu ki daha Gar-
gery'nin kendisini doğru dürüst anons etmesini beklemeden
onu iterek geçiverdi. Elinde şapkasıyla, saçı başı dağınık bir
halde haykırdı: "Cinayet olayında biri tutuklandı. Bayan
Emerson... Profesör... yanlış adamı tutukladılar!"

8

Bay O'Connell'ı oturup bizimle bir viski soda içmeye ikna ettim. "Çünkü" diye açıkladım, "her ne kadar verdiğiniz dramatik haber kesinlikle dikkatimizi tamamen çekmiş olsa da, dikkatli ve düzenli bir biçimde anlatmanızı tercih ederim, ki şu anda bunu yapabilecek gibi görünmüyorsunuz."

Ayrıca bu küçük strateji sayesinde Emerson'la Kevin O'Connell'ın arasını düzeltmeyi umuyordum. Bir insan evinizde bir şeyler içip de salonunuzda bir koltuğa oturursa, onu havuza atma ihtimaliniz azalır.

Gargery bize servis yaptıktan sonra çekildi. Ama kapıyı hafif aralık bıraktığını fark ettim.

Kevin biraz viski içince muhabirlik içgüdüleri geri döndü ve her ne kadar korkunç da olsa tutarlı bir öykü anlattı.

Tutuklanan adam Londra'da yaşayan Ahmet adlı bir Mısırlı'ydı ve çok sayıda adaşından "Bit" lakabıyla ayırt ediliyordu. Kendini büyük bir tacir olarak tanıtsa da Kevin'a göre önemsiz bir tüccardı, üstelik başarısızdı, muhtemelen mallarının çoğunu bizzat kendisi kullandığı için.

"Afyon, haşhaş gibi popüler tüketim maddeleri" dedi Kevin. "Ah, oldukça sevimsiz biri olduğunu itiraf ediyorum. Para için her şeyi yapar ve uyuşturucu bulamazsa öz annesini bile satar. Zaman zaman ondan yararlandığım oldu. Ama zavallı domuzun tekidir o kadar, öyle vahşice bir cinayeti işleyecek kadar cesur ya da kuvvetli değildir."

"Öyleyse eninde sonunda serbest bırakılır" diye homurdandı Emerson, (Gargery'nin) piposunun ağızlığından.

"Müze'deki kargaşadan beri polis bu olayı çözmek için ağır baskı altında" dedi Kevin ısrarla. "Vekiller İçişleri Bakanı'na, bakan komisere, komiser de adamlarına baskı yapıyor, o salak Cuff da Ahmet'i günah keçisi olarak seçti. Kimse ona yardım etmez..."

"Çok haklısın Kevin" diye haykırdım. "Zavallı adamın başı büyük belada. "Komiser Cuff'ı hiç gözüm tutmadı."

Derin düşüncelere daldığı zamanlardaki gibi biçimli çenesini sıvazlayan Emerson, ağzımdan kaçan o sözü fark etmeyecek kadar düşünceye dalmış değildi. "Ne?" diye bağırdı. "Ne dedin? Sen ne zaman..."

"Bunu boşver şimdi Emerson. Bay O'Connell haklı. İşlenen o suçlar eğitimsiz, adi bir suçlunun işi değil."

"Hah!" dedi Emerson. "Tamam ama..."

Kevin öne eğildi. "Adalet adına müdahale etmelisiniz Profesör. Şehir polisi Mısırlıları sizin kadar tanımaz. Kahire'de yaşamış olanlar bile yerlilerle pek içli dışlı olmadıklarından dillerini bilmezler ve..."

"Evet Emerson, evet" diye haykırdım. "Polise bu konuda yardımcı olmak görevimiz. O zavallıcığın sorgulandığını, itilip kakıldığını ve iri yarı polislerden dayak yediğini düşündükçe..."

"Ah, yapma Peabody, polis şüphelilere işkence yapmaz" diye homurdandı Emerson. Ama rahatsız olmuştu, çenesindeki yarığı sıvazlayarak devam etti: "Ne yapmamı bekliyorsunuz ki Bay O'Connell? O afyonhaneye gitmemi beklemiyorsunuz herhalde..."

"Afyonhanelerden söz eden kim?" dedi Kevin kekeleyerek.

"Peabody" diye kükredi Emerson, "seni afyonhaneye, dini tatil gününde ya da başka bir zaman hayatta götürmem."

"Sentaksın seni ele veriyor Emerson" diye karşılık verdim parmağımı şakacıktan sallayarak. "Bir afyonhaneye gitmek istediğini inkâr *etmiyorsun*. Öyle bir yere seni tek başına göndereceğimi sanmıyorsun herhalde? 'Nereye gidersen ben de giderim, nerede kalırsan ben de kalırım, senin insanların...' "

"Ah, Peabody, bana İncil'den alıntı yapma!"

"Peki, madem canını sıkıyor. Biraz daha viski ister misin canım? Bay O'Connell'ın bir kadeh daha isteyeceğine eminim."

Kadehi muhabirin elinden aldım. "Afyonhanelerden neden söz ettiğinizi sorabilir miyim?" dedi dermansızca.

Genç adamı aydınlatma işini üstlendim, çünkü Emerson yüzünde donuk, bomboş bir ifadeyle kendi kendine bir şeyler mırıldanmaktaydı. Bazı sözleri işitiliyordu: "Onu odasına kilitlesem? Anlamsız... çıkmanın yolunu bulur, her zaman bulur... Hem o zamanlar hizmetçiler şey düşünür... Ah, ulu Tanrım!"

"Soruşturmamıza başlamak için en uygun yerin bir afyonhane olduğunun herhalde farkındasındır Kevin. Ahmet bir afyon taciri ve kullanıcısı. Arkadaşları (varsa) ve meslektaşları o mesleğe uygun yerlerde takılırlar herhalde. Ben Londra'da afyon seven Mısırlıların gittiği yerleri bilmiyorum... Atasözünde dendiği gibi, bir kuşun tüyleri genellikle bir arada dururlar ve Mısırlılarla diğer gurbetçi gruplarının da bunu yaptığını varsaymalıyız. Ancak Emerson'un engin tecrübeleri ve tanıştığı çeşitli... Emerson, mırıldanmayı kes lütfen. Dikkatimi dağıtıyorsun."

"... Elini kolunu bağlayıp ağzını tıkasam... ama sonradan *bunu* başıma kakıp durur..."

"Ne diyordum Bay O'Connell?"

"Bir... Bir afyonhaneye gitmek istemenizin nedenlerini açıklıyordunuz" dedi Kevin, dudaklarının kaygıyla titremesini durdurmaya çalışarak.

"Ah evet, teşekkürler. Mısır bağlantısından söz ediyorum. Şimdiye kadar bu olayda kesinlikle Avrupai, hatta İngiliz bir hava gördüğümden işin bu yönüyle ilgilenmemiştim. Ancak sahte rahibin yüzünü gören yok, ya İngiliz değil de bir Mısırlıysa, bazı yurttaşlarından daha eğitimli olsa da İngilizlerin eğitim çabalarına rağmen, süregelen paganca batıl inançlardan tamamen kurtulmamış biriyse? Başka vakalarda böyle insanlara rastladığımız oldu. Baskerville'in mezarını açmanı engellemeye kalkan müdürü hatırlıyor musun Emerson?"

Düşüncelere dalmış olan Emerson cevap vermedi ama Kevin bağırdı: "Kesinlikle haklısınız. Onu gayet iyi hatırlıyorum. İşçileriniz o sözde lanetten öyle korkuyorlardı ki Profesör Emerson şu meşhur şeytan kovma ayinlerinden birini yapana kadar mezara girmeyi reddetmişlerdi.* Ama Bayan E., cinayetin nedeni gerçekten de batıl inançlarsa, bu durumda zavallı Ahmet'ten iyice şüphelenirler."

"Bunun pek çok ihtimalden yalnızca biri olduğunu söylemiştim" dedim. "Ama araştırılması gerek. Kocamın tuhaf tuhaf yerlerde arkadaşları ve tanıdıkları vardır bilirsiniz. Son derece alçak gönüllü bir insan olduğundan bağlantılarıyla övünmez ama burada yaşayan Mısırlıların takıldıkları yerleri bildiğini öğrenmek beni hiç şaşırtmaz..."

Emerson'un gözleri tekrar odaklandı. "O fikri aklından çıkar Peabody. Afyonhaneye falan gitmiyoruz."

"Bir delikanlı kılığına girmeyi düşünmüştüm" diye açıkladım. "Öyle bir ortamda bir kadın daha çok dikkat çeker ve pantolon giymenin rahatlığı..."

Emerson beni yukarıdan aşağıya, sonra aşağıdan yukarıya süzdü. "Peabody" dedi, "herhangi bir koşulda ve kıyafet içinde erkek sanılmana imkân yok. Şu iri..."

---

* *Firavunların Laneti.*

"Uşaklardan birinden ödünç bir şeyler alabilirim" dedim. "Henry benim boyumda sayılır. Bay O'Connell, genzinize bir şey kaçtı sanırım. Viskinizi daha yavaş yudumlayın."

"Ben... şey... Evet, genzime kaçtı" dedi Kevin boğuk bir sesle. "Öhö. Şimdi daha iyiyim. Planınız dâhice Bayan E. Profesörün değindiği... şey... güçlüğün üstesinden gelebileceğinize eminim, hem içerisi karanlık olur. Size kimsenin yakından bakacak kadar yaklaşmamasına dikkat ederiz."

"Biz mi?" dedim.

"Evet madam... biz. Profesör istediği kadar karşı çıkabilir ama sizi tanırım Bayan E. ve biliyorum ki bir şeyi aklınıza koydunuz mu yaparsınız. Siz nereye giderseniz ben de giderim Bayan Emerson."

"Aman Tanrım" dedim Emerson'a mahcup bir ifadeyle bakarak. "Özür dilerim! O kadar rahat konuşmamalıydım. Kendimi kaptırınca unuttum..."

"Boşver Peabody" diye karşılık verdi Emerson yavaşça. "Bay O'Conner bizi... Kendisi haklı. Madem peşimize takılmasını engelleyemeyiz, yanımıza alalım bari. Yanımızda becerikli bir adamın daha olması işe yarayabilir."

"Harika" diye bağıran O'Connell'ın gözleri parlıyordu. "Sağolun, Profesör. Sizi temin ederim ki pişman olmayacaksınız."

"Buna eminim" dedi Emerson. "Ancak Bayan Emerson'un hassasiyetlerine saygı göstermek için geceyarısını beklemeliyiz, yani gevşeyebiliriz. Bir viski daha alır mısınız, Bay O'Connell?"

Şüpheciliğiyle ünlü bir mesleğin mensubunun, Emerson'un bu ani dostaneliğine daha kuşkuyla yaklaşmasını beklerdim, ancak Kevin'a şu konuda hak veriyorum ki, kocacığım istedi mi kimse ondan daha canayakın olamaz. Sıra dışı gevezeliğimin yol açtığı can sıkıntısıyla kıpraşmadan durup Emerson'un konuşmasına izin verdim. Takdire şayan bir adam! Beni ne konuşarak ne de bakarak bir kez olsun azarlamadı. Bunun yerine Kevin'ın güvenini kazanıp gardını indirdi... Çabucak. Az önce aldığı tehdit mesajından güya laf arasında, neredeyse fütursuzca söz etti.

Kevin buna sazan gibi atladı. "Ama Profesör, bence bu... Bir sürü ihtimali akla getiriyor, değil mi? Bir kere Ahmet gözaltındaydı... Hayır, bu onu temize çıkarmaz, çünkü mesajın ne zaman gönderildiğini bilemeyiz, ha? Öte yandan..." Alnını ovuşturdu. "Lanet olsun, ne diyeceğimi unuttum."

"Acele etmeyin Bay O'Connell, acele etmeyin" dedi Emerson müşfik bir gülümsemeyle. "Acelemiz yok."

"Teşekkürler efendim. Bana güvenmenizi gerçekten takdir ediyorum efendim. Umarım bu sıkı bir dostluğun başlangıcı olur efendim. Sizin şeyinizi... şeyinizi... her zaman takdir etmişimdir... şeyinizi..."

"Bir viski daha alın" dedi Emerson.

"Sağol Emerson, eski dostum. Viski mükemmelmiş... Hah, ne diyeceğimi hatırladım. Bu uşerbiler... şaberiler... Ah, kahretsin, boşverin, ne demek istediğimi anladınız. Bu minik heykeller... Size ve Bay Budge'a gönderildiyse, belki başkalarına da gönderilmiştir ha?"

"Bak, gördün mü Peabody?" diye haykırdı Emerson. Bay O'Connell'ın zeki bir genç olduğunu söylemiştim sana. Biz de aynı şeyi merak etmeye başlamıştık Bay O'Connell, hatta bunu araştırmak için mektuplar göndermek üzereydik. Tam o heykelciklerin gönderilebileceği kişilerin listesini hazırlıyorduk ki verdiğiniz şaşırtıcı haber dikkatimizi dağıttı."

"Ne ilginç bir öykü" diye mırıldandı Kevin, kendine viski koyarken... Çünkü Emerson sürahiyi adamın dirseğinin dibinde bırakmıştı.

"Evet, gerçekten öyle" dedi Emerson. "Ne yazık ki araştırmaya hemen başlamak için zaman yok. O heykelcikleri alan kişilerin düşünmelerine ve belki de basınla görüşmeyi reddetmelerine fırsat bırakmadan anlık tepkilerini görmek iyi olurdu."

Kevin yelek cebinden saatini biraz güçlükle çıkarıp gözlerini kısarak baktı. "Zaman var" dedi. "Epeyce var. Evet. Nasılsa geceyarısından önce dışarı çıkmayacaksınız..."

"Bayan Emerson'un dinsel kaygıları bunu engelliyor" dedi Emerson ciddiyetle.

"Evet, kesinlikle. Çok da güzel... Bak ne diyeceğim sevgili dostum... Sana sevgili dostum dememe aldırmazsın umarım?"

Emerson hayatımda gördüğüm en fesat sırıtışla Kevin'ın sırtına adamı neredeyse koltuğundan düşürecek kadar sertçe vurarak karşılık verdi. "Ne istersen de evladım."

"Sevgili eski dostum Emerson!" diye haykırdı Kevin. "Beni beklersiniz, ha? Ben... ben hemen işimi halledip dönerim. Beni beklersiniz, ha? Çabucak gidip gelirim. Ha?"

"Olur" diye karşılık verdi Emerson. "Gargery, Bay O'Connell gidiyor, paltosunu getir lütfen."

O'Connell odadan çıkar çıkmaz Emerson ayağa fırladı. "Çabuk ol Peabody."

"Ama Emerson" diye bağırdım, kahkahayı basmamakta zorlanarak, "dinsel kaygılarım..."

Emerson beni bileğimden kavradı. "Dinsel kaygılar mı? Ne kaygısı? Senin dinsel kaygıların falan yoktur ki Peabody, biliyorsun."

"Görevlerim ve onurum söz konusu olduğunda yoktur" diye karşılık verdim... Biraz nefes nefeseydim, çünkü Emerson beni çekerek hızla yürütüyordu. "Daha önemsiz kaygılar yerlerini... Emerson, lütfen, bu lanet olası fırfırlar... ayaklarıma dolanıyor..."

Emerson duraksamadan beni fırfırlarımla birlikte kucağına alıp merdiveni koşarak çıktı. Odamıza ulaşınca beni pat diye ayaklarımın üstüne bırakıverdi. "Peabody" dedi omuzlarımdan tutarak, "saçma beklentine boyun eğmemem tek nedeni diğer seçeneğin daha kötü olması... Yani komik bir halde kılık değiştirerek, peşime takılacak olman. Bunu yaparsın, değil mi?"

"Kesinlikle" dedim boynuna sarılarak. "Sen de başka türlü davranmamı istemezsin zaten."

"Çok haklısın Peabody'ciğim. Seni neden bu kadar çok seviyorum sanıyorsun?"

"Şey" dedim gözlerimi indirerek, "düşünmüştüm ki belki..."

"Yine haklısın Peabody." Emerson kaburgalarıma sert bir şaplak vurduktan sonra beni bırakıp çabucak ceketini çıkarmaya başladı. "Acele et Peabody, yoksa seni bırakıp giderim."

Karanlıkta el ele koştururken, siste parlayan gaz lambaları hayaletler gibi görünüyordu. Tuhaf maceralara sevgili Londra'nın pis kokulu, karanlık, çamurlu sokakları kadar uygun bir yer yoktur bence. Gece vakti Eski Kahire'nin iğrenç ara sokaklarında yürümüş ve yalnızca uzaklardaki yıldızlar tarafından aydınlatılan ıssız bir çölde tanımadığım bir gölgeyi takip etmiştim. Böyle deneyimleri yaşadığım için çok memnunum ve bu da onlardan biriydi. Sis, pitoreskliğinin yanı sıra görünmek istemeyenlere pek çok avantaj sağlar. Daha evden otuz metre uzaklaştığımızda orayı gözetliyor olabilecek herhangi birinin bizi görmesi imkânsız hale gelmişti.

Yine de Emerson sahile kadar hızlı hızlı yürüdü ve orada bir fayton kiraladık. St. James Meydanı civarındaki sokaklar neredeyse tamamen boştu ama doğuya gittikçe karşıma tuhaf, yeni bir dünya çıktı.

Londra Köprüsü'nün doğusundaki Thames'in kuzey kıyısında rıhtımlar uzanır. Araba burada durdu ve Emerson inmeme yardım etti. Emerson gideceğimiz yeri söylediğinde sürücünün ona tuhaf tuhaf baktığını fark etmiştim, şimdi bunun nedenini daha iyi anlıyordum. O saatte ve o kutsal günde bile, Doğu Yakası'nın sefil sakinleri haz ve unutuş peşinde, kemirgenler gibi ara sokaklardaki meyhanelere (ve daha kötü yerlere) gitmekteydiler. Emerson beni bu ara sokaklardan birine soktu. Farklı bir iklimdeki benzer bir geceyi hatırladım. El Halil Hanı civarındaki ara sokaklarda dolanıp da antikacının cesedinin kendi dükkânındaki bir tavan kirişinden bir patates çuvalı gibi sarktığını gördüğümüz geceyi.* Aynı iğrenç koku ve zifiri karanlık, ayak altında ezilen aynı pis sıvılar... Londra'nın kokuları daha da kesif ve çeşitliydi. İçime sevgiden kaynaklanan, ifade edilemez bir korku doldu.

"Emerson" diye fısıldadım, "böyle bir şey söylemek için en uygun zaman olmayabilir ama canım, şunu söylemeliyim ki dünyada pek az erkek senin kadar karısına güvenerek ve saygı duyarak onu yanına alıp..."

Emerson elimi sıktı. "Sus Peabody. Ne dediğimi hatırla."

Uyarması gereksizdi ama yine de haklıydı. Alçak sesle konuşsam da sesimin kadın sesi olduğu belliydi, bu yüzden gerekli konuşmaları Emerson'a bırakıp susmaya razı oldum.

Bir merdiven zifiri karanlık bir girişe iniyordu. Emerson bir süre uğraştıktan sonra mandalı buldu ve kapı açıldı.

İçerinin loşluğunu kapının yanındaki tek bir lamba aydınlatıyordu. Oda dardı, uzunluğunu kestiremedim, çünkü diğer ucu karanlıktı. İki duvarda da ahşap ranzalar dizeliydi. İçerdekilerin bedenlerinin bazı kısımları görünüyordu yalnızca... yukarı çevrili solgun bir surat, sarkan gevşek bir kol. Tiryakiler o zehri içlerine çektikçe metal çubukların iç haznelerinde yanan afyon, çömelmiş hayvanların gözleri gibi küçük kırmızı çemberler halinde yanıp sönüyordu. Alçak sesli bir

---

* Mumya Vakası.

uğultu vardı... Sohbet değildi bu, bir sürü mırıltılı monolog-du, arada sırada hafif bir haykırış ya da tiz, manyakça bir kah-kahayla kesiliyordu.

Ranzaların arasındaki dar geçitte, girişin üç metre kadar ilerisinde, uyuşturucunun hoş kokusuna karışan pis bir koku yayan kömür dolu bir mangal vardı. Mangalla, ah, ne korkunç, bir kadın ilgileniyordu. O pis, küçük ateşin yanında çömelmiş kadın paçavralar içindeydi. Başını Mısırlı kadınların taktığı güzel muslin *tarhah*'lara benzer birşeyle sarmıştı. Kumaşın al-tından çıkan sert, gri saç tutamları, göğsüne düşmüş yüzünü örtüyordu.

Emerson'un kılık değiştirme anlayışı genellikle sakaldan ibarettir. Müze'de taktığı takma sakal yine yüzündeydi ama onun dışında görünüşünü değiştirmek için çaba harcamamış-tı, başına bir kep geçirmiş ve en eski tüvit ceketini kıvırıp üs-tünde tepinerek buruşturmuştu o kadar. Gargery'den ödünç aldığı kep başına küçük geliyordu ve omuzlarının genişliği uşaklardan başka bir giysi almasını engellemişti. Zaten muh-teşem fiziğiyle hoş, gür sesini gizlemesi imkânsızdı. Sesini de-ğiştirmeye çalışınca tuhaf homurtular çıkarıyordu.

"İki çubuk!"

Kadın hemen başını kaldırdı ve *tarhah*'ının bir kısmını açarak yüzünün alt bölümünü ortaya çıkardı. Hareketlerinde-ki yılansı akıcılık kıyafetinin aldatıcılığını ele veriyordu. Emerson'a çevrilen gözleri hayatının doruğundaki bir kadına aitti... Bir geceyarısı göğü kadar karanlıktı ve içinde bastırıl-mış alevler vardı. Çünkü kadın onu tanıyordu... Emerson da onu tanıyordu. Emerson'un kadını tanıyınca yaşadığı şaşkın-lık, sanki ürpermişçesine vücuduna yayıldı.

Tarhah tarafından gizlenen dudaklarından tıslamalı, alaycı bir gülüş çıktı. "İki çubuk mu efendi? Küfür Babası Emerson'a ve onun... onun..."

Kadın beni daha iyi görebilmek için ince uzun boynunun üstündeki başını yana eğdi. Emerson beni arkasına itti.

"Son görüşmemizden beri zevklerin değişmiş Emerson" diye devam etti kadın alaycı bir sesle. "O zamanlar oğlancı değildin."

"Seni işitecekler" diye mırıldandı Emerson, etraftaki yataklarda uzanmış gevşek bedenleri işaret ederek.

"Onlar cennetteler, hurilerin mırıltılarını işitiyorlar o kadar. Neden geldiğini söyle, sonra da git. Burası ne sana göre bir yer, ne de şu..."

"Seninle konuşmak istiyorum. Burada olmazsa başka bir yer söyle."

"Ayşe'yi unutmadın demek? Sözlerin yaralı ve unutulmuş yüreğime merhem gibi geldi..." Alaycı bir kahkaha attı. Sonra tısladı: "Yüzün düşüncelerini gizleyemiyor Emerson. Eskiden olduğu gibi şimdi de aklını okuyorum. Beni burada bulmayı beklemiyordun. Ne istiyorsun? Yeni sevgilini yanına alıp da buraya gelerek varlığınla beni tehlikeye atmaya nasıl cüret edersin?"

Her sözcüğü dikkatle dinlediğimi ve söylenenlerin, en hafif tabirle, kışkırtıcı imalarla dolu olduğunu düşündüğümü söylememe gerek yok. Ne yazık ki bu son derece ilginç noktada Ayşe kendine hâkim oldu. Ne işittiğini ya da gördüğünü asla öğrenemedim. Çevik, yılansı bir hareketle dönüp ayağa fırladı ve odanın arka tarafındaki dumanlı gölgelerin arasında gözden kayboldu.

"Lanet olsun" diye bağırdı Emerson. "Çabuk Pea-body!"

Ama kadının geçip gittiği kapıyı yalnızca kendisi biliyordu. Emerson küfrederek duvarı tekmelerken merdivenden koşarak inen bir sürü adam odaya doldu. Kasklarındaki gümüş rozetlerin parladığını farkettim ve polis düdükleri işitildi.

Ranzalarda yatan şaşkınlar sürüklenerek ayağa kaldırılıp

dışarı çıkarıldılar. Çoğu itiraz edemeyecek kadar afallamıştı, karşı koyan birkaçıysa kaba kuvvetle bastırıldı. Polislere boyun eğip de kimliklerimizi açıklayarak serbest bırakılmamızı talep etmek için daha uygun bir zamanı beklemekten başka çare yoktu, hele Emerson'un "İngilizce, Arapça ya da bildiğin başka herhangi bir dille tek kelime edersen seni boğarım Peabody" demesine hiç gerek yoktu.

Böyle sert konuşmasını bağışladım, çünkü tartışmaya zaman yoktu. (Düşünmeye zamanım olduğunda belki de bağışlamayacağım başka şeyler vardı.) Bilgi toplama umudumuz baskın yüzünden boşa çıksa da, nezarette diğerlerinden bilgi alabilirdik, bizi kendilerinden sanarlarsa ve ana dillerini bildiğimizi anlamazlarsa.

Karanlıkta ve o hengamede dikkat çekmedik, özellikle de oradaki tek İngilizler olmadığımızdan (bunu söylemekten utanıyorum). İtile kakıla merdivenden çıkarıldıktan sonra, bekleyen bir düzine araçtan birine sokulduk. Bırakın oturmayı, doğru dürüst ayakta duracak yer bile yoktu, atlar kırbaçlanınca araba Arnavut kaldırımı yolda şiddetle sarsılarak harekete geçti ve yere düşmemizi yalnızca içeride sıkış tıkış duruyor olmamız engelledi. Emerson bana sımsıkı sarılarak arabanın en kötü zıplayışlarından koruyordu ama afyon kokusundan, o yıkanmamış bedenlerden ve söz etmekten çekindiğim başka öğelerden koruyamıyordu.

Afyon, kullanıcıların algılarını ancak son safhalarda köreltir. Çevremizdeki adamlar mutlu sersemlik hallerinden zorla çıkarılmışlardı, artık tamamen konuşabilir haldeydiler ve bunu bol bol yapıyorlardı. Emerson elleriyle kulaklarımı kapamaya çalışıp duruyordu. Bu handikap, genel gürültü, içerideki iniltilerle küfürler ve dışarıdan gelen tekerlek sesleri yüzünden söylenenleri pek anlayamıyordum ama bir söz oldukça ilginç geldi.

"İmansızlara lanet olsun! Onlar yüzünden buradayız, onlar olmasa polisin umurunda olmazdı..."

Ama tam o sırada araba ansızın duruverdi ve konuşan kişi (ki kullandığı sıfatları yazmadım) dengesini kaybedince sustu.

Arabadan sokulduğumuz gibi ite kaka çıkarılıp polis eşliğinde, kapının iki yanında asılı lambaların ışığında taşları yağlı yağlı parlayan bir avludan geçirilip geniş, kalabalık bir odaya sokulduk. Dışarısının karanlığından sonra içerisi çok aydınlık geldi, titrek gaz lambaları tutukluların hasta suratlarını ve yırtık pırtık paçavralarını acımasız bir netlikle aydınlatıyordu. Bağırlarını dövüyor, ellerini ovuşturuyor ve Mısır tarzında tiz seslerle sızlanıyorlardı. Polisler bağıra çağıra küfrederek emirler yağdırıyorlardı. Kızılca kıyamet kopuyordu.

Emerson beni korumak için koluyla sardı. "Dayan Peabody" diye fısıldadı. "Kimliğimi açıklayınca birazdan..."

Hafif bir çığlıkla konuşmasını yarıda kesti. Emerson'un yiğit yüzünün ilk kez korkudan beyazlaştığını gördüm. Sabitleşmiş bir biçimde ateş saçan gözleri cesur ruhunu sarsan bir nesnede odaklanmıştı... Bir fotoğraf makinesinde.

"Ah, lanet olsun" dedi Emerson boğuk bir sesle. "Kimliğimi açıklamayacağım Peabody. Herkesin içinde olmaz."

Polisler tutukluları kabaca sıraya sokuyorlardı. İkisi bize yaklaştı. Çeşit çeşit insanlardan oluşan o hırpani kalabalıkta Emerson -sakalı kaykılmış olsa da- çakalların arasındaki bir aslan gibi durmaktaydı. Polisler bile onun kalitesini fark ettiler. Biri diğerini dirsekleyince durup bakakaldılar.

"Şimdi sakin ol ve sakın sinirlenme Peabody" diye mırıldandı Emerson. "Şey... memur bey..."

"Vay, ne tatlı değil mi" dedi hitap edilen kişi... Emerson'a değil yanındakine konuşmuştu. "Bu beyefendinin şu yanındaki..."

Cümlesini tamamlayamadı. Emerson çenesine yumruğu geçirdiği gibi onu yere serdi.

"Bir bayanın huzurunda nasıl böyle konuşursun" diye kükredi Emerson. "Yalnızca bir bayan da değil alçak herif, o benim... benim... Ah aman Tanrım!"

Bu son sözü söylemesinin nedeni ani bir parıltı ve yükselen siyah bir duman bulutuydu. Emerson beni uyarmış olsa da yaptığı eylemle ne yazık ki bizzat kendisi dikkat çekmişti.

Öne çıkıp en yakındaki polise hitap ettim. "Lütfen beni ve bu beyefendiyi hemen sakin bir odaya götürün. Scotland Yard'dan Komiser Cuff'la konuşmalıyız. Lütfen hemen birini gönderin, onu getirsin."

Sanırım polisin, bir yandan fotoğraf makinesine ihtiyatla bakarken, diğer yandan savunma pozisyonuna geçmiş olan Emerson'a kaba kuvvet kullanmasını engelleyen şey, Komiser Cuff'ın adını işitmesinin yanı sıra, iyi bir aileden gelme saygın biri olduğumu sesimden bariz bir biçimde anlaması oldu. Polisin kolu aşağı düştü ve yardımına koşanlar duruverdiler. Elimi cebime soktum. "Kartvizitim" dedim.

"Kartvizini neden gösterdin yahu?" diye sert bir sesle sordu Emerson.

Talep ettiğim sakin odada, içinde yalnızca birkaç sandalyeyle bir görüşme masası bulunan küçük ve penceresiz bir kabinde yan yana oturuyorduk. Havada sayısız yılların korku ve umutsuzluğunun, dehşet ve kederinin birikmiş kokularının ağırlığı vardı. Emerson'un yaktığı pipo kokuya ayrı bir boyut katsa da, buna itiraz etmeyi uygun bulmadım.

"Bıçağımı getirmemi yasaklamıştın Emerson. Kimliğimizi kanıtlamamız gereken bir durum çıkabileceği aklıma gelmişti. Gerçekten de öyle oldu."

"O lanet olası şeylerin kalanını muhabirlere dağıtsaydın?" dedi Emerson.

"Daha önce de belirtme fırsatı bulmuştum, alaycılık sana yakışmıyor canım. O eşsiz ve karakteristik tarzınla polise vurduğunda, kimliklerimizi gizleme şansımız tamamen yok olmuştu zaten. Öyle bir tepki göstermene neden olan söz neydi ki? İşitmedim de."

"Boşver" diye homurdandı Emerson.

Artık saçımı bir arada tutmayan kepimi çıkardım. O akşamki olaylar sırasında bir sürü tokamı kaybetmiştim anlaşılan. Kalın bukleleri elimle bastırarak, elimden geldiğince düzleştirip örmeye başladım.

"O kadın kimdi Emerson?"

"Kadın mı?" Emerson cebinden bir kutu kibrit çıkardı. Bir kibrit yakıp alevi piposuna götürdü. "Hangi kadın?"

"Bir zamanlar çok güzeldi herhalde."

"Hımm" dedi Emerson bir kibrit daha yakarak.

"Seni tanıyordu Emerson."

"Beni bir sürü insan tanır, Peabody." Emerson üçüncü bir kibrit yaktı.

"Pipon çoktan yandı" diye belirttim. "Onunla *ne zaman* tanıştın Emerson? Ve onu *ne kadar yakından* tanıdın?"

Kapı açıldı. Emerson ayağa fırlayıp yeni gelen kişiyi çoktandır kaybetmiş olduğu bir dostuymuş gibi karşıladı.

"Siz Komiser Cuff'sınız sanırım? Sizi uyandırdığımız için üzgünüm. Bu saatte geldiğiniz için çok teşekkürler."

"Sakin ol Emerson" dedim soğukkanlılıkla. "Sonuçta gecenin bu saatinde buradayız, değil mi? Komiser Cuff görevini yapıyor o kadar."

"Çok haklısınız madam." Cuff elini Emerson'un kavrayışından kurtarıp kızarmış parmaklarına üfledi. "Sizinle tanışmayı epeydir istiyordum Profesör. Ama böyle... şey... tuhaf koşullar altında olmasını beklememiştim."

"Hımm" dedi Emerson. "Tanışıklığımızı ilerletmeyi çok isterim Komiser ama dediğiniz gibi bu koşullar altında değil. Kimliklerimizi onaylama nezaketini gösterirseniz ben Bayan Emerson'u alıp şeye... eve gideyim."

"Ama Emerson" diye haykırdım. "Bana çektiğin onca nutuktan sonra polisten bilgi gizlemene şaşırdım doğrusu. Bu akşamki girişimimizin nedeni, ki muhtemelen tahmin etmişsinizdir, tutukladığınız talihsiz Mısırlı'nın suçsuzluğunu kanıtlayacak kanıtlar toplamaktı Komiser. En azından katil olmadığını, çünkü kötü bir insan olduğundan hiç şüphem..."

"Haklısınız madam" dedi Komiser. Bunu öyle içtenlikle söylemişti ki sözümü kesmesine kızamadım. "Ama o adamın cinayet olayında masum olduğunu nereden çıkardınız?"

"Buna eminim. Anlat ona Emerson."

"Neyi anlatayım, Peabody?" Emerson çenesini kaşıdı. Sakalı elinde kaldı, ona kaşlarını çatarak baktıktan sonra cebine koydu.

" 'Emniyet arabasında' (öyle deniyor sanırım) işittiklerimizi."

"Ah. İzninizle madam..." Komiser bir sandalye çekip oturdu. Kocama bir başka sandalyeyi gösterdiyse de Emerson kollarını kavuşturup suskun bir halde ayakta durdu. "Siz onların dilini anlıyorsunuz tabii. Eee, madam?"

"Çok az şey işittim" diye itiraf ettim. "Ama yaptıklarıyla polisi başlarına bela eden lanet olası kâfirlerden söz etmeleri dikkat çekici olsa gerek."

"Kesinlikle dikkat çekici" dedi Komiser kibarca. "Hayır madam, açıklama yapmanıza gerek yok, bütün ihtimalleri gayet iyi kavrıyorum. Ekleyeceğiniz bir şey var mı Profesör?"

Emerson hayır anlamında başını salladı. Komiser'e değil, bana bakıyordu ve ona kıyasla Medusa bile taşa dönüştüren bakışlar sahasında acemi kalırdı.

Emerson'un bir şeyler gizlediğini anlamıştım. Sezgileri benimkiler kadar güçlü olması gereken Komiser'in bunu fark etmeyip üstelememesine çok şaşırdım. "Çok ilginç, Profesör ve Bayan Emerson. Teorinizi elimden geldiğince araştıracağıma emin olabilirsiniz. Ama şimdi saat geç oldu ve herhalde yorgunsunuzdur. Polislerden birine söyleyeyim de bir araba çağırsın."

"Hiç yorgun değilim Komiser. Sizinle Ahmet'i tutuklama nedenleriniz hakkında konuşmak istiyorum. Kendisini buraya getirirseniz sorgulayabilirim..."

"Ulu Tanrım, Peabody" diye söze başladı Emerson. Ama daha fazla konuşamadı, hiddetten boğulacak gibiydi.

"O zavallı adamı bu saatte uyandırmak istemezsiniz, değil mi madam?" dedi Komiser Cuff. "Daha sonra sizi tutukluyla görüştürürüm... İsterseniz yarın."

Böylece işin peşini bırakmak zorunda kaldım. Dünyanın böyle berbat bir halde olmasına şaşmamalı, ne de olsa ipler erkeklerin elinde.

Komiser düşüncelilik göstererek bizi bir arka kapıya götürdü, çünkü kendisinin de söylediği gibi birkaç muhabir bizimle röportaj yapmak umuduyla hâlâ beklemekteydiler. Orada bir arabanın bizi beklediğini gördük ve ben Komiser'e teşekkür ederek, yarın kendisini ziyaret edeceğimi söyledikten sonra Emerson'un beni arabaya bindirmesine izin verdim. İçeri girince hemen başını duvara yaslayıp horlamaya başladı. Bunu konuşmak istemediğinin göstergesi olarak kabul ettiğimden onu rahatsız etmedim.

O ilginç akşam olanları hatırlarken biraz canımın sıkıldığını itiraf ediyorum. İnanılmaz gibi görünse de bir iki hata yapmıştım. Biri, afyonhanedeki kadının dikkatimi çektiğini fazla belli etmemdi. Kıskançlık nefret ettiğim bir histir. Bağrımda asla barındıramayacağım bir histir, çünkü kocama güvenim varlığım kadar sınırsızdır. Kıskanç değildim. Yine de bazı insanlar Emerson'u sorgulayışımı bu biçimde yorumlayabilirlerdi ve bu izlenimi verdiğim için üzgündüm. Ayrıca bir kocaya, özellikle de Emerson gibi bir kocaya, kızgınlık göstererek suçunu itiraf ettirme çabası büyük bir hatadır. O kadının kim olduğunu ve kocamla neler yaşadığını öğrenmeye kesinlikle kararlı olduğumu söylememe gerek yok ama daha etkili olacağından şüphe duymadığım başka yöntemler vardı.

O akşamki ikinci hatamı ancak Chalfont Konağı'na varınca fark ettim. Ona daha da çok üzülüyorum ama herkesin yapabileceği bir hata olduğunu söylemeliyim.

Emerson beni arabadan indirip sürücüye bir bozukluk fırlattı. Üzerlerinden sular damlayan ağaçları saran sis, demir parmaklıkların yeni boyanmışçasına parlamasına yol açıyordu. Yakında şafak sökecekti ama sanki ışığın artmasından çok karanlık azalacak gibiydi. Yine de ne karanlık ne de Emerson'un bana acele ettirme çabası, bahçe kapısının önünde büzülmüş duran figürü görmemi engelleyemedi.

"Ah, ulu Tanrım" diye bağırdım. "Şu işe bak... İnanamıyorum..."

Sarkık, nemli bir kumaş parçasını kavrayıp o çömelmiş figürü çekerek ayağa kaldırdım ve Emerson'un açtığı bahçe kapısından içeri ittim.

"Çabuk kapıyı kapa, Emerson" diye bağırdım. "Bu kadarı da fazla! Hele bir içeri girelim, göreceksin gününü delikanlı!"

"Ama Peabody" diye söze başladı Emerson.

"Buna bahane bulamazsın, Emerson. Emirlerim gayet netti."

Gargery bizi izlemekteydi. Kapıya vurmama fırsat bırakmadan açtı, ben o üstünden sular damlayan, kıvranan, kirli çocuğu hole çekerken, kaygıdan faltaşı gibi açılmış gözlerle geriledi.

Çocuk, Ramses değildi.

Yüzündeki çamur bile oğlumunkinden çok farklı hatlarını gizleyemiyordu. Çocuğun burnu düğme gibiydi, yaban gelinciğini çağrıştıran parlak, kısık gözleri uçuk maviydi. "Emerson" dedim. "Kahkahalarınla evi ayağa kaldıracaksın. Gülünecek bir durum göremiyorum."

Merdiveni çıkmaya başladım. Emerson geride, holde kaldı, bozuk paraların şıkırtısını -sosyal sıkıntılar konusunda kaçınılmaz, her derde deva çözümüydü bu- ve Gargery ile mırıldanarak, arada çıldırtıcı kahkahalar atarak konuştuğunu işittim. Ama biraz sonra bana yetişip kolunu omuzlarıma attı.

"Yatağa mı gidiyorsun, Peabody? Güzel, güzel. Çok yorgun olmalısın. Sanırım ben de..."

"Ramses'e bakacaksan seninle gelirim. O çocuğun olması gereken yerde olduğuna gözümle görmeden inanmam."

Ramses teknik açıdan gerçekten de olması gereken yerdeydi ama yatağında değildi. Kapısı açıktı ve eşikte duruyordu, minik, çıplak ayak parmaklarının uçları eşiğe değiyordu. "İyi akşamlar anneciğim, iyi akşamlar babacığım" diye söze başladı. "Aşağıdan babamın sesini işitince..."

"Yatağa git Ramses" dedim.

"Peki anneciğim. Acaba sana bir soru..."

"Hayır, soramazsın."

"Hedefinizi bildiğimden" dedi Ramses farklı bir yöntem deneyerek, "sizin için biraz kaygılanmıştım. Umarım ki..."

"Ah, ulu Tanrım" diye bağırdım. "Bitmek bilmez merakından kurtulmanın yolu yok mu Ramses?"

"Hşşt" dedi Emerson parmağını dudaklarına götürerek. "Çocukları uyandıracaksın Amelia. Evdeki bütün hizmetçilerin bu gece olanlar hakkında dedikodu yaptığına eminim. O'Connell'la konuşurken Gargey'nin kütüphane kapısından gizlice dinlediğini fark etmedin mi? Madem uyanıksın ve anlaşılır bir biçimde kaygılısın Ramses, aşağı gel de baban sana her şeyi anlatsın. Gargery'ye söz vermiştim..."

"Ramses odasında cezalı" diye hatırlattım Emerson'a. Sesim, her zaman olmasını umduğum gibi gayet sakindi.

"Ah, evet" dedi Emerson. "Unutmuşum. Öyleyse Gargery'ye buraya çıkmasını söylerim. Ona söz vermiştim..."

Kadınların en hoşgörülüsü olsam da, bir afyonhanede ve Bow Sokağı'nda geçirdiğim geceyi kocamla, oğlumla ve baş uşağımla konuşmak biraz abartı olurdu. Yatağa giderken, Emerson'un bu tuhaf dostanelik girişiminin nedenlerinden birinin, bir daha konuşmayacağıma söz verdiğim bir konuda sormamı beklediği sorulardan kaçınmak olduğunu biliyordum.

9

Konuşma ne kadar sürdü bilmiyorum ama ertesi gün hizmet-
çilerin Ramses'in odasında kesif bir pipo ve bira kokusu aldık-
larından yakındıklarını biliyorum ve adalet adına onu bu itha-
ma karşı savunmak zorunda kaldım. Uyandığımda Emerson
yanımda vicdanı tertemizmiş gibi mışıl mışıl uyuyor ve en
korkunç şüpheleri uyandıran bir biçimde gülümsüyordu. Ya-
tağa girerken beni uyandırmamaya özen göstermişti.

Yalnızca birkaç saat uyumama rağmen, kendimi gayet diri
ve hırslı hissediyordum. Haksızlığa uğradığımda böyle olurum.

Kahvaltıya oturup sabah gazetesine göz atarken, Evelyn'den
ve Rose'dan mektup geldiğini görmek hoşuma gitti. Rose, say-
gıdeğer Bastet'in iyileştiğini sevgi dolu bir üslupla anlatıyor
ve sağlığı konusunda kaygılanmamamı söylüyordu. Rose'un
kedinin neden ortadan kaybolup da sonradan geri döndüğüne
dair tahminlerini burada yinelemem gereksiz, çünkü bunlar-
dan zaten söz etmiştim. Daha sonraki olaylar ikimizi de haklı
çıkardı. (Gerçi öylesine zeki bir kedinin neden böyle ilginç bir
konuda o kadar salakça davrandığını kimse bana tatminkâr bir
biçimde açıklayabilmiş değil.)

Evelyn'in mektubunda her zamanki sevimli aile haberle-
ri vardı, ancak ne yazık ki Müze'deki kargaşa hakkındaki ha-
berleri de okumuştu, kapıldığı kaygı ve huzursuzluğu sayfa-
larca anlatıyordu. Londra'yı hemen terk etmemi söylüyordu,
"çünkü" diyordu, "akli dengesi yerinde olmayan insanların

sağı solu belli olmaz ve sen, canım Amelia'cığım, bu tip insanları mıknatıs gibi çekersin."

Kendime ona hemen yazıp içini rahatlatma sözü verdim... Yalnızca gazetede okudukları değil, okumak üzere oldukları konusunda da. Onun ve Walter'ın *Morning Mirror*'ı okumadıklarını umuyordum. Gerçi fotoğraftaki o hırpani kişinin yakışıklı kocamla uzaktan yakından ilgisi yoktu. Fotoğrafın altındaki yazıda kimliği açıkça belirtilmemiş olsaydı berbat giysileri, vahşi ifadesi ve kaykılmış takma sakalı (sanki boğazını küçük bir tüylü hayvan ısırıyormuş gibi duruyordu) normalde tanınmasını engellerdi. ("Ünlü Mısırbilimci Profesör Radcliffe Emerson, Bow Sokağı karakolunda bir polisi yere seriyor.") Haberin geri kalanında iftiralar atılıyor ve tutuklandığımız yerden söz edilmekten geri durulmuyordu. (Evelyn'ciğimin dehşetle haykırdığını hayal edebiliyordum: "Bir afyonhane ha! Walter, başka ne yapacaklar acaba?")

Kevin'ın *Daily Yell*'de çıkan yazısında Bow Sokağı olayından hiç söz edilmiyordu (açık nedenlerden dolayı), ancak Habis Heykeller Olayı adını verdiği şeye uzun uzun, hararetli bir biçimde değiniyordu. Şavabtiler başka pek çok âlime de gönderilmişti ama tahmin edilebileceği gibi Emerson yine en ön plandaydı.

Zavallı Evelyn. Ama artık böyle şeylere alışması gerekirdi.

Hizmetçiye gazeteleri ortadan kaldırmasını söyledim, çünkü her ne kadar Emerson'un onları görmesini engelleyemeyeceğimi bilsem de o acılı anı sessiz sedasız bir kahvaltının tadını çıkarmasından sonraya ertelemeyi umuyordum. Tam zamanında harekete geçmiştim, Mary Ann odadan çıkarken Emerson girdi ve onu her zamanki sıcakkanlılığıyla selamladı. "Selam Susan. (Hizmetçilerin adlarını hatırlamakta çok zorlanır.) Acaba şunlar... Neyse, boşver, okumaya zamanım yok zaten, bu sabah çok işim var."

Beni de aynı neşeli ifadeyle selamladı... Ama göz teması kurmamaya dikkat etti. "Günaydın, günaydın Peabody'ciğim. Ne muhteşem bir sabah." (Sis öyle yoğundu ki parkın parmaklıkları görünmüyordu.) "Günaydın... şey... Frank..." (Uşağın adı Henry idi.) "Bu sabah neler var bakalım? Tütsülenmiş ringa balığı... Hayır, sağol, bu yaratıklardan tiksinirim, kılçıkla tuzlu sudan ibarettirler. Yumurta ve beykın getir lütfen John." (Uşağın adı değişmemişti, hâlâ Henry idi.) "Bu sabah çok acelem var."

Konuşurken mektuplarına baktı, onları yırtıp açarak göz attıktan sonra omzunun üstünden geriye attı.

"Böyle apar topar nereye gidiyorsun Emerson?" diye sordum. "John... şey... Henry. Yeni kızarmış ekmek getir. Bu kayış gibi olmuş."

"Eee, Müze'ye tabii ki" diye karşılık verdi Emerson. "O kitabı bitirmeliyim Peabody. Bak, yayınevinden yine küstahça bir mektup gelmiş, ne zaman göndereceğimi soruyorlar. Arsızlar!" Böylece Oxford Üniversitesi Yayınları'nın mektubu da diğerleri gibi yeri boyladı.

Her konuda vakurca sessiz kalmaya karar vermem iyi olmuştu, çünkü Emerson bana hiç konuşma fırsatı tanımadı. "Bu sabah yavrucaklar nasıllar peki? Onları görmüşsündür biliyorum, anaç bağlılığın öyle şey ki... öyle... Haksız mıyım, Bayan Waters?"

Günün evle ilgili konularını konuşmak için bekleyen kâhya kadın başıyla onaylayarak gülümsedi. "Evet efendim. Çocuklar iyiler efendim. Gerçi Ramses hâlâ uyuyor. Ayrıca bundan söz etmekten esef duyuyorum, ancak odasından tuhaf bir koku..."

"Eee, şey, evet" dedi Emerson. "Biliyorum Bayan Watkins. Sorun değil."

"Aklıma gelmişken" dedim kâhya kadına, "Bayan Violet geçen hafta bir hayli kilo almış gibi görünüyor. Ne yiyor ki?"

"Her şeyi" dedi kâhya kadın kısaca. "İştahı inanılmaz, ayrıca her dışarı çıkışında tatlılar, turtalar aldığından şüpheleniyorum. Babası ona epeyce harçlık vermiş olmalı."

"Saygıdeğer bacanağımdan bunu hiç beklemem" dedi Emerson.

Bu sözü duymazdan geldim. "Dadıya söyle de öyle şeyler almasına izin vermesin. Fazla tatlı yemesi iyi değil."

"Ona söyledim madam ama kızcağız epeyce pısırık. Bayan Violet da..."

"Evet, biliyorum Bayan Watson. Bayan Violet'la konuşurum. Ayrıca belki dadıyı değiştiririz? Şimdi Kitty mi yoksa Jane mi dadılık yapıyor unuttum."

"Jane madam. Kitty bu işi becerebileceğini sanmadığını söylemişti."

"Bayan Violet'la tanıştıktan sonra herhalde. Tamam öyleyse Bayan Watson, başka bir hizmetçiyi deneyin. Verdiğim ilan için başvuranlardan hiçbiri uygun değil mi?"

"Bir kişi var madam. Jane'in yerine genç birini işe almıştım. Daha önce yanında çalıştığı dul bayandan oldukça iyi bir referans mektubu..."

"Pekâlâ Bayan Watson. Her zamanki gibi seçimi size bırakıyorum. Emerson..."

"Gitmeliyim" diye bağırdı Emerson, kızarmış ekmek diliminin geri kalanını ağzına tıkıştırarak. "Sana iyi günler canım. Bugün için planın var mı?"

Ona baktım. Sert, gülümsemeyen bir bakıştı bu ama -her ne kadar Emerson'u şımartmamak için kendisine bundan söz etmesem de- onu gördüğümde genellikle sinirim yatışır. Şimdi kaygıyla biraz kısılmış olan o masmavi gözleri, çekingen bir tavırla gülümseyen dolgun dudakları, üstüne dağınık ve dalgalı saçları düşmüş geniş alnı... Yüzünün her hattı içimde sevgi dolu anıları canlandırır.

"Scotland Yard'a gidiyorum Emerson" dedim usulca. "Sormana şaşırdım, çünkü Komiser Cuff'tan randevu aldığımı sen de işitmiştin."

"İşitmemiştim" diye öfkeyle bağırdı Emerson. "Ama gideceğini tahmin etmeliydim. Gitmemeni söylemem anlamsız olur herhalde? Evet. Tahmin etmiştim. Ah, lanet olsun!"

Eski canlılığına kavuşarak, tepine tepine çıkıp gittiğini görmek hoşuma gitti. Emerson'u süklüm püklüm görmekten hoşlanmam. Evlilik hayatının keyfini epeyce artıran şu küçük fikir ayrılıkları, bana eşit biçimde karşılık vermediğinde tadını kaybediyor. (Böyle durumların oldukça nadir olduğunu da belirtmeliyim.)

"Scotland Yard mı dediniz Bayan Emerson?" dedi kâhya kadın kaygıyla. "Hizmetçilerden şikâyetiniz yoktur umarım?"

O saf kadıncağız yaptıklarımızdan habersiz kalmayı nasıl başarabilmişti bilemiyorum. Hemen içini rahatlattım. "Hayır Bayan Watson, bambaşka bir nedenle gidiyorum. Haksız yere cinayetle suçlanan bir adamı kurtarmaya."

"Ne... Ne kadar iyisiniz madam" dedi Bayan Watson.

New Scotland Yard'a vardığımda sis dağılıyordu. Komiser Cuff beni gördüğüne çok sevindi.

"Sevgili Bayan Emerson! Dün geceki maceranın sizi kötü etkilemediğini umuyorum?"

"Evet, teşekkürler, sağlığım gayet iyi. Beni bekliyordunuz herhalde?"

"Ah, evet madam. Hatta siz geleceksiniz diye şüpheliyi Bow Sokağı'ndan buraya getirttim."

"Şüpheli mi? Cinayetten tutuklandığını..."

"Sevgili Bayan Emerson..." Cuff melek gibi gülümsedi. "Bunu kimden işittiniz bilmiyorum. Söyleyen kişi biraz abartmış galiba. Bay Ahmet'ten soruşturmamızda yardımcı olmasını istedik o kadar. İngiliz adaletinin standartları gereğince herkesin suçluluğu kanıtlanana kadar masum kabul edildiğini bilirsiniz."

"Çok güzel konuştunuz Komiser. Yine de Bay Ahmet gözaltında ve bana onu elinizde tutmakta kararlı oluşunuzun nedenini açıklamış değilsiniz. Sizce Oldacre'yi öldürmesi için ne gibi bir nedeni olabilir?"

"Belki de onunla konuşup kendi fikirlerinizi edinmeyi tercih edersiniz" dedi Cuff kibarca. "Lütfen böyle gelin, Bayan Emerson."

Tutuklunun başında üniformalı, çam yarması bir polis duruyordu ama bu tedbirin gereksiz olduğunu bir bakışta anladım. Ahmet uzun süreli uyuşturucu kullanıcılarının belirtilerini sergiliyordu: Solgun ve sarı beniz, aşırı zayıflık, titrek eller ve donuk bakışlar.

"Selamın aleyküm, Ahmet el Kamleh" dedim. "Beni tanıyor musun? Ben Bayan Emerson'um, bazen Doktor Hanım da derler, lordum (maalesef "kocam" sözcüğünün Arapçası bu anlamı da içerir) Küfür Babası Emerson Efendi'dir."

Beni tanıyordu. Gözlerinde hafif bir zekâ pırıltısı belirdi. Güç bela ayağa kalkıp titreyerek de olsa saygıyla eğilerek selam verdi. "Selamın eleyküm Hanım'ım."

"Ve aleyküm selam" diye karşılık verdim. "Ve rahmetullah ve berakatu. Gerçi senin her şeyi bağışlayan Allah'tan bile merhamet göreceğinden şüpheliyim Ahmet. *Kur'an* cinayet günahı için ne der?"

Gözlerini kaçırdı. "O efendiyi ben öldürmedim Hanım'ım. Orada değildim. Arkadaşlarım da bunu doğrulayacaktır."

Bu hiç de inandırıcı olmayan bir savunmaydı. Yine de inandım. "Ama söylemediğin bir şeyler biliyorsun, Ahmet. Susmaya devam edersen cinayet suçundan asılacaksın. Kendini kurtar. Bana güven."

Ne kımıldadı ne de konuştu ama bir an polise baktığını fark ettim.

"Arapça bilmiyor" dedim.

"Zaten" dedi Ahmet şüpheyle, "hep öyle derler... anlamıyoruz derler. Ama aramıza casuslar yolladılar Doktor Hanım. Bazıları dilimizi konuşuyor." Birden afallatıcı bir biçimde tükürdü.

"Öyleyse dışarı göndereyim."

Polis itiraz etti elbette ama direncini kısa sürede kırdım. "Bu sefil, bitmiş adam beni tehdit etmeye cesaret edebilir mi sanıyorsunuz memur bey? Tepeden tırnağa silahlı olmamın yanı sıra..." Güneş şemsiyemi sallayınca polis de Ahmet de açık bir biçimde kaygılandılar. "O, kocamı, Emerson Efendi'yi tanıyor, kılıma bile zarar gelirse kocamın intikamımı hem kendisinden hem de bütün ailesinden korkunç bir biçimde alacağını biliyor."

Ahmet bu tehdidi anlamıştı. Yüksek ve titrek bir sesle yaptığı itirazlar (ki bir kısmını, Emerson'un bedensiz bir ruh gibi dışarıda, havada asılı durduğundan şüphelenircesine odadaki tek, parmaklıklı pencereye yöneltmişti) polisi ikna etti.

O gidince Ahmet'e elimle bir sandalyeyi gösterdim. "Otur ve rahatla dostum. Sana zarar vermek niyetinde değilim, yardım etmeye geldim. Sen yeter ki sorularımı cevapla, dostlarına ve ailene kavuşacaksın."

Bu iç açıcı fikrin Ahmet'e pek hoş gelmediği belliydi. Etkileyicilikten uzak çehresinde derin bir karamsarlık belirdi. "Bilmek istediğiniz nedir Hanım'ım?"

Genzimi temizleyerek öne eğildim. "Bazen Sadwell Sokağı'ndaki afyonhaneye takılan Ayşe diye bir kadın var. Ben... şeyi soracaktım..."

Kendimi son anda tuttum. Ben, Amelia Peabody Emerson, bu sefil yaratığa, heybetiyle nam salmış saygıdeğer kocam Küfür Babası'nın aşağılık bir sokak kadınıyla görüşüp görüşmediğini mi soracaktım? Evet, soracaktım. Bu nasıl da alçaltıcı, nasıl küçültücü bir şeydi!

Ama hedefi vurmuştum, Tanrı'ya şükür ki korktuğum biçimde olmasa da. Ahmet bana bezgince baktı. "Ayşe" diye yineledi. "Yaygın bir addır Hanım'ım, çünkü Ayşe bin Ebu Bekir, Peygamber'in saygıdeğer karısıydı ve Peygamber onun kollarında can vermişti..."

"Bunu biliyorum. Sen de kimi kast ettiğimi biliyorsun Ahmet. İnkâr etmeye kalkma. Kimdir o? Afyonkeşe benzemiyor. Neden oraya gidiyor?"

Ahmet omuz silkti. "Oranın sahibidir Hanım'ım."

"Afyonhanenin mi?"

"Binanın Hanım'ım."

"Şu işe bak." Bu haberin üstünde düşündüm. İnanılmaz gibi gelse de Ahmet'in yalan söylemesi için neden yoktu. "Öyleyse zengin bir kadın... ya da en azından paralı. Neden paçavralar giyip de sefil afyonkeşlerin arasında oturuyor?"

Ahmet yine omuz silkti. "Nereden bileyim Hanım'ım? Kadınların işlerine akıl sır ermez."

"Tahmin yürüt dostum" dedim güneş şemsiyemi masaya, aramıza koyarak.

Ama Ahmet asla tahmin yürütmediğini söyledi ısrarla. Afyonun beynine verdiği zararı düşününce ona inanabilirdim. Ama biraz daha sorguladığımda, Ayşe hanımın orada kalmadığını, Londra'da başka bir yerde evinin olduğunu gönülsüzce itiraf etti.

"Park Lane Sokağı'nda mı?" diye tekrarladım şüpheyle. "Orası Londra'nın en lüks semtlerinden biridir dostum. Öyle bir kadın, bir afyonhanenin sahibi, aristokratlarla bir arada yaşayamaz."

Ahmet anlamlı anlamlı sırıttı. "Bir arada yaşamak mı Hanım'ım? Tek yaptığı bu değil ki."

Erkekler müstehcen şakalar yapma fırsatını asla kaçırmazlar. Daha konuşur konuşmaz suratı dehşetle çarpıldı ve ağzından laf kaçırdığını ele verdi. Ancak açıklama yapmayı reddetti, benim de içimden ısrar etmek gelmedi. Bir bayanın aşmaması gereken edep sınırları vardır, bir katilin peşinde olsa bile. Tam gitmek üzereyken ona Bay Oldacre'yi sormadığımı hatırladım. Bu konuda daha da az bilgi verdi, ısrarla onu tanımadığını, hiç adını işitmediğini, hiç görmediğini ve hakkında hiçbir şey bilmediğini söyledi. Emniyet arabasında işittiğim sözleri yineledim. Ahmet gözlerini devirdi.

"Onlar gelirler" diye mırıldandı. "Gerçek imanlılar ve kâfirler, erkekler ve kadınlar, prensler ve dilenciler. Haşhaş ve afyon insanları eşit kılar Hanım'ım, cömertlikleri Allah'ın bütün yaratıklarını kapsar. Ahmet gibi aşağılık, sürünen bir böceği bile... Rüya görmeyeli o kadar uzun zaman oldu ki... çok fazla... Bana afyon bulun Hanım'ım... Bir de çubuk... yalnızca bir tane... Birlikte konuşuruz ve rüya görürüz..."

Gerçekten hülyalara mı kapılmıştı yoksa rol mü yapıyordu bilmiyorum ama konuşmayı bitirmenin iyi bir yolunu bulmuştu. Polisi çağırdım ve Ahmet'i vicdanıyla baş başa bıraktım ama önce ona himayemi önerdim ve gündüz ya da gece her saatte beni arayabileceğini söyledim.

Cuff koridorda beni bekliyordu. "Eee?" dedi.

"Neden soruyorsunuz ki?" diye tersledim. "Sol duvardaki deliği fark ettim Komiser. Dinleyen kimdi? Bay Jones mu?"

Komiser hayranlıkla başını salladı. "Benim için fazla zekisiniz, Bayan Emerson. Jones değildi, tatilde olduğunu söylemiştim. Arapça konuşan bir sürü adamımız var, gerçi sizin kadar iyi konuşan yok. Ayşe denen kadınla neden o kadar ilgilendiniz?"

Buna başka bir soruyla karşılık verdim. "Onun hakkında ne biliyorsunuz, Komiser?"

"Resmi bir soruşturmayı gerektirecek hiçbir şey" diye karşılık verdi Cuff. "Yalvarırım o kişiye yaklaşmayın madam.

Kendisi, sizin gibi bir hanımefendinin görüşeceği türden biri değildir."

"Onu akşam yemeğine davet etmek niyetinde değilim, Komiser" diye alay ettim. "Ama Mısır cemaatinde nüfuzlu biri olduğu belli, ki buna suçlular da dahil... Ne de olsa afyonhane işleten insanlara örnek vatandaş denilemez. Bu çekingenliğinize anlam veremiyorum. O kadını hemen sorguya çekmelisiniz. Ayrıca..."

Merdivenden alt kata inmiştik. Cuff durup bana dönerek içtenlikle, "Bayan Emerson" dedi. "Kişiliğinize ve yeteneklerinize saygım sonsuz. Ama bu Departman açısından bakıldığında, siz bir sivil ve bir bayansınız... Bu ikisi de size sırlarımı açabilmemi imkânsız kılan nitelikler. Amirlerimden izin almadan bunu yaparsam fırça yeme, rütbemin indirilmesi, hatta işten atılma riskine girmiş olurum. Otuz yıldır polislik yapıyorum. Yakında emekli olmayı, sonuna kadar hak etmiş olduğum emekli maaşımı alarak, Dorking'teki küçük evime çekilmeyi ve orada saygıdeğer babam ve ünlü dedem gibi yaşlılığımı gül yetiştirerek huzur içinde geçirmeyi umuyorum. Gerçekten beni aşan..."

"Bu kadarı yeter Komiser" diye sözünü kestim. "Bu sözleri daha önce de işittim... Kadınları aşağılayan küstah erkeklerin her zamanki sıkıcı bahaneleri bunlar. Sizi suçlamıyorum, diğer erkeklerden ne daha iyisiniz ne daha kötü ve amirlerinizin de sizin kadar kör ve bağnaz olduklarına eminim."

Cuff'ın solgun suratında derin bir sıkıntı belirdi. Elini kalbine götürerek söze başladı: "Bayan Emerson, lütfen bana inanın..."

"Ah, iyi niyetli olduğunuza inanıyorum. Biraz sinirlendiysem bağışlayın. Size hınç beslemiyorum. Hatta gerçek katili yakalayınca size teslim edeceğim. Görevimi yapmış olmanın verdiği tatmin dışında ödül istemem. Size iyi günler Komiser."

Cuff konuşamayacak kadar etkilenmişti. Yerlere kadar eğilerek beni uğurladı ve binadan çıktığımda hâlâ doğrulmamıştı.

Şemsiyemi sallayarak bir araba çevirdim. Binip uzaklaşırken Scotland Yard'a tuhaf bir biçimde tanıdık birinin girdiğini gördüm ama ben doğru dürüst bakamadan binaya girip gözden kayboldu.

Emerson'un, Scotland Yard'da ne işi olabilirdi ki? Ama nedense şaşırmamıştım.

Şimdi nereye gitmeliydim? Okuyucu bu konuda kararsız kaldığımı sanmayacaktır eminim. Ahmet beni başından savmak için yanlış adres vermiş olabilirdi ama yine de denemeye değerdi.

Hyde Park'ın yanındaki güzel, eski sokak son yıllarda değişmiş, aristokratça zarafetinin yerini gösteriş merakı almıştı. Bu değişimin en büyük sorumlusu Rothschild'lar gibi insanlar ve onların yakın dostları Galler Prensi'ydi. Majestelerinin neden lordlar yerine zıpçıktı milyonerleri tercih ettiğini anlayamıyordum. Bazıları bunun nedenini, onun hamurundaki kabalıkta, daha doğrusu İngiliz krallarının ince hassasiyetlerinden yoksunluğunda arıyorlardı. Ama durum buysa, şu soru akla geliyordu kaçınılmaz olarak: Bu rezil eğilimi nereden almıştı? Bütün zamanların en ağırbaşlı, en düzgün prensi olan babasından almadığı kesindi. Kraliçe annesine gelince.... kibirli, ukala ve biraz gerizekâlı olabilirdi ama kaba? Asla! (Kraliçe'yle Bay Brown diye biri hakkında çıkan iğrenç dedikodulara kesinlikle kulak asmıyorum. Gerçi kullarının bazen onun iyi niyetini sömürdükleri olurdu. Brown bunu kesinlikle yapmıştı. Kraliçe'nin son gözdesi olan, kendine Münşi diyen Abdülkerim de neredeyse o adam kadar küstah ve sevilmeyen biriydi. Ama gözde kullardan daha ötesi olduklarını kesinlikle reddediyorum.)

Park Lane Sokağı'nda ilerlerken, Leopold Rothschild'ın görkemli, gri, taş konağını gördüm. Prens'in burada fazlasıyla düşkünleştiği sefahat âlemlerine daldığı söyleniyordu. Biraz ötedeyse Londra'ya son gelişimde Güney Afrikalı bir elmas taciri tarafından tamamlanmış olan Aldford Konağı'nın gösterişli hatları vardı. Dudley Konağı'nı bir başka Güney Afrikalı milyoner kiralamıştı ve 25 numarada söylentilere göre bütün diğerlerinden daha pahalı ve görkemli bir bina inşa edilmekteydi. Bunu yaptıran Barney Barnato adlı müteahhit, Whitechapel'in bir kenar mahallesinde doğmuş bir Doğu Londralı'ydı. Bir zamanların saygın Park Lane Sokağı işte böylesine düşmüş, düklerle kontların yerini yeni zenginler almıştı. Belki de Ayşe buraya gayet uygundu. Barney Barnato'yla iyi anlaşırdı herhalde.

Araba Park Lane Sokağı'yla Upper Brook Sokağı'nın köşesine yakın, güzel, eski bir evin önünde durdu. Kapıyı çaldığımda üstü başı düzgün bir sofra hizmetçisi açtı. Üstünde alışılageldik siyah rop, beyaz ve ütülü bir önlük ve buruşuk bir kep vardı ama zeytuni teni ve siyah gözleri uyruğunu ele veriyordu. Ahmet beklediğimden daha güvenilir biri çıkmıştı anlaşılan.

Ona kartvizitimi verdim. "Hanımına söyle, kendisiyle konuşmak istiyorum."

Hizmetçinin benim gibi misafirlere alışık olmadığı her halinden belliydi. Şaşkınlığından sıyrılarak kartvizitimi aldı ve "hanımefendinin" içeride olup olmadığına bakarken, beni salonda beklemeye davet etti.

Avımı bulduğuma emin olmasam, götürüldüğüm oda beni şüpheye düşürebilirdi, çünkü içinde en modern ve şık İngiliz salonlarında bulunamayacak tek bir nesne bile yoktu. Hatta şüpheci biri olsam, orasının modern, iyi döşenmiş İngiliz salonlarıyla dalga geçmek için dekore edilmiş olduğunu düşünebilirdim. Duvarları kaplayan altın çerçeveli tablo ve aynalar öylesine büyüktü ki salonu küçük gösteriyordu. İnsan mobilyalar yüzünden halıyı göremiyordu: Oymalı ağır kanepeler, şişkin kaplamalı sandalyeler, diz yastıkları, masalar, masalar ve masalar... Hepsi de öyle kalın örtülerle kaplıydılar ki zamanın titiz bayanlarının tabiriyle "arka bacakları" görünmüyordu.

Kısa süre sonra dönen hizmetçi kendisini takip etmemi söyledi. Bir merdivenden birinci kata çıktık ve halı kaplı bir koridordan geçtik. Bir kapıyı açıp eliyle içeri girmemi işaret etti.

Sanki on dokuzuncu yüzyıldan on beşinci yüzyıla adım attım... Tek bir adımda Londra'yı, Eski Kahire'den ayıran binlerce kilometreyi aştım.

Yer, özensizce kat kat serilmiş Acem halılarıyla kaplıydı. Duvarlarla tavanlar, hatta pencereler bile altın sırmalı brokarlarla örtülmüştü. Pencerelerden tek bir ışık hüzmesi bile girmiyordu. İçeriyi yalnızca karmaşık desenlerle kaplı asma lambalar aydınlatıyordu. Bunların zincirleri o kadar inceydi ki, en hafif bir esintide sallanıyor ve loşluğa kayan yıldızlar ya da kıtanın batısında yaşayan alev rengi böcekler gibi altın sarısı ışık noktacıkları gönderiyorlardı.

Önce içeride kimse yok sandım ama gözlerim loşluğa alışınca uzak duvardaki bir divanda heykel gibi kımıltısız duran birini seçtim. Ellerim güneş şemsiyemin sapını kendiliğinden sımsıkı kavradı. Saldırıya uğramaktan korkmam için neden yoktu, çünkü o kadın için tehlikeli olabilecek bir şey bilmiyordum ama o atmosfer bana yakın zamanda içinde hayatımın en rahatsız birkaç saatini geçirdiğim benzer bir odayı hatırlatmıştı.* Kadının kaykılarak oturduğu kanepenin yanındaki alçak bir mangaldan yayılan hoş kokulu bir duman başımı döndürdü.

Ama yalnızca bir anlığına. Hedefimi, kim olduğumu ve o

---

* *Vadideki Aslan.*

kadının kim olduğunu hatırladım. Doğu âdetlerine göre aşağı konumda olan kişi konuşmadan önce kendisine hitap edilmesini bekler. Genzimi temizleyip ona hitap ettim.

"Günaydın. Rahatsız ettiğim için kusura bakmayın. Ben..."

"Kim olduğunu biliyorum." Son derece zarif bir hareketle, eliyle işaret etti. "Şuraya otur."

Gösterdiği bir koltuk değil, ince bir diz yastığıydı. Bence çoğu İngiliz kadın o pozisyonu rahatsız, hatta imkânsız bulurdu. Ben hemen oturup eteğimi düzgünce topladım.

Kadın şimdi yalnızca bir metre ötemdeydi ama yüz hatlarını hâlâ net seçemiyordum, çünkü alnındaki mücevherli bir şeritten sarkan uzun bir burka ya da yüz peçesi takmıştı. Beyaz muslin ya da ipekten yapılan bu peçeler normalde başka kadınların yanında takılmaz. Ayşe'nin ince bir hakarette bulunduğunu düşündüm ama benim için fazla inceydi, ne demek istediğini anlamadım. Peçesi öyle incecikti ki, yüzünün kusursuz oval biçimini, düzgün burnunu ve sağlam çenesini sergiliyordu. Başı açıktı. Omuzlarına düşen dalgalı bukleleri siyah saten gibi parıldıyordu. Giysileri soylu Mısırlı bayanların haremin mahremliğinde giydikleri türdendi: Çizgili ipek şalvar ve gövdesiyle kollarına sımsıkı yapışmış uzun bir yelek. Göğsünün yarısı açıktaydı, çünkü altına bluz giymemişti. Böylece görünen ya da sergilenen her tarafı dış hatlar ve doku açısından gayet takdir edilesiydiler, cildi cilalı kehribar gibi parlıyordu.

Burnunun lakayt, hatta küçümseyici bir havası vardı. Bir dirseğine yaslanarak dizini kaldırınca ipek giysisi geriye sıyrıldı ve bir perininki kadar biçimli bir bacağı açığa çıktı. Pantolonu, âdet olanın aksine, kalçadan ayak bileğine kadar yırtmaçlıydı.

"Beni nasıl bulabildin?" diye sordu.

İngilizce'yi çok hafif bir şiveyle konuşuyordu. Doğulular zeki ve kurnazdırlar. Özellikle de neredeyse hiçbir konuda açıkça konuşmalarına izin verilmeyen kadınlar, horgörülerini ifade etmek için kendi yöntemlerini geliştirmişlerdir. Dilimi kullanması -ne de olsa kendi dilini konuşabildiğimi biliyordu mutlaka- üstünlük iddiasında bulunmasının bir yoluydu ve sorusu aslında çok daha fazla şey ifade ediyordu. Neden geldiğimi sormamakla, geliş nedenimde haklı olduğumu doğruluyordu. Bu nedenin ne olduğunuysa, bu konularda pek uyanık olmayan okuyucular bile anlamıştır herhalde.

Bu meydan okumayı görmezden gelmek ya da zaten başının yeterince belada olduğunu düşündüğüm Ahmet'i gammazlamak içimden gelmedi. "Beni tanıdığını söylüyorsun Ayşe. Öyleyse insanları bulma yöntemlerim olduğunu biliyorsundur. Seni dün gece gördüm ve keskin gözlerim gizlediğin kimliğini fark etti."

"Dün gece mi?" Uzun boynu kıvrıldı, saldırmak üzere olan bir kobra gibi. "O sen miydin?"

"Bendim" dedim sakince. "Senin gözlerin *benim* kimliğimi fark etmedi."

"Demek seni oraya getirdi. Ya da en azından gelmene göz..."

Ani bir ışık patlaması elimi gözlerime siper etmeme yol açtı. Elimi indirdiğimde bir gaz lambası yakmış olduğunu gördüm. Hüzmeleri tam yüzüme düşecek biçimde yerleştirilmişti ve o zaman neden oraya oturmamı istediğini anladım.

Beni uzun gelen bir süre boyunca sessizce inceledi. Kımıldamadan durup bana dilediğince bakmasına izin verdim. Ne gördüğünü biliyordum... Dalgalı bukleler, diri uzuvlar, muhteşem güzellikte yüz hatları görmüyordu... Ama oraya girerken onunla bu alanda boy ölçüşemeyeceğimi zaten biliyordum. Denemek niyetinde değildim.

Sonunda dudaklarından kahkaha ya da horgörülü bir tıslama olabilecek hafif, ıslıksı bir ses çıktı. "Demek seni oraya getirdi" diye tekrarladı düşünceli bir ifadeyle. "Duymuştum... Ama inanmakta zorlanmıştım. Eee, yüce Emerson Efendi'nin karısı Doktor Hanım... Beni buldun. Fakirhaneme şeref verdin. Kölelerin en aşağılığı olan benden ne istiyorsun?"

Alay ettiğini anladığımdan bu sözlere aldırmayıp önceden özenle hazırladığım kısa konuşmaya başladım. "Bir katili yakalamak için yardımını istiyorum Bayan... şey... Ayşe hanım. Hemşehrilerinden birinin Bay Oldacre'yi öldürdüğünden şüphelenilip tutuklandığını biliyorsundur?"

"Biliyorum" diye onayladı.

"Ahmet'in suçsuz olduğunu da biliyorsundur."

"Bilmiyorum. Nereden bileyim?"

"Ah, yapma canım... yani, Ayşe hanım. Birbirimize kaçamak cevaplar vermeyelim. İkimiz de polislerin çok zeki olmadığını biliyoruz, ne de olsa hepsi erkek. Yine de Ahmet gibi sefil bir solucanın o suçu işlediğine inanacak kadar aptal olamazlar. Bu onların bir numarası. Bu konuyu iyice düşündüm ve şu sonuca vardım ki ondan kendi tabirleriyle 'soruşturmalarında yardımcı olmasını' istemelerinin tek nedeni, Mısır cemaatinden birinin, ya da birkaç kişinin, o suça iştirak ettiğinden şüphelenmeleri olabilir. Ahmet bir kukla, bir yem ya da potansiyel bir muhbir."

İri, kara gözlerini yüzüme dikerek beni dikkatle dinledi. Duraksayarak onu karşılık vermeye davet ettiğimdeyse ağırdan aldı. Sonunda "Olabilir" diye mırıldandı. "Ama bunun benimle ne ilgisi var? Scotland Yard'daki o beceriksizlerden korkmuyorum. Güçlü dostlarım var..."

"Eminim vardır. Ama dostlar bazen bir tehlike ya da rezalet tehdidi karşısında sahte çıkarlar. Polis en azından... şey... işine köstek olabilir, dün geceki gibi. Ben katilin Mısırlı değil İngiliz olduğuna eminim..."

"Ne? Bunu nereden çıkardın?"

"Soru soruyorsun ama benimkileri cevaplamıyorsun Ayşe hanım." Bu sefer Arapça konuşmuştum. "Bence itiraf ettiğinden fazlasını biliyorsun. Senin gibi zengin ve nüfuzlu biri nasıl olur da kendi adamlarının arasında olup bitenleri bilmez?"

Doğruldu, bağdaş kurdu ve çenesini incecik eline yasladı. "En azından bu konuda bilgim yok. Bana inanmıyorsun..."

"Gerçeği söylüyorsan saygısızlık etmek istemem ama araştırmaya başlamanı tavsiye ederim... Kendi iyiliğin için. Birlikte çok şey başarabiliriz. Kendi sahalarımızda oldukça yetenekli kadınlar olarak..."

Hafifçe, tıslarcasına gülerek -artık bunun gülüşü olduğuna karar vermiştim- sözümü kesti. "Bizi kıyaslıyorsun, ha Doktor Hanım? Bu kadar alçaldığına göre ortada çok istediğin bir şey var demektir."

"Kesinlikle hayır, yalnızca sana hakkını teslim ediyorum. Doğu âdetlerini bilirim ve zenginliğe, bağımsızlığa ulaşmak için neleri aşmak zorunda kaldığının gayet iyi farkındayım..."

"Delisin sen! Nereden bileceksin, hayal bile edemezsin... Ah, ben de deliyim, oturmuş böyle saçma sapan konuşuyorum!" Yumruklarını sıkarak sırtını yastıklara dayadı.

Aramızda oluşmaya başlamış ince anlayış bağını koparan bir şey söylemiş ya da yapmıştım. Ne olduğunu hiç bilmiyordum. Ama belki de...

"İngiliz" diye tekrarladım. "Öyle bir adam var, değil mi? Onu biliyorsun. Belki de tanıyorsun. Bu adamdan korkuyor musun? Eğer korkuyorsan, Emerson'la ben seni gölgelerimizde saklarız. O adam sevgilin mi? Aşk narin bir çiçektir, Ayşe hanım, tehlikenin soğuk nefesi taç yapraklarını kuruttu muydu, erkekler onu ayaklarıyla çiğneyiverirler."

"Bütün erkekler mi Doktor Hanım? Seninki de mi?" Tükürürcesine konuşmuştu.

"Gerçekten" diye söze başladım, "beni yanlış..."

"Yanlış anlamak mı! Katil bir İngiliz lord hakkında saçma sapan hikâyeler uyduruyorsun... İlginç bir öykü Doktor Hanım ama geliş nedenin bu değil. Bana Emerson Efendi'nin seni aldatıp aldatmadığını sormaya geldin. Kalbini benden iyi kim okuyabilir ki?"

"Bence bir sürü insan" dedim istifimi bozmadan. "Bana bak Ayşe, eğer kalbimi, ya da daha kolay ulaşılır bir rehber olan yüzümü okuyabiliyorsan, Emerson'dan asla, bir an olsun şüphelenmediğimi görürsün. Biz biriz ve hep öyle kalacağız."

"Ama ben onu eskiden tanırdım" dedi usulca. "O kalın kollarının gücünü bilirdim, dudaklarının dokunuşunu, okşayışlarını. Hâlâ şey yapıyor mu?.."

Beni ele geçiren hisleri görünüşümle ya da hareketlerimle ele vermediğimi umuyordum. Ama beni incitme arzusu asıl onu bitirdi, -ahlakçıların çok doğru bir biçimde dedikleri gibi- keskin sirke küpüne zarar verdi. Heyecana kapılınca giderek öne eğildi, ta ki yüzü neredeyse benimkine değene kadar. Gaz lambasının ışığı çehresini ilk kez aydınlattı. Ne o yarı saydam peçe, ne de kalın makyaj tabakası, saydam, pürüzsüz yanağını kemiğe kadar yarmış olan darbenin mor yara izini gizleyebildi.

Ne yaptığını fark ettiğinde çok geçti. İnleyerek sözünü yarıda kesip gölgelere çekildi.

Bir an konuşamadım. Öfke, tiksinti ve... evet, merhamet yüzünden boğulacak gibi oldum. Bu hisleri her zamanki beceriklliğimle bastırarak genzimi temizledim.

"Açık sözlülüğüne aynı biçimde karşılık vermemi umarım bağışlarsın. Kocamla aramda geçenler özel bir konudur. Ama seni temin edebilirim ki, o konuda ya da başka herhangi bir konuda, hiç şikâyetim olmadığı gibi, Emerson da benimle aynı hisleri paylaşmaktadır."

Bileğimi kavrayıverdi ve uzun, ojeli parmakları etime

acıtacak kadar battı. "Sen hiçbir şeyden etkilenmez misin, soğuk İngiliz kadını? Seni incitmek için ne yapabilirim? Buzsun sen, taşsın! Öyle bir erkeği ele geçirip elinde tutabilmek için nasıl büyülü güçlerin var?"

"Bilmem" diye itiraf ettim. "Ama fiziksel güzellik dışında karşı cinsten insanları birbirine çeken ve evlilik bağını güçlendiren pek çok nitelik vardır. Günün birinde sen de bunu keşfedecek kadar şanslı olabilirsin. Bunu samimiyetle umuyorum. Bu arada asıl konuya geri dönersek, şu İngiliz lordu..."

"Hangi İngiliz lordu? Öyle bir adam yok." Elimi öteye savurdu. "Beni rahat bırak Doktor Hanım. Seni yenemem. Seninle eşit koşullar altında bile savaşamam, çünkü kavrayışımın ötesinde silahlara sahipsin. Beni rahat bırak."

"Pekâlâ." Ayağa kalktım... Onun kadar zarifçe olmasa da sendelemeden ya da zorlanmadan. "Daha ilk ziyaretimde bana güvenmeni beklememiştim zaten."

"İlk..."

"Lütfen sana herhangi bir biçimde yardım etmeye hazır olduğumu aklından çıkarma. Yaşadığın hayat senin için iyi olamaz. Taşraya çekilmeyi düşünmelisin. Yaralı bir ruha en iyi gelecek şey doğayla baş başa kalmaktır..."

Ayşe gözlerini devirerek yüzünü yastıklara gömdü. Bunu konuşmanın sona erdiğinin işareti olarak görüp kapıya gittim. "Söylediğimi unutma. Beni istediğin zaman çağırtabilirsin."

"Doktor Hanım." Kımıldamıyordu, sesi boğuk ve titrekti.

"Evet?"

"Ulağım gelirse onu tanırsın. Ama geleceğine söz vermiyorum."

"Çok güzel. Umarım gelir."

"Doktor Hanım?"

"Evet?"

"Dün geceden önce Emerson Efendi'yi yıllardır görmemiştim. Onunla Mısır'da tanıştım. İngiltere'de değil. Burada ziyaretime hiç gelmedi."

"Ah, öyle mi? Yakında gelir bence."

Bu sefer bana tekrar seslenmedi.

Hizmetçiden pelerinimi aldıktan sonra Park Lane Sokağı'nı geçip parkta, az önce çıktığım evin karşısında bir bank buldum. Emerson gelecek miydi? Çıkarken söylediğim son sözün nedeni hınç ve zeki görünme arzusuydu, çünkü ben bile bazen böyle kişilik yetersizliklerine boyun eğebiliyorum. Kışkırtıldığımı göz önüne alınca durumu genel olarak gayet iyi idare ettiğime karar verdim.

Kısasa kısas, Profesör Emerson, diye düşündüm. Ben de bir süre bekleyecektim, Emerson'un benimle aynı izi takip edip etmediğini görmek için. Ama nedenlerimiz farklı olabilirdi...

Kısa süre sonra bir araba geldi ve Emerson aşağı atladı. O eve girer girmez tedbir niyetine bir başka arabayı durdurdum. Arabanın içine girip sürücüye beklemesini söyledim. Emerson evde beş dakika bile kalmadı. Girişinden bile hızla çıktı ve kaldırımda durup etrafa şüpheyle bakındı. Belli ki ziyaretimi Ayşe'den öğrenmişti ve çevrede pusuda olabileceğimden korkuyordu.

Sürücüye gitmesini söyledim. Küçük, kirli pencereden bakarak Emerson'un yolun karşı tarafına geçip parkta dolanmasını izledim. Tam bana benzeyen bir bayanla tartışmaya başlayıp da kadının kürek biçimindeki eski moda bonesini çıkarmaya çalışıyordu ki araba Upper Brook Sokağı'na sapınca onu gözden kaybettim.

Ayşe'yle yaptığım görüşmeden sonra içimde uyanan karmaşık hisleri tamamen ifade edebilmem imkânsız (özellikle de günün birinde yayımlanabilecek olan bir günlüğün sayfalarında, gerçi bunlar epeyce redaksiyondan geçecektir mutlaka). Beynim tahminlerle kaynayan bir kazandı.

Ayşe gerçeği söylemişse, Emerson'u azarlamak için nedenim yoktu. Vücudunu, ruhunu ve yüreğini bana adadığı o unutulmaz andan önce yaptığı, söylediği ya da düşündüğü şeyler için onu suçlamam mantıksız olurdu.

Ama Ayşe gerçeği mi söylemişti acaba? O zavallı mahvolmuş güzelin yalan söylemek için bir sürü nedeni vardı, içimi rahatlatmak içinse hiçbir nedeni yoktu. Kendisine elimde olmadan hissettiğim sempatinin aynısını bana karşı hissedip hissetmediğini merak ettim. Emerson dışında ortak bir yönümüz daha vardı (bu arada bu konuda mantığım ne kadar düzgün işlerse işlesin, duygusal tepkimin hiç hoş olmadığını açıkça itiraf ediyorum). Benim yüzleştiğimden bile daha büyük engelleri aşmış güçlü bir kadındı o. Fizyonomi bilgim beni yanıltmıyorsa, İngiliz ya da Avrupalı kanı taşıyordu. Bir melezin, ki aşağılayıcı bir terimdir bu, yükü iki kat ağırdır. Annesinin çevresi tarafından horgörülür, babasınınkiler tarafından yok sayılır. Buna onun dünyasındaki kadınların konumu da eklenince, sıradan bir Mısırlı kadının geleneksel beklentiler doğrultusunda, gencecik yaşta evlenip durmadan çocuk doğurarak, can sıkıntısı ve üzüntüyle yaşayıp erkenden ölmektense, bu yarı köleliğin küçük düşürücü uçurumunun yazgısını reddetmek için elindeki tek imkânı kullanmasından dolayı onu suçlayamazdım.

Akıllı bir kadındı ama heyecanlanınca küçük bir hata yapmıştı. Bunun ne kadar anlamlı olduğu ileride belli olacaktı ama yeni olasılıkları sergilediği kesindi ve bunları araştırmak niyetindeydim.

Eve varınca Bay O'Connell'ın az önce gittiğini öğrendim. Vazgeçmeden önce epeyce beklemiş -"salonda kendi kendine konuşarak dolanıp durdu" dedi Gargery- sonunda bir not bırakmıştı. Her ne kadar bana hitap etse de bazı sitemlerin Emerson'a yönelik olduğu belliydi.

"Neyse" dedim notu bir kenara atarak. "Bay O'Connell'ın böyle mızıkçı çıkmasına üzüldüm. Oysa kendisinin bana daha kötü oyunlar ettiği olmuştu. Aşkta, savaşta ve muhabirlikte her şey mübahtır, Gargery."

"Ben de Bay O'Connell'a benzer bir şey söyledim" dedi Gargery. "Gerçi sizin kadar kibar konuşmadım madam. Kusura bakmazsanız şunu söyleyeyim ki siz ve profesör çok etkileyici konuşabiliyorsunuz madam."

Çay saatinde Emerson dönmemişti. On beş dakika daha bekledikten sonra çay getirilmesini emrettim ve Bayan Watson'a çocukları aşağı yollayabileceğini söyledim. Önce Percy ile Violet geldi. İkisi de gayet temiz ve şık görünüyorlardı, gerçi Violet'ın sırtındaki, neredeyse kopacak olan düğmeler bana kendisine vermeyi aklıma koyduğum dersi hatırlattı. Buna hemen giriştim ve ona artık çay saatinde yalnızca bir bisküvi ya da bir dilim kek yiyebileceğini söyledim. Pastasını mideye indirip de fikrimi değiştirmeyi başaramayınca surat asarak bir köşeye çekildi.

Percy, Londra'da pek bulunmayan kelebeklerin yerine kınkanatlıların koleksiyonunu yapmaya karar vermişti. Bana bundan uzun uzadıya söz etti ve itiraf etmeliyim, Ramses'in gelmesi öyle rahatlatıcı oldu ki onu her zamankinden fazla sevgiyle karşıladım, pantolonunda bir sürü delik açmış olan pis bir kimyevi madde yüzünden leş gibi kokuyor olsa da.

"Uşabtinin üstünde bazı deneyler yapıyordum anneciğim" diye açıkladı, bana o nesneyi uzatarak. "Artık orijinal olduğuna eminim. Tutkalı sarı alevle yanıyor, oysa modern taklitlerde..."

"Sana inanıyorum Ramses" diye karşılık verdim. "Şavabtinin orijinalliğinden hiç şüphe duymamıştım zaten."

"Sezgilerin çok doğru söylüyormuş anneciğim" diye karşılık verdi Ramses tarifsiz bir tenezzülle. "Ancak muhtemelen bildiğin gibi kraliyet uşabtileri müzelerde bile pek bulunmadığından, bazı tesleri yapmayı uygun gördüm."

Percy çocukça güldü. "Komiksin Ramses. Ne çok şey biliyorsun." Ramses'i şakacıktan dürttü.

Ramses'in dirseğinin kımıldadığını görünce "Kavga etmeyin çocuklar" dedim sert bir sesle. "Ramses, gel yanıma otur. Şu şavabtiyi de ver bakayım, kırılmasını istemiyorum."

Ramses sözümü dinledi. Ondan biraz uzaklaştım, yaklaştıkça o pis kokuyu daha çok alıyordum. "Demek bu bir kraliyet şavabtisi. Ben de öyle tahmin etmiştim ama üstündeki yazıyı okumamıştım."

"Men-maat-Re Sethos Mer-en-Ptah" dedi Ramses. "İlginç bir rastlantı anneciğim. Sethos adı tanıdık."

"Ne yazık ki haklısın Ramses."

"O kimliği belirsiz suç dehasıyla yeniden zekâlarımızı çarpıştırıyor olmamız söz konusu değildir herhalde, o kılık değiştirme üstadıyla, o..."

"Umarım değildir Ramses. Ayrıca bu fikri de, kullandığın tabirleri de babanın yanında tekrarlamamanı tavsiye ediyorum."

"Bunu asla yapmam anne, çünkü böyle göndermelerin babamı normal halinden bile daha sinirli yaptığını gözlemledim. Nedenini anlayabilmiş değilim."

"Sethos elimizden kaçtı da o yüzden" dedim.

Ramses ciddiyetle başını sallayıp onayladı. "Bu ihtimal aklıma gelmişti ama babamın hiddetinin tuhaflığını tamamen açıklamıyor. O adam seni tutsak etme küstahlığında bulunmuştu ve babam sana öyle düşkündür ki canına kast eden herkesten intikam almak istemesi gayet doğal..."

"Çok haklısın Ramses. Sen de tutsak alınsan aynı şeyi hissederdi."

"Yine de" dedi Ramses ısrarla, "anlam veremediğim, tarifsiz ama kalıcı bir öğe var. Örneğin Sethos'un gönderdiği mektupta açıklamasız pek çok söz vardı anneciğim. İşleyeceği suçlardan seni sorumlu tutuyor gibiydi. Bu durumda varılacak en açık sonuç, yapmış olabileceğin bir şeyin onu kötülüklerinden alıkoymuş olmasıdır. Ama ne olduğunu bulamıyorum."

"Bulamıyor musun?" Rahatlayarak derin derin iç geçirdim. "Neyse ki bazı şeyleri... Neyse Ramses. Sethos'u bir daha görmeyeceğimize eminim. Bu olayda onun parmağı olduğunu gösteren bir belirti yok. Ayrıca" dedim Percy'ye göz atarak, "bu konuyu konuşmamayı tercih ederim."

Oysa Percy konuşmayı dinlemiyordu. Cebinden çıkardığı bir şeyi hoşnutlukla gülümseyerek incelemekteydi. Saf altından yapılma gibi görünen güzel bir saatti bu ve tam onun yaşındaki bir çocuğun böyle bir nesne taşımaması gerektiğini söyleyecekken saat tanıdık geldi.

"Şu senin saatine benziyor Ramses. Hani Bayan Debenham'ın verdiği saate."

Percy sırıttı. "Bu Ramses'in saati Amelia Hala. Daha doğrusu onundu, bana verdi. Doğum günüm için."

Ramses'in yüzü her nasılsa her zamankinden bile ifadesizdi. Enid Debenham'ın (artık Enid Fraser) armağan etmekte direttiği o saati alınca çok sevinmiş gibi görünmüştü. Saati onu taşıyabilecek kadar büyük ve dikkatli olacağı yaşa kadar ortadan kaldırmaya karar vermiştim elbette. Herhalde ya saatten sıkılmıştı ya da o genç bayana duyduğu bağlılık, kendisinin onaylamadığı biriyle evlenmesinden sonra azalmıştı.

"Bir arkadaşının armağanını başkasına vermemeliydin Ramses" dedim.

Percy hemen saati bana uzattı. "Bu aklıma gelmemişti Amelia Hala. Özür dilerim. Alın, Ramses'e geri verin."

"Hayır, sana verdiyse senindir. Cömertlik yapmış. Ama

küçük bir çocuğun taşıyamayacağı kadar değerli bir nesne. Onu kaldırıp annen gelince ona veririm, senin yerine o taşır."

"Elbette Amelia Hala, ben de sizden bunu yapmanızı isteyecektim zaten. Birazcık taşıyayım dediydim yalnızca, çünkü o kadar güzel ki ve çünkü... çünkü bugün doğum günüm."

Hayal kırıklığını çok belli etse de öyle düzgün davranmıştı ki ona acıdım. "Doğum günün olduğunu bilmiyordum Percy. Kutlama yapmalıyız. Yarın yapabiliriz. Ne yapmak istersin?"

Violet kımıldandı. "Percy çay saatinde kek yerse, ben de iki dilim kek alabilir miyim? Ya da üç?"

"Bakarız" diye kestirip attım. "Bu ağabeyinin doğum günü ve ne yapacağımıza o karar verecek. Biraz düşün Percy, kararını yarın sabah söylersin."

Percy'nin dudakları titredi. "Ah, Amelia Hala, öyle iyisiniz ki. Sağolun, sağolun. Sana da teşekkürler kuzen Ramses... Bu güzel saat için." Ramses'in omzuna dostça vurdu. Ramses de ona vurunca, daha henüz erken olmasına rağmen herkesi odalarına gönderdim.

Akşam yemeği için giyinmeye karar vermiştim. İtiraf etmeliyim ki amacım akşam yemeği için özel olarak giyinmekten nefret eden Emerson'u sinirlendirmekti. Evimizdeki rahat ortama alışık olduğumdan, yüksek tabakadakilerin çoğunun katı kurallara uyduğunu unutup duruyordum, ki bunların, onlardan çok hizmetçilerine yaradığını düşünüyorum bazen. Odamın kapısını açınca şöminenin önünde eğilmiş olan hizmetçi irkildi.

Hayretle çığlığı basarak büzülüp yumuşak bir topa dönüştü. Onu sakinleştirmeme fırsat kalmadan Bayan Watson içeri daldı. Bayan Watson sinirlenmiş gibiydi. Yukarı erken çıktığım için bana sinirlenmişti ama tabii ki bunu söyleyemeyeceğinden hizmetçiyi azarlamaya başladı.

"Bayan Emerson gelmeden ateşi yakman gerekiyordu. Hemen aşağı koşup sıcak suyu getir."

Kız dışarı kaçtı. "Aceleye gerek yok Bayan Watson" dedim. "Erken geldim. Profesör ne zaman döneceğini söylemiş miydi?"

"Hayır madam ama birazdan gelir eminim, çünkü akşam yemeğine gecikeceği zaman mutlaka bana söyler. Sıcak suyu o geldikten sonra getirmelerini söyleyeyim mi?"

Birçok modern "araç" gibi su ısıtıcısı da durmadan bozulduğundan Evelyn eski tarz yöntemlere geri dönmüştü. Bayan Watson'a beklemeyeceğimi söyledim. Sonra oturup ayaklarımı şömine paravanasına dayadım. Yağmur başlamıştı ve serin bir akşamdı.

Ayşe'ye gittiğimi söylememeye ve en ufak bir biçimde belli etmemeye karar vermiştim. Emerson ona gittiğimi zaten biliyor olmalıydı. Konuyu açıp açmamak Emerson'un bileceği işti.

Vicdanı rahatsa konuyu *açardı*. Sonuçta tanışmamızdan önceki davranışlarından dolayı bana karşı sorumlu değildi, kendime bunu tekrarlayıp duruyordum. O zamandan beri bana bir kez bile ihanet etmediğini biliyordum. Evet, bunu biliyordum, çünkü ona tamamen güvenmemin yanı sıra, eline pek fırsat geçmemişti. En azından Mısır'dayken. En azından...

Bazen Abdullah'la, onun Kahire civarındaki köyüne uğrayacaklarını söyleyerek gittiği olmuştu. Abdullah herkesten fazla saygı duyduğu bu adam için gözünü kırpmadan yalan söyleyebilirdi.

Ayşe, Emerson'un kendisini İngiltere'de hiç ziyaret etmediğini söylemişti. Ama İngiltere'ye ne zaman geldiğini söylememişti ve bana yalan söylemektense idama razı olacak biri gibi gelmemişti. Kent'te yaşadığımız yıllarda, kazılarımıza devam etmeden önce, Emerson'un bir ya da birkaç günlüğüne Londra'ya gittiği olurdu sürekli. Üniversitede ders veriyordu ve Müze'nin okuma odasında çalışıyordu. Bu iki faaliyet de bütün gününü alacak işler değildi.

Tuhaf bir gıcırtıyla irkilerek bu iç karartıcı düşüncelerden sıyrılıp odaya bakındıktan sonra sesin benden geldiğini fark ettim... Dişlerimden geliyordu. Çenemi gevşettim ve kendime, aldığım mükemmel kararları hatırlattım. Sevgili sadık kocama böyle haksızca şüpheleri en ufak bir biçimde bile ima ederek hakaret etmeyecektim. Hayır. Ayşe konusunu onun açmasını bekleyecektim. Açması gayet doğaldı. Açmamasıysa hiç doğal olmazdı. Emerson o sabah apar topar çıktığından ve epeydir geri dönmediğinden, dün akşamki maceramızı konuşma ve hoş bir âdetimizi yerine getirerek çeşitli teoriler ve çözümler üretme fırsatı bulamamıştık. Bu koşullar altında Ayşe'den söz etmemesi çok tuhaf olurdu.

Emerson ayaklarının ucuna basarak yürürse fark edilmeyeceğini sanır. Oysa bu biçimde yürürken de normal yürüyüşündeki kadar ses çıkardığından, gelişini daha o, kapıya yaklaşmadan fark ettim. Dışarıda epeyce bir süre durdu. Nasıl bir yaklaşım göstereceğini planlıyordu eminim. Varacağı kararı ilgiyle bekledim.

Kapıyı birden açıp hemen yanıma geldi ve sevgiyle kucaklayarak koltuktan kaldırdı.

"Bu gece muhteşem görünüyorsun Peabody" diye mırıldandı. "Şu üstündeki elbise... yeni herhalde, sana o kadar yakışmış ki."

"Çay elbisesi" diye karşılık verdim, konuşabilir hale gelir gelmez. "Dün gece ve daha önce de bir sürü kez giymiştim. Giymemin nedeni... Ah, Emerson! Evet, nedenlerden biri bu kesinlikle ama... Emerson..."

Çay elbisesinin imkân sağladığı hareketlere son vermem

anlatabileceğimden daha zor oldu ama Emerson'un davranış-
larından şüphelenmeye başlamıştım ve hınç, irademi güçlen-
dirdi. Az önce oturduğum koltuğun arkasına çekilerek sert bir
sesle "Akşam yemeği için giyinmek üzereydim ve sen de gi-
yinmelisin" dedim. "Sıcak su artık ılımıştır herhalde. Acele
etmezsen soğuyacak."

"Akşam yemeği için giyinmeyeceğim" dedi Emerson.

"Giyineceksin."

"Hayır, giyinmeyeceğim."

"Madem öyle belki ben de üstümü değiştirmem." Emer-
son'un yüzünde beliren sevinç beni utandırmalıydı ama ma-
alesef utandırmadı. Devam ettim: "Kahire'den aldığım güzel
ceketi giyebilirsin... Hani şu ancak ölüp de direnemeyecek ha-
le gelince giydirilebileceğine yemin ettiğin ceketi."

"Hımın" dedi Emerson. "Peabody, canın bir şeye mi sık-
kın senin?"

"Benim mi? Sıkkın mı? Yok öyle bir şey Emerson'cuğum.
Bu arada cekete uyan o küçük fesi de tak."

"Ah, lanet olsun Peabody, bu şart mı? Canına yandığı-
mın püskülü ağzıma girip duruyor."

Gargery'nin cekete bayılması Emeron'un keyfini biraz
yerine getirdi. Gargery fesi daha da çok beğendi, Emerson ba-
na meydan okurcasına fesi çıkarıp baş uşağa uzattı. "Şimdi
Peabody" dedi, Gargery ödülünü alıp gidince, "Ketumluğu bı-
rak artık, ha? Bana açık ol. Aklında ne var? Çocuklar bugün
çok mu yaramazlık yaptılar?"

"Her zamankinden fazla değil Emerson, sorduğun için
teşekkürler. Violet fazla tatlı yemesini yasakladığım için surat
asıyor ama Ramses'le Percy daha iyi anlaşıyor gibiler. Ramses
şavabtiye test yapmış ve orijinal olduğuna karar vermiş."

"Eee, ben zaten biliyordum, Peabody."

"Ben de Emerson."

Emerson kendine Brüksel lahanası aldı. "Saygıdeğer ağabeyinden ya da eşinden haber almadın sanırım."

"Hayır, henüz almadım."

"Bu çok tuhaf, Peabody. O kadın ne kadar kabaymış, insan bir mektup yazıp sana teşekkür eder, çocuklarını sorar."

"Doktor gözetimindeymiş sanırım. Doktoru yasaklamış olabilir."

"Sevgili James de açık denizlere kaçtı, ona ulaşamayız" diye homurdandı Emerson. "Böyle iğrenç akrabaları nereden buldun..."

"En azından onlar yüzlerini göstermeye utanmıyorlar" diye cevabı yapıştırdım. "Gerçi itiraf etmeliyim ki utansalar daha iyi olacak herhalde. Emerson, Walter dışında tek bir akrabanla bile tanışmadığımın farkında mısın? Annen düğünümüze gelme nezaketini bile göstermedi."

"Şansın varmış ki gelmedi" diye karşılık verdi Emerson, çatalını koyun etine öfkeyle saplayarak. "Affedersin Peabody. Sana söylemiştim, yıllar önce beni evlatlıktan reddetti..."

"Ama nedenini hiç söylemedin."

Emerson bıçağını pat diye masaya bıraktı. "Neden ailelerimizden söz ediyoruz yahu? Benimle oyun oynuyorsun, Peabody."

"Konuyu açan sendin, Emerson."

"Peabody... Peabody'ciğim..." Emerson'un sesi alçalıp yağcı bir tona büründü. "Lanet olası ailelerimize ihtiyacımız yok. Sen, ben ve Ramses... hepimiz birimiz, birimiz hepimiz için ha? Şimdi anlat bakalım bugün ne oldu?"

"Düşüneyim. Ah, evet, az daha unutuyordum. Bay O'Connell'ı kaçırdın. Ben de. Not bırakmış."

"Biliyorum. Okudum." Emerson'un dudakları yukarı kıvrıldı. "Neden sızlanıyor anlamadım, bütün rakiplerini atlatıp o lanetli uşabtileri haber yaptı (gerçi bu sözcüğü yanlış yazmış). Altı kişiye daha gönderilmiş... Petrie'ye, Griffith'e, Müze Müdürü'ne..."

"Bunu biliyorum Emerson. Bay O'Connell'ın haberini ben de okudum. Ama sayende daha büyük bir haberi kaçırdı ve patronlarından fırça yemiş olabilir."

"Oh olsun. İçkiyi fazla kaçırmamayı ve hediyeler veren Mısırbilimcilere güvenmemeyi öğrenir böylece."

"Umarım Emerson."

Brüksel lahanamı yemeye başladım. Emerson kendininkini yerken göz ucuyla beni izledi.

"Olayı konuşmak ister misin, Peabody?"

"Yapma Emerson" dedim hafifçe gülerek. "Sana ne oldu böyle? Olay falan yok, hem kaç kere biz hiç karışmamalıyız, diyen sen değil miydin?"

Emerson "Öyle bir şey demedim" diye öyle samimiyetle haykırdı ki kendi kulaklarımla işitmiş olmasam inanacaktım. "En azından... ortada bir olay olduğu kesin, neyle ilgili Tanrı bilir, bu yüzden konuşmamızı öneriyorum. Karışmamız konusuna gelince... Seni dün gece bir afyonhaneye götürme nezaketini gösteren kimdi acaba Peabody?"

"Lütfettin, Emerson."

"Evet Peabody, öyle oldu."

"Ama sırf zaten gideceğimi bildiğin için pes ettin."

"Hımm" dedi Emerson. "Eee, konuşmak istiyor musun, istemiyor musun?"

"Konuşalım tabii Emerson. Kütüphaneye mi gidelim, yoksa Gargery de katılsın diye masada kalmamızı mı tercih edersin?"

Bu öyle ince bir alaydı ki, farkına varmayan Gargery sırıttı. Emerson kaşlarını çattı. "Tamam, kütüphaneye gidelim. Senin için sorun olmaz değil mi Gargery?"

"Emerson" dedim dişlerimi gıcırdatarak.

"Tamam, Peabody. Hemen."

Tavır değişikliği afallatıcıydı... Ne kızmış ne de direnmiş, yalnızca kibarca boyun eğmişti. Güvenimi sarsan bir durumdu bu ama umudumu kaybetmedim. Emerson her şeyi itiraf etse ve af dilese ya da daha da iyisi, her şeyi itiraf edip de beni hiç ilgilendirmediğini söylese, o zaman tartışıp konuyu kapayabilecektik. Ama ilk adımı o atmalıydı, o ölümcül ad önce onun dudaklarından çıkmalıydı.

Ateşin karşısına yerleştik.

"Eee, Peabody" dedi Emerson. "Başlamak ister misin?"

"Hayır, teşekkürler Emerson."

"Ah, şey, öyleyse... hımm. Şimdiye kadar (ne de olsa yarının ne getireceğini kimbilir?) elimizde üç farklı ve göründüğü kadarıyla birbirinden ayrı insan grubu var. Birincisi Müze'yle ilgili olanlar... Oldacre ve gece bekçisi, Wilson, Budge ve uşabti gönderilen âlimler. İkincisi... şey, senin tabirinle Mısır bağlantısı."

Duraksayınca ayrıntılara inip inmeyeceğini kalbim küt küt atarak bekledim. Bunun yerine genzini temizleyip devam etti. "Üçüncüsü, ahlaksız aristokratlar. Bize de, üçünden ikisinin mi yoksa üçünün birden mi bağlantılı olduklarını tartışmak düşüyor sanırım.

"O lanet olası aristokratların Müze'yle ilgileri olduğu, mumya bağışlamalarından belli ve Lord St. John arkeolojiyle ilgilendiğini öne sürdü. Aynı zamanda afyon ticaretiyle ve bu yüzden muhtemelen ikinci grupla da bağlantıları var. Ama Londra'da bir sürü afyonhane var ve çoğunu Çinliler'le Hintliler idare eder. Lord Liverpool'un afyonunu bir Mısırlı'dan aldığı yolunda hiçbir kanıt yok."

"İmansızlarla ilgili o işittiğimiz sözü saymazsak" dedim soğukkanlılıkla.

"O iğrenç yerlere giden İngilizler var. Dün gece bir sürü görmüştük."

Dün gece tek gördüğümüz onlar değildi, diye düşündüm. Acaba şimdi konuyu açacak mıydı?

Açmayacaktı. "Zırdeli rahibi dördüncü bir gruba sokamayız, çünkü bir tek o var. Bu saydıklarımla ilgisi var mı? Yoksa tamamen ilgisiz bir faktör mü?"

Oturduğum rahat koltuktan vakarla kalktım. "Bu konuşmayı sürdürmeyi anlamsız buluyorum Emerson. Bırak bir teoriyi, fikir edinecek kadar bile veri yok elimizde. Eski Mısır Anıtlarını Koruma Derneği için konuşmamı hazırlamalıyım."

"Ah" dedi Emerson. "Senin... söylediklerime ekleyeceğin bir şey yok mu, Peabody?"

"Yok. Peki senin itiraf... Yani söylemek istediğin başka bir şey yok mu?"

"Şey... Sanırım yok."

"Öyleyse seni yazılarınla baş başa bırakayım Emerson, ben de benimkiyle ilgileneyim."

Emerson süklüm püklüm masasına gitti. El yazmasına göz attı. "Lanet olsun!" diye bağırdı.

"Bir sorun mu var hayatım?" diye sordum.

"Sorun mu? Hay canına... şey, hımm." Gülümsemeye çalışınca yüzü kaygı verici bir biçimde çarpıldı. "Şey, hayır canım. Hiç sorun yok."

Kalbim sızlıyordu okuyucu. Eski Emerson olsa odada hışımla dolanır, duvara kalemler atar ve bana kitabında düzeltme yapma küstahlığım hakkında ne düşündüğünü açıkça söylerdi. Bu yeni Emerson ise tanımadığım bir adamdı neredeyse... Tiksindiğim bir adamdı. Böyle iğrenç bir kibarlığın tek nedeni suçluluk hissi ve yakalanma korkusu olabilirdi.

Emerson işinin başına döndü. Boğuk homurtuları ve geniş omuzlarının şiddetle titremesi, yüksek sesle söylemeye çekindiği hisleri ifade etmeyi sürdürüyordu. Konuşmamı hazırlamakta odaklanamıyordum, oysa yalnızca iki haftam kalmıştı.

Kara Piramit'in su basmış mezar odasını düşünüp de evliliğimin en güzel ve sevgi dolu anlarından bazılarını, Emerson'la birbirimize sarılarak, birlikte ölmeye yemin edişimizi (o kısılı kaldığımız yerden kurtulmayı başaramazsak tabii, ki kurtulacağımızdan şüphem yoktu ve gerçekten de öyle oldu) hatırlamamam mümkün müydü?

Dudaklarım kontrolsüzce titredi sanırım... ama kısa süreliğine, çünkü kendime hâkim oldum ve kocamınkilerden başkasına dokunmamış olan bu dudakların (gerçi bir iki defa bundan zor kurtulmuştum), bir daha malum konuda tek bir soru ya da sitemle kirlenmeyeceğine yemin ettim. British Müzesi Olayı hakkında birkaç not alarak kafamı dağıtmaya karar verdim.

Geçmişte fikirlerimi toparlamak için çeşitli yöntemler deneme fırsatım olmuştu ama hiçbirini yararlı bulmamıştım, muhtemelen beynim kolayca düzene sokulmayacak kadar hızlı çalıştığından. Yeni bir teknik denemeye, önce henüz cevaplanmamış soruları, sonra da yanlarına olası yaklaşım tarzlarını yazmaya karar verdim. Bu yüzden bir kâğıdın ortasına düzgün bir çizgi çekerek iki sütun oluşturdum ve birine SORULAR, diğerineyse YAPILACAKLAR diye başlık attım.

Kronolojik sırayla gidince birinci soru gece bekçisinin ölümüyle ilgiliydi, bu yüzden şöyle yazdım:

1. "Ayşe kimdir ve Emerson onunla nerede ve nasıl tanıştı? Ayşe'yi sor..."

Yazmak istediğim bu değildi. Üzerini karaladım.

Çalışmakta olan Emerson başını kaldırıp baktı. "Kaleminin ucunu açman gerek canım."

"Hatırlattığın için teşekkürler, Emerson."

Baştan başladım.

1. "Gece bekçisinin ölümü doğal nedenlerden miydi?" Yanına şöyle yazdım: "İçişleri Bakanı'ndan cesedin mezardan çıkarılması istenmeli mi?"

Bunu soru olarak yazmıştım, çünkü İçişleri Bakanı sonuçta bir erkek olduğundan, elimdeki kanıtları yeterli görüp de böylesine mantıklı bir öneriyi kabul etmeye yanaşmazdı.

2. "Cesedin yanında bulunan parçacıkların bir anlamı var mıydı, varsa anlamı nedir?"

Bu konuda yapılacak şey belliydi, Bay Budge'a odanın en son ne zaman süpürüldüğünü sormaktı. Orası belki de günlerdir ya da haftalardır (hatta Budge'ın temizlik anlayışını tanıdığım kadarıyla aylardır) temizlenmemiş olabilirdi ve o parçacıklar yalnızca anlamsız pisliklerdi.

3. "Kara sıvı lekeleri insan kanı mıydı?"

Komiser Cuff'a sor? Bunu yapacaktım ama ciddi bir sonuç beklemiyordum. Beceriksiz polisler kurumuş sıvıyı fark etmemiş olabilirlerdi ya da Komiser Cuff bana gerçeği söylemeyebilirdi.

Gece bekçisiyle ilgili sorular bu kadar gibiydi. Bu yüzden bir sonraki olaya, Bay Oldacre'nin öldürülmesine geçtim.

4. "Uyuşturucu kullanır mıydı? Cevap evetse, gittiğimiz o afyonhaneye takılıyor muydu?"

Komiser Cuff'a sor. Bir kez olsun gülümseyerek yerlere kadar eğilmek yerine, basit bir soruyu cevaplayacağını umarak.

Ya da -aklıma işe yarar bir düşünce gelmişti!- Bay Wilson'a sor. Ölen adamı tanırdı o. Bay Wilson'ın bildiği her şeyi bilir gibi görünen Bayan Minton da bir başka olası veri kaynağıydı. Bir kadın olduğu için önce onu denemem gerekirdi, çünkü ondan doğru dürüst bir cevap alma ihtimalim daha fazlaydı.

5. "Şantajcı mıydı? Kime ve hangi konuda şantaj yapıyordu?"

Komiser Cuff'ın, yanıtları bilse bile bu sorulara cevap vereceği son derece şüpheliydi. Bu konuda da Bay Wilson'la Bayan Minton'dan cevap alma şansım daha fazlaydı.

Artık ilham geldiğinden ve kafam zehir gibi çalıştığından, soruları takır takır sıralamaya başladım.

6. "Leopar derisi içindeki zırdeli kim?" Bunun açık çözümü o alçağı iş üstünde yakalamaktı tabii, ancak bu göründüğü kadar kolay değildi. Emerson bunu denemiş ve başaramamıştı, Müze'deki gösteriden sonra herif bir daha ortaya çıkmayabilirdi. Ona yem gösterip tuzak kurmak gerekiyordu. Ama nasıl? O an aklıma işe yarayabilecek hiçbir şey gelmediğinden, bunu şimdilik erteleyip sıradaki soruya geçtim.

7. "Şavabtileri Emerson'a ve diğerlerine gönderen kimdi? O zırdeli miydi?" Cevabı bulmak için yapabileceğim bir şey yokmuş gibi görünse de, içimden bu soruya evet demek geliyordu. Zırdeli şimdilik şiddete başvurmamıştı. Şavabtilerle uyarması Müze'de yaptıklarına benziyordu... Ürpertici görünse de zararsız bir eylemdi. Ramses gibi ben de giderek, o herifin zırdeli falan değil, çarpık bir mizah anlayışını hayata geçirme imkânı bulan bir adam olduğuna inanmaya başlamıştım. Ramses'in dediği gibi (kahrolası çocuk) kraliyet şavabtilerini bulmak kolay değildi.

Eldeki kanıtlar Lord Liverpool'a ya da Lord St. John'a ya da onların "grubundan" birine işaret ediyor gibiydi. Ancak tarihi eser tacirleriyle avare turistlerin eski Orta Doğu alanlarını kanunsuzca yağmalamaları yüzünden İngiltere'de bir sürü kişisel tarihi eser koleksiyonu vardır. Ya da "rahip" onları Müze'den almış olabilirdi. Orayı iyi bilir gibiydi ve Müze'nin organizasyonunun bozukluğu yüzünden tozlu bodrumlarla depolarda herhalde yüzlerce unutulmuş nesne durmaktaydı. Rahibin Eski Mısır hakkında çok şey bilmesi, onun amatör değil de bir uzman olduğunu gösterse de, tanışlarımdan herhangi birinin o kadar tuhaf davranabileceğine inanmakta zorlanıyordum. Rahibin ortaya çıktığı zamanlardan birinde genç Bay Wilson yanımızdaydı. Petrie... Petrie olamazdı kesinlikle, adamda mizah duygusundan eser yoktu ki.

8. (Bu yeni aklıma geldiğinden, kronolojik sıra bozul-

muştu.) "Mumya'nın ele geçirilmesinin olanlarla bir ilgisi bulunabilir miydi?" Pek muhtemel görünmese de bu sorunun irdelenmesi gerektiği düşüncesindeydim ve bilgi kaynağım da Lord Liverpool olabilirdi elbette. Beni misafirliğe davet etmişti, bu fırsatı neden kullanmayaydım ki? Hem oradayken, içinde eskiden uşabtiler bulunmuş olabilecek boş bir kutu da arayabilirdim.

9. Lord bir afyonkeşti. "Hangi afyonhaneye takılıyordu? O ve arkadaşları emniyet arabasındaki adamın sözünü ettiği imansızlar mıydılar?"

YAPILACAKLAR bölümünün altına kararlı bir elle "Ayşe'ye sor" yazdım.

10

Şairler, "bir kutuptan diğer kutba sevilen yumuşak ve nazik" ve "şifanın sökülmüş yenini diken" diyerek, uykunun yararlarından dem vurup dururlar. Bense onu hep korkunç bir zaman kaybı olarak görmüşümdür. Yapılacak başka bir sürü ilginç şey varken, günün üçte birini bilinçsiz bir biçimde geçirmek kayıp geliyor. Ancak ertesi sabah uyandığımda dinlenmiş ve biraz daha keyifliydim. Düzgün bir liste hazırlamak kafamı boşaltmış ve bana çeşitli soruşturma alanları sunmuştu. Bunları düşünüp de önce hangisinden başlayacağıma karar vermeye çalışırken, Emerson dönüp kolunu üstüme attı.

Hâlâ uyuyordu. O hareketi içgüdüsel olarak, alışkanlıktan, bilinçsizce yapmıştı. Evliliğimiz buna mı dönüşmüştü? Onun için sıkıcı bir alışkanlıktan başka bir şey değil miydi? Dudaklarımın arasından bir inilti çıktı. Ona bakmaya cesaret edemeden usulca yataktan çıktım.

O gün hiçbir şey yapamayacağımı ancak listemi inceledikten sonra hatırladım. Percy'nin doğum günü şerefine çocukları dışarı çıkarmaya söz vermiştim. Sözümden dönecek değildim, çünkü çocuklara karşı bile sözünün eri bir insan olmakla gurur duyarım ama acı bir darbe olmuştu bu. Acımı hangi düşüncenin hafiflettiğini itiraf etmeye cesaretim var mı? Bundan utanıyorum ama yapabilirim. Emerson'un benden bile daha çok rahatsız olacağı fikriydi.

Ama önce kahvaltısını yapmasına izin verdim, çünkü

kışkırtıldığımda bile fesat bir insan değilimdir. Hemen gazetesinin arkasına çekildi ve Percy "Radcliffe amca, efendim... ne zaman çıkacağız?" diye sorana kadar konuşmadı.

"Nereye gidiyorsunuz?" diye sordu Emerson gazetenin üstünden bakarak.

Açıkladım. "Percy'nin doğum günü Emerson. Kutlamak için çocukları biraz gezdirmeye söz vermiştim."

Emerson'un suratı asıldı. "*Sen* mi söz verdin? Ama Peabody..."

"Lonrdra'nın gezilecek yerlerini hiç görmediler Emerson. Böyle özel bir gün olmasaydı bile onlara vatanlarının başkentinin tarihi ve sanatsal anıtlarını tanıtmalıyız. Geçen hafta eğitimleri epeyce ihmal edildi..."

"Öğretmen tut" diye homurdandı Emerson.

"Bu zaten seninle konuşmak istediğim bir konu ve üstünde baştan savma bir öneriden çok daha fazla durulması gerekiyor. Varlığın bu macerayı hepimiz için daha kolay ve keyifli kılar, Emerson."

"Ah" dedi Emerson. "Şey, madem öyle Peabody... Nereye gitmek istiyorlar?"

"British Müzesi'ne" dedi Ramses hemen.

Percy'nin suratının asıldığını görünce, "Bu senin için eğlenceli olabilir Ramses ve eminim ki babanın da hoşuna gider ama seçimi Percy yapmalı, ne de olsa bugün onun doğum günü" dedim. "Kararın nedir Percy?"

"Siz nereyi uygun görürseniz oraya giderim tabii ki Amelia Hala. Ama eğer itirazınız yoksa... Babam geçen yıl Londra'dayken bizi Madame Tussaud'a götürmüştü ve ah, o kadar eğlenceliydi ki! Ramses de daha önce gitmediyse orayı sever bence."

Emerson yeğenine bakakaldı. Sonra yüzü ışıldadı ve kıkırdadı. "Sevebilir. Ama kızkardeşin ne olacak evlat? Bazı mumyalar..."

"Korku Odası'na girmeyiz elbette" dedim. "Tarihsel sergiler oldukça eğiticidir. Ramses tuhaf hobilerine fazla zaman ayırıyor, modern tarihi biraz öğrenmesi iyi olur."

"Modern ve neşeli bir şeyler, örneğin Fransız Devrimi" dedi Emerson. "Devrim hükümeti Madam'ı, giyotinden getirilen kelleleri model olarak kullanmaya zorlamamış mıydı?"

"Evet efendim, zavallı kraliçenin kellesini bile getirmişlerdi" diye atıldı Percy. "Hem de Madam onu yakından tanırmış. Düşünsenize efendim, ne korkunç!"

"Ölü" diye mırıldandı Violet.

Ruhumu karartan kasvetli düşüncelere rağmen, ailemizin (ki geçici olarak büyümüştü) dışarı çıkmak için toplandığını görünce biraz gururlandım. Emerson, yakasının çenesine sürtündüğünden yakınsa da bir redingotla sert yakalı bir gömlek giymeye razı olmuştu. Grubun zarafetini bir de silindir şapka takarak tamamlaması için, epeyce dil dökmeme rağmen, ikna edici olamadım, ayrıca sağlam, beyaz dişlerinin arasından çıkan piponun biraz tuhaf durduğunu itiraf etmeliyim. Ama Emerson her zaman ve her kılıkta muhteşem görünür.

Çocuklar denizci elbiseleri giyip kep takmışlardı. Aralarındaki tezat hiç bu kadar belirgin olmamıştı. Percy'nin sağlıklı İngiliz teniyle düzgün, kahverengi bukleleri, Ramses'in inatçı, simsiyah lüleleriyle ve bronzlaşmış yanaklarıyla yan yanaydı. O kıyafet Emerson'da ne kadar tuhaf duruyorsa, Ramses'te de öyle göründüğünü itiraf etmeliyim. Çocuk kıyafetleri giymiş ciddi, minyatür bir yetişkine benziyordu. Ama denizci elbisesinin avantajı yıkanabilir olmasıydı. Ramses söz konusuyken bu oldukça büyük bir avantajdı.

Violet kat kat elbiselerin arasına öyle gömülmüştü ki içlerinde bir çocuk bulunduğuna emin olmak güçtü. Küçük bonesinin fırfırları düzgün kolalanmamıştı, sarkıyor ve yüzünün çoğunu kapıyorlardı. Elinde bez bebeği yerine doldurulmuş bir kuzu vardı, ki bunun Ramses'e üç yaşındayken verilen doldurulmuş kuzu olduğunu fark ettim. Hiç eskimemişti, çünkü Ramses onunla hiç oynamamıştı. (Ona dakikalarca sessizce baktıktan sonra rafa düzgünce koyup hiyeroglif çalışmalarına geri dönerken yüzündeki ifadeyi unutamam).

Arabayla giderken ilginç tarihi anıtları gösterdim ve Ramses'in normal bir küçük çocuk gibi hevesle baktığını görmek hoşuma gitti. Baker Sokağı'ndan geçip de Madam'ın sergisinin bulunduğu Portman Rooms'a giderken, bir şey ararcasına faytondan dışarı sarkıp durdu ama nedenini sorduğumda başını sallamakla yetindi.

İtiraf etmeliyim ki insanların yüzlerini ve vücutlarını ne kadar gerçekçi biçimde sergilese de, balmumu heykellerin nesi ilginç hiç anlamamışımdır. Bir çehreyi ilginç kılan hareketliliğidir... Suçluluğu ele veren kaçamak gözler, suçlanan bir şüphelinin titreyen dudaklarıdır.

Ama tarihi tablolar ilginçti ve her biri hakkında kısaca bilgi verdim. Özellikle etkileyici biri vardı ki, Majestelerinin on yedi yaşındaki genç kız halini gösteriyordu: Saçı gösterişsiz, beyaz geceliğinin omuzlarına düşmüştü, sakallı ve ağırbaşlı, yüksek mevkili adamlar onun minik elini öpüp de Kraliçe olarak kutlamak için diz çökmüştü. (Okuyucu bilmeyebilir ama genç kız masum uykusundan uyandırılmıştı.) Yiğit Gordon'un katledilişinin tablosuysa ne sevgi dolu anıları uyandırdı! O yıl Mısır'daydım... Kaderimin diyarına ilk gidişimdi, alın yazım olan eşimle ilk görüşmemdi. Emerson'a yan gözle baktım.

"Bu tablo ne anılar uyandırıyor, Emerson."

"Hımm" dedi Emerson, piposunun ağızlığını kemirerek.

Koleksiyonun en güzel parçaları Fransız Devrimi tabloları serisiyle Madam'ın, Percy'nin anlattığı o korkunç koşullarda bizzat yaptığı kesik kelle heykelleridir şüphesiz. O bahtsız sanatçı kendisine son derece müşfik davranmış olan Kral ile Kraliçe'nin soluk çehrelerine bakarken ne kadar dehşete kapılmıştı kimbilir. Ama tarih Marie Antoinette'in öcünü almıştı, o korkunç sıranın üzerinde, onunkinin hemen yanında katillerinin kelleleri de duruyordu: Fouquier-Tinville, Hébert ve Robespierre, sırayla Madam Tussaud'nun hapishanedeki atölyesine götürülmüşlerdi. Yine gerçek hayattan alıntılanmış dehşet verici bir tabloda, banyosunda öldürülen Marat'ın böğründen bıçağın sapı çıkıyordu. (Okuyucuya o cesur suikastçının bir kadın olduğunu hatırlatmama gerek yoktur eminim.)

Okuyucu çocukların bu korkunç görüntüleri görmelerine neden göz yumduğumu merak edebilir. Cevap basit: Göz yummadım. Sergi odaları ana baba günüydü, insanlar kabarık elbiseler giymişlerdi ve ufak tefek bir çocuk o geniş eteklerle kalın ceketlerin arasına kolayca saklanabilirdi. İlk sıvışan Ramses oldu. Yokluğu fark edilince Percy hemen bir açıklama önerdi.

"Korku Odası'na gitmiştir herhalde Amelia Hala. Onu bulayım mı?"

Karşılık vermemi beklemeden gitti.

"Peşlerinden gideyim Emerson" dedim. "Sen burada Violet'la kal... Ona Majesteleri Prens Albert'le tatlı çocuklarının tablosunu göster."

Ama Violet amcasının elini çekiştirdi. "Ölü insanları görmek istiyorum, Radcliffe Amca."

"Violet, canım" diye söze başladım.

"Onları daha önce de görmüş Amelia" dedi Emerson, o küçük tiranın kendisini çekerek götürmesine izin verirken. "Masum çocukların kana susamışlığı gayet doğaldır bilirsin. Sık sık gözlemlediğim bu durumu sözde modern otoriteler neden kabul etmeye yanaşmıyorlar anlamıyorum."

Emerson'un neden bu kadar hoşgörülü davrandığını biliyordum. Benim gibi o da oğlunun mumyalarla ve eski kemiklerle ilgilenmesinin derin, tehlikeli bir zihinsel rahatsızlığın belirtisi olup olmadığını merak etmişti. Aynı özelliği Percy ile Violet gibi normal kabul edilen çocuklarda görmek içini rahatlatmıştı.

"Eh, onaylamıyorum, Emerson ama ısrarlıysan boyun eğmeliyim tabii."

"Hah!" dedi Emerson. "Sen de Korku Odası'nı görmek istiyorsun."

Çocuklar oradaki en korkunç sergiyi hemen keşfettiler. Birbirlerine karşı antipatilerini bir kez olsun unutarak yan yana durup "Meşhur Katiller"e baktılar.

Yakın zamanda eklenen bir figür, bazı talihsiz, düşmüş kadınlara zehirlerin en ıstıraplısı olan, striknin verdiği için asılan Neill Cream adında biriydi. Şaşı gözleri, gür kızıl sakalı, kel kafası ve sinsi sırıtışı görünüşünü öyle iğrençleştiriyordu ki, herhangi bir kadının, düşmüş olsun ya da olmasın, böyle bir adamdan herhangi bir maddeyi kabul edebilmesine şaşıyordu insan.

"Uzaklaş şundan, Ramses" diye bağırdım.

Violet'ı elinden tutan Emerson, Dr. Pritchard'ın büstünün karşısında duran Percy'nin yanına gitti. Bu ahlaksız adam, karısını potasyum antimonil ile yavaş yavaş, işkence çektire çektire zehirleyerek hem doktorluk hem de evlilik yeminlerine karşı gelmişti. (Kızının tuhaf semptomlarından şüphelenen kaynanasını da öldürmüştü.) Bir insanın karısını öldürmesinin çok aşağılık bir şey olduğunda hemfikir olmalıyız. Pritchard suç tarihinin en soğukkanlı ikiyüzlülerinden biriydi kesinlikle, çünkü karısının hastalığı boyunca onunla aynı yatağı paylaşmakla ve can verirken elini tutmakla kalmamış, aynı zamanda ona son bir kez sarılabilmek için tabutunun açılmasını istemişti ısrarla.

"Yüzü sahte gözyaşlarıyla ıslanan, alçakça öldürdüğü kadının soğuk dudaklarına dudaklarını bastırarak insani bağların en sevgi dolusuna ihanet eden bu aşağılık adam, ihanet öpücüğünün en ünlü örneği olsa gerek" dedim Emerson'a.

Bu sözüme itiraz etmek güçtü ama Emerson o gün huysuzdu. "Pritchard'ın haklı olduğu taraflar vardı" dedi. " 'Arabistan çöllerinde kartal yavrularını yuvalarından çaldığını ve Kuzey Amerika'nın çayırlarında Nubia aslanlarını avladığını' iddia edebilen, bir adamı tamamen hor görmekte zorlanıyorum."

"Emerson" diye bağırdım. "Böyle dalga geçmeni protesto etmeliyim. Çocuklar Emerson... Çocukları hatırla."

Aslında hiçbiri biraz olsun ilgilenmiyordu. Ramses yine elimden kurtulmayı başarmış, kalabalıkta gözden kaybolmuştu. Percy, Charles Peace'e aval aval bakmaktaydı ve Violet kuzunun kulağını emerek, doktorun suratındaki ikiyüzlü ifadeyi faltaşı gibi açılmış gözlerle izliyordu.

Bilgece konuştuğumu kabullenen Emerson, Percy'yi yakasından tutup onu ve Violet'ı, banyosundaki Marat'a bakmaya götürdü, ben de Ramses'in peşine düştüm. Başta dikkatim biraz dağılmıştı, çünkü Emerson'un Dr. Pritchard hakkındaki fikirlerine şaşırmıştım. Suça karşı tamamen kayıtsız kaldığını ve onu ilginç bulanları son derece küçümsediğini öne süren bir adam, tanınmış bir zehirleyicinin az bilinen (ne de olsa ben bilmiyordum) bir sözünü hatırlayabiliyordu. Emerson o olayı incelemiş olmalıydı. Başka kaçını o kadar iyi biliyordu acaba? Tavrının ikiyüzlülüğüne afallamış ve başka konulardaki dürüstlüğünden de şüpheye düşmüştüm.

Sonunda Ramses'in çıkışa doğru gittiğini gördüm. Kapının yanında duran, orayı kısmen kapayan bir heykeli daha önce fark etmemiştim. Şık bir sabah kıyafeti giymiş bir adama aitti. Madam'ın yaratıcı eserlerinden biri değildi, çünkü yüzü son derece katı ve maske gibi görünüyordu. Yine de ilk bakışta insanı kandıracak kadar gerçekçiydi ve herhalde bir şaka olduğunu düşündüm, tıpkı yukarı kattaki üniformalı "bekçi" gibi. Ziyaretçiler ona sık sık bilgi sorar, sonra da bir balmumu figürle konuştuklarını fark ederlerdi.

Ramses o heykelle konuştu, (tahminimce) önünden geçtiği için özür diledi. Heykel birden onu tutup da hızla odadan çıkarınca o şaşırmamış olabilir ama ben kesinlikle şaşırdım.

O metamorfoz öyle hayret vericiydi ki kalakaldım. Ama yalnızca bir anlığına, mecburen itip kaktığım insanların acılı haykırışlarına ve itirazlarına aldırmadan takibe başladım. Emerson'u yardıma çağıracak kadar bile zaman kaybedemeyeceğimi biliyordum. O maskeli alçak bir beyefendi gibi giyinmiş olduğundan, insanlar yolunu kesmekte tereddüt edeceklerdi (toplumumuz böyle züppedir işte) ve ondan daha hızlı hareket edemezsem, ben yetişemeden avıyla birlikte kaçıp gidecekti.

Onu takip etmek kolaydı, çünkü izini öfkeli konuşmalar ve yere düşmüş birkaç insan sayesinde sürebiliyordum. Aynı nezaketsizlikle önümdekileri ite kaka çıkışa gittim. Hızlı hareket etsem de geç kalmıştım. Kaldırıma çıktığımda adam ortalıkta yoktu.

Yoldan geçen bir seyisin kolunu kavradım. "Kucağında küçük bir oğlan taşıyarak koşan ya da hızlı yürüyen bir adam. Ne tarafa gitti?"

Adam bana bakakaldı ama yanındaki ucuz dantelli ve kirli satenli kadın "Şu tarafa madam, Gaiety Barı'na doğru" dedi.

Sözünü ettiği yeri bilmesem de eliyle işaret etmişti, teşekkür niyetine başımı sallayarak koştum. Ancak daha köşeyi döner dönmez Ramses'in bana doğru yürüdüğünü gördüm. Kepi gitmişti, üstü başı kir içindeydi ve kıvırcık saçlı başını ovuşturuyordu.

Onu kavradım. "Ramses! Tanrı'ya şükür! Bir yerine bir şey oldu mu? Nasıl kurtuldun?"

"Kurtulmadım" diye karşılık verdi Ramses bariz bir can sıkıntısıyla. "Bırakıldım. Beni buraya yakın bir ara sokakta bıraktı, hem de baş üstü. Umarım bu grubumuzu bölüp de içimizden başka birine daha büyük bir zarar vermek için bir dikkat dağıtma taktiği değildi anneciğim, çünkü bariz görünen..."

Ramses'in yaralanmadığı belli olduğundan susmasını söyledim ve onu elimden geldiğince çabucak Baker Sokağı'na götürdüm. Emerson'un bağırarak bana ve Ramses'e yürek paralayıcı bir halde seslendiğini şimdiden işitebiliyordum.

O telaşla bile görevini ihmal etmemişti, bir eliyle Violet'ı, diğeriyle Percy'yi tutuyordu. Hemen yanına koştum. Çocukları ancak o zaman bıraktı ve kaçırılmış vârisine bile aldırmadan güçlü kollarıyla bana sarıldı.

"Peabody, öyle alıp başını gitmene sinir oluyorum" diye mırıldandı kulağıma.

Ortadan kayboluşumun aciliyetinden ve zorakiliğinden habersiz olduğunu fark ettim. Durumu çabucak açıkladığımda benzi soldu ve anlaşılmaz bir sürü sözler söyleyip bağıra çağıra küfürler savurdu. Anlaşılır biçimde konuşacak kadar sakinleşmesiyse ancak arabaya binip de eve doğru yola çıkmamızdan sonra gerçekleşti.

"Ciddi bir şey olmadığına şükredelim" dedim. "Belki de Ramses'i başkasıyla karıştırmış ya da tuhaf bir şaka yapmıştı."

Gerçi bu iki teoriye de inanmıyordum ama olayın akla getirdiği daha karanlık düşünceleri Emerson'la baş başa kalana kadar konuşmak istemiyordum. Ramses'in böyle salakça bir fikre kanmayacağını tahmin etmeliydim.

"Başkasıyla karıştırmadı" dedi Ramses. "Adam kim olduğumu biliyordu. Ayrıca eğer şaka yaptıysa, çarpık bir mizah anlayışı var. Beni bırakmadan önce 'Babacığına selamlarımı ilet küçük Emerson Efendi. Söyle ona, bir dahaki gelişimde sıra onda' dedi."

"Ah, efendim" diye bağırdı Percy. "Ne kadar da heyecanlı!"

Bunun üzerine Ramses dönüp Percy'nin karnına yumruğu geçirdi. Percy bir feryatla yere düşüp iki büklüm oldu. Emerson oğlunu yakasından kavradı. "Ramses, bunu yapmayı nereden öğ..."

"Senden babacığım" dedi Ramses soluk soluğa. "Geçen kış, kaçırılan annemi ararken... hanın arkasındaki eve girmiştik ve hani bıçaklı, iri yarı adam üstüne saldırmıştı da sen..."

"Ah" dedi Emerson. "Şey, eee, hımm. O çok farklı bir durumdu Ramses. İnsan kendini eli bıçaklı alçak bir caniye karşı savunurken... şey. Evet. Beyefendiler uzlaşmazlıklarını çok farklı bir biçimde çözerler Ramses."

"Emerson" diye bağırdım, inleyen çocuğun arabanın koltuğuna tekrar oturmasına yardım ederken, "Nasıl öyle sakin konuşabiliyorsun? İlk darbeyi Ramses indirdi, hem de durduk yere ve..."

"Beceriksizce" dedi Emerson kaşlarını çatarak. "Bak Ramses, parmaklarını kapayıp başparmağını üzerine kıvıracaksın..."

"Ramses" dedim bezginlikle, "çıkabilirsin diyene kadar odanda cezalısın."

Emerson'un olayı ciddiye almayı reddetmesi sinirimi bozdu. "Çocukların kavga etmesi normaldir Peabody. İnsan doğasını değiştiremezsin. Biraz boks dersi alması çok iyi olabilir. Hımm, evet. Gözetimim altında elbette..."

Percy'nin doğum günü şerefine çay saati için kuşüzümlü kek almıştık. Violet üç dilim yedi. Sinirlerim çok bozuk olduğundan buna ses çıkarmadım.

O gün yararlı bir şeyler yapma umutlarım tamamen boşa çıkmadı. Bir sürü önemli mektupla telgraf göndermeyi başardım, ayrıca Ramses'in uğradığı saldırıyla da ilgilendim tabii. Akşam yemeği için üzerimizi değiştirmeye çıktığımızda Emerson akşamlık giysilerini giymeye tek kelime bile mırıldanmadan razı olunca yüreğim sızladı. Ama suskunluğuna üzülsem de şimdilik böyle önemsiz dertleri askıya almalıydım. Beni aldatmış olabilirdi... ya da aldatabilirdi. Ama o tehlikedeyken sadakatimin her zamanki kadar sağlam olduğunu ve güvenliği için duyduğum acı verici kaygının diğer her şeyi bastırdığını fark etmiştim.

Hazırlanmak üzereyken ve hizmetçi küveti boşaltırken konuştum.

"Sen... Acaba... Kendine dikkat edersin, değil mi Emerson?"

"Dikkat etmek mi?" Saçını taramayı kesip dönerek bana hayretle baktı. "Niye ki Peabody?"

"Canını ve güvenliğini kast ediyorum tabii ki. Bugünkü bir başka tehditti Emerson."

"Kaçırılan Ramses'ti, Peabody."

"Ramses'e zarar gelmedi... Başında bir şişlik var o kadar ama onun kafası kalındır zaten. Tehdit sana yapıldı. Ramses'e ne kadar değer verdiğini bildiklerinden..."

Emerson birkaç uzun adımla odayı kat ederek bana sarıldı. "Ramses'ten bile daha çok değer verdiğim bir şey var" dedi boğuk bir sesle. "Peabody'ciğim..."

Kendimi hafifçe ama kararlılıkla kurtarırken nasıl bir ıstırap yaşadığımı anlatamam. "Yalnız değiliz Emerson."

"O canına yandığımın... şey... O kız yine burada mı?" diye bağırdı Emerson. "Lanet olsun, yapacak başka işi yok mu? Gel Peabody, aşağı inelim bari. Bu kahrolası mozolede mahremiyet yok. Burada daha ne kadar kalmamız gerekiyor?"

"Sen kitabını bitirene kadar" diye karşılık verdim, merdivene ulaşırken koluna girerek.

"Başlarım kitabıma ha! Buradan gitmeni istiyorum Peabody. Çocukları alıp Kent'e, eve gitmeni istiyorum."

"Ya, öyle mi? Nedenmiş Emerson?"

"Lanet olsun Peabody, nedenini biliyorsun. (Selam Gargery, bu akşam nasılsın?) O herifin düşünce tarzından hoşlanmıyorum. Bana saldırmayacak. *Bana* kimse saldıramaz. Beni sevdiklerim aracılığıyla yaralamayı deneyecektir, Peabody ve dediğim gibi..."

"Evet, unutmadım. Ama beni daha önce tehlikelerden uzaklaştırmaya hiç çalışmamıştın."

"Bu doğru değil Peabody, doğru değil. Hep çalışırım. Asla başaramasam da hep denerim."

"Affedersiniz sör ve madam." Gargery, Emerson'un önüne bir kâse çorba bıraktı. "Sormamam gerektiğini biliyorum ama ikinize de saygım sonsuz olduğundan, acil bir tehlike var mı ve varsa biz uşaklar ne yapabiliriz diye sormalıyım."

Gargery'nin kaygılanmasından öyle duygulanmıştım ki sohbetimize katılmasının haddini bilmezlik olduğunu hatırlatarak hislerini incitemezdim. Emerson da benim kadar duygulanmıştı, gözleri hisli hisli parlayarak uşağın sırtına bir şaplak vurdu.

"Böyle konuşman çok güzel Gargery. Bayan Emerson'la ben teşekkür ediyoruz. Bak, olan şuydu..."

Emerson, Gargery'ye her şeyi anlatırken çorbamı bitirdim. Gargery'nin gözleri parladı. "Sör ve madam, bu evde sizi korumak için canını tehlikeye atmayacak bir tek hizmetçi bile yoktur. Siz merak etmeyin efendim, o herifin Bayan Emerson'a ulaşmasına izin vermeyiz. Bir fikrim var efendim, Bayan Emerson ufak tefek işler için dışarı çıkarken yanına Bob'u alsa? Kendisi uşakların en iri yarısıdır efendim. Ona güzel, küçük bir altıpatlar bulabilirim, efendim..."

"Hayır, hayır, ateşli silahlar istemem" dedi Emerson başını sallayarak. "Evde öyle şeyler istemiyorum. Ramses'i bilirsin, anında bir kaza çıkarır. Belki şöyle sağlam bir sopa..."

"Saçmalama" dedim öfkeyle. "Dışarı çıkarken kimseyi yanımda istemem. Gargery, çorbayı kaldırıp sıradaki servisi yapabilirsin."

Daha Emerson'a "Peşime koruma takarsan Emerson seni asla..." derken, Gargery soluk soluğa ve fikirlerle dolup taşarak geri döndü.

"Acaba bu olayın" dedi, ıstakoz soslu kalkan balığı tabağını önüme küt diye bırakarak, "belki de yalnızca sizin başınıza gelmediğini düşünmüş müydünüz efendim? Hani şunu uşberler gibi... şabterler..."

"Tam ben de aynısını söyleyecektim" dedi Emerson. "Ramses'i (geçici olarak) kaçıran kişinin uşabtileri gönderen kişi olduğunda hemfikiriz değil mi?"

"Bence odur" dedi Gargery çok bilmişçe.

Gargery'ye kaşlarımı çattım. "Kendi soframda konuşmama izin varsa..."

"Affedersiniz madam" dedi Gargery, büfeye çekilerek.

"Teşekkürler Gargery. İki olaydan da aynı kişinin sorumlu olduğuna katılıyorum, böyle iki dehanın karşısında bir kadının basit fikrinin değeri varsa elbette." Gargery ile Emerson bakıştılar. Emerson omuz silkip gözlerini devirdi. Devam ettim: "Bence uşabti gönderilmiş diğer kişilerin başlarına tuhaf şeyler gelip gelmediğini araştırmalıyız."

Gargery akıllılık edip sustu. Emerson sahte bir şevkle "Harika bir fikir, Peabody" dedi. "Yemekten sonra çıkıp araştırırım. Benimle gelmek ister misin?"

"Hayır, teşekkürler Emerson. Sana Gargery ile iyi eğlenceler."

Ertesi sabah kahvaltıda kocama "İnsanları ziyaret etmeyi genelde sevmezsin, dün gece de boşuna gitmişsin Emerson" dedim. "*Morning Mirror*'da hepsi yazıyor."

"Ne yazıyor?" Emerson gazeteyi kaptı. "Ah, aman Tanrım. Ramses'in Madam Tussaud'da başına geleni nereden öğrenmişler?"

"Kimlere söylemiştin, Emerson?"

Emerson gazeteye kaşlarını çattı. "Budge'a, Petrie'ye, Griffith'e... Pritchett'e söylemedim, evde yoktu. Başlarına tuhaf bir şey gelmediğini öne sürdüler, eminim okumuşsundur."

"Bu durumda meçhul şahıs sende odaklanmaya karar vermiş herhalde, Emerson."

"İlla öyle olmayabilir. Anasının cenazesinde bile herkesin ortasında kızlarla oynaşacak türden bir adam olan Budge dışında, öbürleri sıra dışı şeylerden söz etmek istememiş olabilirler. Özellikle de Petrie... Nasıl soğuk bir adamdır bilirsin..."

"Onlardan hiçbir şey öğrenemedin mi yani?" Gece konuşmamıştık. Emerson leş gibi tütün kokarak yatağa girdiğinde saat oldukça geçti. Uyuyor numarası yapmıştım.

"Griffith, uşabtisine bakmama izin verdi. Bana gönderilenin aynısıydı, Peabody. Bu değerli tarihi eserler bir yerlerden, birilerinden çalınmış olmalı. İzlerini sürebilirsek..."

"Bu kesinlikle yararlı bir ipucu olur" diye hak verdim kıbarca, küçük listemi hatırlayarak. (Güvende dursun diye masamın bir çekmecesine kilitlemiştim). "Kimse bu konuda bir şey duymamıştır herhalde?"

"Hayır. Yani büyük ihtimalle bir özel koleksiyondan alınmışlardır. Müze'den çalınsalar Budge bile fark ederdi."

"Peki Üniversite, Manchester, Birmingham..."

"Araştırabilirim tabii."

"Yapabileceğin bir şey daha var" dedim, sabah gazetesini Mary Ann'den alarak.

"Nedir Peabody?"

"Oğlumuza yapılan türden bir saldırıyı çoğu vatandaş polise bildirirdi."

Emerson irkilmiş görünerek çenesini sıvazladı. "Bildirirlerdi herhalde. Kendi başımıza çalışmaya fazla mı alıştık diye merak ettim şimdi, Peabody."

"Ah, hayır Emerson, kim olduğumuz ve ne olduğumuz göz önüne alındığında gayet mantıklı davranıyoruz. İşte mektupların."

"Sağol." Emerson onları her zamanki gibi çabucak yırtıp açtı, yalnızca yayınevinden gelen mektubu atarken "Canına yandığımın Üniversite Yayınevi" dedi o kadar. "Belki bir ara Yard'a uğrarım" diye ekledi gönülsüzce.

"Ne güzel bir fikir Emerson."

"Gelmek ister misin?"

"Birlikte gitmemiz için bir neden göremiyorum Emerson."

"Ben görüyorum... varlığın hoşuma gider, Peabody."

"Teşekkürler Emerson, çok incesin. Ama yapacak başka işlerim var."

"Ya?"

"Evet."

"Konuşman nasıl gidiyor?"

"Gayet iyi, teşekkürler."

Emerson peçetesiyle geri kalan mektupları yere atarak ayağa fırladı. Sandalyesi gürültüyle düştü. "Lanet olsun" diye bağırarak hışımla çıkıp gitti.

"Çay saatine kadar gelmeye çalış, Emerson" diye seslendim arkasından. "Bir misafir bekliyorum da."

Emerson'un ayak sesleri kesildi. Kapıya geri dönüp içeri baktı. "Kimi?" diye sordu kaygıyla.

"Bay Wilson'ı. Davetimi kabul etme nezaketinde bulundu."

"Ah" dedi Emerson. "Ah, anlıyorum. Burada olurum, Peabody."

Verdiğim cevabın içini rahatlattığına şüphem yoktu. Acaba hangi adı işitmeyi beklemiş... ve korkmuştu? Ayşe'ninkini mi?

Bayan Minton'a gönderdiğim nota karşılık alamayınca, kendim gitmeye karar verdim. *Morning Mirror*'daki yazıda ismi geçmediğinden, henüz şehre dönmediğinden şüphelendim ama yine de gittim, çünkü egzersiz istiyordum. Hızlı yürümek umduğum gibi sakinleştirdi ama oraya boşuna gittim. Ev sahibesi kiracısını ne gördüğünü ne de ondan haber aldığını, ne zaman döneceğini de bilmediğini söyledi.

Listeme baktım. Bayan Minton'ın beklemesi gerekecekti. Bay Wilson ayarlanmıştı. Lord Liverpool mektubuma hemen (şımartıcı bir biçimde) cevap gönderip beni ertesi gün öğle yemeğine ve koleksiyonuna bakmaya davet etmişti. YAPILACAK-LAR kısmında üç ad kalmıştı: Budge (temizlik yöntemlerini soracaktım), Komiser Cuff (muhtemelen cevaplamayacağı çeşitli sorular soracaktım) ve bir tane daha.

Sonraki birkaç saati Hyde Park'ta, Park Lane Sokağı'ndaki 4 numaralı evin karşısında oturarak geçirdim. O saatleri asla unutmayacağım ve hayatımda eşsiz olduklarına inanıyorum, çünkü ben, Amelia P. Emerson, o uzun süreyi kararsızlık ve bocalamayla geçirdim! Bu anormalliğin kayda değer olduğu kanısındayım.

Hava (Londra'ya göre) güzeldi ve insanlar parkta çiçeklerin ve aydınlığın (Londra'ya göre) tadını çıkarıyorlardı. Ancak fark edilmeme beklentisi içinde değildim. Aynı yerde iki saatten fazla yemeden, içmeden, kitap okumadan ve kımıldamadan oturan herkes eninde sonunda dikkat çeker. İki polis ve kibar bir yaşlı bayan durup yardıma ihtiyacım olup olmadığını sordular, adamın teki de başka nedenle sorular sordu. Ayşe muhtemel casuslardan şüphelenen biriyse (ki özellikle onun böyle bir şüphe duyması normaldi), beni görmüş olmalıydı. Dört kere sokağın karşı tarafına geçip kapısını çalmaya karar verdim. Dört kere fikrimi değiştirdim.

Ziyaretçisi olmadı. Arka kapıdan giren bir sürü tüccarı saymıyorum elbette. Bunlardan biri, bir sepet dolusu balık taşıyan, oldukça gür sakallı, uzun boylu, kaslı biriydi. Kalkıp bir araba çevirdim.

Tam dört buçukta, Half-Moon Sokağı'ndaki vasat bir binanın önünde, bir başka arabanın içinde oturuyordum. Tam dördü otuz dört geçe Bay Wilson evden çıktı, arabaya baktı, dolu olduğunu görünce köşeye yürüdü ve oradan bir başka araba bulmayı başardı. Erken gidecekti. Maalesef. Emerson'un döndüğünde onu ağırlayacağını ummuştum.

Sürücüye beklemesini söyleyerek, 17 Numara'nın kapısını çaldım. Kapıyı açan rahat tavırlı, anaç kadın beni görünce hemen önlüğünü çıkarıp özür diledi.

"Sizi fırıncı sandımdı da madam. Şu lanet kız da ne zaman kapıyı açmasını istesem ortada yok..."

Beni kibarlığına ikna etme çabaları boşunaydı. "Bay Wilson'ı görmeye geldim" dedim merdivene yönelerek. "Nerede kalıyor?"

"Birinci kattaki ön kapı madam. Ama madam, daha yeni çıktı."

"Gerçekten mi? Ne aksilik." Saatime baktım. "Birazdan döner herhalde. Kendisiyle dört buçukta randevum vardı. Bekleyeceğim."

Hemen önüme geçip yolumu kapadı. "Kusura bakmayın madam. Bay Wilson önceden söylemediyse içeri kimseyi sokmamamı sıkı sıkı tembihledi."

"Ah, ne saçmalık" dedim sabırsızca. "İşte... kartvizitim."

Onu vermek zorunda kalmamayı ummuştum ama başka çare yoktu. Ev sahibesi kartviziti aldı. "Bayan Emerson?" Sonra kaygılı kaş çatışının yerini geniş, sevinçli bir gülümseme aldı. "Bayan Emerson! Hani şu bütün gazetelerde çıkan bayan mı?"

"Eee... evet" diye karşılık verdim.

"Ama siz hani şu Hindistan'daki bütün mumyaları falan kazıp çıkaran..."

"Mısır'daki."

"Evet madam, Mısır'daki. Ah, sizinle tanışmak bir zevk madam. Zavallı küçük oğlunuz nasıl?"

"Zavallı küçük mü? Gayet iyi, teşekkürler."

Beni epeyce oyaladıysa da sonunda elinden kurtuldum ve merdiveni çıkarken, izin almamı sağlayan şeyin saygın görünüşüm değil de kötü şöhretim olduğunu düşününce elimde olmadan acı acı gülümsedim.

Bay Wilson'ın kaldığı güzel, kutu gibi odalar, konumlarına bakılırsa muhtemelen evin en iyi odalarıydı. Salon sokağa bakıyordu, arkasında derli toplu, küçük bir yatak odası vardı. Hoş ve güzel döşenmiş olmalarına karşın lüks değildiler. Etrafa birkaç antika saçılmıştı. Kimliği belirsiz bir kraliçenin -çehresi Bayan Minton'ınkine benziyordu- çok güzel, küçük bir su mermerinden heykeli dışında hepsi sıradandı ve eksik parça olup olmadığını anlayamadım. Ev sahibesi içerisinin tozunu düzenli olarak alıyor gibiydi.

İstemesem de gerekli gördüğüm araştırmamı biraz daha sürdürünce, Bay Wilson'ın görünüşü kadar düzgün alışkanlıklara sahip olduğunu gördüm. Büfedeki içki dolabında konyak ve viski şişeleri duruyordu ve yakındaki bir kutuda purolar vardı ama uyuşturucu izine rastlamadım. Yalnızca tek bir yere bakamadım... Masasındaki kilitli bir çekmeceye, çünkü anahtarını bulamadım ve kurcalamaya korktum. İnsan genç bir adamı ziyaret etmeye kolayca bahane uydurabilir ama kilitli bir çekmeceyi açmaya çalışmayı izah etmek biraz zordur.

İşimi yalnızca on dakikada bitirdim, ne de olsa mecbur kaldığımda şimşek hızıyla hareket ederim. Merdivenden inerken ev sahibesine seslenerek -mutfakta tangır tungur tencerelerle uğraştığını işitebiliyordum- daha fazla beklemeyeceğimi söyledikten sonra beni tekrar lafa tutmasına fırsat vermeden kaçtım.

Yalnızca kırk dakika geciktim. Gargery'nin suratı beni görünce sevinçten pembeleşti. "Ah, Bayan Emerson, kaygılanmaya başlamıştık. Beyefendi geldi..."

"Evet, teşekkürler" dedim, ona güneş şemsiyemle ceketimi vererek. "Hemen içeri gidiyorum."

Beni görünce Emerson mu daha çok rahatladı yoksa Bay Wilson mı bilmiyorum. Emerson'un rahatladığını biliyordum, Bay Wilson'ınsa, Emerson'un Mısırbilimi hakkında amansızca sorduğu sorulardan kurtulduğuna sevindiğini tahmin ediyorum. Selamlaşma faslından, özürlerden ve (Emerson'un) kaş çatışlarından sonra "Geciktim, çünkü aptalca bir hata yaptım Bay Wilson" dedim. "Nedense ben size çaya geleceğim diye aklımda kalmış. Sizi yarım saat bekledikten sonra herhalde yanlış hatırladığımı fark ettim. Ne saçma değil mi?"

Olası tek cevap, "Evet, kesinlikle öyle" idi ama Bay Wilson'ın nezaketi buna el vermediğinden, bir şeyler mırıldanarak salakça sırıttı.

"Hah!" dedi Emerson bana dik dik bakarak. "Evet, kesinlikle öyle. Quesir'deki erken hanedan dönemi çömleklerine dair çok ilginç bir tartışmayı kaçırdın, Peabody. Bay Wilson iki yıl önce oradaymış. Ama sanırım hatırlamadığı..."

"Kaçırdığıma üzüldüm, Emerson. Ama Bay Wilson kusura bakmazsa başka bir konudan söz etmek istiyorum."

Bay Wilson hiç kusura bakmayacağını söyledi hemen.

"Bu konuyu açtığım için özür dilemeyeceğim Bay Wilson, çünkü ortada öyle ciddi bir sorun var ki hemen harekete geçilmesi gerekiyor. Bana Bay Oldacre hakkında bildiğiniz her şeyi anlatmanızı istiyorum."

Açıklama yapmak zorunda kalacağımı tahmin etmiştim,

çünkü çoğu insan bariz şeyleri gereksiz yere konuşarak zaman harcar ama Bay Wilson çoğu insandan üstün olduğunu kanıtladı. Sandalyesine yaslanarak hafifçe gülümsedi. "Anlıyorum. Sizi hayal kırıklığına uğratacağım için üzgünüm Bayan Wilson, çünkü bu konuyu açmanızın nedenlerini bildiğimi sanıyorum ve tamamen sizin tarafınızdayım. Ancak Oldacre'yi uzaktan tanırdım yalnızca. Dost olabileceğim türden bir adam değildi asla. Belki bana sorular sorarsanız..."

"Harika" diye atıldım. "Zihninizin çalışma tarzını sevdim, Bay Wilson. Uyuşturucu kullanır mıydı?"

"Bildiğim kadarıyla hayır" diye cevap geldi hemen. "Gerçi kullandığını işitsem şaşırmazdım, bazı çevrelerde bu modadır ama hiçbir keşlik belirtisi sergilemiyordu."

"Bir afyonhaneye gidip gitmediğini bilmiyorsunuz öyleyse?"

"Gitse bile beni öyle bir yere çağırmazdı zaten" diye cevap verdi Bay Wilson gülümseyerek.

"Arkadaşları... dostları kimlerdi?"

Wilson tanımadığım birkaç ad söyledikten sonra ekledi: "Dediğim gibi, dostu değildim. Yakın çevresini pek..."

"Evet, doğru. Peki ya Lord St. John?"

Wilson güldü. O sıradaki gibi rahatladığı zamanlarda gayet hoş görünüşlü bir genç oluyordu, dişleri beyaz ve düzgün, çehresi biçimliydi. "Lord, Oldacre'yle herhangi bir şey yapmışsa, bunun nedeni dostluk olamaz. Lord St. John sosyal statülere çok önem verir."

"Haklısınızdır mutlaka. Eee, sizin bir öneriniz var mı peki? Kötü alışkanlıklar, borçlar, kumar, kadınlar?"

Wilson biraz irkilmiş göründü. "Kadınlar konusunu... Bir bayanın yanında açmak istemem..."

"Ah, anlıyorum. Düşmüş kadınlar, öyle mi?"

"Şey... Evet. Yalnızca normal şeyler, bilirsiniz..."

"Hımm" dedim.

"Ah, kesinlikle Bayan Emerson. Şahsen ben asla... Diğer alışkanlıklarına gelince... Evet, kumar oynardı. Özel kulüplere konuk olarak kabul edildiği için övünüp dururdu sürekli ve büyük meblağlar kaybettiğini biliyorum... Çünkü bununla da övünürdü, sanki bu gurur duyulacak bir şeymiş gibi. Aşırıya kaçma belirtileri de görüyordum onda. Ama çoğu delikanlının yaptığı şeyler bunlar."

"Çok doğru... Ve ne üzücü, böyle şeylerin bu kadar yaygın olması. Neyse, oldukça hayal kırıklığına uğrasam da sizin suçunuz değil Bay Wilson. Emerson, senin soruların var mı?"

"Yok" diye kestirip attı Emerson.

"Öyleyse hanedanlık öncesi çömlekler konusuna geri dönebiliriz."

Bay Wilson cebinden çıkardığı saatine göz attı ve ayağa fırladı. "Saat ne kadar da geç olmuş. Artık kalkmalıyım. Bay Budge'a bu geceki konuşmasında yardım etmem gerekiyor..."

"Bu gece miydi?" diye sordum. "Tamamen unutmuşum."

"Evet, nedense tarihi öne aldı. Bana pek açıklama yapmaz" diye ekledi Wilson, çekici gülümsemesiyle. "Ne yapacağımı söyler, ben de yaparım. Bu gece ona şu meşhur mumyayla ilgili yardım edeceğim. Belki sizinle orada görüşürüz. Teşekkürler Bayan Emerson... Profesör... sohbetimiz çok keyifliydi... Bir dahaki sefere siz bana gelirsiniz artık."

"Bu sözünüzü hatırlatırım" dedim elini içtenlikle sıkarak.

"Kesinlikle" dedi Bay Wilson gülümseyerek.

O gittikten sonra Emerson "Eee, Peabody, lanet olsun, kendinle gurur duyuyorsundur umarım" diye homurdandı. "Seni çok merak ettim..."

"Gargery de merak etmiş" dedim. "Özellikle Gargery'yi kaygılandırdığıma çok üzüldüm."

Emerson dişlerini gıcırdattı ama merakı öfkesine baskın çıktı. "Bay Wilson'ın odalarında ilginç bir şey buldun mu?"

"Hayır."

"Bulsan bana söyler miydin?"

"Tabii ki Emerson. Sen de bana söylerdin, değil mi?"

Emerson gözlerini indirdi. Hislerime hâkim olmaya çalışarak, "Aşçıya söyleyeyim de akşam yemeğini yarım saat ertelesin" dedim. "Konferansa gideceksin herhalde?"

"Evet. Gelecek misin?"

Esnememi bastırdım. "Sanmıyorum Emerson. Biraz yorgunum ve bildiğin gibi mumyalarla pek ilgilenmem. Sen gidip eğlen."

Emerson merdivene yöneldi. Sonra durdu. "Fikrini değiştirirsen içeri giremezsin, Amelia" dedi. "Aslında konferanstan çok bilimsel bir gösteri olacak, herkese açık değil ve yalnızca davetliler girebilecek."

"Öyle mi?" Meraktan içimin içimi yediğini itiraf etmektense ölmeyi tercih ederdim. "Neyse, dönünce bana anlatırsın."

Emerson'un gitmesinin ardından tam on dakika bekledikten sonra Gargery'yi arayıp faytonu hazırlamasını emrettim. Emerson yaya gitmişti, gösterinin yapılacağı Kraliyet Derneği civardaki Somerset Konağı'ndaydı.

Faytonu kullanma nedenimin bir bayanın karanlık Londra sokaklarında tek başına yürümesinin tehlikeleriyle ilgisi yoktu. Emerson bir halt karıştırıyordu. Somerset Konağı'na Bay Budge'ın mumyalama konusunda konuşmasını dinlemeye gitmemişti. Bay Budge'ın mumyalama konusundaki konuşmasını dinlemek için odanın bir ucundan diğerine bile gitmezdi. Mumyanın sargılarının açılmasını neden doğru bulduğunu bana daha önce açıklamış olsa da, o zaman bile herşeyi açıklamadığından şüphelenmiştim. Bu nedenler her ne idiyse, gitmemi istemediğini biliyordum. Çünkü gitmemi istese, özellikle yasaklardı!

Bir olasılık daha vardı ki, üstünde düşünmekten nefret etsem de hazırlıklıydım. Emerson konferansa gitmiyor olabilirdi. Başka bir yere... gidiyor olabilirdi. Onu Somerset Konağı'nda görmezsem peşine düşecektim ve... ne yapacağıma emin değildim. Şüphelerimde haklı çıkarsam, yapacaklarımdan sorumlu olmayı reddediyordum.

11

Erkeklerin saflığına hep şaşarım. Budge'ın konferansını neden öne aldığını bildiğimi sanıyordum. Böylece o sahte rahipten uzak durmak istiyordu, çünkü onunla son karşılaşmasında rezil olmuştu, ayrıca belki Emerson'dan da uzak durmak istiyordu. Bu boş bir umuttu elbette. Emerson o konuda ünlü bir otoriteydi ve tarih değişikliğini birilerinden duyması kaçınılmazdı, ki duymuştu da.

O bilimsel gösteri Emerson'un kontrolünde olsa, ki olmalıydı, "rahibin" gelmesi için elinden geleni yapardı. Bana itiraf etmese de, mumyanın sargılarını halka açık bir biçimde ve olabildiğince tantanayla açmak istemesinin nedenlerinden birinin bu olduğunu anlamak için müthiş bir zekâ gerekmiyordu. O alçağı iki kez elinden kaçırmıştı, üçüncü bir fırsat için can atıyor olmalıydı.

Daha önce gelmiş olmasam, Henry'nin beni yanlış adrese... Covent Garden'ın gala gecesine ya da büyük bir malikânedeki bir akşam yemeği partisine götürdüğünü sanırdım. Peş peşe gelen faytonlardan insanlar iniyordu durmadan: Smokinli adamlar, göz alıcı ipek elbiseler giyip mücevherler takmış kadınlar. Budge'ın, gösterisine Londra'daki bütün unvanlı ve önde gelen insanları davet ettiği belliydi. Böylece asıl amacına ters düşmüştü tabii (kibirli yaratık) ama benim tersime, sahte rahibin tam da gözüne girmeye çalıştığı o aristokratlardan biri olduğundan şüphelenmiyordu sanırım.

Kalabalığın içinden geçtim. Kalabalıkların içinden geçmekte hiç zorlanmam. Bunun en büyük nedeni her zaman işe yarayan güneş şemsiyelerimdir ki elimde bunlardan farklı tarzlarda ve renklerde çeşit çeşit bulunur. O akşam taşıdığım gösterişli, siyah tafta şemsiye, tuvaletimle pelerinime uyuyordu. Sapı gümüştü ve kenarları dantelliydi. Özellikle dantellerine bayılıyordum. Şemsiyeye uçarı, ciddiyetsiz bir hava vererek asıl fonksiyonunu gizliyordu, çünkü sapı tavlanmış çeliktendi ve ucu oldukça sivriydi.

Emerson'un davetsiz giremeyeceğim yolundaki uyarısı komik gelmişti, çünkü sorun yaşayacağımı sanmıyordum. Kapıdaki bir görevli beni durdurmaya çalıştı gerçekten ama kimliğimi azametle bildirişime ve güneş şemsiyeme boyun eğdi.

Budge'ın basını davet edecek kadar aptal olup olmadığını bilmiyordum ama fark etmezdi, zaten öğrenirlerdi. Gördüğüm neredeyse ilk kişi, konferans salonunun kapısının ardında durmuş harıl harıl notlar alan Kevin O'Connell oldu.

Beni tanıyınca bir an kaçmak ister gibi olduysa da dantelleri görünce rahatladı. Saldırıya geçmek için nedeni olduğunu hatırlayınca (ya da öyle sanınca), dikelip burnunu kaldırarak bana baktı.

"İyi akşamlar Bayan Emerson" dedi soğukça.

Güneş şemsiyemle onu arkadaşça dürttüm. "Surat asma bakayım Kevin. Hâlâ ödeşmiş değiliz, sen bana daha çok oyun oynadın ve gayet iyi biliyorsun ki bizim yerimizde olsan sen de aynı şeyi yapardın."

"Hımm" dedi Kevin.

"Bu akşam çok yakışıklı görünüyorsun" diye devam ettim. "Smokin sana yakışıyor, özellikle de kızıl saçlarına. Bu takımı kiraladın mı?"

Gücenmiş ve vakur havasını korumaya çalıştıysa da kin tutabilecek biri değildi. Gözleri parlamaya, ağzının kenarları yukarı çekilmeye başladı. "Hayır, Bayan E., bu takımı kiralamadım."

"Tahmin etmiştim. Üstüne iyi oturmasından anladım."

"Profesör nerede? Hasta değildir umarım."

"Hayır, bunu ummuyorsun, onun yatakta ıstırapla kıvrandığını görmeyi çok istersin." Kevin sırıtınca devam ettim: "İşim çıktığı için geciktim. Benden önce gelmiş olması gerekiyor. Onu görmedin mi?"

"Görmedim ama Bay Budge'ı da görmedim ki o burada olmalı. Herhalde özel bir kapıdan girmiştir ve profesör de oradan gelmiş olabilir. Ben" dedi Kevin tiksintiyle, "saygıdeğer konukların listesini çıkarıyorum. Bu iş dejenere olmaya, büyük bir partiye dönüşmeye başladı Bayan E. Keşke *The Queen*'de saray dedikodularını yazan Leydi Whatworth'ü gönderselermiş. Bu işe bulaştığıma çok üzgünüm."

"Belki de hasmını özlüyorsundur" dedim kurnazca.

"Renk katıyordu" diye kabullendi Kevin. "Ama kalıcı olacağını hiç düşünmedim. Pes edip evine, ninesine kaçtı. Kapıları kapamak üzereler Bayan E. Girsek iyi olur."

"İzninle yanında oturacağım."

Kevin bana şüpheyle baktı. "Ne dolaplar çeviriyorsunuz Bayan Emerson? Neden profesörün yanında değilsiniz?"

"Acele et Kevin, yoksa koltuk kalmayacak."

Salon tıklım tıklımdı. İki tarafta sıraların arasında ve bir tane de ortada olmak üzere üç tane ara yol vardı. Üstünde birkaç sandalye, uzun bir masa, bir kürsü, iki de ayaklık bulunan yüksek sahneyi harıl harıl yanan gaz lambaları aydınlatıyordu. Basın ön tarafın solundaki rezervasyonlu bir bölümde oturmaktaydı, orta kısımsa en saygın konuklara ayrılmıştı. Kevin'in meslektaşları centilmence bana yer açtılar ve daha oturur oturmaz iki adam tabutu sahneye taşıyarak, ayaklıkların üstüne özenle yerleştirdiler.

Sonra Budge çıktı. Sahnedeki sandalyelerden birine oturup bacak bacak üstüne atarak, yanında getirdiği kâğıtları inceliyormuş numarası yaptı.

Peşinden bir sürü adam geldi: Müze mütevellilerinden Sör William Appleby, Kraliyet Derneği üyesi Bay Alan Smythe-Jones ve cerrah olduğunu tahmin ettiği.n tıknaz, kel, smokinli bir adam. Ortalıkta Mısırbilimci yoktu ve Emerson da görünmüyordu.

Budge heyecanın iyice artmasını bekledikten sonra kalkıp podyuma yaklaştı. "Lordlarım, bayanlar ve baylar" diye söze başladı... Sonrasında daha önceki bitmek bilmez konuşmasını yineledi.

Dinleyiciler buna çok kısa süre katlandıktan sonra sabırsızlık belirtileri sergilemeye başladılar. Bir mumyanın sargılarının çözülüşünü görmeye gelmişlerdi. Herodotos'la ya da Ölüler Kitabı'yla ilgilendikleri yoktu. Aşağı tabakadan birkaç kişi kapıdaki görevlilerden kurtulup içeri sızmayı başarmış olmalı ki, giderek yükselen sıkıntılı mırıldanmaların arasından ilk işitilen seste Doğu Londralı aksanı vardı. "Baksana ahbap, şu yaşlı kızı soyalım artık ha?"

Adam yanındakiler tarafından susturuldu ama sıradaki kişiyle başa çıkmak o kadar kolay olmadı. Budge "cesedin doksan gün boyunca natron içinde bekletilmesinden" söz ederken, bir ses "Çok saçma Budge!" diye bağırdı. "Neden podyumu ne dediğini bilen birine bırakmıyorsun?"

Yavaşça terliklerime (siyah rugandılar, altın boncuklarla, gri ve beyaz incilerle bezeliydiler) doğru süzülmekte olan yüreğim birden sıçrayıverdi. O sesi tanımamam imkânsızdı! O buradaydı, başka... Bir yere gitmemişti. En kötü korkularım geçmeseler bile en azından ertelenmişlerdi.

Sıkılmış seyircilerin mırıldanarak destek vermeleri üzerine Budge monoton konuşmasını kesmek zorunda kaldı. Gözlüğünü düzelterek salona baktı. Kimin konuştuğunu o da tıpkı benim gibi gayet iyi biliyordu ama bilmezden geldi.

"Devam edebilirsem..." diye söze başladı.

"Hayır edemezsin mankafa" diye gürledi aynı ses. O yöne doğru dönüp bakan Kevin neşeyle kıkırdadı. "Profesör bu! Yaşasın! Bu akşam o kadar da sıkıcı geçmeyebilir."

Odanın diğer tarafının ortalarından biri ayaklandı. Vefasız da olsa taptığım kocamın iri cüssesi değildi bu. Son derece tozlu bir Eton ceketi giydiğini ve yakasının buruşuk olduğunu acıyla fark ettiğim siyah saçlı bir çocuktu. Bu kişi sanki havalanıyormuşçasına tuhaf bir biçimde yükselmişti. Babasının omuzlarına tünediğini fark ettim.

Şüphesiz, okuyucunun da tahmin ettiği gibi Ramses'ti! "Saygısızlık etmek istemem ama yanılıyorsunuz Bay Budge" diye seslendi. "Yaptığım deneyler sayesinde daha en başından beri şüphelendiğim şey kanıtlandı..."

Budge kendini topladı. "Bu da ne... böyle şey... Oturun, Profesör! Sus, genç adam! Sen ne cüretle..."

"Bırak da çocuk konuşsun" diye haykırdı biri salonun arka tarafından. Patlayan kahkahalar konuşan kişiye destek verirken, Emerson salonun ön tarafına gitti. Ramses'in hâlâ konuştuğunu söylememe gerek yok. Dudaklarının kımıldadığını görebiliyordum ama sözleri ve Bay Budge'ın sinirli itirazları dinleyicilerin kahkahaları tarafından bastırılıyordu. Kevin yanımda, hızlı hızlı notlar alırken kıs kıs gülüyordu.

Seyircilere dönen Emerson elini uyarı olarak kaldırdı. Gürültü dindi ve Ramses'in sesi işitilebilir bir hale geldi. "... kesif bir çürük kokusunun yanı sıra vücut dokuları soluklaştı, şişti ve hamur ya da jöle kıvamına geldi. Öte yandan katı haldeki ve yüksek oranlarda sodyum karbonatla sodyum bikarbonat içeren natrondan alınan sonuç..."

Oğlunun bu doğru ama mide bulandırıcı bilgileri verişini dinlerken Emerson'un yakışıklı yüzünde bir babanın gururu vardı. Güleyim mi yoksa başka bir duyguya teslim mi olayım bilemediğimden, "Ah, ulu Tanrım" diye mırıldandım. "Hişşt" dedi Kevin, harıl harıl yazarken.

Budge, Ramses'in ancak kaba kuvvetle susturulabileceğini anlamış olmalıydı. Öyle hiddetlenmişti ki yumruklarını savurarak o absürt çiftin üstüne koşmasını bekliyordum. Ancak Ramses'in söylevini sona erdiren onun müdahalesi olmadı. Çok farklı bir şey oldu.

Emerson yeni gelen kişiyi benden önce fark etti, bariz bir biçimde dikeldi ama harekete geçmesine fırsat kalmadan arka sıralardan birinden gelen tiz bir kadın çığlığı seyircileri ayaklandırdı. Adam ön kapıdan girmişti ve onu gördüğümde orta yoldan sahneye doğru koşuyordu.

Ama neler oluyordu? Adam orta yolda değildi, sahnedeydi... Hayır, odanın diğer tarafındaydı... En az altı kişiydiler, hepsi de birbirinin aynısı beyaz cübbeler giyip maske takmışlardı. Konferans salonunda bitiveren rahipler her tarafta koşuşturmaya başlayınca, seyirciler delirdi. Çığlıklar atarak, ite kaka salondan kaçmaya çalıştılar.

Emerson her ne beklemiş olursa olsun bunu beklememişti. Dudaklarını bastırıp alnını kırıştırarak Ramses'i omzundan indirip koltuk altına sıkıştırdı.

Diğerleriyle birlikte ayağa kalkmıştım. Güneş şemsiyemi kaldırıp çil yavrusu gibi dağılmaya çalışan muhabirlerin arasında dimdik durdum. Çoğu benden bir baş ya da daha fazla uzundular ama Emerson'un gözleri dosdoğru bana baktı ve o keskin mavi kürelerdeki ızdırabı görüp de onu hareketsiz kılan acı verici zıt arzulara tanık olunca bütün uzuvlarıma heyecan yayıldı.

Kevin kollarını belime dolayıp ayaklarımı yerden kesti. "Dayanın Bayan E. Sizi kurtaracağım" diye haykırdı.

Sahne kuşatma altındaydı. Maskeli kişilerin hepsi tabutun çevresinde toplanmışlardı. Şaşkın gözlerime düzinelerce göründüler ve o birbirinin benzeri görüntülerin kâbus gibi havasını hayal etmek güç. Emerson mücadelenin ortasında duruyordu. Yalnızca iri başı görünüyordu, çünkü etrafı uçuşan, dalgalanan muslinlerle tamamen çevrilmişti. Tuhaf adamlardan biri karnını tutarak geriye sendelerken, bir an kahraman kocamın var gücüyle vurduğunu gördüm. Hâlâ böğrüne bastırdığı Ramses tarafından engellenmese galip gelebilirdi. Ama adamların sayıları çok fazlaydı ve o tek başına dövüşüyordu, çünkü saygıdeğer konuklarla Budge ortadan kaybolmuşlardı ve nereye gittiklerini bilmiyordum. Emerson uçuşan kumaşlarla yumrukların altında yere yığıldı. Ayaklıklar devrildi. Tabut bir çatırtıyla yere düşünce içindeki korkunç şeyler ortalığa saçılıp ayaklar altında ezildi.

Kevin'ın koluna vurdum. "Bırak beni! Hemen bırak dedim! Ona gitmeliyim. Ah, ulu Tanrım, en kötü olasılıktan korkuyorum..."

Kevin'ın yanakları heyecandan kızarmış ve dudakları vahşi bir kavga sırıtışıyla gerilmişti. "Tanrı aşkına!" diye kükredi. "Ne güzel dediniz Bayan E. Haydi gidip şunları haklayalım ha? O'Connell'lar, ileri!"

"Ve Peabody'ler!" diye haykırdım güneş şemsiyemi sallayarak.

"Ve Peabody'ler! Haydi öyleyse, gidiyoruz!"

Yan yana dövüşe dövüşe sahneye gittik. Aslında çok dövüşmedik, çünkü artık serinkanlı insanlar (ki sayıları azdı) durumu kontrol altına almışlardı ve hengâme azalmıştı, ki bunda sivil detektif oldukları belli bir sürü iri kıyım adamın payı yadsınamazdı. Maskeliler de onları görmüşlerdi. Savaş meydanına vardığımızda geride tek bir savaşçı kalmıştı... Kocam. Güçlü babasının altında sıkışıp kalmış bir halde çılgınca tekmeler savuran ve kaygıyla sorular haykıran Ramses'i saymıyorum.

Bir muhabirin en büyük ikilemiyle, aynı anda bir sürü olayla karşı karşıya kalan Kevin, başta meslektaşlarının çoğu gibi maskelilerin peşinden mi gitsin yoksa Emerson'la röportaj mı yapsın karar veremedi. Kararında muhabirlik içgüdüsünün yanı sıra iyi kalpliliğin etkili olduğunu düşünmek isterim. İtirazlarıma kulak asmadan Emerson'un doğrulup oturmasına yardım etti. Oysa aldığım tıp eğitimi böyle ani bir hareketi yasaklıyordu.

"Başın yaralanmış Emerson" diye bağırdım göğsüne yaslanarak. "Sen kımıldama da ben..."

Emerson'un hararetli tepkisi içimi rahatlattı. "Çek ellerini Peabody! Yalnızca tıbbi imkânlardan yoksunlar diye üzerlerinde deney yapmana göz yuman bir sürü fakir, cahil Mısırlı... Ah, lanet olsun! Ramses! Ramses nerede!"

"Buradayım babacığım." Ramses'in soluk soluğa olması anlaşılır bir durumdu ama birkaç sıyrıkla morluk dışında zarar görmemişti. Sürünerek Emerson'un yanına geldi. "Sesini işitince kapıldığım yoğun rahatlık duygusunu basit sözcüklerle ifade etmekte zorlanı..."

"Sağol evladım." Emerson geniş alnını kızıla boyayan kan akışını durdurma çabasıyla bastırdığım zarif mendili itti. "Peabody, şunu yapmayı kesersen..."

"Alın Profesör." Kevin devasa bir beyaz mendil uzattı. Emerson onu alnına bağlayıp ayağa kalktı.

Detektiflerden biri ona yaklaştı. "Pardon Profesör..."

Emerson ona öfkeyle baktı. "Lanet olsun Olrick, bunun olmasına nasıl göz yumabildin? Onu... onları... herhangi birini yakalayamadınız herhalde?"

İri yarı adam utanmış görünerek kımıldandı. "Evet efendim. Üzgünüm efendim. Ama bize tek bir adama bakınmamızı söylemiştiniz. Yalnızca üç kişiyiz ve onlar bizden iki kat fazlaydılar efendim ve sonra sanki kıyamet kopunca..."

"Neyse, en azından lanet olası muhabirleri benden uzak tutun" diye bağıran Emerson, dirseğinden çekiştirerek keçi gibi bir sesle, "Profesör, yaşadıklarınız sırasında kapıldığınız hisler nelerdi?.." diyen kahverengi giysili ufak tefek bir adama birden vahşice vuruverdi.

"Peki efendim." Polis muhabiri götürdü. Emerson ateş saçan gözlerini Kevin O'Connell'a çevirdi.

"Ben artık gideyim öyleyse" dedi muhabir hemen. "Polis çağırmaya gerek yok..."

"Beni yanlış anladın" dedi Emerson. "Sana teşekkür etmek üzereydim. Tanrı aşkına, teşekkürler genç adam! Bayan Emerson'u kurtarmak için bir haberi feda ettin. Bunu unutmayacağım, Bay O'Connell. Sana bir borcum var."

"Ben de" diye ekledi Ramses. "El sıkışın Bay O'Connell ve unutmayın ki size yardım edebilecek durumda olduğumda, her zaman bana güvenebilirsiniz."

Kevin ufak tefek ama vakur Ramses'e tepeden bakarken gülümsemesini bastırmaya çalıştı ve uzattığı eli sıktı. Fırsatım olsa onu uyarır, bunu yapmamasını söylerdim ama Kevin parmaklarının Ramses'inkilere yapışmasına ve onları kurtarmakta biraz zorlanmasına aldırmamış gibiydi. (O madde neydi hiçbir fikrim yok, Ramses sık sık, kısmen ya da tamamen, yapışkan bir şeylerle kaplı olurdu.)

"Cesaretin sana bir şey kaybettirmedi" diye devam etti Emerson. "Meslektaşlarından herhangi birinin o maskelilere yetiştiğini sanmıyorum."

"Tanrı aşkına, bu işte kara büyü kokusu var" diye mırıldandı Kevin, ellerini pantolonuna silerek. "Hepsi birden nasıl ortadan kayboldular ki?"

"Çok zor bir numara değil" diye karşılık verdi Emerson.

"Maskelerin tutkal ve kâğıttan yapılma incecik şeyler olduğunu göz ardı edip durduk. Katılaştırılınca sert görünüyorlar ama bir yumruk ya da ayak darbesiyle paramparça olurlar. Üzerlerini kaplayan cübbeleri çıkarıp maskeleri ezmeleri ve kalabalığa karışmaları yalnızca birkaç saniyelerini almıştır."

"Siz onlara herkesten daha yakındınız" dedi Kevin. "Üstelik iyi bir gözlemcisiniz. Herhangi birinin kimliğinin saptanmasına yararlı olabilecek hiçbir şey görmediniz mi?"

"O sırada başka bir işle meşguldüm" diye iğneledi Emerson. "Ayrıca mumyayı korumayı başaramadım anlaşılan."

Dönüp sahnedeki kalıntılara baktı.

Madam Tussaud'da bundan daha korkunç bir sergi yoktu. Tabutun ahşabı inceydi ve yüzyıllarca ısı almaktan kurumuştu. Kırılmamıştı, parçalanmıştı... dağılmıştı. Parçalar çok uzaklara kadar yayılmışlardı. Kırık yüzün bir parçası yakında duruyor ve sanki çizilmiş siyah göz dosdoğru bana bakıyordu. Ama en kötüsü mumyanın kendiydi. Keten sargılarla kemikler de ahşap gibi kuruyup kırılganlaşmışlardı. Etrafa tarifsiz parçacıklar saçılmıştı, ki bazıları hâlâ sargılı, bazılarıysa kahverengi bir çıplaklıktaydı. Kafatası yuvarlanıp bir sandalye ayağının dibinde durmuştu. Kayışımsı kahverengi deriyle kaplıydı ve soluk kafa derisine yapışmış saçı uçuk bir kırmızımtırak sarıydı.

"Tanrı bizi korusun" diye mırıldandı Kevin bakakalarak. "Bir İrlandalı!"

"Kına yüzünden o renk" diye açıkladı Ramses. "Asıl rengi beyaz ya da griydi."

"İşte orta yaşlı kadın burada, Emerson" dedim. "Üzülme, mumyayı kaçıramadılar."

"Lanet olası mumyayı istemiyorlardı ki" dedi Emerson. "Başardılar, Peabody. Yapmak istedikleri buydu."

"Onu parçalamak mı? Ama neden Profesör?"

Emerson, Kevin'ın not defterine göz attı. "Minnettârlığın sınırları vardır, O'Connell. Bu gece benden alacağınızı aldınız."

Faytonu getirme basiretimden dolayı kendimi tebrik ettim, bizi beklediğinden, araba aramakla zaman kaybetmedik. Sürücü Henry yaklaştığımızı görünce az kalsın arabadan düşüyordu ve hemen inip Emerson'a yardıma koştu. Emerson bir kez olsun yardımı hor görmedi. Aldığı darbe yüzünden başı dönüyor, sendeliyordu.

Eve vardığımızda, ki Henry sayesinde rekor bir sürede vardık, yaralı kocamı Gargery'ye emanet edip Ramses'in yanında diz çöktüm.

"Babanın yanına gitmeliyim Ramses. Önce yaralanıp yaralanmadığını söyle, çünkü eğer ilgilenilmeye ihtiyacın varsa..."

"Babamın ihtiyacı benimkinden fazla, çünkü beni sağdan soldan gelen darbelerden elinden geldiğince korurken çoğuna o maruz kaldı, ki bildiğin gibi..."

"Yalvarırım kısa kes, Ramses." Konuşurken onu elimle yoklayıp kırığı olup olmadığına baktım.

"Peki anneciğim. Üstümdeki birkaç sıyrıkla çürük, babam üstüme düşünce oldu. Önemsizler. Sanırım sana yardım etmemin en iyi yolu hemen odama gidip ayak altından çekilmek, her ne kadar doğal sevgim hemen babamın yanına koşmamda ısrarcıysa da..."

"İlk söylediğinde haklıydın, Ramses." Kalkıp elini tuttum. "Daha sonra yanına geleceğim, yalnızca çürüklerine bakmaya değil, baban hakkında içini rahatlatmak için. Kaygılanmana gerek yok eminim, şoktan ve kan kaybından halsizleşti ama ciddi bir terslik yok gibi görünüyor."

Ramses'in verdiği, önemli hiçbir şey içermeyen ve ta merdivenin tepesinde ayrılana kadar süren karşılığı atlayacağım.

Teşhisimin doğruluğu anlaşıldı, her zamanki gibi. Doğal sevgi, doktorluk sezilerime ve içimi kemiren karanlık şüphelere baskın çıkmıştı. Emerson'u bitkinleşmiş ve yaralı halde görünce, kalın siyah saçlarını başındaki çirkin yarıktan uzaklaştırıp düzeltirken ve esmer yanağındaki kanı silerken ve o sırada dudaklarının elime sürtündüğünü hissederken, bir süreliğine ona verdiğim değerin dışındaki her şeyi unutmam şaşırtıcı mı? Emerson'un da epeyce yüksek sesle inlemesi ve olduğundan daha halsizmiş gibi davranması şaşırtıcı mı? İkimiz de bundan çok hoşlandık ve diğer hastamla ilgilenip de yatırdıktan sonra Emerson'la birlikte ateşin karşısına, neredeyse bizi birleştiren her zamanki dostluğumuza yakın bir hisle oturduk.

"Şimdi" dedim, "o maskeli adamların neden mumyayı çalmak istemediklerini açıkla lütfen. Bunu Kevin'ın yanında yapmak istemeyişini anlıyorum, çünkü dediğin gibi minnettârlığın bile sınırları vardır."

"Seve seve açıklarım, Peabody." Emerson içmesini kesinlikle yasakladığım konyağı yudumladı. "O tabutun içine göz atmak için bir takım nedenlerim vardı. Bazılarını sana söyledim ama aynı zamanda sahte rahibi ortaya çıkarmayı umuyordum, çünkü o gösteriye gelmekten geri duramayacağına emindim."

"Bunu kesinlikle başardın" dedim gülümseyerek.

"Hem de aklımın ucundan bile geçirmediğim kadar! Biri değil, altısı birden geldi! Lanet olsun Peabody, o herifte hayal gücü var, hakkını teslim etmeliyim. Mükemmel bir plan yapıp uyguladı. Budge'ı konferans tarihini önceden haber vermeden değiştirmeye zorlayarak... şey, yani ona söyleyerek önlem almıştım..."

"O senin fikrin miydi, Emerson?"

"Evet. Nedenini anlamışsındır eminim, Peabody."

"Elbette hayatım. O kişinin tarih değişikliğini duyacağını ama acele etmek zorunda kalacağından karmaşık bir plan kuramayacağını düşünmüştün. Mumyayı çalmayı değil, parçalamayı planladığını biliyordun öyleyse?"

"Hayır" diye itiraf etti Emerson tuhaf bir açık sözlülükle. Kan kaybı ve konyak yüzünden gardı düşmüştü herhalde. "Bir şeyler yapacağına emindim ve bir başkasının tabutu açmasını önlemek isteyebileceği aklımdan geçmişti biraz ama o kadar hafifçe ve belirsizce geçti ve o kadar çılgınca geldi ki, kendim bile kabullenemedim."

"Peki bu hafif ve belirsiz fikrin tam olarak neydi?"

"Kabullenemediğimi söyledim ya Peabody. O iblisleri tabuttan uzak tutmaya çalışırken bile onu kaçırmak istediklerini sanıyordum. Ama parçaları görünce... Onları sen de gördün Peabody. Kaçınılmaz sonuç nedir?"

Benimle açık konuşmuştu. Ben de çaresiz, "Bilmiyorum Emerson" diye mırıldandım. "Sen söyle."

"Tabut zaten açılmış, mumya zaten kısmen çözülmüştü. Öyle düşünce ağır hasar alması normal, kemiklerin ayrılması, hatta kırılması. Ama sargılar çözülmüş olmasa kemikler o kadar korkunç bir biçimde parçalanmaz ve o kadar uzağa saçılmazlardı."

"Tabii ya" diye haykırdım. "Çok haklısın Emerson. Bunu ben de fark etmeliydim ki senin için o kadar kaygılanmasam mutlaka fark ederdim de. Mumyalar çeşitli bakımsızlık halleri içinde gelirler elbette ama pek çok tabutta cesetle bandajlara sürülen tutkalın katılaşması yüzünden sargıları açmakta zorlandığını çok iyi hatırlıyorum."

"Sözünü ettiğin duruma geç dönem mumyalarında daha çok rastlanır" diye karşılık verdi Emerson. "Ama diğer periyodlarda bile, ki bu mumyanın ait olduğu da dahildir, bol miktarda keten kullanıldığından bir ölçüde kılıf işlevi görürler, yani kemikler kırılsalar bile sargıların içinde kalırlar. Hiç şüphe yok Peabody, mumyanın sargıları açılmıştı. Ama ne zaman? Neden?"

Tıpkı eski günlerdeki gibiydi, sönmeye yüz tutmuş bir ateşin önünde yan yana oturmuş, büyüleyici bir biçimde dostça bir sohbet yapıyorduk. Düşünceli bir tavırla yanıtladım: "Eskiden mezar hırsızları sargıları açıp tekrar sarmış olabilirler. Böyle vakalara rastlandığı oldu. Ama sen de benim gibi bu işin daha yakın zamanda yapıldığından şüphelenme eğilimindesin. Bu işin mumya Müze'ye teslim edildikten sonra yapıldığı belli. Yarın Lord Liverpool'u sorguya çekerim..."

"Yarın" diye tekrarladı Emerson. "Randevun var mı Peabody, yoksa küçük hırsızlıklarından birini yapmayı mı planlıyorsun yine?"

Sesinde gizli ürkütücü mırıltı sinirlenmeye başladığını gösteriyordu.

"Ah" dedim gülerek. "Söylemeyi unutmuşum. Lord Liverpool bizi öğle yemeğine ve koleksiyonunu göstermeye davet etti."

"Bunu ne zaman yaptı?"

İlk adımı benim attığımı söylemek için neden görmedim. "Mektubunu bu sabah aldım" diyerek doğruyu söyledim.

"Bu sabah. Hımm. Öyleyse şey olamaz..." Ama cümlesini bitirmedi. Bunun yerine daha canayakın bir sesle "Aferin Peabody" dedi. "Seni tanıdığımdan, Lord Liverpool'un değil de senin fikrin olduğundan şüpheleniyorum ama iyi bir fikirmiş. Umarım Lord, senin yanında geldiğimi görünce fazla hayal kırıklığına uğramaz."

Mantıklı (yani bayan) okuyuculara ertesi sabah uyandığımda neden Emerson'a çok kızdığımı açıklamama gerek yoktur eminim. İnsan yüreğinin sallantıları böyledir işte, insanın bir yönde ne kadar ileri giderse, diğer yöne doğru o kadar şiddetle sallandığını gözlemlemişimdir. Dün gece stres yüzünden duygusallaşıp epeyce ileri gitmiştim.

Emerson ise dalgın ve soğuktu. Kahvaltıda bir gazetenin ardına gizlendi, son maceramızla ilgili hevesle sorular soran Percy'yi (herhalde Ramses'ten işitmişti) görmezden geldi. Çocuğun "Vay canına, ne kadar da heyecanlı!" deyip durması biraz sinir bozucuydu.

"Ne güzel çakı" dedim... Çünkü Percy onu cebinden çıkarmış, bir erkek çocuğun annesinde korkunç kaygılar uyandıracak bir biçimde oynuyordu. "Ramses'te bunun aynısından var. Babası vermişti ona, asla mobilyaları çizmemesi şartıyla."

"Ben asla öyle bir şey yapmam Amelia Hala" diye içimi rahatlattı Percy. "Bunu bana babam verdi. Muhteşem değil mi? Bakın, üç tane bıçağı ve bir oltası..."

"Çok hoş Percy. Hayır Violet, iki dilim kek yedin zaten, ki o bile çok fazla. Ramses..."

Ama Ramses bir kez olsun, yapmaması gereken bir şey yapmıyordu. Geceleyin çürükleri rengârenk olmuşlardı ve yüzü neredeyse babasınınki kadar içedönüktü.

"Efendim anneciğim?" dedi Ramses irkilerek.

"Hiç. Emerson, gazetede ilginç bir şey var mı?"

"Bilmediğimiz bir şey yok Peabody. *Standard*'ta başımızda muhafazakâr bir hükümet olsa böyle kanunsuzca rezilliklerin asla yaşanmayacağı yazıyor, *Daily News*'ta da herhalde birkaç enerjik delikanlının yaptığı zararsız bir şaka olduğu söyleniyor."

"O adamı yakalayamamanız çok kötü olmuş Radcliffe Amca" dedi Percy. "İkinci defadır elinizden kaçırıyorsunuz, değil mi?"

Gözleri bir bebeğinkiler kadar iri ve masumdu.

Liverpool Kontları'nın kadim mekânı olan Mauldy Malikâne-
si, Richmond civarında nehir kıyısındadır. Orayı görmek isti-
yordum, çünkü son derece güzel ve saygıdeğer bir bina oldu-
ğu, temellerinin Londra Kulesi'nin en eski yapılarınınkilerle
aynı zamanda atıldığı söylenir. Mimari özelliklerinin yanı sıra
tarihsel özellikleri de vardı elbette. II. Charles, Hollanda'ya
kaçmadan önce bir gece orada saklanmıştı (o bölgedeki Stuart
tarzının baskınlığının nedeni budur). II. Edward'a, Berkeley'e
götürülmeden önce zindanlardan birinde işkence edilmişti,
ayrıca Güller Savaşları'yla uzaktan yakından ilgili herkes ora-
yı kuşatmıştı. (Liverpool Kontları kolayca taraf değiştirebilme-
leriyle tanınırlardı.) Doğaüstü öyküler kitapları, Mauldy'nin
gurur verici repertuvarına gönderme yapmadıkça eksik kalır-
lardı: Beyaz Bayan, Siyah Köpek, Elizabeth Dönemi'nin Kelle-
siz Ulağı ve iskelet atlar tarafından çekilen Hayalet Fayton.

Emerson redingotu, ipek şapkası ve siyah pantolonuyla
göz kamaştırıcı görünüyordu. Israr etmeme gerek kalmadan
böyle giyinmesi, ne dolaplar çevirdiğini merak etmeme yol aç-
tı. Ne giyeceğime karar vermekte biraz zorlandım. Emerson-
Peabody'lerin onuru, en güzel elbisemle güneş şemsiyemi seç-
memi gerektirirdi ama bu ikincisi aklıma daha pratik bir giysi
seçmemin iyi olabileceğini getirdi, belki çabucak kaçmam ya
da kendimi saldırıya karşı korumam gerekebilir diye. Sonuçta
Lord şüphelendiklerimden biriydi. Oldacre'yi öldürme ve di-
ğer bütün şeyleri yapma nedeni ne olabilirdi bilemiyordum
ama sonuçta bir şüpheliydi ve o kadim şatosunun sarmaşık-
larla kaplı, döküntü kuytularına güvenilir kemerimi kuşanma-
dan gitmem aptallık olabilirdi.

Emerson'un bana eşlik etme kararı bu konudaki kaygımı
ortadan kaldırınca terzimin yeni bitirdiği bir giyside karar kıl-
dım. (Onun dükkânına gidişlerimden söz etmedim, çünkü
böyle ayrıntılar bilimsel ve detektifsel faaliyetlere adanmış bir

günlüğe konmaya değmez ama okuyucu, Londra'ya geldikten
hemen sonra yeni bir gardırop hazırlamaya giriştiğimi anım-
sayacaktır.) Misafir giysisi denen bu elbise açık pembe hareli
kumaştandı, siyah ve geniş bir maroken kemeri vardı ve kla-
palarıyla yenlerinde siyah askeri üniforma kordonları bulunu-
yordu. Yüzü çevreleyen yüksek yaka fırfırlıydı ve uyumlu, ka-
barık şapkasında saten kurdeleler, saten güller ve saten
yapraklar vardı. Ne olur ne olmaz diyerek, yanıma o kıyafete
uyan ama sapı çok dayanıklı olmayan pembe güneş şemsiye-
min yerine siyah olanı aldım.

Yolda pek konuşmadık. Emerson'un suratı asıktı. Eli sü-
rekli çenesindeydi, orayı kafasının karışık ya da canının sık-
kın olduğu zamanlardaki gibi sıvazlıyordu ve hanedanlık ön-
cesi çömleklerden söz etmeme bile dalgınca homurdanıp
onaylayarak karşılık vermekle yetindi.

Ancak şehri geride bırakıp da bir banliyö villaları bölge-
sinden geçerken canlandı. "Baksana Peabody" diye söze baş-
ladı, neredeyse eski üslubuyla, "Neyin peşindesin sen? Oraya
varmadan notlarımızı karşılaştırmazsak zıt hedefler peşinde
koşabiliriz. Böyle durumlar geçmişte bizi utandırmış, hatta
başımızı belaya soktuğu bile olmuştu."

"Seninle çok açık konuşacağım, Emerson" diye söze baş-
ladım.

"Hah" dedi Emerson.

"Aklımda belirli bir şey yok."

Emerson çenesini kaşıdı. "Seni tanıdığım için bu sözüne
inanmaya meyilliyim Peabody. Aslında ne aradığını düşünün-
ce aklıma bir şey gelmiyor zaten. Durmadan kartonpiyer mas-
keler üretilen bir atölye falan mı?"

"Lord bana öyle bir yeri gösterecek kadar salak değildir
herhalde... Öyle bir yer varsa tabii. Onu bir biçimde oyalayabi-
lirsen biraz etrafa bakınabilirim..."

"Bunu aklından çıkar, Amelia. Mauldy Malikânesi'yle ilgili işittiklerime bakılırsa, orayı baştan sona araştırmak on adamın on gününü alırmış. Hem o uşabtiler babasının koleksiyonundan geldiyse bile, boş sergi kutusunu üstünde hâlâ etiketiyle orta yerde bırakmaz herhalde."

"Elbette bırakmaz, Emerson. Tek yapabileceğimiz gözümüzü dört açıp ilginç gelişmelere hazırlıklı olmak. Lord'un sohbet sırasında ağzından laf kaçıracağını umuyorum, aradığımız adam oysa tabii. İnsanların özgürce ve sözleri kesilmeden konuşmaları gerektiğine inanırım..."

"Sen mi?" dedi Emerson. " 'Zeki dilli, beyhude konuşmayan'?"

O tesadüfen duruma uyan alıntıyı sık sık işiteceğim hissine kapıldıysam da kesinlikle bundan ibaret olduğunu belirtme ihtiyacı duydum. "O gün seyircilerin arasında olduğumuzu bilemezdi ki Emerson. Henutmehit, İsis rahibesi olduğundan, o konuşma muhtemelen ona hitaben yapılmıştı."

"Hımm" dedi Emerson.

Güneş, Richmond'un çimenli çayırlarını aydınlatıyordu ve ilkbaharın bütün güzellikleri karşımızda uzanıyordu: Kır çiçekleri, tarlalarda koşturan kuzucuklar, uçuşan ve çiçekli dallarda şakıyan kuşlar. Mauldy Malikânesi'nin sisli ve yağmurlu gecelerdeki halini ancak biraz olsun hayal edebiliyordum, çünkü gün ışığında bile harap kuleleri Gotik romansların en berbat aşırılıklarını akla getirmekteydi ve yıpranmış duvarlarına tutunan yumuşak yeşil asmaların oluşturduğu örtü, kasvetli hatlarını yumuşatmıyordu.

Ev mimari tarzların tipik bir karışımıydı. Tudor'ların tarzına uygun olarak bir kanadı taştan, bir diğeriyse tuğla ve keresteden inşa edilmişti. Tek bir kanatta ikamet ediliyor gibiydi ve araba bizi bunun göreceli olarak modern denilebilecek, on sekizinci yüzyıl tarzı kapısına götürdü. Kapalı arabadan inerken, bir uşak çıkıp bizi karşıladı ve arabacıyı arka tarafa yönlendirdi.

Baş uşağınkinden daha çekici yüzler gördüğüm olmuştu ama Emerson'un şapkasıyla bastonunu alırken ve güneş şemsiyemi almaya çalışırken (vermedim tabii) tavırları kusursuzdu. Sonra bizi geniş pencereleri çimenli ve güllü bir bahçeye açılan hoş bir salona götürdü.

Lord'un söyleyecek önemli bir sözü varsa, onu konuşturma planım iyi işleyecekti. Onu tanımakta zorlandım, çünkü Müze'deki gevşek, uyuşuk genç adama pek benzemiyordu. Her ne kadar hâlâ hasta görünüyordu. Yanaklarını sağlıklı gösteren allar makyajdı ve iskelet gibi sıskaydı. Ama bizi ağırlarkenki enerjikliği, koltuğundan fırlarkenki canlılığı, sohbetinin hararetliliği... Bütün bunlarla daha önceki halinden geceyle gündüz kadar farklıydı.

Diğer konukları tanıştırdı. Lord St. John'ı zaten tanıyorduk, bir de en dikkat çekici özelliği dişlerinin iriliği olan ve cümlelerini asla tamamlamasa da durmadan başını sallayıp gülümseyen Barnes adlı bir genç adamı tanıttı.

Lord St. John elimin üstüne eğildi. "Bugün dışarı çıkmanız büyük cesaret, Bayan Emerson. Dün geceki korkunç deneyiminizin sizi fazla etkileyeceğinden korkuyorduk."

Yakın bir masada duran gazeteye göz attım. O son derece derli toplu odada göze batan küçük bir dağınıklıktı.

"Siz yoktunuz sanırım, Lord St. John."

"Ne yazık ki tarih değişikliğini zamanında öğrenemedim" dedi Lord hemen. "Başka işim vardı. Ama zaten gider miydim, bilmiyorum. İnsan kalıntılarının o biçimde sergilenmesi sevimsiz ve çirkin geliyor."

Lord Liverpool âdeti olduğu üzere tiz bir sesle kıkırdadı. "Sen de ne kadar tutucu, ihtiyar bir ahlakçıya dönüşmeye başladın Jack. O işin yapılmasının iyi bir nedeni vardı, değil mi madam? Bilgilenmeyi artırmak gibi."

"Nedeni oydu evet" diye onayladım. "Ama gazeteleri okumuşsunuzdur, sonuçta öyle olmadı. Orada bulunsaydınız keşke beyler, kocama yardım edebilirdiniz. Kendisi, çoğu erkeğin elinden gelmeyecek kadar çabalamasına rağmen, numuneyi korumayı başaramadı."

"Ah, evet" diye mırıldandı Lord St. John, Emerson'un alnını süsleyen dörtgen yara bandına bakarak. "Ağır yaralanmadığınızı görmek, arkadaşlarınız için çok rahatlatıcı Profesör, ki kendimizi onlardan sayabileceğimizi umuyorum. Bayan Emerson'a sizi sormak niyetindeydim."

"Çok iyisiniz" dedi Emerson, kanepenin tam ortasına kurularak. "Beni görmeyi beklemiyordunuz herhalde. Davet edilmemiştim. Ama işte buradayım."

"Sizi gördüğümüze çok sevindik" dedi Lord St. John.

Kont kıkırdadı.

Bize mükemmel bir öğle yemeği ikram edildi ve ev sahibimiz neredeyse ağzına lokma koymasa da epeyce şarap içip durmadan konuştu. Gevezeliğini başlatan evin tarihiyle ilgili bir sorum oldu ve o avare, eğitimsiz genç adamın bu kadar bilgili ve ilgili olduğunu görünce şaşırdım. Monoloğu üç servis boyunca sürdü, daha önce işitmiş olduğum ama diğerlerinin bilmediği hikâyeler anlattı.

Kraliçe Elizabeth büyük yatak odasında kalmış ve bir maskeli baloyla, ay ışığında bir av partisiyle ve her zamanki konuşmalarla eğlendirilmişti. Kellesiz Ulak bu ziyaretin bir armağanıydı, Lord Liverpool'un dediğine göre, o zamanki Kont tarafından kraliçenin odasında, ona zorla sahip olmaya çalışırken bulunmuştu. Kraliçe oldukça yüksek çığlıklar atmıştı kesinlikle... Ama ancak Kont içeri girdikten sonra. O sözde tecavüzcü suçlu da olsa masum da, kellesini vurdurmaya bir beyefendi gibi gitmiş, kraliçesini ele vermemişti. Dolayısıyla öfkesini zamansız yere ölmesine yol açan adamın akrabalarından çıkardığı için suçlanamazdı.

"Çok ayıp Ned" dedi Lord St. John gülerek. "Bayan Emerson gibi bir hanımefendiye anlatılacak öykü değil bu."

Kendisine hiç rahatsız olmadığımı söyledim. "Elizabeth'e özel bir hayranlığım yok. Bence Tudor atalarının bütün acımasız zalimliklerini, tipik bir kadın tarzıyla sergilemiş o kadar. O zavallı kellesiz adamın masum olduğuna şüphem yok... En azından o suçu işlemediğine."

"O gizemi siz bile çözemezsiniz" dedi Lord St. John tuhaf bir gülümsemeyle. "Aradan o kadar çok zaman geçti ki..."

"Çözülmeyecek gizem yoktur, Lord St. John" diye karşılık verdim istifimi bozmadan. "Bütün sorun insanın ne kadar zaman ve çaba harcamayı göze aldığıdır."

Lord St. John pes ederek kadehini sessizce kaldırdı. Hafif, çarpık gülümseyişi kimilerine kesinlikle sinsi gelebilirdi.

Kont anlatmaya devam ettikçe ruh halini anlamaya başladım. Onu şevklendiren atalarıyla gurur duymasıydı, cetleri olan çok sayıda yiğit adamla güzel kadınından söz ederken gözleri parlıyor ve zayıf yanaklarına renk geliyordu. (Tarihin haydutluk, katliam, korsanlık, tecavüz gibi küçük kusurları örtbas etmek gibi güzel bir huyu vardır, özellikle de bu suçları işleyenler unvan ve arazili köşk sahibi kişilerse.)

Normal tavrımın aksine bundan söz etmedim, çünkü o zavallı gencin soyunun son ferdi olduğunu kendine bile itiraf edemediği belliydi. Evlenmekten ve soyadıyla unvanlarını miras alacak bir oğlanı kucaklamaktan söz ederken kararlı ama tuhaf bir biçimde isyankârdı. Dinlerken acıya benzer bir hisse kapıldım. Bu çocuk oğlunu görecek kadar yaşayamayacaktı kesinlikle. Bir varis doğurtmayı başarsa bile, o çocukla talihsiz annesi de onu yavaş yavaş mezara götüren hastalığa tutulacaklardı. Masada karşımda oturan Lord St. John da aynı biçimde etkilenmiş gibiydi, alaycı gülümsemesi kaybolmuştu ve Kont, Liverpool Kontesi olma şerefine layık olabilecek genç bir bayandan söz edince St. John dudağını öyle sert ısırdı ki bir çizgi üstünde kızıl damlacıklar belirdi.

Lord Liverpool'u bize evi gezdirmeye ikna etmem güç olmadı. Evin tarzını ve tasarımını bol bol övmemin hoşuna gittiği çok belliydi. Yalnızca on sekizinci yüz yıl kanadı kullanılıyordu ama Kraliçe'nin yatak odası aynen korunmuştu, her ne kadar perdeler paçavraya dönmüş olsa da ve yataktaki kıpırtılarla hışırtılar farelerin varlığını ele verse de.

Tudor kanadındaki uzun galerinin sonunda, ki değerleri şüphe götürse de eski oldukları belli tablolarla doluydu, devasa meşe keresteleri ve ağır menteşeleriyle saygın bir antika havası taşıyan ağır bir kapı fark ettim. Her zamanki tez canlılığımla kolunu çevirmeyi denedim. "Kilitli!" diye haykırdım. "Orada hazine odalarıyla zindanlar mı var Lord'um? Paslı zincirlerden sarkan iskeletlerle korkunç işkence aletleri mi göreceğim?"

Lord Liverpool küçük şakamı anlamadı. Bariz bir can sıkıntısıyla öylece bakakaldı ama Lord St. John kahkahayı bastı.

"Bu tam da sizin zevkinize göre olurdu, değil mi Bayan Emerson? Korkarım zindanlarda iskelet bulamayacaksınız. O kapı evin en eski bölümüne açılır ama yıllardır kapalı. Oraya gitmek istemezsiniz. Örümcek ağlarıyla ve farelerle doludur, hatta birkaç yarasa bile vardır."

"Yarasaları hiç umursamam" diye temin ettim. "Mısır'daki piramitlerle mezarlar o yaratıklarla doludur ve onlara gayet alışığım."

"Ah, çürük döşemelerle dökülmüş alçıları umursarsınız ama" dedi Lord St. John. "Değil mi Ned?"

"Ha, evet, kesinlikle. O güzel ayak bileklerinizden birini

burkmanızı istemeyiz, Bayan Emerson. Şey... Umarım bunu söylememde sorun yoktur, Profesör?"

"Hiç yok" dedi Emerson tatlı bir sesle. "Bayan Emerson'un ayak bilekleri gerçekten de güzeldir. Onları fark etmeniz hoşuma gitti Lord."

Emerson'u hemen çekip uzaklaştırdım.

Şimdiye kadar çok az konuşmuştu ama müteveffa Kont'un antika koleksiyonunu incelerken çenesi açıldı. Sinirini en çok bozan şey, Mısır keşif araştırmalarının erken dönemlerinde bolca rastlanan ve Tarihi Eserler Departmanı'nın bütün çabalarına rağmen hâlâ süregelen bir biçimde tarihi eserlerin alçakla yağmalanıp satılmasıydı.

"Tam asılacak adammış" diye bağırdı Emerson, müteveffa Kont'u kast ederek. "O ve bütün çağdaşları! Şuna baksana, Peabody... Eski Krallığa ait olduğu kesin, tarzı Ti ve Mereruka *mastaba*'larına benziyor... Tanrı bilir nereden çalınmış..."

Böyle hararetle söz ettiği nesne, zarif ve alçak kabartmalarla kaplı bir kireçtaşı bloğuydu. Bataklıkta bir av sahnesini canlandırıyordu. Merkez figür ağzında balık tutan bir kediydi. Esprili bir sevgiyle ve ustaca ayrıntılarla kotarılmış olması, onu sanatsal başyapıtlar sıralamasında yukarılara taşıyordu. Eskiler bu hayvanları avlarda yardım etsinler diye eğitirlermiş. Bu kedi tasmalıydı ve Bastet'e benzerliği şaşırtıcıydı... Sonuçta aynı türden olduğundan belki de şaşırtıcı değildi. Hatta Bastet bu kedinin torunuydu belki de? Eğlenceli ve ilginç bir fikirdi...

Emerson'un eleştirileri Lord'u gücendirmekten çok eğlendirdi. "Evet, benim peder soyguncuydu, doğrudur. Ama bakın Profesör, herkes öyleydi."

Emerson'un ters bir söz etmek üzere olduğunu görünce müdahale ettim, çünkü genç adamı sinirlendirmek lehimize olmazdı. "Lord Liverpool'un suçu olmadığı kesin Emerson.

Ne güzel bir parça! Bir yıl Mısır'dan dönerken yanımızda bir kedi getirmiştik Lord, Bastet'in tıpatıp aynısı bu."

"Öyle mi madam?"

"Ned" dedi Lord St. John tonlamasız, hissiz bir sesle, "kedileri çok sever."

"Ah evet, evet. O minik yaratıklara bayılırım. Ahırlarda bir sürü var" diye ekledi Lord Liverpool biraz muğlak bir biçimde.

Koleksiyonda o kireçtaşı kabartmasıyla boy ölçüşebilecek bir şey yoktu ama Emerson her bokböceği hakkında teker teker söylendi elbette. Sonra Kont odanın diğer ucundaki bir kapıyı gösterdi.

"Zavallı yaşlı mumyanın sondan bir önceki dinlenme yeri" dedi sırıtarak. "O gidince geride pek bir şey kalmadı, orayı ileride oturma odası yapmak niyetindeyim... evlenince."

Kapıyı açıp içeri baktım. "Ah, çok ilginç. Dolunayda içinden çığlıklar yükselen ve biblolarn kendiliğinden kırıldığı oda burası."

Lord Liverpool başını geriye atıp güldü. "İlginç bir öyküydü, değil mi? O kız kovuldu... Ben kovmadım, öyle işlerle ilgilenmem... Kâhya tarafından kovuldu... Kızın tembel olduğunu söyledi. O minik şeyi bizden birkaç şilin kopardığı için suçlayamam."

Konuşmakta zorlandığını ve yüzünün solduğunu fark edince Emerson'a baktım. Hafifçe başını sallayıp onayladı. Lord'un dediği gibi, kapakları ölüm ilahlarının başları biçiminde oyulmuş güzel bir üstü örtülü kavanoz seti dışında içeride ilginç bir şey yoktu. Lord'a teşekkür edip ayrıldık.

Fayton çakıl döşeli yolda sarsıntısız giderken dudaklarımın arasından bir inilti çıktı ister istemez. "Yoruldun mu Peabody?" diye sordu Emerson, şapkasını koltuğa atıp kravatını gevşeterek.

"Fiziksel yorgunluktan çok tarifsiz bir hüzne kapıldım Emerson. O ev ne kadar kasvetliydi!"

"Gotik saçmalıklara başlama" diye homurdandı Emerson. "Evin ikamet edilen kısmı aydınlık, modern, derli toplu... Peabody, sana Elizabeth'in odasındaki eşyalara dokunma demiştim, ellerine is ya da yağ bulaşmış."

"Yağ sanırım" dedim parmaklarımı mendilime silerken. "Ama aslında evden çok sahibinden söz ediyordum Emerson. Kusurları ne olursa olsun öyle genç bir adamın kaçınılmaz bir biçimde ölüme yaklaştığını görmek trajik."

"Hastalık beynine hücum etmiş bile" diye homurdandı Emerson. "Karakteristik bir biçimde kolay heyecanlandığını fark etmişsindir. Kriz geçirip cinayet işleyecek biri, Peabody."

"Ben o izlenimi edinmedim, Emerson."

"İzlenimler önemli değil. O genç serseriye yumuşak yaklaşıyorsun, hasta diye ve kedileri sevdiğini söyledi diye."

"Sempatik bir özellik bu, Emerson."

"Bu, onları" dedi Emerson karanlık bir ifadeyle, "*nasıl* sevdiğine göre değişir."

12

Henry faytonu evin önünde durdurup bizi indirdikten sonra ahırlara gitti. Biz inerken Emerson dönüp yumruğunu salladı. "Baksana küçük serseri! Onu bir daha deneme, bacağın kırılır."

"Bana demiyorsun herhalde" diye şaka yaptım.

Emerson tabanları yağlamış kaçmakta olan hırpani bir velede el kol hareketleri yapıyordu. "Yine şu Arap sokak çocuklarından biri. Faytonlarla arabaların arkasına tutunuyorlar, tehlikeli bir numara."

O sefil haldeki çocuk rahatsız edici anılar uyandırmıştı. "Gidip Ramses'in ne yaptığına baksak iyi olacak."

"O Ramses değildi, Amelia. Nasıl o olabilir ki?"

"O demedim. Ramses'in ne haltlar karıştırdığına bakmak istiyorum dedim o kadar."

Gargery bizi içeri aldığında, vereceği haberi bir an önce söylemek istediğinden, üstümüzü çıkarmamıza kadar zor sabretti. "Sizi soran birkaç kişi oldu sör ve madam. O muhabir iki kez..."

"Bay O'Connell mı?"

"Adı buydu sanırım, madam" dedi Gargery burnunu havaya dikerek. "Biraz telaşlı gibiydi ve tekrar geleceğini söyledi."

"İyi niyetimden yararlanmayı umuyorsa..." diye söze başladı Emerson öfkeyle.

"Müze'den genç bir beyefendi geldi, madam. Bay Wilson diye biri. İşte kartviziti. Sizi bulmak umuduyla tekrar gelecekmiş. Sonra bu mektup elden teslim edildi, önemliymiş sanırım."

Kalbim küt küt atmaya başladı. Ayşe ulağını tanıyacağı-
mı söylemişti. Ama o geldiğinde evde yoktum. Mektup olduk-
ça sıradandı, kalın ve pahalı, krem rengi keten bezindendi, üs-
tüne güzel bir yazıyla adım yazılmıştı (belli ki bir kadın
tarafından).

Onu yırtıp açarken rahat görünmeye ve bir yandan da
Emerson'un (sol kulağıma nefesini vermekteydi) içinde yazı-
lanları görmesini engellemeye çalıştım. Evelyn'in bir arkada-
şı, Perşembe günü çaya davet ediyordu.

"Lanet olsun" dedim kendimi tutamayıp.

"Özel bir mesaj mı bekliyordun?" diye sordu Emerson
imalı bir biçimde.

"Şey... Tabii ki hayır. Bay O'Connell ne istiyordu acaba?"

Gargery sözünü bitirmemişti. "Profesör, sizi biri sordu."

"Kimdi?" diye sordu Emerson.

"Adını vermedi, Profesör. Ama adam evde olmadığınızı
öğrenince oldukça bozuldu... Kabalaştı."

Bunu işitmek rahatlatmamıştı. Ayşe'nin ulağı erkek de
kadın da olabilirdi.

"Ya, öyle mi?" dedi Emerson öfkeyle. "Bu alçak herif na-
sıl biriydi peki?"

"Görgüsüz, küstah bir alçaktı, efendim" diye karşılık ver-
di Gargery. "Üstelik yabancıydı. Şivesi çok belirgindi..."

Dudaklarımın arasından boğuk bir çığlık yükseldi. Emer-
son bana merakla baktı. "Nasıl bir şive Gargery?"

"Bilmiyorum, efendim. Adam sarıklıydı, efendim. Hintli
sandım."

"Tanıdığımız Hintli var mı, Peabody?" diye sordu Emerson.

"Sanmıyorum, Emerson." Ama sarık takan bir sürü Mı-
sırlı tanıyoruz.

"Tekrar geleceğini söyledi" dedi Gargery.

"Hımm" dedi Emerson. "Baksana Amelia, anlaşılan başımıza bir sürü ziyaretçi musallat olacak, lanet olsun. Ramses'le konuşmak istiyorsan, bunu hemen yap."

"Çay saati gelmek üzere" diye karşılık verdim, klapama tutturulmuş saate bakarak. "Çayı getirmelerini söyle Gargey, çocukları da aşağı çağır."

Emerson nefret ettiği redingotundan kurtulmak için yukarı çıkarken ben de salona geçtim. Çocuklar girdiğinde akşam gazetesine göz atıyordum. Onları selamladıktan sonra Percy'ye, "Annenden haber gelmemesi tuhaf Percy" dedim. "Seni kaygılandırmak istemem, ne de olsa kaygılanacak bir durum yok eminim ama ona yazsak iyi olacak galiba. Adresi var mı sende?"

"Yok, Amelia Hala. Bavyera'da bir yerlerde" dedi Percy.

"Anlıyorum. Hımm. Ramses, odanın diğer ucuna gidip oturur musun lütfen? Yüzünü ve ellerini yıkadığın için tebrik ederim ama giysilerine sinen kimyevi madde kokuları... Hangi deneyleri yapıyorsun bakayım?"

"Her zamanki deneylerim işte anneciğim."

"İğrenç" diye mırıldandı Violet, kek dilimine uzanırken.

Kapıda Gargery belirdi. "Bay O'Connor geldi madam."

"O'Connell" diye düzelttim. Gargery'nin o adı bilerek yanlış söylediğinin pekâlâ farkındaydım. "İçeri al öyleyse. Profesöre de söyle acele etsin."

O'Connell her zamanki gibi telaşla girip kepini cebine tıkıştırdı. "Şimdi ne var Kevin?" diye sordum. "Cinayet mi, bir başka tutuklama mı, ne?"

"O kadar kötü bir şey değil Bayan E. En azından öyle umuyorum." Gösterdiğim koltuğa oturup çocuklara ters ters baktı.

"Bu kadar kek yeter, Violet" dedim sert bir sesle. "Surat asma yoksa Amelia Hala'n sana birkaç gün ekmekle su perhizi yaptırır. Git şu köşeye de bebeğinle güzel güzel oyna."

"İstemiyorum..." diye söze başladı Violet.

Percy onun kabarık buklelerine pat pat vurdu. "Seninle mikado oynarım, Violet. İzin verirseniz tabii, Amelia Hala."

"Büyümüş de küçülmüş bir centilmen" dedi Kevin, ikisi el ele uzaklaşırlarken. "Sen nasılsın Ramses? Dün geceden sonra kendini kötü hissetmediğini umarım?"

Ramses'in ayrıntılı bir karşılık vereceğinden, bütün çiziklerini ve morluklarını teker teker sayacağından korkarak onun yerine cevapladım. "Hissetmiyor. Emerson'un yarası da korktuğum kadar kötü değilmiş. Birazdan gelir... Eee, Gargery, Profesör nerede?"

Okuyucunun fark etmiş olabileceği gibi hislerini ya da fikirlerini bastırmaya meyilli olmayan Gargery sinirlendiğini gizlemeye çalışmadı. "Gitti, Bayan Emerson. O Hintli'yle."

"Ne?" Koltuğumdan biraz kalktım. "Hiç açıklama yapmadan, tek kelime etmeden..."

"Dışarı çıktığını, daha sonra geleceğini, merak etmememizi söyledi o kadar. Ama kaygılanmamak elimde değil madam, çünkü profesörün ve sizin peşinizde bir sürü kâfir var gibi görünüyor ve bu herif o kadar arsız ve zorbaydı ki..."

"Nereye gittiklerini gördün mü?" diye sordum.

"Bir fayton bekliyordu madam. Güzel bir arabaydı, hayatımda o kadar güzel bir çift gri at daha görmedim."

"Faytonun dikkat çekici tarafı yok muydu? Arması falan?"

"Yoktu madam. Sade, siyah, kapalı bir arabaydı o kadar... Çok güzel ve pırıl pırıldı madam. Pall Mall'a doğru gittiler..."

"Bu hiçbir şey ifade etmez" diye mırıldandım. Pall Mall, Hyde Park'a ve Park Lane Sokağı'na... ve başka milyon tane yere açılır.

"Evet madam. Öyle çabuk gittiler ki peşlerinden birini göndermeye fırsat bulamadım... Profesör'e yanına Bob'u ya da diğerlerinden birini almasının iyi olabileceğini söylediğimde tuhaf bir biçimde gülüp, başka kimsenin davet edilmediğini söyledi madam. Tuhaf... görünüyordu madam."

"Korkuyor muydu, Gargery?"

"Madam!"

"Tabii ki hayır. Sinirli miydi?"

"Şey..."

"Güldü dedin."

"Ama tuhaf bir biçimde madam."

"Ah, çekil karşımdan Gargery" diye bağırdım. "Bundan iyisini yapamıyorsan... Haydi ama haydi, alınma, elinden geleni yaptığını biliyorum ve eminim ki kaygılanmaya gerek yok."

"Teşekkürler madam" dedi Gargery üzüntüyle.

O gidince Ramses'e baktım. "Bu konuda bir şey biliyor musun, Ramses?"

"Hayır anneciğim. Gururuma inen bir darbe bu, çünkü senin ya da babamın güvenliği söz konusuysa olan bitenden *haberdar* olmaya çalışırım hep. Bir tahmin yürütmek mümkün tabii..."

"Tahmin yürütme, Ramses."

"Sorun nedir Bayan E.?" diye sordu Kevin merakla.

Varlığını o ana kadar neredeyse tamamen unutmuştum. O kadar serbest konuşmamalıydım ama okuyucu, yerimde olsaydınız aynı şeyi yapmaz mıydınız, yalvarırım söyleyin.

"Sorun yok galiba" diye karşılık verdim. "Özür dilemeliyim, Bay O'Connell, çünkü bu konu beni görmeye geliş nedeninizi anlatmanızı engelledi."

Kevin genzini temizledi, bacak bacak üstüne attı, bacağını indirdi ve tekrar genzini temizledi. "Geçerken uğradım..."

"Bir günde üç kez mi? Yapma Kevin, seni hiç bu kadar huzursuz görmemiştim, Kent'teki evime gizlice girip de baş uşağımı yere serdiğinde bile. Bu sefer sorun nedir?"

"Önemsiz bir şey muhtemelen" diye söze başladı Kevin, bacak bacak üstüne atarak.

"Gevelemeyi kes de anlat. Önemli olup olmadığına ben karar veririm."

"Şey... Bayan Minton'dan haber alıp almadığınızı merak ettim de."

"Hâlâ ninesinin evindedir herhalde" diye karşılık verdim, sorunun nedenini merak ederek. Mesleki bir konu olsa gerekti.

Kevin bacağını indirip bir dizine yumruğuyla vurdu. "Hayır Bayan E., orada değil. Neredeyse bir haftadır ne onu gören olmuş ne de ondan haber alan."

"Mümkün değil. Orada olmadığını nereden biliyorsun?"

"Bir arkadaşı... birisi... bir arkadaşı... ona yazmış. Kendisinin Londra'da olduğunu söyleyip bildiğiniz adresi veren bir mektup gelmiş. Ama ev sahibesi Cuma'dan beri orada olmadığını söylüyor."

Kapı açıldı. "Bay Wilson sizi görmeye geldi, madam" dedi Gargery.

"Ne?.. Burada ne işi var?" diye sordu Kevin sert bir sesle.

"Bilmem. Belki sohbet etmek için uğramıştır. Bazı insanların yaptığı bir şeydir bu, bilirsin. Ah, Bay Wilson, sizi görmek ne güzel. Bay O'Connell'ı tanıyorsunuz sanırım."

Wilson soğuk bir ifadeyle Kevin'a başıyla selam verdi. Kevin minimal bir nezaketle bile karşılık vermedi. Wilson bir koltuğa oturdu.

"Dün geceki korkunç olaydan sonra kendinizi nasıl hissettiğinizi sormak için uğradım" diye söze başladı. "Bir de anladığım kadarıyla yaralanmış olan profesörün durumunu sormak için."

"Çok naziksiniz. Gördüğünüz gibi yaram berem yok, profesör de... Profesör iyi. Sizi orada görmedim Bay Wilson."

"Kulisteydim denebilir" diye karşılık verdi gülümseyerek.

"Eh, o meydan kavgasında yaralanmadığınıza sevindim." Wilson elini alnına götürüp saçını geriye atınca mor bir şişlik ortaya çıktı.

"Rahiple... Onlardan biriyle dövüştüm. Sonucu görüyorsunuz."

Üzüntümü ve kaygımı ifade eden sesler çıkardım. Sonra artık sara nöbeti geçirircesine kıpırdanmaya başlamış olan Kevin ayağa fırladı. "Artık işimin başına dönmeliyim" dedi ondan şimdiye kadar işittiğim en iğrenç aksanla. "Size iyi günler, Bayan Emerson..."

"Hayır, oturun Bay O'Connell. Ne sizi ne de sorunuzu unutmuş değilim emin olun. Bay Wilson'a bir şey bilip bilmediğini soralım, ne de olsa kendisi Bayan Minton'ın arkadaşı."

"Bayan Minton'a bir şey mi oldu?" diye sordu Wilson. "Sorun nedir?"

"Ortadan kayboldu" dedim ciddiyetle. "En azından durumun o kadar ciddi olmadığını umuyorum ama Cuma'dan beri onu gören olmamış anlaşılan."

"Ninesi Dowager Düşesi'ni ziyarete gitmişti" dedi Wilson. Sakinliği Kevin'ı hiddetlendirdi. "Hayır, orada değilmiş. Yaşlı bayan onu görmemiş, gören başkası da yok."

Wilson kaskatı kesildi. "Uzaktan tanıdığı insanların, onun nerede olduğunu bilmelerini istememiş olabilir" dedi soğuk bir ifadeyle. "Kendisinin bir sürü arkadaşı var, öyle zengin bir genç bayan..."

"Eeh, bu kadar da salak olunmaz ki canım" diye haykırdı O'Connell. "Ben daha yeni öğrendim ama senin onun yakın dostu olarak bilmen gerekirdi... Beş kuruşu yok. Yaşlı Düşes gururu yüzünden rol yapıyor, zengin numarası yapıyor ve şato avlusunda yetiştirdiği turplarla ve havuçlarla besleniyor!"

Wilson da benim kadar şaşırmıştı. Ağzı açık kalakaldı.

"Bu... Bu imkânsız" dedi tükürük saçarak. "*Mirror*'daki işini ninesi sayesinde..."

"Kendi yetenekleri sayesinde buldu." Kevin bunu dişlerini gıcırdatarak söylemişti. Genç Wilson'a vurmak üzere gibiydi ama ben, insan kalbini tanıdığımdan, aslında kendine kızdığını biliyordum. "O yaşlı kadının eski dostlarından yardım aldığı doğru ama... Hay şeytan dilimi lanetlesin de çürüyüp kopsun bu söylediklerim yüzünden! Bayan Minton benim gibi maaşıyla geçinen fakir bir insan ve minik ceplerinde beş kuruşsuz... tek başına nereye gider..."

Yumruklarını ceplerine sokup sırtını döndü.

Wilson bembeyaz kesilmişti. "Ama... Bu doğruysa..."

"Doğru" dedi Kevin dönmeden.

"Ama... ama Bay O'Connell haklı... İnsan bu pis şehirde... öyle bir genç kadının başına gelebilecek korkunç şeyleri düşününce..."

İnsan doğasını incelemeye kendimi adamış biri olarak bu diyaloğu ilgiyle takip etmiştim. Zavallı Emerson, şimdiki durumun o tiksindiği "lanet olası romantizm düşkünlüğüyle" ilgili olduğunu öğrenince ne kadar da sinirlenecekti... Evet, zavallı Emerson. Tahmin ettiğim yere gittiyse bugün zaten epeyce canı sıkılacaktı.

Ama bu hislere kendimi kaptırmamın sırası değildi, önce halletmem gerek ufak bir başka konu vardı. İki genç adam da bariz bir biçimde çaresiz ve sıkıntılı görünüyorlardı ve ıstıraplarını gereğinden fazla uzatmak istemiyordum. Öte yandan küçük de olsa yanılma ihtimalim varken kesin konuşmak da istemiyordum.

"Bayan Minton'ın nerede olabileceğini biliyorum sanırım" dedim.

Kevin hemen döndü. Wilson ayağa fırladı. Bir ağızdan haykırdılar: "Nerede? Ne? Neden?.."

"Sanırım dedim. Haklıysam (ki genellikle öyleyimdir) kaygılanmaya hiç gerek yok... En azından sizin kaygılanmanıza. Bayan Minton'a gelince... Haydi artık gidin de araştırmalarıma devam edeyim..."

Onlardan kurtulmak kolay olmadı ama sorularını ve yalvarışlarını kararlı bir biçimde elimi kaldırarak durdurdum. "İkiniz de Bayan Minton'ın sırlarını vermemi talep edecek konumda değilsiniz. Onunla evli ya da nişanlı olsanız buna hakkınız var diyebilirdim ama olmadığınıza göre cevap vermeyi reddediyorum. Teorim kanıtlanır kanıtlanmaz ikinize de haber göndereceğime söz veriyorum. Ne kadar çabuk giderseniz araştırmaya o kadar çabuk başlayabilirim."

Onları bir biçimde dışarı çıkardım. Peşimden hole gelmiş olan Ramses'e döndüm.

"Şüphelerimi paylaştığını hissediyorum Ramses."

"Benimkiler şüphe değil, anneciğim" dedi Ramses. "Eminim..."

"Anlıyorum. Nihayet dilini tutmayı öğrendiğin için seni öveyim mi, yoksa hemen bana söylemediğin için cezalandırayım mı bilemiyorum."

"Daha dün öğrendim" diye açıkladı Ramses. "Dikkat çekmemeye özen gösteriyordu ve görünüşündeki değişiklik..."

"Ayrıca insanların hizmetçilere pek dikkat etmemeleri. Baban dışında... Ama o böyle konularda tuhaf bir biçimde kördür, Bayan Debenham onu nasıl kandırmıştı hatırlarsın."

Hayretle, sessizce dinlemekte olan Gargery "Madam, bir soru sorabilir miyim?.." diye söze başladı.

"Zamanı gelince her şey açıklanacak, Gargery. Lütfen salona dönüp çocuklara odalarına gitmelerini söyle. Violet artık çay masasındaki her şeyi silip süpürmüştür herhalde."

(Gerçekten de öyle olmuştu.)

Oda hizmetçisini bulduğumda odamda şömineyi yakıyordu. Girdiğimde bir özür mırıldanarak ayaklandı, yüzünü göstermeden kömür kovasını alıp yan yan kapıya yöneldi.

"Foyanız meydana çıktı, Bayan Minton" dedim. "O kovayı hemen bırakıp bana dönün."

Kova düşünce halıya kömürler saçıldı. Diz çöküp onları toplamaya başladığını görünce, "Boşverin" dedim. "Basın mensuplarında bir sürü aşağılık, rezilce numara görmüştüm ama sizinki hepsini aştı (utanmazlık konusunda oldukça uzman olan Bay Kevin'ı bile geçtiniz). İlanımı gazeteye vermediniz, değil mi?"

Bayan Minton yavaşça ayağa kalktı. Siyah robuyla, buruşuk önlüğüyle ve temiz kepiyle tatlı, minik bir oda hizmetçisi gibi görünüyordu. Yine de çehresini değiştirme çabalarına rağmen nasıl bu kadar dikkatsiz olabildiğimi merak ettim. Yüz hatlarından çok ifadesi değişmişti: Eğik gözler, sarkık dudaklar ve aşağı çevrilmiş çene. Bunu görünce toplumumuzdaki sosyal sınıflar arasında ne kadar zalimce bir uçurum bulunduğunu fark ettim.

Bir süre sonra, başını ve omuzlarını kaldırdı. Utanmış gibi görünmeye çalıştıysa da siyah gözlerinde fesatça bir parıltı ve çenesinde asi bir duruş vardı. "Beni keşfetmenize sevindim" dedi. "Ne kadar can sıkıcıydı bilemezsiniz! Girdikten sonra bir daha çıkamadım. Kâhyanızın bayan hizmetçileri anaç bir şahin gibi gözlediğini işitmek hoşunuza gidecektir."

"Küstah kız seni!" diye bağırdım. "Ne yani! Bir özür bile dilemeyecek misin, pişmanım demeyecek misin?"

"Özür dilerim. Yaptığıma pişmanım diyemem... Elimdeki fırsatları iyi değerlendiremediğime üzgünüm o kadar. Bir saniye bile boş zamanım olmadı. Haberlerimin altında imzamı görmek yerine, bir biçimde bilgi toplamak ve bunları başkalarının kullanmasına göz yummak zorunda kâldım."

"Anlıyorum. Yani profesörle ben afyonhanedeyken polisin baskın yapması ve basına önceden haber verilmesi tesadüf değildi."

"O en büyük başarımdı" dedi utanmaz kız gururla. "Hizmetçilerin odasında akşam yemeğine oturmak üzereydik ki Gargery içeri dalıp afyonhanelerden söz ettiğinizi öyle heyecanla anlatmaya başladı ki, bu haberi kendime saklayamadım. Başım ağrıyor gibi yaparak biraz hava almak için dışarı çıkma izni istedim. Gazetemin editörüne yazdığım notu alabilecek birini bulmayı umuyordum elbette. Etrafta takılan Arap bir sokak çocuğuna mesajımı götürmesi için para verdim. Ama işittiğim başka bazı şeyler vardı ki, onlardan yararlanamadım."

Emerson'la birlikteyken o kızın yanında neler konuştuğumuzu hatırlamaya çalıştım ama şu hizmetçilere mobilyaymışlar gibi davranma huyu, o pis alışkanlık yine yoluma çıktı. O kıza o kadar az dikkat etmiştim ki... Ama bir konu vardı ki, kızarmak âdetim olsa (ki değildir) kızarabilirdim.

"Emerson ne diyecek bilmiyorum" diye mırıldandım.

Bayan Minton'ın fesat gülümsemesi kayboldu. Ellerini kavuşturdu. "Ah, profesöre söylemeniz şart mı?"

"Söylememek için bir neden göremiyorum. Bayan Minton, evlilik taraflar arasında açık sözlülüğü ve mutlak dürüstlüğü... Ama böyle bir konuşmanın sırası değil şimdi. Onun fikrini benimkinden çok önemsemenize bozuldum doğrusu. Emerson'un şıpsevdi bayanlar üstünde böyle bir etkisi vardır, elinde değil... Bazen elinde olmuyor."

"Anlamıyorsunuz." Yanaklarındaki gül pembesi iyice koyulaştı ama gözlerime dimdik baktı. "Aranızda geçen konuşmaları dinlemek... O kadar uyumlu iki zihnin sohbetlerine, görmesem de tanık olma ayrıcalığına erişmek... Bir erkeğin ne olabileceğine... Bir kadının ondan neler bekleyeceğine dair fikirlerimi tamamen değiştirdi, Bayan Emerson. Bay Emerson'un nüktedanlığı, iyi kalpliliği, gücü ve şefkati..."

İki zihin arasında geçen sohbetlere aslında tanık olmadığını öğrenince rahatladım. Efendi, hizmetçiyi yönettiğini sanır, oysa aslında hizmetçi... Bilmemesi gereken şeyleri bilir. Yine de onu dinlerken haklı öfkem yatıştı ve sesi kekeleyip kesildiğinde, ister istemez derin bir sempati duydum. Numarası geri teptikten sonra bile kalmayı sürdürmesinin nedenini şimdi anlıyordum. Emerson'un, kendisini takdir edebilecek zekâda bir kadını nasıl büyülediğini benden iyi kim bilecekti! Ayrıca Bayan Minton'ın onun nüktedanlığının ve şefkatinin yanı sıra mavi gözlerine, kuzguni saçına ve takdire layık kaslarına da kayıtsız kalmadığından şüpheleniyordum, ki bunları görmesi gerekenden çok fazla görmüştü muhtemelen.

İkimizin de derin düşüncelere daldığı sessizliği bozan o oldu, eminim ki aynı konuyu düşünüyorduk. "Ben gidiyorum" dedi. "Madam, yalvarırım bana zaman tanıyın. Yarım saat çok mu olur?"

"İşini bırakmıyorsun, kovuldun" dedim. "Ayrıca referans da alamayacaksın. İster yarım saatte ister bir saatte, yeter ki evimi kesinlikle terk et. Bayan Watson'a ben açıklama yaparım."

"Peki madam" dedi, her heceyi nefretle söyleyerek. Taptığı kişi üstünde her türlü hakka sahip olan (öyle sanıyordu) benden nefret ettiği için onu suçlayamazdım. Ben ki kıskançlığın acısını çok iyi biliyordum!

Ama o kapıdan çıkmak üzereyken Kevin'ın bana söylediği sözü hatırladım. Bayan Minton'ın Londra'da bir odası vardı ama yol ya da yemek parası olmayabilirdi. O kızı gece vakti beş kuruşsuz gönderemezdim. Bunun başka nedenleri de vardı.

"Bekle" dedim. "Fikrimi değiştirdim. Bu gece burada kalacaksın... Hâlâ oda hizmetçisi olarak tabii. Hayır, itiraz etme, tartışma istemem. Sabah nereye istersen gidersin, ne istersen yaparsın. Muhtemelen meydanda dolanmakta olan hayranlarından birinin seninle ilgilenmesini tercih edersem o başka tabii."

"Ne dediniz?" Dönüp bana bakakaldı. "Hayranlarım mı? Benim hayranım falan yok..."

"Belki yanlış bir sözcük kullandım. Ama onlara söz verdiğim biçimde... güvende olduğunuzu söylememi bekleyen iki tane genç beyefendi var, Bayan Minton. Arkadaşlarınızı merakta bırakmanız zalimlik ve düşüncesizlikti."

"Arkadaşlarım yok" dedi öfkeyle. "Rakiplerim var o kadar. Ayrıca himayesini kabul edeceğim bir erkek de yok."

Biri dışında diye düşündüm. Ki o sizi korurdu, oynadığınız o haince oyundan sonra bile. Ama bu sizin isteyeceğiniz türden bir himaye olmazdı Bayan Minton.

"Keyfin bilir" dedim.

"Sabah ilk iş gideceğim madam. İzninizle madam." Ama iznimi beklemedi ve kapıyı öyle bir şiddetle çarptı ki, Bayan Watson görse oracıkta kovardı.

O gidince odada hızla dolanmaya başladım, düşünmeme yararlı olduğunu bildiğim bir egzersizdir bu. Olaylarla çabucak ve kararlı bir biçimde başa çıkmaya alışık olsam da, son bir saat içindeki şaşırtıcı gelişmeler beni yormuştu.

Bay Wilson'ın o genç bayana âşık olduğundan şüphelenmiştim ama özellikle o sahada gelişkin olan yeteneklerime rağmen, O'Connell'ın ilgisizlik numarasına kanmıştım. Yine de, diye avuttum kendimi, belki de onu sevmeyi daha yeni öğrenmiş, güvenliği için duyduğu kaygı göğsünün derinliklerindeki hisleri uyandırmıştı. Kendisinin bile fark etmediği bir şeyi gözden kaçırmakla suçlanamazdım.

Bayan Minton'ın, Emerson'a *ilgi duyması* durumu karmaşıklaştırsa da önemli değildi. Emerson onun hislerine karşılık vermemişti ve şimdiden sonra da vermemesi için gerekenleri yapacaktım.

Asıl önemlisi Emerson'u kimin götürdüğüydü. Bana tek kelime etmeden evden çıkıp gitmesine yol açan mesaj, yakarış ya da tehdit nasıl bir şeydi acaba? Aklıma acı verici bir cevap geliyordu ama bu doğru olmayabilirdi. Yanıldığımı mı umayım, ki bu durumda saygıdeğer kocam bilinmeyen bir tehlikeyle tek başına yüzleşiyor olabilirdi; yoksa haklı olduğumu mu, bilemiyordum.

Şimdilik geri dönüşünü beklemekten başka bir şey gelmezdi elimden. Ama ya dönmezse? Ya saatler ağır ağır geçip gittikçe ondan haber alamazsam? Kendimi tanıdığımdan, öylece durup beklemeye uzun süre katlanamayacağımı biliyordum.

Bu konuyla zamanı gelince ilgilenmeye karar verdim. Bu arada uğraşmam gereken iki genç adam vardı. İçlerini rahatlatmaya söz vermiştim ve Amelia P. Emerson verdiği sözü mutlaka tutar, yüreği başka yerde olsa bile.

Gargery holde durmuş, pencereden dışarı bakıyordu. "Geri dönmesini beklemek için henüz erken" dedim bezginlik ve sempatiyle. "Gideli daha bir saat olmadı. Kapıyı aç lütfen, Gargery."

Söylediğimi yaptı ama gönülsüzce. "Madam, siz de gidip ortadan kaybolmayasınız. Yoksa profesör beni asla affetmez..."

"Sokağın karşı tarafına gidiyorum o kadar." Çünkü oradaydılar, tahmin ettiğim gibi, O'Connell dolanıp duruyordu ama Bay Wilson kımıldamadan durmuş eve bakmaktaydı.

"Lütfen madam, yapmayın..."

Koluna pat pat vurdum. "İstersen kapıda durup beni izleyebilirsin, Gargery. Şu baylara iki çift lafım var o kadar, hemen dönerim."

Karşıya geçmeme gerek kalmadı. Çıkar çıkmaz ikisi de bahçe kapısına koştular ve orada konuştuk.

"Tahminim doğruymuş" dedim. "Bayan Minton tamamen güvendeymiş."

"Yemin eder misiniz Bayan E.?" diye sordu Kevin.

"Yemin ederim. Sizi kandırdığım oldu mu hiç, Bay O'Connell?"

Delikanlının dudaklarının kenarlarında hafif bir gülümseyiş belirdi. "Şey... Bu seferlik size inanacağım."

"İyi ama nerede o?" diye sordu Wilson. "Onunla konuşmalıyım, emin olmalıyım..."

"Böyle heyecanlanmanıza şaşırdım Bay Wilson." Gerçekten de heyecanlanmıştı, çıkarmayı unuttuğu şapkası çarpık duruyordu ve zarif, gri eldivenlerini özensizce göz ardı ederek paslı demir çubukları kavramıştı.

"Affedersiniz" diye mırıldandı Wilson. "Sözünüzden şüphe duymuyorum, Bayan Emerson..."

"İyi olur. Bayan Minton yarın evine dönecek, kendisini o zaman görebilirsiniz. Şimdi eve gidin ve onun tehlikede olmadığını bilerek mışıl mışıl uyuyun."

O'Connell elleri ceplerinde, omuzları düşük bir halde dönüp gitmeye başlamıştı bile. "Kepinizi takın, Bay O'Connell" diye seslendim. "Gece havası rutubetli."

Önerime elini sallayarak karşılık verdi ama durmadı... Emre de uymadı, en azından gözden kaybolana kadar. Bay Wilson kalıp bana teşekkür etti... Tekrar tekrar. Sözünü yarıda keserek gitmesini emrettim.

Hemen eve dönmek yerine bahçe kapısında kaldım. Rutubetli gece havasında kesif yanık kömür kokusu vardı ama okuyucuya neden kaldığımı açıklamama gerek yoktur eminim. Aranızda bir kez olsun bir pencerede ya da kapıda durup da, birini nefesini tutarak beklememiş... Sokağa sapan her taşıtı ya da beklenen kişiye biraz olsun benzeyen bir yayayı her görüşünde kalbi küt küt atmamış... Taşıt geçip gittiğinde ve yayanın başkası olduğu anlaşıldığında hayal kırıklığının hasta edici acısını hissetmemiş biri varsa... Bu erkek ya da kadını varlığındaki dinginlikten dolayı kutlarım.

Gargery kapı eşiğinde durmuş, benim gibi dikkatle bakmaktaydı. Bunun boş bir iş olduğunu biliyordum, birkaç saniye sonra derin derin iç geçirip eve girdim.

Bahçe kapısının yanındaki, artık tamamen yaprak açmış olan çalılar ansızın rüzgâr esmişçesine titreşti. Ama rüzgâr yoktu. Karşıdaki çalıların yaprakları seyrek ve kımıltısızdı. Kar beyazı, dev bir örümceği andıran bir şey dalların arasından sürünerek çıktı. Örümcek değildi, cüzzamlı gibi soluk ve iskelet gibi zayıf bir eldi. Bir kâğıt parçası tutuyordu.

Ben kâğıdı alır almaz el kayboldu, kulak kabartmayan birinin işitemeyeceği kadar hafif bir hışırtının yerini sessizlik aldı. Ulak gelişiyle aynı tarzda, yerde kertenkele gibi sürünerek giderken.

Ayşe ulağını tanıyacağımı söylemişti. Başka herhangi birinin bu biçimde mektup göndereceğini sanmıyordum. Gargery sıra dışı bir şey görmemişti. Görse bağırır ya da bana koşardı eminim. Kâğıdı eteğimin kıvrımlarının arasına gizleyerek hemen eve geri dönüp dosdoğru kütüphaneye gittim.

Kâğıt iki kere katlanmış ama mühürlenmemişti. Dış tarafında yazı yoktu. İçindeyse tuhaf sembollerden oluşma tek bir satır vardı.

Bulanık görüşümün düzelmesi çok uzun sürdü. Semboller tahmin ettiğim gibi hiyeroglifti ama özensiz yazılmışlardı, sanki Eski Mısır'ın zarif resimli yazısını çok az bilen biri tarafından. İmlası da -temelde alfabetik olmayan bir dil için bu söz kullanılabilirse- afallatıcıydı. Ancak bir süre uğraştıktan sonra çözebildim. Dikilitaşı tanımamak imkansızdı, Londra'da böyle tek bir yer vardı. Ancak hiçbir Mısırlı geceyarısından (söylenenin bu olduğunu farz ettim) "gecenin ortası" diye söz etmezdi. Yalnızca bir başka işaret grubu vardı o kadar... Hareket tasvir eden fiilleri belirtmekte kullanılan yürüyen bacaklar ve tek bir çizgi.

"Yalnız gel?" Başka anlamı olamazdı. İmzasız mesajları yazan kişilerin özellikle tuzağa düşürmek istedikleri kişilere söyledikleri türden sıradan bir öneriydi bu. Geceyarısı sahilde, beni sevmek için hiçbir nedeni olmayan ama tam tersi için bir sürü nedeni bulunan bir kadın tam da böyle bir tuzak kurabilirdi.

Randevu yerine on buçukta gitmeye karar verdim. İnsan pusu bekliyorsa, önceden gitmek stratejik açıdan avantajlıdır.

Uzun ve (mutlulukla söylüyorum ki) maceralı hayatım boyunca Londra'daki o ilkbahar akşamından daha sevimsiz çok az anı hatırlıyorum. İçimde beklentiyle kaygı çatışıyordu ve saatler hiç bu kadar yavaş geçmemişti. Akşam yemeğini tek başıma yedim... Gerçi bunu söylemem yanıltıcı olabilir, çünkü neredeyse benim kadar kaygılı olan Gargery tabakları masaya öyle çabuk getirip götürdü ki, içimden yemek gelse bile (ki gelmiyordu) yiyemezdim. Holden geçip merdivene giderken, pencerenin yanında durduğunu gördüm. Perdeleri çekip toplamıştı ve korkunç bir halde buruşturmuştu ama şikâyet etmek içimden gelmedi.

Beynime hücum eden çılgınca teorileri kayda geçirmekte tereddüt ediyorum. Bir an o randevunun ancak dövüşerek kurtulabileceğim bir tuzak olduğuna emin oldum. Daha sonra sonuçta Ayşe'nin aramızdaki bağı, ezilen bir kadının bir başka kadına duyduğu sempatiyi kabullendiğine ve bana istediğim bilgiyi vereceğine karar verdim. Üçüncü bir ihtimal vardı... Emerson'ı tuzağa düşürmüş olabilirdi, yardım isteyerek ya da bir tür... teklifte bulunarak onu esir etmiş olabilirdi. Durum buysa buluşmanın nedeni fidye istemekti. Öyle olmasını nasıl da umuyor ve bunun için dua ediyordum!

Tam bir asrın yavaş yavaş geçmesinden sonra (öyle hissediyordum), düşüncelerim kapının çalınmasıyla kesildi.

"Kim o?" diye seslendim.

"Benim anneciğim. Girebilir miyim?"

Gidip ona iyi geceler dilemiş ve bulunması gereken yerde bulunup bulunmadığını kontrol etmiş olmam gerektiğini fark ettim. "Evet Ramses, gel." Sonra ekledim: "Ben de tam sana geliyordum. Babandan henüz haber yok ama onu hiç merak etmiyorum."

Ramses kapıyı arkasından usulca kapayıp bana ciddiyetle baktı. Geceliğini giymişti bile ve normal haline kıyasla temizdi. Yere kadar uzanan geceliğinin ve minik çıplak ayaklarının dokunaklılığının annesi üstündeki yumuşatıcı etkisinin farkında mıydı merak ettim (aslında terlik giymesi gerekiyordu ama önemli değildi). Bu merak fazla sürmedi, Ramses bile annesinin şüphelerini gidermek için anaç duyguların en şefkatlisine hitap edecek kadar numaracı olamazdı.

"İyi geceler dilemeye gelmiştim anneciğim, bir de şeyi sormaya..." diye söze başladı Ramses.

"Tahmin etmiştim. Öyleyse beni öp de yatağına git bakayım. Saat geç oldu."

"Peki anneciğim." Ramses'in öpücüğüne karşılık verdim ama sarıldığımda geri çekilip kolumdan kurtuldu. "Şeyi sormaya gelmiştim..."

"Söyledim ya Ramses, baban hâlâ dışarıda. Döndüğünde yukarı gelip seni öperek iyi geceler diler, her zamanki gibi."

"Evet, anneciğim ama soracağım şey bu değildi. Babamın geciktiğinin gayet iyi farkındayım..."

"Öyle mi? Ne soracaksın peki?"

"Harçlığımdan avans isteyecektim."

Ramses'e düzenli harçlık verme fikri Emerson'undu ve işe yaradığını söylemeliyim. Gerçi miktarı çok yüksekti ama Emerson'un dediği gibi kitap, kâğıt, kalem ve benzeri akademik ihtiyaçlarını karşılıyorduk sürekli. İhtiyaçlarını kendi bütçesinden karşılamak zorunda kalması hem ona ders olur hem de ona zaten vereceğimizden fazlasının cebimizde kalmasını sağlardı.

"Ne, geçen haftakini şimdiden harcadın mı? Bayan Helen'ın on iki şilin ve altı peni verdiğini söylemiştin, sonra da baban sana..."

"Sıra dışı harcamalarım oldu" diye açıkladı Ramses.

"Mumyalama deneylerin yüzünden herhalde" dedim yüzümü ekşiterek. "Pekâlâ, cüzdanım çalışma masasının üstünde, ne kadar gerekiyorsa al."

"Teşekkürler anneciğim. Şunu söyleyebilir miyim ki, olgunluğuma dair inancını sergileyişin en derin..."

"Tamam oğlum, tamam." Saatime göz attım. Son bakışımdan beri yalnızca beş dakika geçmişti. O ibreler hiç kımıldamayacak mıydı?

Ramses dosdoğru kapıya gitti. "İyi geceler anneciğim."

"İyi geceler oğlum. İyi uy..."

Sözümü bitiremeden kapı kapandı. İyi de oldu, o kaygılı halimle bırakın bir insanla sohbet etmeye, aynı odada bulunmaya bile katlanmakta zorlanırdım.

Nihayet o bitmek bilmez bekleme süresi geçince çıkmaya hazırlandım. Ne giyeceğimi uzun uzun düşünmüştüm. Mısır'daki kazılarda çok rahat bulduğum tarzlardan birinde karar kıldım... Dize kadar inen saf tüvitten bir pantolon, sağlam botlar, bol bir gömlek ve altına özel yaptırdığım yeni korse. Sonra çalışma masasından kemerimi alıp taktım, üstüne takılı işe yarar aletlerin tanıdık tıngırtıları içimi özgüven ve cesaretle doldurdu. Altıpatlarımı çok arıyordum. Abdullah'a bırakmıştım, çünkü Emerson evde ateşli silahlar istemiyor ve önyargılı bir biçimde medeni İngiltere'de öyle bir tedbire gerek olmadığını söylüyordu. Şimdi burada olsa bu fikrinin ne kadar aptalca olduğuna dikkatini çekerdim.

Uzaktan gelen seslerin hayal meyal farkındaydım ama heyecanlı kalbimin atışları öyle yüksekti ki, yatak odası kapısı birden açılana kadar diğer seslere aldırış etmedim. Karşımda... Emerson'u görünce anatomimin her santimine yayılan hisleri nasıl ifade edebilirim? Emerson... Bu tek sözcük her şeyi açıklıyor. O hisleriyse anlatamam ve buna kalkışmayacağım.

Yine anlatmaya kalkmayacağım bir süre geçtikten sonra, Emerson beni kol mesafesi kadar uzaklaştırarak soran gözlerle baktı. "Heyecanını takdir etmiyorum sanma, Peabody" dedi, "ama nedenini anlayamıyorum. Bir şey mi oldu?"

"Bir şey... bir..." Ellerimi göğsünün ortasına dayayıp var gücümle ittim. Emerson'un sırtı kapıya çarptı, sırıtması beni daha da hiddetlendirdi. "Bunu bana hangi cüretle sorarsın?" diye haykırdım yumruklarımı sıkarak. "Tek kelime açıklama yapmadan bu evden çıkıp gitmeye, saatlerce dönmemeye, akşam yemeğini kaçırmaya ve beni meraktan öldürmeye nasıl cesaret edersin?"

"Hah, şimdi oldu" dedi Emerson. Uzun adımlarla odada dolanmamı kollarını kavuşturarak izledi. Aletlerimin şıngırtıları bir enstrümandan çıkıyor gibiydi. Bir an sonra "Peki nereye gidiyordun, Peabody?" dedi. "Böyle giyinip kuşanmış ve tepeden tırnağa silahlanmış halde yatağa girmeyecektin herhalde?"

Duruverdim. Öyle tam en korkunç kaygıları uyandıracak kadar uzun süre uzak kalıp da sonra çıkagelerek planlarımı bozmak tipik bir erkek davranışı diye düşündüm acı acı. Beş dakika geç gelse evden çıkmış olacaktım.

"Seni aramaya çıkıyordum" diye mırıldandım.

"Gerçekten mi Peabody?" Yanıma koştu, sarıldı. "Peabody'ciğim..."

Hayat bazen ironiktir sevgili okuyucu. Teşvik ettiğim o sarılmalar, ki bunu seve seve yaptığımı söylememe gerek yok, mahvıma yol açtı. Çünkü cebime koyduğum (hangisine koyduğumu boşverin) o lanet olası kâğıt, Emerson'un elinin baskısı yüzünden hışırdadı. Yaptığım açıklama hoşuna gitmiş ve dokunaklı gelmişse de şüphelerini tamamen yatıştırmamıştı... Ne de olsa Emerson ne salaktır ne de saf. Onu durdurmama fırsat kalmadan kâğıdı saklandığı yerden çıkarıp okumaya başladı.

"Bu kimden geldi, Amelia?" diye sordu usulca.

"Bilmiyor musun, Emerson? Tahmin edemez misin?"

"Sanmam. Tanıdığım hiç kimsenin Mısırca'sı bu kadar bozuk değil." Esprili konuşmaya çalışıyordu ama o muhteşem, gamzeli çenesinin titreyişi, bağırmamak için kendini zor tuttuğunu gösteriyordu. Ona sırtımı döndüm, çelik gibi parmaklarıyla beni omuzlarımdan kavrayıp kendisine çevirdi.

"Beni aramaya çıktığın falan yoktu. Nasıl arayacaktın ki? Bu fare kafesi gibi tıklım tıklım dolu şehirde nereye..."

"Nereye sence? Nereye olacak? O kadının evinden başlayacaktım, neyse ki beni o zahmetten kurtardı."

"Kadın mı?" Emerson'un elleri gevşedi. Bana neredeyse huşuyla baktı. "Nasıl bilebildin?.."

"Onun evine girdiğini gördüm, Emerson. Hem de bir değil iki kez. İkincisinde parktan bakıyordum, o salak sakalla bir sepet balık seni gözlerimden gizler mi sandın?"

"Balık!" diye bağırdı Emerson. "Balık mı? Balık..." Birden anladı. Kasılmış kaslar gevşedi, çatık kaşları yukarı kalktı. "Ayşe! Ayşe'den söz ediyorsun. Bu notu o mu yazmış?"

"Yani başka biri daha mı var?" diye haykırdım.

Emerson aldırış etmedi. Şimdi kesik kesik bağırarak ileri geri dolanma sırası ondaydı. "Demek ki konuşmaya hazır. Ama neden... Geceyarısı demiş. Ne kadar da klişe ve banal... Amelia! Bu daveti kabul etmeyecektin, değil mi? O kadar gerizekâlı olamazsın! Ah, lanet olsun, tabii ki olabilirsin. Olursun!"

"Olabilirim, olurum ve gitmek üzereyim" diye karşılık verdim, kafamın karışıklığıyla öfkemi dizginleyerek. "Hem de hemen gitmeliyim."

Emerson dolanmayı kesti. "Bu bir tuzak, Amelia."

"Emin olamazsın. Ama öyleyse erken gitmem için daha iyi bir neden. Stratejik avantaj..."

"Bana nutuk çekme, lanet olsun!"

"Lütfen, Emerson!"

"Affedersin, Peabody." Emerson çenesini ovuşturdu. "Haklı tabii" diye mırıldandı. "Onu durdurmak da imkânsız. Ancak..."

Gözleri yüzüme çevrildi, hesaplı ifadeleri ve ellerini açıp kapaması (eminim farkında değildi) bir adım gerilememe yol açtı.

"Emerson, bana bir kez bile elini sürersen, yani zaptetmek için, buna hayatının sonuna kadar pişman olursun."

"Ah, şey, bunu biliyorum, Peabody" dedi Emerson huysuzca. "Bazen buna değer mi diye merak ettiğim oluyor ama yapabileceğin... ve yapmayabileceğin şeyleri düşününce... Artık yola çıksak mı?"

"Bir saniye. O kadın senin için ne ifade ediyor Emerson? Onunla ne zaman tanıştın? Ayrıca..."

"Hangi kadın?" diye sordu Emerson sırıtarak. "Sinirlenme, Peabody, buna zamanımız yok... açıklamalara da. Sana söz veriyorum ki zamanı gelince istediğin cevapları alacaksın... Bu akşamki maceradan sağ çıkarsak tabii, ki şu anda bu epeyce zor görünüyor. Gargery'yi yanımıza alsak mı ya da... Hayır, bu fikri sevmediğini yüzünden anlıyorum. İkimiz gideceğiz öyleyse... Yan yana ve sırt sırta, daha önce olduğu gibi."

Bu teklifi ya da benimkine uzanan o güçlü esmer eli nasıl geri çevirebilirdim?

Emerson'un sürücüye son hızla gitmesi koşuluyla vadettiği iki buçuk şiline karşın oraya umduğumdan daha geç vardık ve araba Waterloo Köprüsü'nün yanındaki Savoy Sokağı'nın başına ulaştığında hâlâ tartışıyorduk. (Randevu yerine oradan gitmek tahmin edilecek yönün tam zıttından varmamı sağlıyordu.)

"Yalnız gel dedi" diye tekrarladım onuncu kez. "Yanımda olduğunu görürse yüzünü göstermeyebilir."

Emerson bunun mantıklı olduğunu kabullenmek zorunda kaldı ama önerdiği çözümler ya kullanışsız ya da abartılıydı. Bir pelerine sarınıp eski moda bir bone taksa bile benimle karıştırılması imkânsızdı. Sonunda tek mantıklı yöntemi (sövüp sayarak) kabullendi... yani beni uzaktan takip edip Needle civarında saklanacak bir yer bulmaya çalışmayı.

Onu takma sakalı boşvermeye ikna etmiştim. Sis umduğum kadar yoğun olursa ve yakasını kaldırıp kasketini alnının üstüne çekerse sıradan bir serseri sanılabilirdi (gerçi itiraf etmeliyim ki asla ne beni kandırabilirdi, ne de bakışları sevgiyle keskinleşmiş başka bir kadını). Ne yazık ki suyun üstünde asılı duran sis şeritleri dışında gece havası netti.

Arabanın dönüp takır tukur uzaklaşmasını izledik. Emerson elimi tuttu.

"Güneş şemsiyen yanında mı, Peabody?"

"Gördüğün gibi" diye karşılık verdim onu sallayarak.

Verdiği tek karşılık, bana çabucak ve vücudumu morartacak kadar sarılmak oldu. Gitmemi işaret etti sessizce.

Neredeyse tam tepede olan köprüden kulaklarıma gelen trafik gürültüsüne nehrin diğer tarafındaki Waterloo İstasyonu'na yaklaşan trenlerin çığlıkları karışıyordu. Tam karşımda uzanan nehir kıyısı akkor ışık küreleriyle aydınlanıyordu. Dökme demirden sütunların tepesinde durmaktaydılar ve aralarında yirmi metre kadar vardı; durduğum yerden bakınca titreşen bir ışık kolyesi gibi görünüyorlardı ve karanlık suya düşen yansımaları ikinci, titrek bir ışık kolyesi oluşturuyordu.

Işıklardan elimden geldiğince uzak durarak yürümeye başladım. Oradaki tek kişi değildim, iri yarı ve güçlü bir erkek belli bir biçimde benimle konuşmak için duraksayınca güneş şemsiyemi bastona dönüştürüp güçlükle sekerek dermansız bir ihtiyar numarası yaptım. Tepeden ve sağımdaki işlek sokaklardan ışıklar geliyordu, tam karşımda ise insan yapımı anıtların en basiti ve etkileyicisi olan... Bir zamanlar güneşli Mısır'daki bir tapınağı süslemiş dikilitaş, karanlıkta yıldızlı göğe doğru yükselmekteydi. Şimdi yabancı bir nehrin kıyısında, buz gibi bir sisle çelenklenmiş halde duruyordu. Hissedebilse, çevresini ne tuhaf bulacağını düşündüm.

Ama felsefi düşüncelere dalmanın sırası değildi. Sırtımı dikilitaşı çevreleyen çite yaslayıp beklemeye başladım. Bütün duyularım tetikteydi. Nehrin üstünde kıvrılmış sis perdesi kalınlaşarak kıyıya süzülen dokunaçlar göndermeye başlamıştı. Yirmi metre kadar ötedeki bir lambadan gelen ışık kaldırımı epeyce aydınlatıyordu ama dikilitaşın yalnızca yan tarafına hafifçe dokunuyordu.

Emerson'un yanından randevuya yarım saat kala ayrılmıştım. Öyle koşullar altında insanın zaman kavramının ne kadar çarpılabildiğini bildiğimden, kendimi uzun gelecek bir bekleyişe hazırlamıştım ama daha yeni gelmiştim ki hafif bir tıslama başımı hemen sola çevirmeme yol açtı.

Siyah giysilere bürünmüştü. Varlığını yalnızca yüzünü peçesiyle sımsıkı örten elinin donuk parıltısı belli ediyordu.

"İyi akşamlar" diye söze başladım.

Hemen elini uzatıp ağzımı kapadı. "Sus! Konuşma, dinle. Zaman yok. Hemen git, o gelmeden."

Bastıran o sıcak parmakları dudaklarımdan çektim. "Beni çağıran sendin..."

"Sersem! Bana o notu zorla yazdırdı. Erken geleceğini umuyordum, seni uyarabilmek için, çünkü ben... Neyse, boşver, kaçmalısın. Seni yarın geceki ayin için istediğini sanıyordum ve bu... Ama şimdi elinde öbür kadın var, o işine yarar. Ama ben, "iyi o zaman, Doktor Hanım'la görüşmeye gitmem" dediğimde bana... Seni öldürmek istiyor, başka nedeni olamaz."

Yüzünü benimkine yaklaştırıp tutarsız sözleri mermi gibi fırlattı. Telaşla konuşurken elleri beni çekiştiriyordu. Peçesi düşmüştü ve o adama karşı koymaya çalışınca başına ne geldiğini o loşlukta bile görebiliyordum.

"Benimle gel" dedim telaşlı ellerinden birini yakalamaya çalışarak. "Neden seni tehdit eden, döven bir adamı koruyorsun? Bana adını söyle. Sana yemin ederim ki bir daha asla..."

"Onu tanımıyorsun. Neler yapabileceğini bilmiyorsun. Onun güçleri var... Ah, delisin sen, soğuk İngiliz kadını, ölümden korkmuyor musun?"

"Senin korktuğun biçimde, hayır" dedim. "Ama yine de beni uyarma riskini göze aldın. Neden?"

Titreşen eller sakinleşti, bir an bağrımda hareketsiz kaldılar. "Seni seviyor" diye fısıldadı. "Tanıdığım onca erkek içinde bir tek o... Hem o gün bana öyle sözler söylemiştin ki... Ah, çılgınlık bu! Gidecek misin?"

"Benimle gelmezsen, hayır. Seni ona bırakamam."

Gözlerimin içine baktı. Onu ikna ettiğimi sandım, gerçekten inandım buna. Sonra elleri gevşedi ve usulca uzaklaştı.

İçgüdüsel olarak peşinden gittim ama mantığım galip gelince yerime geri döndüm. Dikilitaşın ardında gözden kaybolmuştu. Karanlıkta ve yoğunlaşan siste benden kolayca kaçabilirdi. Peşinden gitsem asıl avımı... Katili de kaçırabilirdim. O cani bir elime düştü mü ne benim Ayşe'ye ihtiyacım kalacaktı, ne de onun bana. (Gerçi taşraya çekilip evinde huzur içinde yaşamaya çok ihtiyacı olduğunu düşündüğümden, bu önerimde sonuna kadar ısrar etmekte kararlıydım.)

Geceyi bir çığlık yardı! Birden kesildi, gergin ses tellerine bir el bastırılmışçasına. Çığlığı atan Ayşe olmalıydı, başkası olamazdı! Güneş şemsiyemi kaldırarak sesin geldiği yöne doğru telaşla koştum.

Gördüğüm ilk kişi Emerson olunca ne kadar şaşırdığımı

hayal edin. Açıkçası onu neredeyse tamamen unutmuştum. En yakındaki gaz küresinin ışık çemberinin içinde durmuş, bahçelerin ardındaki kaldırıma bakıyordu. Bahçeler koyu gölgelerle kaplıydı ama çalı ya da ağaç olmayan bir silüet fark ettim... İnsana pek benzemeyen devasa, korkunç bir silüet.

"Bekle, Peabody" diye bağırdı Emerson. "Başına tabanca dayadı!"

Emerson söyleyince, donuk metal parıltısının gerçekten de bir silahtan geldiğini fark ettim ve onun yanındaki soluk ovalin Ayşe'nin yüzü olduğu sonucuna vardım. Siyah giysileri, bir opera peleriniyle ipek şapka takmış gibi görünen saldırganın siyah giysilerine karışıyordu. Adamın yüzü aynı iç karartıcı renkteki gergin bir kumaşın ardına tamamen gizlenmişti.

"Lanet olsun" diye bağırdım. "Kahrolası polis nerede? Böyle zamanlarda..."

Karanlıkta bir hareket ve Ayşe'den gelen bir inilti susmama yol açtı. Yüksek bir sesin ya da ani bir hareketin o alçak herifin tetiği çekmesine yol açacağını anlamak için sözlü bir emre gerek yoktu.

Yardım etmek için körlemesine koşacağıma etrafa bakınmamın daha iyi olacağını çok geç fark ettim. Adamın arkasından usulca yaklaşsaydım...

Sonra karanlıktaki silüet daha ani bir hareket yaptı. Ne yaptığını seçmekte zorlandım ama Ayşe biliyordu. Attığı bir başka çığlık, tabancanın patlama sesine karıştı. Emerson elini başına kaldırdı. Yüzünde derin bir şaşkınlık belirip kayboldu. Yavaşça yere yığıldı.

Yanına gidemezdim, cesaretim yoktu. Emerson öldürülmemiş, yalnızca yaralanmış olabilirdi ama katil o tabancayı tutmayı sürdürürse sevgili kocamın öleceği kesindi (benim de). Ayşe onunla boğuşuyor, kolunu tutuyordu. Yardımına koştum.

Ayşe'nin vücudu ikinci patlamayı boğuklaştırdı. Ada-

mın ayaklarının dibine yaralı bir kuş gibi yığıldı. Adam tekrar
ateş etmek için tabancayı kaldırırken güneş şemsiyem ön ko-
luna indi.

Tabanca düştü. Botumun ucuyla onu tekmeleyince döne
döne çalıların arasına gitti. Emerson kurtulmuştu! Ama duru-
mum çok parlak sayılmazdı, çünkü o bilinmeyen adam boğa-
zımı kavramıştı. O zalim parmakları giderek daha çok ve daha
sıkı sarılıyor, ciğerlerime hava ve beynime kan gitmesini en-
gelliyordu. Adamın elleri eldivenliydi, tırnaklarım zarar vere-
miyordu. Yüzünü tırmalamaya çalıştım ama kolum geriye
düştü. Yerden kaldırılmış olan ayaklarım havada sallanıyor-
du. Gözlerim karardı. Lanet olası polislerin gerektiğinde asla
ortada olmadıklarını düşündüğümü hatırlıyorum...

Okuyucu, duam kabul oldu sanki... Sanki çok uzaklar-
dan gelen, sağırlaşmış kulaklarımdaki zonklamalar yüzünden
boğuklaşan, hafif, tiz bir polis düdüğü sesi işittim! Boğazım-
daki eller gevşedi. Yumuşak bir zemine acizce düştüm ve per-
de inmiş gözlerim tekrar görmeye başlayınca karşımda Ay-
şe'nin ölü yüzünü gördüm.

Ürpererek apar topar ellerimle dizlerimin üstünde doğ-
rulduğum anda küçük bir figür sınırlı görüş alanımdan koşa-
rak geçti. "Hey, seni küçük şeytan, gel buraya" diye bağırdı bi-
ri. "Jack, arkadan dolanıp yolunu kes... Neler oluyor?"

Yardım gelmişti, iki tane kocaman çizme biçiminde. Bir
polise ait olduklarını farz ettim ama durup incelemedim. Doğ-
rulamayacak kadar halsiz olduğumdan çakıl döşeli yolda yü-
zükoyun hareketsiz yatmakta olan kocama doğru süründüm
dosdoğru. Ona dokununca gücüm yerine geldi, telaşla onu sır-
tüstü çevirdim.

Gözleri açıldı. Beni gördü. Yaşıyordu! Tanrı'ya şükür ya-
şıyordu.

"Peabody" dedi, "bu artık utanç verici olmaya başladı."

13

O gece gözümü bile kırptığım sanılmasın. Şafağa kadar... Sönmeye yüz tutmuş ateşin önünde kıvrıldım, odayı boydan boya arşınladım, yaralı ve kahraman kocamın dinlendiği kanepeye sık sık gidip alnına düşmüş siyah saçını geriye attım ya da kalın ve yüksek soluk seslerini coşkulu bir rahatlamanın ızdırabıyla dinledim. Mışıl mışıl uyudu, çayına bir tutam afyon tentürü katmıştım, çünkü huzursuz ruhunun başka türlü vücudunu gereken biçimde dinlendirmeyeceğini biliyordum.

Zihnimi dinginleştirmek için epeyce çabalasam da aklım o unutulmaz akşamın korkunçluğuna gidip duruyordu. Görüntüler huzursuz beynimin ekranında bir kâbusun netliğiyle beliriyorlardı: Canını bizim için... En azından birimiz için feda etmiş olan Ayşe'nin donuk, sabit gözleri. Emerson kendine gelip de avını yine elinden kaçırdığını anladığında kaşlarının çatılışı, küçük bir Arap hırsızın peşinden Victoria Bahçeleri'ne girip de karşısında bir ceset, yaralı bir adam ve boğulmakta olan bir kadın bulan polisin toparlak, kırmızı, şaşkın suratı...

Boğazım hâlâ acıyordu, oysa Emerson'la birlikte hemen doktor yardımı almıştık etkili bir biçimde. Ama o acı içimdeki zihinsel ızdırabın yanında hiçti. Hata yapmıştım. Evet, ben, Amelia Peabody Emerson, suç soruşturmalarında vazgeçilmez olan ayrıntılı ve mantıksal tümdengelimleri becerememiştim.

İyi kötü bir bahanem vardı bence. Son iki gün içinde

olanlar öyle şaşırtıcı bir hızla gerçekleşmişti ki yorgun düş-
müş ve oturup onlar üstünde rahat rahat düşünememiştim.
Yine de başarısızlığımın asıl nedeninin bu olmadığını biliyor-
dum. Kıskançlık zihnimi bulandırmıştı, güvensizlik aklın yo-
lundan gitmemi engellemişti. *Kitabı Mukaddes*'teki şu söz ne
kadar doğruymuş: "Kıskançlık mezar kadar zalimdir, kömür-
leri son derece fesat bir alevle yanar."

Yine Emerson'un başına gidip dudaklarımı yaralı alnına
bastırdım. Doktor başındaki yarayı bandajlamadan önce saçı-
nın bir kısmını tıraş etmek zorunda kalmıştı. Hatta o parlak si-
yah buklelerden biri şimdi bağrımda duruyordu, çünkü onu
yerden (epeyce kirliydi) almış ve hayatımın sonuna kadar ta-
şımaya yemin etmiştim, canımdan bile önemli bir şeyi kaybet-
meye ne kadar yaklaştığımı hatırlatması için. Emerson'dan bir
daha asla şüphelenmeyecektim. Asla!

Bu hareketi ve yemini defalarca tekrarladıktan sonra, ar-
tık olayları mantıklı düşünebilecek kadar sakinleştiğimi fark
ettim. Bayan Minton'ın anlattıklarıyla başladım. Polisin o af-
yonhaneye tam o akşam ve o saatte baskın yapması rastlantı
değildi. Bayan Minton bir meslektaşına haber iletmiş, o adam
da polise söylemişti. Polise orada olacağımızı söylemiş miydi,
yoksa onları ikna etmek için başka bir yöntem mi kullanmıştı?
Düşündükçe ikinci seçeneğin doğruluğuna daha çok inanıyor-
dum. Emerson varlığımızı her zamanki enerjikliği ve canlılı-
ğıyla ele verene kadar bizi fark eden olmamıştı. Polisin ne ka-
dar zekice ifade edilmiş olursa olsun bir basın mensubunun
ihbarıyla o kadar çabuk harekete geçmesi, Ayşe'den ve dükkâ-
nından zaten şüphelendiklerini gösteriyordu.

O iğrenç Detektif Cuff beni kandırmıştı. Ahmet'in katil
olduğuna başından beri inanmamıştı. Adamı iki nedenden tu-
tuklamıştı: Birincisi, çevresinde kaygı ve panik uyandırıp
böylece hareketlerinde dikkatsizleşmelerini ve ağızlarından

laf kaçırmalarını sağlamak ve ikincisi, o tanınmış muhbirden polis sorgusu sırasında işe yarar bilgiler alabilmek için. Cuff neler biliyordu? Bunun cevabını bilmesem de emin olduğum bir şey vardı: Cuff katilin aristokrat bir İngiliz olduğuna inanıyorsa çok ihtiyatlı hareket ederdi. Böyle bir adama yöneltilecek suçlamaların en güçlü kanıtlarla desteklenmesi gerekirdi.

Ayşe gerçeği bildiğini itiraf etmişti. "O adam" ona beni tuzağa çekmesini emretmişti. Ayşe'nin ihanet görevini yerine getirmekteki gönülsüzsüğü adamı şüphelendirmiş ve kendisini ele vereceğinden korkmasına yol açmış olmalıydı (ki Ayşe eninde sonunda bunu yapacaktı eminim). Bu yüzden adam onu öldürmüştü, belki de beni uyardığını işitmişti.

Bana saldıracak kadar kaygılanması cesaretlendiriciydi. Onu kaygılandıracak ne dediğimi ya da yaptığımı bilmeyişimse o kadar cesaretlendirici değildi. Ayşe'yi ziyarete gitmem yetmiş olabilir miydi? Bu pek muhtemel gelmiyordu. Yanlışlıkla bir ipucu keşfedip de görmezden gelmiş olmam daha büyük bir ihtimaldi kesinlikle.

Ayşe'nin ilk konuşmamızda ağzından kaçırdığı bir sözü önemli bulmuştum. Bir İngiliz "lordu"ndan söz etmişti. Ben o sözcüğü hiç kullanmamıştım. Ama düşününce benimle aynı anlamda kullanıp kullanmadığını merak etmeye başladım. Dediğim gibi, Arapça'da "koca" sözcüğü, hatta "erkek" sözcüğü bile, o küçük düşürücü imayı taşır ve Ayşe iş hayatında müşterilerini memnun etmek için bu sözcüğü sık sık kullanmış olmalıydı. Bir erkek aslında her şeyin, özellikle de karşısına çıkan bütün kadınların lordu ve efendisi olduğuna inanmaya her zaman hazırdır.

Hâlâ bir sonuçtan çok uzak olsak da, bütün kanıtlar tek bir yönü gösteriyordu: Yani sahte rahiple Oldacre'nin katili aynı kişiydiler ve bu kişi ya Lord Liverpool'du ya da şeytani akıl hocası. İkisi de başkalarıyla birlikte bu işe karışmış olmalıydılar, çünkü konferans salonuna en az altı tane maskeli saldırgan gelmişti.

Mantıksal çıkarım süreci bu aşamada Emerson'dan gelen boğuk bir çığlıkla kesildi. Yanına koştum. Uyanmamıştı ama huzursuzca kıpraşıyor, başını sağa sola çeviriyor ve ellerini oynatıyordu. Dudaklarından kesik kesik çıkan heceleri yüreğim ağzımda dinledim ve adımı sayıkladığını anlayınca tarifsiz bir sevince kapıldım.

Yanına uzanıp de elini tuttuğum anda sessizleşti. Tek bir söz daha mırıldandı. "Lanet olsun, Peabody" diye fısıldadı. Esmer başını göğsüme yasladım ve tam düşünce zincirime kaldığım yerden devam edecektim ki nedense uyuyakaldım.

Uyandığımda aklıma ilk gelen düşünce Emerson oldu. Benimkine çok yakın duran çehresine bakınca içim rahatladı, tatlı tatlı uyuyordu. Sonra beni uyandıran sesi tekrar işittim.

"Ramses" diye fısıldadım. "Orada ne işin var?"

Ramses'in başı yatağın ayak tarafında belirdi. "Çıt çıkarmıyordum, anneciğim. Uyandınız mı diye bakmak istemiştim o kadar."

"Sayende uyandım, evet. Baban hâlâ uyuyor, o yüzden..."

Emerson'un dudakları aralandı. "Uyumuyor."

"Gözlerin kapalı" dedim.

Gözleri açıldı. "Saat kaç yahu?" diye sordu.

Doğrulup oturdum. Üstümde gecelikle uyumuştum, o yüzden sorun değildi. Ramses her hareketimi yuvarlak, ilgili gözlerle seyrediyordu.

Emerson dönüp sırtüstü yattı. "Öff" dedi. "Lanet olsun, saat..."

"Bilmiyorum, Emerson. Saati buradan göremiyorum."

"İkiyi on geçiyor" dedi Ramses. "Rahatsız etmemi bağışlarsınız umarım ama Gargery'den babamın atlattığı son ölüm tehlikesini öğrenince kapıldığım kaygı beni..."

"İki mi!" diye bağırdı Emerson. "Öğleden sonra mı? Öyle olsa gerek, güneş pırıl pırıl... ulu Tanrım, Peabody, bu saate kadar uyumama neden göz yumdun?"

Onu zaptetmeyi başaramadım, kalkıp banyoya gitti. Ramses bir anlık tereddütten sonra peşine düştü. Babasının tıraş olmasını izledi. Babasının tıraş olmasını izlemeyi severdi. Emerson'un usturalarına dokunması kesinlikle yasaklanmıştı. Bir keresinde o işi taklit etmeye çalışırken (ki bunu yapması gereksizdi) gırtlağını kesmesine ramak kalmıştı.

Zili çaldıktan sonra peşlerinden gittiğimde, Ramses'in lazımlık iskemlesinde oturduğunu, Emerson'unsa yüzüne soğuk su serptiğini gördüm. "Şimdi oldu işte" dedi neşeyle. "Ne geceydi ama değil mi, Peabody?"

"Olmadı. Sargılarını ıslattın. Emerson, sana kaç kere söyleyeceğim..."

Aynı anda Ramses konuştu. "Bu soruda maskeli caniyle son karşılaşmanı kast ettiğini farz ediyorum, babacığım. Öğrenmeye can attığım şey..."

İkimiz de sözümüzü bitiremeden yatak odası kapısı açıldı ve içeri bir hizmetçiler alayı girdi... Biri çay tepsisi taşıyor, bir başkası sıcak su getiriyor, Bayan Watson onları denetliyordu, Gargery ise... şey, Gargery'nin orada ne işi vardı bilmiyordum. Makul bir nedeni varmış numarası bile yapmıyordu.

"Profesörün durumu nasıl, madam?" diye sordu sert bir sesle.

"İyi, iyi" diye bağırdı Emerson. "Günaydın Gargery. Başka kim geldi? Bayan Watson? Harika. Çok büyük bir kahvaltı istiyorum, Bayan Watson... ya da öğle yemeği... her neyse işte... Olabildiğince çabuk, tamam mı? Ah... Pardon... Eee... Susan..." Hizmetçi (Mary Ann) masaya bir sürahi dolusu sıcak su bırakabilsin diye geri çekildi.

Gargery'nin arkasında bütün ev personelinin toplandığını gördüm... Dört uşak, aşçı ve üç hizmetçi daha, ki aralarında, yukarı çıkması yasak olmasına rağmen mutfak hizmetçisi de vardı. Bezgin bir sesle, "Gargery ve siz diğerleri, fark etmişsinizdir ki Profesör Emerson kendine geldi. İçiniz rahatladığına göre artık işlerinizin başına dönersiniz umarım."

"Ah, Bayan Emerson" diye bağırdı kâhya. "Çok özür dilerim... Bunlara ne oldu böyle bilmiyorum, normalde böyle davranmazlar..."

"Sorun değil Bayan Watson. Bu hallerini daha önce de görmüştüm. Sizin suçunuz yok."

"Affedersiniz, madam" diye söze başladı Gargery.

"Evet, ne var?"

"Saygısızlık etmek istemem madam ama onlar ve ben, nasıl olduğunuzu öğrenmek istiyoruz. Sesiniz biraz boğuk çıkıyor madam. Doktor çağırtayım mı madam?"

İçlerini rahatlatmam biraz zaman aldıysa da sonunda dağıldılar. Bu arada aşçı bana boğaz ağrısına iyi gelen, bal, kara ısırgan ve konyaktan yapılma bir ilaç bildiğini ve hemen hazırlayacağını bildirdi. Kapıyı kapayıp bir koltuğa çöktüm. Bitkinlikten ağzımdan tek kelime çıkmıyordu.

Zaten Ramses varken sohbet etmek imkânsızdı. Bu yüzden sessizce oturup çay içtim, yutkununca biraz canım yanıyordu ama o sıcak sıvı beni muhteşem bir biçimde canlandırdı. Emerson'un tıraşını bitirirken çıkardığı şevkli sesleri ve Ramses'in hayranlık dolu yorumlarını, sorularını ve önerilerini dinledim.

Sonunda kol kola çıktılar. Emerson sargılarını değiştirmeme izin verme lütfunda bulundu. Sargılar da saçı da sırılsıklam olmuştu. Sonra kendime çeki düzen vermek için çekildim ve Emerson, Ramses'i dizine oturtup her şeyi anlatmaya başladı.

Zamanlamam mükemmeldi. Banyodan çıktığımda Ramses'in "Bu talihsiz bayan kimdi babacığım?" dediğini işittim. "Ayrıca o mücadele sırasında ölümcül bir yara alması nasıl oldu? Senin bayıldığını, dolayısıyla son anlarda olanları bilmediğini anlıyorum ama söylediklerinden açıkça anlaşılıyor ki o cani önce sana ateş etmiş ve daha sonra da annemi vuracakmış belli ki, çünkü annemi tanıyorsam, ki tanıdığıma eminim, kesinlikle kaçmaz ve seni yaralayan kişiye var gücüyle saldırırdı, ki boğazındaki izler onunla dövüştüğünü gösteriyor... O da annemle dövüşmüş... tabiri caizse..."

"Ne demek istediğini anlıyorum, Ramses" dedi Emerson. Bana baktı. "Şey... Bir şey mi dedin, Peabody?"

"Hayır."

"Bunda şaşılacak bir şey yok" diye haykırdı Emerson, Ramses'i kenara koyup ayağa fırlayarak. "Zavallı Peabody'ciğim, o güzelim, kuğu gibi boynun bir Turner tablosunun parçasına benzemiş. Günbatımının bütün renklerine bürünüyor. Aşçı nerede? Bir ilaçtan söz etmişti..."

Ramses banyoya koşturdu. "Hemen soğuk su..."

Onu yakaladım. "Hayır, teşekkürler Ramses. Kaygılanmanı anlıyorum ama her tarafımı ve banyoyu ıslatmana gerek yok. Haydi şimdi koş da giyin."

"Peki anneciğim. Önce bir soru sorabilir miyim?.."

"Sonra Ramses."

Emerson giyinmeme yardım etmeyi teklif etti ama herhangi bir şeyin başlamasına fırsat kalmadan çıkagelen Bayan Watson kuşluk yemeğinin hazır olduğunu bildirdi. Emerson saatine baktı. "Hımm, evet, zaman ilerliyor. Hazır mısın, Peabody? Koluma gir bakayım."

"Önce sırtımın iliklenmesi gerekiyor" diye karşılık verdim. "Bayan Watson, siz yapar mısınız?"

Emerson incinmiş göründü. Fark etmemiş gibi yaptım.

Aşçının düşüncelilik göstererek hazırladığı soğuk kuşluk yemeğinde, boğazımdan kolayca geçen etli ve etsiz jöleler gibi çeşitli yumuşak maddeler vardı. Emerson hızlı yedi -başka bir adam olsa hapur hupur tıkındı derdim- ve saatine gizlice bakıp durdu. Bir kez olsun, sohbeti herhangi bir ev hanımının isteyebileceği kadar kibar ve düzgündü. "İlkbahar havası ne güzel, değil mi canım? Kitabım harika gidiyor, sana önerilerinle yaptığın yardımlar için teşekkür etmeyi hatırlamış mıydım, Peabody'ciğim? Son zamanlarda Evelyn'le Walter'dan haber aldın mı? Raddie, Johnny, Willy ve küçük Amelia nasıllar?"

Tek heceli sözcüklerle karşılık verdim, ağzımı fazla uzun süre açık tutmaya korkuyor, söyleyebileceklerimden çekiniyordum. Mantıklı bir insan, öfkemin ve kıskançlığımın, "bilgece olmasa da" çok seven o talihsiz kadının üzücü ölümünden sonra geçtiğini sanabilirdi ama hayır okuyucu, kıskançlıkta mantık yoktur. Emerson'u kurtarmaya çalışırken ölmüştü o. Saldırganın kolunu yakalayıp da tutkunun acı kuvvetiyle tutunduğunda, *ölüm darbesini* indirmesini engellediğinde tabanca kendisine değil, Emerson'a doğrultulmuştu. Kaçmaya değil, yalnızca silahı taptığı adamdan uzaklaştırmaya çalışmıştı. Şehit düşerek ölmüş hali, canlı halinden çok daha büyük bir hasımdı.

Ağzımdan boğuk bir ses çıktı. Hıçkırık olabilirdi ama bastırılmış bir hiddet çığlığıydı sanırım. Emerson bana kaygıyla baktı. "Günün geri kalanını yatakta geçirsen iyi olacak canım. Güzelce dinlen..."

Peçetemi buruşturup yere attım. "Benden habersiz sıvışıp gidebilesin diye mi? Nereye gidiyorsun, Emerson? Doğru dürüst bir cenaze töreni hazırlamaya ve mermer bir mezar taşı yaptırmaya mı? O kadının dudaklarını son kez öpebilesin diye tabutun kapağını açtırmaya mı? Kimdi o kadın Emerson? Senin için ne ifade ediyordu?"

Emerson koltuğunun kolluklarını kavramış, gözleri pörtlemiş ve ağzı açık kalakalmıştı. Gargery'nin tepkisi daha gürültülü oldu, elindeki tabağı düşürünce aşçının üç katlı güzelim jölesi gökkuşağı renklerini taşıyan bir lapaya dönüştü.

"Ah, madam" diye inledi Gargery.

"Dur bir dakika" dedi Emerson. "Peabody, soluğumu kesiyorsun! Yani sence ben... Sence o kadın... Yoksa bu yüzden mi sen?.. Şaka yapıyorsun sanmıştım, Peabody."

"Şaka mı! Sadakat, ömür boyu bağlılık, güven gibi ciddi konularda..."

"Şimdi dur bir dakika, Peabody" diye bağırdı Emerson.

"Ah, madam!" Gargery jölenin kalıntılarını çiğneyerek bana yaklaştı. "Madam, profesör hayatta... öyle şey yapmaz... Size bedenen ve ruhen tamamen sadıktır..."

Derin bir soluk aldım. "Emerson" dedim gayet sakince. "Kendimi daha fazla tutabileceğimi gerçekten sanmıyorum. Gargery'yi çok severim ve bize dostça bir ilgi duymasını takdir ediyorum ama..."

"Ah, kesinlikle haklısın, Peabody" dedi Emerson. "Pas devant les domestiques, ha? En azından bu seferlik hayır. Gargery, biz kalkıyoruz evladım. Merak etme, her şey yolunda."

Bana kolunu uzattı. Koluna girdim. Ölçülü adımlarla ve kusursuz bir vakarla salona gittik.

Kapı kapanır kapanmaz Emerson beni kucaklayıp kanepeye taşıdı.

"Peabody'ciğim..." diye söze başladı.

"Bu sefer okşayarak kurtulamazsın" diye haykırdım kendimi kurtarmaya çalışarak.

"Öyle mi? Peabody, gerçekten kıskandın mı sen? Gerçekten mi? Bu çok hoş, sevgilim. Kendimi en son ne zaman bu kadar iltifat edilmiş hissettiğimi hatırlamıyorum."

"Emerson, sen gerçekten... Emerson, yapma şunu. Öyle yapınca düzgün düşünemiyorum..."

Emerson yaptığı şeyi bırakıp doğrulmama yardım etti.

Dizine oturunca gözlerim onunkilerle aynı hizaya geldi. Beni omuzlarımdan tutup ciddiyetle baktı. "Geçen kış Kahire'de olanları unuttun mu, Peabody?"

Gözlerimi indirdim. "Hayır, Emerson. Unutmadım."

"Kıskanmak için senden daha çok nedenim olduğunu söylemeyeceğim" diye devam etti Emerson ciddiyetle. "Yoksa o küçük, sevimli, sonu gelmez tartışmalarımızdan biri başlayabilir. Bana o olaydan hemen sonra söylediğin sözü tekrarlayacağım o kadar. 'Birlikte geçirdiğimiz yıllar ve sadakatimin yoğunluğu seni bir başkasını asla sevmediğime, sevmeyeceğime ve sevemeyeceğime ikna etmemişse, söyleyeceğim hiçbir söz fikrini değiştiremez' demiştin. Sana bu güzel sözü hatırlaman için yalvarıyorum, Peabody."

Kızaran yüzümü ve titreyen dudaklarımı göğsüne yaslayarak saklayıp boynuna sarıldım.

Kısa süre sonra, yan yana uyum içinde otururken "Yine de Emerson" dedim, "ki umarım bu soruyu olduğu gibi, yani basit bir bilgilenme arzusu olarak değerlendirirsin..."

Emerson'un omuzlarımdaki kolu gerginleşti. "Sen iflah olmazsın, Peabody! Soracağın soruyu cevaplamak istemekle kalmıyorum, cevaplamakta ısrarlıyım da.

Ayşe sana ne dedi bilmiyorum. Onu ziyaret ettiğini söyledi ve aranızda geçen konuşmayı kendi bakış açısından anlattı ama sen de onun söylediklerine benden fazla inanmamalısın. Sana söyleyeceğim şey gerçeğin ta kendisi... Ne daha azı ne de daha fazlası.

Onu tanıyordum... Evet Peabody'ciğim, bunu itiraf ediyorum... Her açıdan tanıyordum. Bu, Mısır'a ilk gidişimde oldu. Oraya, arkeolog olarak değil, Oxford'dan yeni mezun olmuş tüysüz bir oğlan olarak gitmiştim ve dünyadan zavallı, küçük Ramses kadar habersizdim. Ama sözde arkadaşlarımın bana tanıttığı hayattan tiksinmeyi kısa sürede öğrendiğimi söylemeliyim. O zavallı kadınların düştüğü aşağılık durum beni dehşete düşürdü. Kendimi ve bu kadınları ömür boyu yaltaklanmaya, köleliğe iten adamları hor görmeme yol açtı.

Gözlerimi açan Ayşe oldu. Diğerleri gibi değildi o. Öyle bir kadının, zeki, güzel, erkekler kadar becerikli bir kadının, yalnızca *kadın* olduğu için öyle bir hayata mahkûm edildiğini görmek... Sanırım ona, kendisini o hayattan kurtarmayı teklif ettim. Bana güldü. Onun için artık çok geçti.

Sana olduğu gibi Peabody'ciğim, Mısır'a yaptığım o ilk yolculuk beni hayatımı adayacağım işi bulduğuma ikna etti ve ona, senin tabirinle şevkli bir coşkunlukla sarıldım. Zaman zaman Ayşe'yle karşılaştığım oldu, ki artık mesleğinin en ünlü (ve pahalı) uygulayıcılarından biri haline gelmişti. Birkaç yıl sonra Mısır'dan ayrıldı. Ortak tanıdıklarımızdan Paris'e, zengin bir hayranının yanına gittiğini ve ondan bir ev aldığını öğrendim. Daha sonra yaşadıkları üzücüydü. Hâmisi sinirli bir adamdı. Ayşe ona ihanet etmiş miydi bilmiyorum. Adam ihanet ettiğini öne sürdü ve onu ömrü boyunca kalacak bir iz bırakacak biçimde dövdükten sonra kovdu. Ama Ayşe parasını biriktirmişti ve sonradan Londra'ya taşınıp kendi işini kurduğunu işittim. Değer verdiğim her şeyin üstüne yemin ederim Peabody, onu görmeyeli yıllar olmuştu. Geçen gece onu tanıyınca çok şaşırdım."

"O da bana öyle demişti" dedim usulca. "Zavallıcık. Zavallı, zavallı kadın."

"Peabody." Emerson çenemi tutup gözlerimin içine dikkatle baktı. "Ona taşraya taşınıp da doğanın güzelliklerinde huzur bulmasına yardımcı olmayı teklif ettin mi gerçekten?"

"Şey, evet. Nitelikli bir insan olduğunu daha o zaman anlamıştım... Emerson, o kadar sıkmasana. Nefes alamıyorum."

"Peabody, Peabody! Dünyanın on üçüncü harikasısın sen. Senin gibi biri gelmiş midir bu dünyaya?"

"Tanrı'nın gözünde her birimiz eşsiziz, Emerson" diye karşılık verdim, dağılmış saçımı düzelterek. "Ama Emerson..."

"Yine ne var, Peabody?"

"Söylediğim sözü düşünüyorum da, ki zalimce, çirkin bir sözdü, hani şu doğru dürüst bir cenaze töreni ve mezar taşı konusunda. En azından bunu yapabiliriz, değil mi Emerson? Sonuçta senin için canını feda etti. Seni suçlamıyorum, çünkü kadınları etkilemek elinde olan bir durum değil..."

"Dur bir dakika, Peabody. Önerine kesinlikle katılıyorum ve hemen ilgileneceğim. Ama canını senin için feda etti ne demek? Bu ne saçmalık?"

Bütün olanları bilmesi gerektiğini düşündüğümden ona Ayşe'nin söylediklerini, yani beni tuzağa düşürmeye zorlandığını, benim de onu himayemizi kabul etmeye iknaya çalıştığımı anlattım.

"O konuşmayı işitmemiştim" dedi ciddiyetle. "Çok uzaktaydım ve ayrıca etrafa bakınmakla meşguldüm. O adamın geldiğini gördüm Peabody ama kımıldamama fırsat kalmadan Ayşe dosdoğru onun kollarına koştu. Sonra da..."

"Adam seni vurdu ve yere yığıldın. Ah Emerson, o anı asla unutmayacağım!"

Devam edebilmem zaman aldı. Ben olanları anlatırken, Emerson konuşmadan dinledi. Sonra düşünceli bir ifadeyle "Çok güzel bir mezar taşı olacak" dedi. "Ayrıca taş ustası işe başlamadan önce katilin hak ettiğini bulmasını sağlayacağım. Lanet olsun, Peabody, görmüyor musun? Ayşe'nin kurtarmaya çalıştığı kişi ben değildim. Sendin."

"Sevgilim..." diye söze başladım.

"Sen alçak gönüllü diyebileceğim bir kadın değilsin, Peabody ama bazı konularda kalın kafalı olmakta ısrarlısın. İyi düşün. Ben zaten yere yığılmıştım... Ayşe öldüğümü sanmıştı herhalde. O katilin bir sonraki hedefi kim olacaktı, Peabody?

Adam oraya seni öldürmeye gelmişti ve Ayşe bunu biliyordu. Seni uyarma riskine girdi ve sonunda beni değil, seni kurtarmak için ölümüne dövüştü. Yıllardır, belki de bütün hayatı boyunca, onunla dengi gibi konuşan ve iyiliği için kaygılandığını ifade eden tek kadın sendin. Hayatında ona en çok yakışan şey ölümü oldu."

Beni kendine çekti ve derin derin iç geçirince göğsünün kabardığını hissettim.

Dokunaklı bir andı ve hislerine saygılıydım, bu yüzden yürüttüğü mantığın kusurlarına değinmedim. O zavallı kadının kendini *benim* için feda ettiğine inanmayı seçtiyse, bu yanılsamanın tadını çıkarsın. Ben işin aslını biliyordum ve Ayşe'nin anısını hep koruyacaktım, çünkü o, *Emerson* için canını feda etmişti.

Saygılı bir sessizlik anından sonra "Emerson, yalnızca bir sorum daha kaldı" dedim.

"Buna" dedi Emerson, "inanmakta zorlanıyorum. Nedir güzelim?"

"Kıskanabileceğimi hiç aklına getirmediğini söylemiştin."

"Çok doğru, Peabody."

"Öyleyse neden öyle tuhaf davranışlar içine girmiştin?" diye sordum sert bir sesle. "Hayatımda gördüğüm en suçlu çehreye bürünmüştün. Acı verecek kadar kibar, iğrenç bir biçimde düşünceliydin... Kitabını düzeltmemden bile hiç yakınmadın..."

Emerson beni bağrına bastı. "Kalın kafalısın demiştim, Peabody. Beni neyin kaygılandırdığını bilmiyor muydun? Uşabtideki yazıyı okumadın mı?"

"Men-maat-Re Sethos... Emerson! Ah, Emerson, sen de kıskanıyordun!"

"Delice, hiddetle, acizce" dedi Emerson, beni kaburgalarım çatırdayıncaya kadar sıkarak. "Şey, lanet olsun Peabody, o iğrenç adın bir suç vakasında yine karşıma çıkması tuhaf bir rastlantıydı... Yalnızca bir rastlantı, değil mi?"

"Evet Emerson, öyle olmalı. Sen nasıl yemin ettiysen ben de yemin edeyim mi, seni asla..."

"Hayır Peabody. Gerek yok. Senden bir daha asla şüphelenmeyeceğim."

"Ah, Emerson'um benim!"

"Peabody'ciğim!"

Epeyce bir süre geçtikten sonra dizinden kalkıp üstümü başımı düzelttim. "Zile sen daha yakınsın Emerson. Gargery'yi çağırır mısın? Saat oldukça erken ama biraz viski soda sinirlerimizi yatıştırabilir."

"Harika bir fikir, Peabody" dedi Emerson. "Sonra da şu küçük detektiflik yarışmalarımızdan birini daha yapmaya ne dersin? Artık bir iki teori üretmeye yetecek kadar bilgi topladık sanırım. Çok daha azıyla bile bunu yaptığını görmüştüm canım."

"Teşekkürler Emerson'cuğum" diye karşılık verdim epeyce duygulanarak. "Teklifini kabul ediyorum, böyle durumlarda her zaman egemen olan ruh haliyle: İyi olan kazansın, kötü olan geride kalsın ve hilebazlık yok."

"Başlamak ister misin Peabody'ciğim?"

"Hayır Emerson'cuğum, sana bırakıyorum."

"Tahmin etmiştim" dedi Emerson. "Ah, geldin demek Gargery. Viski getir lütfen."

"Bu arada Gargery" diye ekledim, "her şeyin profesörün dediği gibi yolunda olduğunu işitmek senin de hoşuna gidecektir."

"Bunu görebiliyorum, madam" dedi Gargery gülümseyerek. "Aksini hiç düşünmemiştim zaten."

"Bak ne diyeceğim, Peabody" dedi Emerson, Gargery gülümsemeyi kesmeden viski getirip çıktıktan sonra. "Wilkins'ı verip Gargery'yi alabiliriz ha? Wilkins böyle sakin, düzenli bir evde daha mutlu olur."

"Düşünmeye değer" diye bu fikrine katıldım. "Şimdi Emerson, başlamak üzereydin..."

"Evet." Emerson masaya gidip karıştırmaya başladı. "Şu lanet olası şeyi nereye koydum... Hah, işte burada."

Bana bir kâğıt verdi. Bakınca kahkahayı bastım. "Ah Emerson, çok komik! Hayır canım, sinirlenme, sana değil yeni bir rastlantıya gülüyorum. Yukarıda, masanın çekmecesinde bunun neredeyse aynısı bir liste var da."

"Öyle mi? Eh, zihinlerimizin bir işlediğini hep söylerim zaten."

"Temel konularda hemfikir gibiyiz" dedim düşünceli bir ifadeyle listeyi incelerken. "Görüyorum ki gece bekçisinin cesedinin yanında bulunan cam ve kâğıt parçalarından söz etmişsin. İtiraf etmeliyim ki bunu gözden kaçıracağını sanmıştım, Emerson."

"Ya, öyle mi? Peki nasıl bir sonuca vardın, Peabody?"

"Bay Budge'la konuşma fırsatım olmadı" diye karşılık verdim. "Varacağım sonuç odanın en son ne zaman süpürüldüğüne bağlı olacak."

"Ah." Emerson kaşlarını çattı. "Ah, evet. Bu aklıma gelmemişti."

"Müzeye gelen ziyaretçilerin artıkları olabilir."

"Hımm" dedi Emerson çatık kaşlarla.

"Ancak" diye devam ettim, "kesin olmayan teorimi destekleyen bir başka kanıt kaynağı var."

"Mumyanın çözülmemiş hali" dedi Emerson.

"Ve rahibin yaptığı konuşma... İsis duası."

" 'Beyhude konuşmayan' " dedi Emerson, gülümsemesini bastıramadan.

"Kesinlikle. Şimdiye kadar hemfikir olduğumuzu görüyorum Emerson. Dün gece gördüğümüz adamın yalnızca Ayşe'nin değil, Bay Oldacre'nin katili olduğu konusunda da hemfikir miyiz?"

"Kesinlikle, Peabody. O aynı zamanda sahte rahip mi?"

"Hem evet hem hayır Emerson."

"Lanet olsun, Peabody..."

"Bu önemli bir soru değil, Emerson. Katil bize uşabtiler gönderen ve Ramses'i kaçıran adam. Ama o kahrolası... Yani o adam kim? Bütün bu olanları planlayan kişi şüphelilerimizin içinden hangisi?"

"Cevap belli gibi" dedi Emerson.

"Evet."

"Peki söylemek..."

"Henüz değil. Hâlâ bir iki kritik kanıttan yoksunuz. İnsanın bütün gerçekleri öğrenmeden teori üretmesinin büyük bir hata olduğunu söyleyen sen değil miydin?"

"Hayır, değildim. Hangi kanıtlarımız eksik?"

"Şey... işte atladığın bir soru." Elime bir kalem alıp iki cümle karaladıktan sonra kâğıdı ona uzattım.

Soru: "Dün Profesör Emerson'u çağıran sarıklı adam kimdi ve nereye gittiler?" Yapılacak şey: "Profesör Emerson'a sor."

Emerson kâğıdı buruşturdu. "Lanet olsun, Peabody..."

Bir elimi kaldırdım. "Dur Emerson. Bu akşam sadakatından asla şüphelenmeyeceğime yemin ettim. Şüphelenmiyorum da. Ama Emerson'cuğum, başka bir söz vermedim. Benden bir kanıt gizliyorsan..."

"Biraz daha viski al, Peabody."

"Hayır, teşekkürler, almayayım."

"Öyleyse ben alayım" diye mırıldanan Emerson dediğini yaptı. "Dinle beni Peabody. Kanıt gizlediğim falan yok. Söz ettiğin kişi hiçbir şey bilmiyor ve bana vakanın çözülmesine yarayacak en ufak bir şey söylemedi."

"Öyleyse kim olduğunu ve ne istediğini bana neden söylemiyorsun?"

"Çünkü o... çünkü ben... söz verdim Peabody. Dün öğleden sonra olanları kimseye anlatmayacağıma yemin ettim. Yeminimi mi bozayım?"

"Yemininde 'sonsuza kadar' ve 'asla' sözcükleri geçiyor muydu, Emerson?"

Emerson kahkahayı bastı. "Evet Peabody'ciğim. Ayrıca birinin 'ebedi suskunluk' sözünü söylediğini hatırlıyorum sanki. İnsanlar bazen öyle teatral davranabiliyorlar ki..." Sonra ciddileşti. "Canım, anlaşılan az önce sözünü ettiğin şu mutlak güvenin sınanmasıyla karşı karşıyayız. Sınavı yapan ben değilim ama geldi çattı işte. Sözünü tutacak ve benimkini tutmamı engellemekten geri duracak mısın? Yeminimi bozdurabileceğini biliyorsun, Peabody. Denersen karşı koyamam."

"Emerson, böyle bir şey yapacağımı nasıl düşünürsün?"

Emerson bana sarıldı.

Bir an kımıldamadan durduk. Emerson'un çenesi başımın tepesine yaslıydı. Yüzünü göremiyordum ve yüz ifadesini inceleyebilmek için çok şey verirdim. Gizli işler çevirdiğinden şüphem yoktu.

O sessizlikte holdeki saatin hafif tıkırtılarını işittim. Emerson kımıldandı. "Çay saati gelmek üzere" dedim.

"Hımm, evet. Gün geçip gitti. O canına yandığımın... şey, çocukları aşağı çağırmamız gerekiyor herhalde?"

"Çok kötüsün, Emerson."

"Gerçekten çok iç bayıcı çocuklar, Peabody."

"Biliyorum. Ama onlara elimizden geldiği kadar bakacağımıza söz verdik ve sözümüzü tutmalıyız Emerson."

Emerson beni daha sıkı tuttu. "Yarım saatimiz var Peabody. Hemen yukarı çıkarsak... Sonrasında o sıkıntılara çok daha keyifli bir halde katlanabilirim..."

Bunu tahmin etmeliydim herhalde. Ama hiçbir bayan okuyucunun o durumda benden farklı davranacağını sanmıyorum, özellikle de bazı küçük hareketler vardı ki onlara her koşulda duyarlıydım ve o sırada özellikle etkileyiciydiler.

Salondan kol kola çıktığımızda Gargery'nin merdivenin kıvrımının ardında durduğunu ve duygusal bir budala gibi sırıttığını gördüm ve sonra onu görmez oldum, çünkü Emerson beni kucakladığı gibi merdiveni koşarak çıktı, tahminimce sevgiden kaynaklanan bir sabırsızlık patlaması yüzünden. Sabırsızlığı yüzünden kapıyı kapamayı ihmal edince, "Emerson" diye haykırdım, "Sence... biraz mahremiyet..."

"Ah, evet" dedi Emerson soluk soluğa. "Bir saniye..."

O sıradaki konumuma ilişkin uygunsuz ayrıntılara girmeden yalnızca şunu söyleyeceğim ki, kapının kapandığını görmedim. Ama işittim. Sonra yüzüme çalınmış buz gibi su etkisi yapan bir başka ses işittim. Kilitte dönen anahtarın sesiydi.

Yataktan fırladım. Yalnızdım. Emerson'un ayak seslerinin uzaklaştığını işittim, parmak uçlarında gitmeye çalışmıyordu. Kapı koluna dokununca zaten bildiğim şey onaylandı. Beni içeri kilitlemişti.

Pencereye koşup perdeleri açtım. Tam o sırada evden çıktığını gördüm. Gölgeler uzuyor olsa da, dışarısı hâlâ aydınlıktı. Hızlı adımlarla uzaklaşıyordu. Başı açıktı. Bahçe kapısında bir an dönüp başını kaldırarak pencereye baktı.

Beni gördüğünü sanmıyorum, çünkü güneş, evin tam karşısındaydı ve o konumdayken ön camlardan yansıyıp göz kamaştırırdı. Ama orada olduğumu biliyordu. Elini dudaklarına götürüp bana bir öpücük gönderdi. Sonra koşmaya başladı, birkaç saniyede gözden kayboldu.

Pencerede, duyguların esiri olmuş halde ne kadar kalakaldım hatırlamak istemiyorum. Kesinlikle söyleyemem ama anahtarın kilitte dönüşünü ve Gargery'nin sesini işitmem herhalde en fazla bir dakika sonra olmuştur.

"Madam? Bayan Emerson, orada mısınız?"

"Başka nerede olacağım gerizekâlı?" diye karşılık verdim. "Çabuk şu kapıyı aç."

"Peki madam, elbette. Profesör de bunu yapmamı söylemişti. Ama anlamıyorum..." Kapı açıldı. "Neler oluyor anlamıyorum" diye devam etti Gargery. "Kilit takıldı dedi, alet getirmeye gitti ama siz içerideyken ve profesör dışarıdayken kapı neden kilitlensin ki..."

" 'Dışarıdayken' anahtar sözcük Gargery, iğrenç bir kelime oyununu bağışlarsan. Nereye gittiğini söylemedi herhalde?"

"Alet getirmeye gitti, madam. O..." Gargery ağzı açık kalakaldı. "Vay canına!" diye bağırdı. "Bizden kaçmadı, değil mi?"

"Bal gibi kaçtı işte" diye karşılık verdim öfkeyle. "Bizi pek güzel kandırdı Gargery... İkimizi de. Boşver..." Çünkü Gargery alnını yumruklamaya ve kendisinden daha önce hiç işitmediğim ifadeler kullanmaya başlamıştı. "Senin suçun yok... Ayrıca gerizekâlı dediğim için özür dilerim Gargery. Sen öyleysen ben daha da gerizekâlıyım."

"Ah, madam." Gargery derin, titrek bir soluk alıp konuşma yetisini geri kazandı. "Özür dilerim... Bir an... kendimi kaybettim sanırım. Peşinden gitmenin yararı yoktur herhalde?"

"Hayır, kaçtı gitti işte. Tek yapabileceğimiz beklemek ve her iki cinsiyetten ve bütün sosyal tabakalardan İngilizlerin meşhur metanetini sergilemek. Çay saati geldi Gargery. Birazdan aşağı inerim."

"Peki, madam." Gargery dikeldi. "Bir de şunu söyleyebilir miyim, madam?.."

"Hayır Gargery, söylememeni tercih ederim. Çünkü soğukkanlılığımı kaybetmek üzereyim ve hislerimi tek başımayken ifade etmeyi tercih ederim."

Gargery gitti.

Histeriye kapılıp hüngür hüngür ağlamadım tabii. Huyum bu değildir. Hatta Emerson'a kızgın bile değildim. Sürekli beni tehlikeye balıklama dalma huyumdan vazgeçirememekten yakınırdı ama şimdiye kadar beni durdurmak için ciddi bir girişimde bulunmamıştı hiç. Başının etini yememe yol açacağını bildiği halde böyle bir numaraya kalkıştığına göre çaresiz kalmıştı demek ki... Ah, Emerson'cuğum, diye düşündüm bir an soğukkanlılığımı yitirerek, yeter ki sen sağ salim geri dön, tek kelime etmem.

Kendimi oturmaya ve yüreğimin yerine kafamı kullanmaya zorladım. Boş boş oturup Emerson'un dönüşünü beklemek niyetinde değildim elbette. Nereye gittiğini hiç bilmiyordum. Ama daha önceki kontrollü sözlerinden, cinayet olayının çözümü konusunda aynı yolda olduğumuzu anlamıştım. Benden çok şey bildiği... ya da bildiğini sandığı kesindi. Kafamı kullanırsam onun vardığı sonuçlara varabilirdim mutlaka... Sonra da bu sonuçların onu götürdüğü yerlere.

Canımı sıkan bir şey vardı. Bu hissi çok iyi tanıyordum, çünkü daha önce de başıma gelmişti... Bir şeyler görüp ya da işitip o sırada gerekli dikkati vermediğim hissi. Gözden kaçırılmış ya da yanlış anlaşılmış bir şey... son derece önemli bir şey. Oturup ellerimi gözlerime bastırdım... Yaşarmaya başladıklarından değil, düşüncelerime odaklanmak için. Ne olabilirdi acaba? Katilin elleri beni boğarken, yüzü benimkinden yalnızca birkaç santim uzaktayken, uzun saniyeler boyunca havada acizce asılı kalmıştım. O sırada dikkatim biraz dağınıktı ama o caninin kimliğine dair bir ipucu, bir koku, ses ya da his, olabilirdi belki?

Doğru yolda olduğumu hissediyordum ama anılarıma odaklanmama fırsat kalmadan dışarıdan gelen çocuk sesleri bir başka görevimi hatırlattı. Hemen aşağı inmezsem Violet bütün bisküvileri bitirecekti.

Vardığımda çoğunu yemişti, bu yüzden onu durdurdum

ve hepsine yerlerine geçmelerini emrettim. "Bugün neler yaptınız bakayım?" diye sordum tatlı bir sesle.

"Parka gittik" dedi Percy. "Yanıma kelebek ağımı aldım."

"Çörekçi bir adam vardı" diye mırıldandı Violet. "Çok, çok hoş bir çörekçi adam."

"Kelebek tuttun mu peki, Percy?" diye sordum. Violet'a çörek tuttun mu diye sormadım, bunu yaptığına emindim. Çocuk kara kurbağası gibi şişiyordu.

"Evet, Amelia Hala. Yalnızca birkaç Kral Kelebeği ama iyi egzersiz oldu. Peşlerinden koşmak yani."

"Evet, öyledir" diye karşılık verdim teşvik edici bir biçimde. "Ya sen Ramses... Percy'nin kelebek yakalamasına yardım ettin mi?"

"Bunu sormana şaşırdım anneciğim, çünkü canlıların gereksiz yere katledilmesine dair fikirlerimi bilirsin" diye karşılık verdi Ramses en haşmetli edasıyla. "Konuyu, ki son derece sıkıcı, değiştirmemi bağışlarsan, babam dışarı mı çıktı diye sormak istiyorum? Şimdiki halsiz haliyle..."

"Dışarı çıktı" diye cevapladım biraz sertçe. "Ayrıca hayır... Nereye gitti ve ne zaman dönecek bilmiyorum. Eylemleri için sana, ya da bana, hesap vermek zorunda değil, Ramses."

"Kanunen evet" diye karşılık verdi, Ramses. "Ancak aile sevgisi ahlaki bir yükümlülük getirir ve genelde bize çok düşünceli davranan babamın böyle..."

"Lütfen, Ramses."

"Peki, anneciğim."

Kısa bir sessizlik oldu. Bisküvi tabağını Violet'ın ulaşamayacağı bir yere koydum ve söyleyecek bir şeyler bulmaya çalıştım. Gevezelik edecek halde değildim aslında.

Bir an sonra Percy öksürdü. "Bir şey sorabilir miyim, Amelia Hala?"

"Elbette Percy. Nedir?"

"Şey, merak ediyorum da... Bu konu bir süredir aklımda."

"Anneciğini merak ediyorsan" diye söze başladım.

"Hayır, o değil Hala. Aslında herhangi biriyle, tanıdığım herhangi biriyle ilgili değil. Ramses'in teorik soru diyeceği türden bir şey galiba."

"Eee?" dedim sabırsızca.

"Diyelim ki" dedi Percy ağır ağır, "diyelim ki birisi birinin bir şey yaptığını biliyor. Yapmaması gereken bir şeyi."

Ramses'in konuşmalarından nasıl şikâyetçi olabildiğimi merak ettim. En azından o elliden fazla sözcük biliyor ve bunlarla düzgün cümleler kurabiliyordu. Percy daha da yavaşça devam etti: "Çok kötü bir şey Amelia Hala. Yani gerçekten kötü. Bu kişi, bunu bilen kişi, söylemeli mi sizce?"

"Kime söylemeli mi?" diye sordum.

"Şey... Başka birine."

Sözü nereye getirmek istediğini gayet iyi biliyordum. Yan yan Ramses'e bakıyordu, Ramses de ona hoşnutsuzlukla gözlerini dikerek karşılık veriyordu.

"Seni anlıyorum sanırım, Percy" dedim. "Ahlaki bir konuda farazi bir soru soruyorsun. Böyle soruların asla tek bir cevabı olmaz. Bir sürü şeye göre değişir. Örneğin birinci kişinin sır tutmaya yemin edip etmediğine, susmaya söz verip vermediğine göre. İtirafları dinleyen bir Roma Katolik rahibi..."

"Öyle değildi, Amelia Hala" dedi Percy.

"Ayrıca" diye devam ettim, "söz konusu eylemin ciddiyetine göre. Yalnızca zararsız bir şakaysa..."

"Kötüydü" deyiverdi Percy. "Çok, çok kötüydü. Çok, ço..."

Ramses kanepeden kalkıp Percy'nin boğazına sarıldı.

Yere yuvarlanırken bir sehpayı devirdiler ve üstündeki bisküviler her tarafa saçıldı. Violet'ın bunlara fare görmüş kedi gibi saldırdığını göz ucuyla gördüm ama oğlanları ayırmadan önce onu durduramazdım.

Tahmin ettiğim kadar kolay olmadı. Elimi ilk uzatışımda biri tekme attı... Hangisi anlayamadım. Kollarını bacaklarını savurarak yuvarlanıyorlardı. Percy inliyor ve çığlıklar atıyordu ama Ramses korkunç sessizliğini korumaktaydı, ondan yalnızca acı ya da çaba homurtuları işitiyordum o kadar. Çaydanlığı alıp kapağını açtım ve içindekileri dövüşçülerin üstüne boca ettim.

Su artık kaynamasa da onları bir an durduracak kadar sıcaktı. Bunu fırsat bilip Ramses'i tuttuğum gibi ayağa kaldırdım.

Percy hemen yuvarlanarak uzaklaşıp elleriyle dizlerinin üstünde doğruldu. İkisini karşılaştırınca, Ramses'in kuzeninden daha zayıf ve kısa boylu olmasına rağmen, kendini korumayı başarmış olduğunu fark ettim. Belki de babası o boks derslerini gerçekten vermişti. Burnundan kan boşanıyordu, o uzvunun iriliğine bakılırsa, Percy'nin oraya vurabilmiş olması şaşırtıcı değildi. Saçı dimdikti ve anlaşılan Percy başparmağını ısırmıştı. Ama Percy'nin durumu daha kötüydü. Onun da dudağı yarılmış kanıyordu ve suratı şişmeye başlamıştı.

Violet bütün bisküvileri bitirince başka şeyler düşünme fırsatı buldu. Ramses'in üstüne atlayıp yumruklamaya başladı. "Pis, pis, kötü" diye haykırdı. "Pis!"

Ramses'i tutmayı sürdürerek -karşılık vermeye çalışmıyor, yalnızca kollarını yüzüne siper ediyordu- serbest elimi Violet'ın suratına dayayıp onu ittim. Gerisin geri kanepeye öyle hızlı düştü ki nefesi kesildi.

Zili çalmama gerek yoktu. Savaşın gürültüsü Gargery ile Bayan Watson'ın odaya girmelerine yol açmıştı bile. Violet'ı Bayan Watson'a, Percy'yi ise Gargery'ye teslim ettim.

"Eee, Ramses" dedim.

"Odamda cezalıyım" dedi kanlı burnunu yenine silerek.

"Evet." Saçındaki birkaç çay yaprağını topladım. "Yıkanmak, üstüne değiştirmek ve şişliklerin konusunda yardım ister misin?"

"Hayır, teşekkürler, bu işle bizzat ilgilenmeyi tercih ederim. Gördüğün gibi burnumun kanaması durdu. Soğuk suyla yıkayınca..."

"Bol bol soğuk suyla."

"Evet anneciğim. Hemen." Odadan çıkacak oldu. Sonra durup döndü. "İzninle bir soru anneciğim."

"Bu rezaleti seninle sonra konuşacağım, Ramses. Şimdilik aklım başka şeylerle meşgul."

"Peki anneciğim. Babamın nerede olduğundan söz ediyorsun sanırım ve bunun daha acil bir konu olduğunda kesinlikle hemfikirim. Ancak sana Bayan Minton'ı sormak istemiştim. Gitmiş."

"Evet Ramses, biliyorum. Onu kovdum. Evden bu sabah ayrıldı."

"Dün gece ayrıldı" dedi Ramses. "En azından öyle işittim. Ayrıca giysileriyle diğer eşyasını burada bırakmış."

"Bunda bir tuhaflık yok, Ramses. Yanına yalnızca bir hizmetçiden beklenebilecek şeyleri almıştı herhalde. Onları aşağılık bir ihanetin değersiz hatıraları olarak görüp bırakmıştır şüphesiz."

"Şüphesiz" dedi Ramses. "Yine de bunu öğrenmek isteyebilirsin diye..."

"Artık öğrendim işte. Teşekkürler Ramses. Odana git Ramses."

"Peki anneciğim."

Bir an öylece durup düşündüm. Sonra zili çaldım. Gargery gelince, "Hemen gönderilmesini istediğim bir mektup var Gargery" dedim. "Uşağa araba parası ver ve söyle çabuk olsun."

Uşak geldiğinde notu yazmıştım. Ona cevabı beklemesi talimatını verdim. Sonra Bayan Watson'ı çağırıp profesör evde olmadığından akşam yemeğimi odamda tepside yiyeceğimi söyledim. O iyi kalpli kadın yaşadıklarımdan sonra güzelce dinlenip erken yatmamı doğru buldu.

Mesajıma cevap almadan kesin bir plan yapamazdım. Beklediğim cevap gelmezse... O zaman teorimde temel bir hata var demekti ki bu durumda onu gözden geçirmem gerekecekti. Ama yanılmış olduğumu hiç sanmıyordum. O önemli sözü neden, ah neden, göz ardı etmiştim? Boğuluyor olmak böylesine bir ihmal için yeterli bahane değildi.

Kendimi sakin olmaya zorladım. Aceleye gerek yoktu. Haklıysam ve peşinde olduğum adamın sıra dışı davranışlarını doğru tahmin edebilmişsem, birkaç saat boyunca önemli bir şey olmayacaktı. Listemi çıkarıp yeniden gözden geçirdim. Artık sorularımın hepsini sormak için zamanım olmasa da listeye bakınca aklıma yeni bir tane geldi. Polis çağırmalı mıydım, çağırmamalı mıydım?

Bunun olumlu ve olumsuz taraflarını tarttıktan sonra orta noktada karar kıldım. Vardığım kesinlikle tuhaf sonucu ciddiye alabilecek, ki "alabilecek" sözcüğünü vurguluyorum, tek bir polis vardı. Komiser Cuff'ın davranışlarını çözemiyordum, kurnaz ve ketum muydu yoksa yalnızca çok aptal mıydı? Her durumda çoğu erkek gibi kadınlara karşı anlaşılmaz bir tutumla önyargılı olduğunu ve bu yüzden bu akşamki eğlenceye katılmama kesinlikle karşı çıkacağını farz etmek zorundaydım... kendisini katılmaya ikna etsem bile. Cuff beni bir hücreye tıkıp orada gerekli gördüğü kadar uzun süre tutmakta hiç tereddüt etmezdi.

Yine de ona kalitesini kanıtlaması için bir şans tanımak adil olurdu ve işler umduğum kadar yolunda gitmezse yardıma ihtiyaç duyabilirdim. Masama oturup yazmaya başladım. Epeyce uzun bir mektup oldu, çünkü inandırıcı olsun diye bir sürü ayrıntıdan söz etmek zorunda kaldım ve Gargery diğer mektubumun cevabını getirdiğinde henüz bitirmemiştim.

Onu okumamı bekledikten sonra "Bu... kötü haber değildir umarım, madam" diye haykırdı.

"Beklediğim haberdi" diye karşılık verdim. "Teşekkürler Gargery."

Bayan Minton evine geri dönmemişti. Ev sahibesi geçen Cuma'dan beri onu ne görmüş ne de haberini almıştı.

Böylece bu iş bitmişti. Hizmetçi kılığında ve bavulsuz, parasız halde Northumberland'e gitmiş olma ihtimali düşüktü. Kevin ya da Bay Wilson'dan yardım almayı kabul etmesi daha da düşük bir olasılıktı. Hayır, onun yerini biliyordum. Ayşe'nin soluk soluğa yaptığı, o ne yazık ki göz ardı edilmiş konuşmada söz ettiği kişi o olmalıydı. Şimdi "o adamın" elindeydi ve nereye götürüldüğünü biliyordum... Mauldy Malikânesi'nin harap kanadına, kilidi yakın zamanda onarılmış olduğundan mandalını denediğimde parmaklarıma yağ bulaştıran, o devasa kapının ardına götürülmüştü.

14

Evden çıkmadan önce hizmetçilerin akşam yemeğine oturmalarını bekledim. Gargery'ye güvenmiyordum, Emerson ona dışarı çıkmamı engellemesini emretmiş olabilirdi. (Gerçi başaramazdı ama tartışma çıksın istemiyordum.) Gargery'ye nereden küçük bir tabanca satın alabileceğimi soramamak canımı çok sıkıyordu. O böyle şeyleri bilir gibiydi. Yine de aletlerim ve güneş şemsiyem vardı ve bunlarla yetinmeliydim.

Karanlık çökmüştü ve göğün bulutlu olması hoşuma gitti. Parktaki ağaçların arasında sis şeritleri salınıyordu, Londra'dan çıktığımızda sis kalkacaktı şüphesiz ama nehir sisi olabilirdi bir ihtimal. Bunu kesinlikle umuyordum.

Yolculuk uzun sürdü ve araba işlek sokaklarda tangır tungur ilerlerken planlarımı gözden geçirdim. Komiser Cuff'a yazdığım mektubu hol sehpasına bırakmıştım, hemen teslim edilmesi talimatıyla birlikte. Silahlarım yanımdaydı. Haklılığın öfkesinin gücü bana destek olacaktı... Ve her şeyim olan varlığa kısa süre sonra kavuşma beklentisi.

Emerson'un olayı nasıl çözdüğünü merak ediyordum. Ayşe'nin konuşmasını işitmemişti ve o hayati cümleyi o sırada önemli gelmediği için tekrarlamamıştım. Öyleyse Emerson o gece bir tür ayin yapılacağını nereden bilebilirdi? Belki de bilmiyordu. Belki de oraya teorisini destekleyecek kanıtı bulmaya gitmişti (benim gibi). Ama Mauldy Malikânesi'ne gittiğine emindim. Orası mantıken olayı çözmemde eksik olan şeyi bulabileceğim tek yerdi.

Sürücüye beni köşkün bahçe kapısına güvenli bir uzaklıkta indirmesini söylediğimde geceyarısına iki saatten az kalmıştı. Aklına en kötü olasılığı getirdiği için onu suçlayamam herhalde, sonuçta kukuletalı siyah pelerin takmış bir kadın, adı çıkmış bir adamın evinin civarında geceyarısı bir taşra yolunda indirilmek istiyorsa, bu durumun şüphe uyandırması normaldir. Sürücünün giderken söylediği sözlerin bu anlatıda yer almasına gerek yok.

Yoğun bulutlar ayla yıldızları örtmüştü ve nehrin üstüne sis beyaz bir örtü gibi yayılmıştı. Bahçe kapısına doğru usulca giderken, kırmızı bir parıltı bulutları aydınlattı ve hafif bir gök gürültüsü varlığını bildirdi. Fırtına geliyordu.

Bekçi kulübesinin aydınlık pencereleri beni, bahçe kapısından uzak durmam için uyardı. Bahçe kapısı bu saatte kilitli olurdu, özellikle de tahmin ettiğim eylemler yapılmak üzereyse. Görülmek istemiyordum. Duvar dibinde bir süre yürüdükten sonra, dalları duvarın üstünden geçen yüksek bir karaağaç buldum. Lanet olası pelerin dikenlere ve dallara takılıp duruyordu ama çıkarıp atmak istemedim. Altına iş kıyafetlerimin en rahat olanını giymiştim ve her ne kadar rengi gölgelere karışacak biçimde olsa da, hatlarım (Emerson'un sık sık belirttiği gibi) kadın olduğumu ele verirdi.

Fırtına gürleyerek yaklaştıkça giderek daha sık çakan ve parlaklaşan şimşekler sayesinde, o geniş ve boş çimenlikte ağaçtan ağaca ve çalıdan çalıya geçtim. İçeride köpekler olur sanmıştım ve olmamalarına sevindim ama genç bir bekârın hayvanları sevmese bile, bekçilik için beslememesi biraz tuhaf geldi. Emerson'un Lord'un kedi sevdiğini söylediğini hatırlayınca tiksintiyle ürperdim. Aklımı başka şeylere yönelttim kararlılıkla. En kötü olasılığa hazırdım, önceden bunun üstünde kara kara düşünmeye gerek yoktu.

Ortalık tamamen ıssızdı, ne bir insan vardı ne de hayvan.

Hatta işin aslını bilmesem Lord Liverpool evde yok sanırdım. Evin ikamet edilen kanadında yalnızca en üst katın birkaç penceresi aydınlıktı ki orada hizmetçilerin odaları vardı herhalde.

Daha önceki gelişimde evin planını ezberlemiştim. E harfi biçimindeydi... Şimdiki evin büyük kısmı Elizabeth'in hükümdarlığı döneminde yapılmıştı. Onun muazzam egosu böyle iltifatlardan hoşlanırdı ve yaltakçıları huyuna suyuna gidecek kadar akıllıydılar. Modern kanat aynı yerdeki daha eski bir yapının yerini almış olmalıydı, bir uçta o vardı, mutfak gibi yerler E'nin orta çizgisindeydiler ve eski kanat ise diğer uçtaydı.

Eski kanadın liken kaplı duvarına kazasız belasız ulaştım ve tam talihimden dolayı kendimi kutlamak üzereyken, ilk engelle karşılaştım. Dışarıdan yıkılmak üzereymiş gibi görünen bina umduğum kadar zayıf değildi. Bütün pencerelerde sağlam çivilerle takılmış yeni, kalın panjurlar vardı. Tahtaların arasında tırnağımın sığabileceği kadar bile açıklık yoktu. Kanadın yakın ucundaki kapı kaya gibiydi ve kımıldamıyordu. Kapı kolunu çevirdiğimde üstündeki paslar kuru yağmur damlaları gibi döküldü.

Bir pencere açık bırakılmıştır umuduyla diğer kanatlardan birini denemek üzereydim ki (açık pencere bulamazsam bir tanesinin camını kırmakta kararlıydım) yerde, ayaklarımın yanında hafif bir ışık belirdiğini gördüm. Neredeyse anında söndüyse de, bana ihtiyaç duyduğum ipucunu vermişti. Birisi elinde bir lamba ya da fenerle bir yeraltı odasında yürüyerek, başka türlü farkına varmayabileceğim açıklıkların varlığını ele vermişti... Bunlar yer seviyesindeki, mahzenlere açılan küçük pencerelerdi.

Eskiden demir çubuklarla ya da ızgaralarla kapanmışlardı ama geçen uzun yıllar boyunca aşınan metaller incecik kaldıklarından, geriye kalan çubukları çekip çıkarmayı başardım.

Açıklıklar o kadar daracıktı ki ancak bir çocuk, ya da ufak tefek bir kadın geçebilirdi, sanırım çubukların yenilenmemesinin nedeni buydu.

Epeyce zorlanarak ve anatomimin bana daha önce de rahatsızlık vermiş olan belirli bir bölümünde oldukça acılı bir baskı hissederek de olsa geçmeyi başardım. Önce ayaklarımı indirdim ve ellerimle tutunarak olabildiğince aşağı sarkıttım ama aşağı uzanmış ayak parmaklarımda havadan başka bir şey hissetmiyordum hâlâ. İçerisi zifiri karanlıktı ve oldukça kaygılıydım. Zemin ne kadar aşağıdaydı acaba? Aşağıda zeminden başka ne olabilirdi? Sert bir biçimde ya da kırılabilir bir nesnenin üstüne düşersem çıkacak gürültü varlığımı ele verirdi. Evde birileri vardı, ışıklar görmüştüm.

Bu konuda kaygılanmanın bir yararı olmadığından pencere kenarını bırakıp aşağı atladım... Yalnızca bir metre kadar düşsem de daha yüksekmiş gibi geldi. Dizlerimi bükerek ayaklarımın üstüne düştüm ve dengemi kaybetmedim.

İçerisi kapkaranlıktı ve mezar gibi kokuyordu. Işık yakmak riskli olsa da -normalde kemerimde asılı duran siyah feneri bu yüzden getirmemiştim- ilerideki engelleri bilmeden hareket etmeye cesaretim yoktu. Kibriti yakmadan önce her türlü tedbiri aldım, elimi ve gövdemi ona siper ettim.

Neredeyse anında söndürdüm. Yeterince görmüştüm. Dar, boş bir odaydı, taş duvarları ve zemini mide bulandırıcı likenlerle kaplıydı ve içinde birkaç tahta parçasından başka bir şey yoktu. Yan duvarların ikisinde de karanlık girişler vardı.

Hangi yöne gitmeliydim? O bir an gördüğüm ışığı hatırlamaya çalıştım ve pencerenin ardında sağdan sola gittiğine karar verdim. Karanlıkta adımlarımı dikkatle atarak ve aletlerimi tangırdamasınlar diye yan tarafta tutarak, fenerli kişinin gittiği yönde ilerledim.

Bir sonraki odaya girer girmez içeride ışık gördüm. Son

derece ihtiyatla yürüyerek, kırık menteşelerinden çarpık bir biçimde sarkan bir kapıdan geçip çıktığım oda kadar rutubetli ve tavanı alçak bir taş koridora girdim. Işık dosdoğru ilerideydi, dar bir merdivenin tepesindeki açıklıktan geliyordu.

Pelerinime sımsıkı sarınıp kukuletayı iyice yüzüme çekerek merdivenden çıktım. Basamaklar gıcırdamadı, taştılar ve asırlar boyu aşınmışlardı. Tepede duraksadım ve açıklığın kenarından ihtiyatla baktım.

Gördüğüm şeye o kadar şaşırdım ki doğrulunca başımı kemerin alçak, taş pervazına çarptım.

Tam karşımda insan boyutlarında, güzelce cilalanmış kaymaktaşından yapılma bir grup heykel duruyordu. "Grup" sözcüğünü bilinçli kullandım, çünkü öyle iç içeydiler ki kaç tane insan heykeli olduğu anlaşılmıyordu.

Ulu Tanrım, diye düşündüm. Ama yüksek sesle konuşmadım, çünkü insan sesleri işitmiştim. Heykellerin açıklığın önüne konulmaları iyiydi, en azından benim için. Biraz daha ilerlemeye cesaret edince, bütün kanat boyunca uzandığını sonradan anlayacağım bir geçide girdim. Sağımda, yalnızca bir metre kadar ötede, evin ön kısmına... E'nin uzun çizgisine açılan kapı duruyordu. Solumda uzanan koridorun ucunda kadife ya da pelüş gibi görünen kalın, siyah bir perde vardı. Bir duvarda panjurlu pencereler diziliydi. Aralarında duran tablo, heykel gibi sanat eserlerinin (bu terimi oldukça geniş bir anlamda kullanıyorum) ana teması, gördüğüm o heykel grubununkiyle aynıydı. Dünyanın dört bir yanından gelmişlerdi ve çeşitli yüzyıllardan kalmaydılar. Mahzen girişinin tam karşısındaki tablo sıra dışı bir kompozisyondu, muhtemen on altıncı yüzyılda Hindistan'da yapılmıştı, söz edilmemesi muhtemelen daha yerinde olacak pozisyonlardaki insanları sergiliyordu ama Ramses olsa "rahatsız ama imkânsız olmayan pozisyonlar" derdi mutlaka.

Evin bu kapalı bölümünün işlevini artık gayet iyi anlamıştım. Ancak şimdiki Kont tarafından tasarlandığından şüpheliydim. Dekorasyona bazı atalarının katkıda bulunduğu ve buranın keyfini sürdükleri kesindi, şimdikiyse burayı kendi tarzına uygun biçimde yeniden düzenlemişti, henüz bilmesem de tahmin edebileceğimi düşündüğüm bir biçimde.

İşittiğim insan sesleri hemen solumdaki açık bir kapıdan geliyordu ve onlara sıvı gurultularıyla kristal şıngırtıları eşlik ediyordu. Gördüğüm ışık taşıyıcı şarap mahzeninden dönmüştü herhalde.

Elimi heykel grubundakilerden birinin cilalı omzuna dayayarak usulca açık kapıya yaklaştım.

"Daha çok zaman var" dedi tanıdık gelen bir ses. "Bir kadeh daha iç."

"Ya da bir şişe daha." Tiz kıkırtısı, bu konuşanın kimliğini ele verdi. "Hollandalı cesareti ha, Frank?"

"Buradayım, değil mi?" diye ciddi bir karşılık geldi. "Hem de tek başıma. Diğerleri nerede?"

"Daveti geri çevirdiler" dedi Lord Liverpool, yine salakça kıkırdayarak. "Korkudan kalpleri buz kesti, yürekleri buz kesti, her tarafları buz kesti lanet olası ödleklerin!"

"Belki de akıllılık ettiler" diye mırıldandı diğer adam... ki artık onun Bay Barnes olduğunu anlamıştım. "Vazgeç bu işten Ned. Sayımız çok az..."

"Hayır, az falan değil." Kapıya öyle yakındım ki yutkunduğunu işitebiliyordum. "Şu gençlerden birkaçını kiraladım, bilirsin."

Barnes bağırarak itiraz etti. "Lanet olsun Ned, bunu neden yaptın? Öyle hödükler... cobu yediler miydi bülbül gibi şakırlar hemen... ya da sana şantaj yapmaya kalkarlar... Bu bizim özel eğlencemiz olacaktı..."

"Eğlence mi!" Lord Liverpool kadehini yere fırlatmış olmalıydı. İnce kristalin tuzla buz olduğunu işittim. "Burada oyun oynamıyoruz Frank, ben oyun oynamıyorum. Ölüm kalım meselesi."

"Ama Ned... biliyorum eski dostum, senin için anlamını biliyorum ama..."

"Ama o sözünü yerine getiremez... düşündüğün bu mu? Onun güçlerine inanmıyorsun, değil mi?"

"Ya sen?"

Bir an sessizlik oldu. Sonra genç Kont mırıldandı. "İnanmak zorundayım Frank. İnanmak zorundayım. Her şeyi denerim, her şeyi yaparım..."

"Tamam öyleyse. Yanındayım eski dostum."

"Tabii ki yanımda olacaksın" dedi Kont çirkin bir gülüşle. "Bende bu servet varken yanımdan hiç ayrılmazsın ha? Neden yanımda kaldığını bilmiyorum sanma Frank. Yalnızca tek bir dostum oldu benim, o da... Ah, öyle korkmuş görünmesene. Bizi asla bulamazlar. Hem bulsalar ne olacak ki? O yaşlı kadın kaba saba polislerin yeğeninin torununu tutuklamalarına izin verir mi sanıyorsun? Neşelen biraz Frank, şişeyi bitir de işe koyulalım artık."

Barnes'tan gelen tek karşılık, Lord Liverpool'un tavsiyesine uyunca çıkardığı gurultular oldu.

Uyarıyı dikkate alarak usulca gerileyip heykel grubunun arasına sindim. Koridor yer yer gaz lambalarıyla aydınlanıyordu ve gölgelerin içindeyken siyah pelerinim sayesinde fark edilmeyeceğime emindim. Aslında o iki adam benden tarafa bakmadılar bile. Kapıyı arkalarından açık bırakarak, koridorda yürüyüp siyah perdenin ardına geçtiler.

İkisi de maskeli ve cübbeliydiler. Gözden kaybolmalarını bekledikten sonra saklandığım yerden çıktım ve terk ettikleri odada ses işitmeyince içeri girdim.

Çok tuhaf bir yerdi, bir tiyatronun soyunma odasıyla bir

kilisenin ya da tapınağın antresinin karışımı gibiydi. Duvardaki kancalardan bir sürü beyaz cübbe sarkıyordu. Kapağı dikkatsizce açık bırakılmış olan yüksek bir dolabın içindeki raflara dizili yıldızlı maskeler görülüyordu. Bir düzine kadar vardı herhalde. Ama kalakalmama ve kalbimin küt küt atmasına yol açan şey, uzun bir masanın üstünde gördüğüm nesneler oldu. Onlar da maskelerdi ama çok iyi tanıdığım maskenin kopyaları değillerdi. İbis ve babun kafaları, kıvrık akbaba gagaları ve hırlayan aslanlar... Eski Mısır'ın hayvan başlı tanrıları kartonpiyerden yapılıp rengârenk boyanmışlardı.

O korkunç rüyayı neredeyse unutmuştum. Ama hayvan kafaları karşımdaydılar işte, tam o kâbusta gördüğüm ve başka hiçbir yerde görmediğim gibi.

Kafama üşüşen korkunç tahminlere boyun eğmeye cesaret edemedim. İşte karşımda diğerlerinin toplandığı odaya gizlice girme fırsatı duruyordu. Ama acele etmeliydim, çünkü geride birkaç cübbe kalmıştı ve daha kaç katılımcının geleceğini bilmiyordum. Her an keşfedilebilirdim.

Pelerinimi dolaba koyup cübbelerden birini başımdan geçirdim. On beş santim uzun geldi ama bu iyiydi, çünkü botlarımı gizliyordu. Adamlar sandalet giymişlerdi ama dolapta bulduklarımın hepsi de benim için fazla büyüktü. Hem botlar kavgada epeyce işe yarayabilir.

Masanın üstündeki maskelerin arasına saçılmış ayin edevatlarını inceledikten sonra hiçbirinin silah olarak kullanılacak kadar sağlam olmadığına karar verdim. O gürzler, değnekler ve asalar incecik tahtadan ya da kartonpiyerden yapılmışlardı. Güneş şemsiyemi bırakmam delilik olacağından onu cübbenin altından kemerime sıkıştırdım ve dirseğimle bastırırken yürümeyi denedim. Biraz rahatsızdı ama başarabileceğimi düşündüm.

Gitmeye hazırdım... Bir şey dışında.

Lord ve Bay Barnes rahip maskesi takmışlardı. Geride bir sürü kalmıştı. Emerson'un onların üretildiği bir atölyeyle ilgili küçük şakası gerçekten çok da uzak değildi. Ellerinde o kahrolası şeylerden çok sayıda bulunmasına ihtiyaçları vardı, rahibin kendisininkini her gösterisinden sonra yok ettiği kesindi. Elim o lanet olası nesnelerden birine değince tereddüte kapıldım.

Kararım çok şüpheli bir kanıta dayanıyordu: Rüyama. Ama o rüyada yalnızca baş rahip insan maskesi takmıştı. Diğerleri, yardımcılarıyla görevliler, hayvan kafaları takmışlardı.

Neyse, doğru kararı verip vermediğimi yakında öğrenecektim. Aslan kafasını seçtim... Aşk ve savaş tanrıçası Sekhmet'i. Uygun geldi.

Koridorda hâlâ ölüm sessizliği vardı. Bir rahip gibi kaskatı yürüyerek oradan geçtim. Neyse ki bakan yoktu, çünkü bir keresinde güneş şemsiyesi bacaklarımın arasına takılınca az kalsın düşüyordum ama dengemi çabuk toparladım. Maskedeki göz delikleri yüzünden görüş alanım kısıtlandığından yalnızca önümü görebiliyordum ve sırtımın ortasında sinir bozucu bir kaşıntı hissediyordum.

Perdeyi kaldırıp diğer tarafa geçtim. Karşımda bir kapı duruyordu, cilalıydı ve alçak kabartmalarla kaplıydı. O tasvirler son derece ilginçti.

Mandal elimin baskısına boyun eğdi, panel usulca içeri doğru açıldı. Kalakaldım.

Karşımda tam rüyamdaki sahne duruyordu ve ben tıpkı o zamanki gibi, geniş bir odaya bakan bir balkondaydım.

Ama tıpatıp aynısı değildi. Kapı arkamdan kapanmıştı ve gelişimi kimse fark etmemiş gibiydi, bu yüzden kendimi toplayacak birkaç dakikam oldu.

Oda orijinal yapının iki katından oluşuyordu. Döşemeyi iptal edip duvarları sütunlarla destekleyerek, çatıyla mahzen zemini arasını tamamen açmışlardı. Duvarlar cilalı taşlarla değil, duvar kumaşlarıyla kaplıydı. Heykelin yüksekliği altı metre değil, insan boyutundaydı ve temsil ettiği ilah vakur Osiris değildi. Onun pek çok adı vardır (Min bunlardan biridir) ama dikkat çekici bir özelliği sayesinde kolayca tanınabilir.

Aydınlatma kötüydü, pek etkileyici sayılmazdı... Hepsinin de fitillerinin kısaltılması gereken modern gaz lambaları ve yüksek, üçlü ayakların üstünde duran üstü açık mangallarda titreşen ateşler vardı. İçeride yarım düzine adam bulunuyordu, hepsi de cübbeli, bir kısmı maskeliydi ama diğerleri puro ya da sigara içmek için başlarındakileri çıkarmışlardı. Genel ruh hali ciddiyetten çok uzaktı. Adamın teki sunağa yayılmış, bir başkası bir şişeyi başına dikmişti. Bir tanesinin heykeli göstererek yaptığı şakayı yinelemeyi reddediyorum, ki bunu kaba kahkahalar takip etti.

Odayı tararken maskeli adamlardan birinin beni fark ettiğini görünce canım sıkıldı. Bilgelik tanrısı ibis başlı Thoth'a ait olan maskesi dosdoğru bana bakmaktaydı. Balkona çıkan merdivene doğru bir adım attı.

Sakin olmaktan başka yapacak bir şey yoktu. Adam şüphelenip de ortalığı ayağa kaldırırsa kaçmam imkânsızdı. Daha da önemlisi, henüz işimi halletmemiştim. O kız bu iğrenç yerde tutsaksa, onu bırakıp gidemezdim.

Kemerime takılı bir güneş şemsiyesiyle bir merdivenden inmenin ne kadar zor olduğunu hiç fark etmemiştim. Neredeyse canıma mal olacak bir tökezlemeden sonra kimsenin fark etmeyeceğini umarak onu bir kılıç ustası gibi yana ittim, .

Sonunda merdivenin dibine ulaşınca rahatlayıp iç geçirdim. İbis maskeli adam başka tarafa bakıyordu ve başka kimse de bana dikkat etmez gibiydi. Bir gölgenin içine süzülüp sırtımı duvara dayadım.

İnsan böyle durumlarda zaman kavramını kaybediyor.

Saatin kaç olduğu ya da ne kadar beklediğim konusunda hiçbir fikrim yoktu, öbürlerinin iğrenç konuşmalarını ve şakalarını dinlememeye çalışıyordum ki bir tanesi sigarasını yere atıp ezdi.

"İşte başlıyoruz çocuklar" dedi neşeyle. "Sevgili Lord'umuzun böyle kaba saba yayıldığınızı görmesine izin vermeyin."

Maskeler takıldı, purolar mangallara atıldı. Sunağa yayılmış olan adam kalkıp cübbesini düzeltti.

Tamamen rahat olduğumu söyleyemesem de, kapıldığım doğaüstü korkusundan kurtulmuştum. Gerçekliğin rüyamla ilgisi yoktu, daha çok pagan ritüellerinin Gilbertvari bir parodisi gibiydi. Parodi sürmekteydi de yanan meşaleler taşıyarak kasvetli ilahiler okuyan bir alayın yerine, iki adam balkonun altındaki bir kapıdan ellerini kollarını sallayarak girdiler ve bir tanesi "Bu ne hal yahu?" diye bağırdı. "Kaldır şu şişeyi, sen... sunağın bezini düzelt... yerlerinize geçin!"

Kendimi tutmasam kahkahayı basacaktım. Adamın sesi, Bayan Watson'ın astlarına dağınıklıkları yüzünden fırça çekerkenki sesinin bariton bir versiyonu gibiydi. Bu nasıl bir komik maskaralık olacaktı acaba? Belki de maskemi çıkarıp hepsini güzelce azarlamam yetecekti.

Eğlencem kısa sürdü. Adamlar Lord Liverpool'un talimatları uyarınca yerlerini değiştirmişlerdi. İbis başlı Thoth'un yine bana yaklaştığını gördüm. Geri çekilsem solumdaki lambanın aydınlığının içine girecektim.

Uzun boylu bir adamdı. Maskesi boyunu beş santim kadar daha uzun gösteriyordu, tepemde kule gibi yükseliyordu. Güneş şemsiyemin sapını aradım. Ama adam ne konuştu ne de tehditkâr bir harekette bulundu, yanımda durup sunağa döndü.

Lord'u izlerken keyfimin son kırıntıları da kayboldu. O bunu maskaralık olarak görmüyordu. İğrenç, trajik bir biçimde ciddiydi. Puta doğru ellerini kaldırdı, daha önce yüce İsis'e etkileyici bir biçimde hitap etmiş olan sesi tanıyınca ensemdeki tüyler diken diken oldu.

Birden bağırdı. "Geliyor! Geliyor! Yüce olan geliyor!" Sonra derin bir saygıyla yere kapaklandı. Ama ilaha bakmıyordu.

Balkonun altındaki gölgelerin arasından maskeli, beyaz cübbeli, omuzlarına *sem* rahibinin leopar derisini atmış biri çıktı.

Nefesimi tuttum. Aradığım adam buydu. Onun kuklası ve müridi olan, ölümcül hastalığına derman bulabilmek için (kendisinin de dediği gibi) her şeyi yapabilecek, her şeyi deneyebilecek olan o zavallı genç Kont değildi. Bu yaratık o çocuğun... beyin dokusunu çürüten hastalık yüzünden şimdiden aklının yarısını kaybetmiş olan çocuğun ölüm korkusundan nasıl da iğrenç bir biçimde istifade etmişti.

O alçak herifin etkileyiciliği su götürmezdi. Kiralanmış serseriler bile genç Kont'la akıl hocası arasındaki tuhaf konuşmayı saygılı bir sessizlik içinde izlediler. Mısırca konuşuyorlardı... Daha doğrusu Liverpool konuşmaya çalışıyordu. Diğer adamın sesiyse, maske tarafından tuhaf bir biçimde çarpıtılmasına rağmen, yavaş ve özgüvenliydi.

Sonra içinden çıkıp geldiği gölgelere dönerek ellerini üç kez çırptı.

Feryada benzeyen, kulak tırmalayıcı seslerle şarkı söyleyerek geldiler. Peştemalleri dışında çıplaktılar ve esmer tenleri bronz gibi parlıyordu. Taşıdıkları sedyede yatan kişi hareketsizdi, beyaz sargılarla yüzüne kadar kaplanmıştı.

Gerilen ciğerlerimi patlatacak gibi olan çığlığı istesem de bastıramazdım ama tam dudaklarımı aralayarak öne atılırken çelik gibi bir kol vücuduma dolandı ve bir el ağzıma bastırdı.

"Tanrı aşkına bağırma, Peabody!" diye fısıldadı bir ses.

O güçlü kol tarafından tutulmasam yere yığılırdım sanıyorum. Parmaklarımı ağzımdan uzaklaştırdım. "Emerson" diye fısıldadım. "Emerson..."

"Hişt" dedi ibis başlı Thoth.

Uyarısı gereksizdi. Neşe, rahatlama, vecd ve giderek artan hiddet yüzünden konuşamıyordum. Ama sedyedeki Emerson değilse kimdi peki? Cevabı daha taşıyıcılar onu yavaşça uzun sunağın üstüne bırakırlarken ve *sem* rahibi sargıları çözerken bile biliyordum.

Zavallı kızın gevşek vücudu gözler önüne serilince adamlar ilgi ve takdirle mırıldandılar. Kıyafeti Eski Mısırlı kadınlarınkinin şaşılacak kadar iyi bir adaptasyonuydu ama soylu leydilerin zarif, pilili keten cübbesi yoktu üstünde. Bir hizmetçi ya da köle kız gibi giyindirilmişti... İncecik ayak bileklerinin hemen üzerinde son bulan ve göğsünü az çok örten geniş şeritler tarafından tutulan, düz bir kombinezon vardı üzerinde o kadar.

Emerson belimi bırakıp kolumu tutmuştu. Beni hafifçe sarstı. "Kımıldama, Peabody."

"Ama Emerson, onu..."

"Hayır, öyle bir şey olmayacak. Bekle."

Kimse bizimle ilgilenmiyordu, o aç gözlerin hepsi de Bayan Minton'a dikilmişti. Babun maskeli, uzun boylu, sıska bir adam yavaş yavaş öne çıkmaya başladı.

Lord Liverpool eğilip kızın yüzünü inceledi. Birden geri çekildi. Maskesini çıkardı.

"Hey" diye bağırdı. "Onu tanıyorum. Bana demiştin ki..."

"O seçilen kişi" dedi *sem* rahibi ciddi bir sesle. "Tanrı'nın gelini."

"Evet ama... ama... lanet olsun, Durham'ın büyük torunu o! Gönüllü olacak demiştin..."

"Gönüllü zaten." Rahip bir kolunu Bayan Minton'ın omuzlarının altından geçirip onu kaldırarak oturttu. "Uyan Margaret, Tanrı'nın gelini. Gözlerini aç ve hayranlarına gülümse."

Kızın uzun kirpikleri büyüleyici bir biçimde titreşti. Yüzüne son derece budalaca bir gülümseyiş yayıldı.

"Hımm" dedi keyifle. "Kimsiniz siz tuhaf insanlar?"

"Lord'unu ve sevgilini selamla, Tanrı'nın gelini" dedi *sem* rahibi ilahi okurcasına.

Kız gözlerini açık tutmakta zorlanıyordu. "Lord'um ve sevgilim... ah, evet. Ne güzel... Hanginiz..."

"Lanet olsun, bu kıza uyuşturucu verilmiş" diye bağırdı Liverpool. "Yapamam... yapmayacağım... bir hanımefendiye bunu yapamam, lanet olsun!"

"Sen yapmayacaksın zaten" dedi maskeli kişi istifini bozmadan. Bayan Minton'ı bırakınca kız, yastığa aptalca kıkırdayarak düşüverdi, adam leopar derisini çözdü.

"Ne?" Kont ağzı açık bir halde kalakaldı. "Demiştin ki..."

"İlahi evliliğin gerçekleşmesi seni iyileştirecek demiştim" diye karşılık verdi diğer adam. "Öyle de olacak... Lord'um. Hastalığını ve mustarip olduğun diğer her şeyi iyileştirecek."

Bayan Minton beyaz kollarını kaldırdı. "Lord'um ve sevgilim" diye mırıldandı şehvetle. "Ne kadar muhteşem. Sevgilim... Radcliffe, sevgilim..."

"Thoth" birden irkilip kolumu bıraktı. "Lanet olsun!" diye haykırdı.

Lord Liverpool'un sesi onunkini bile bastırdı. "Kahretsin, fazla ileri gidiyorsun. Bunu yapmana izin vermeyeceğim."

Diğer adam geriledi. "Bu ne saçmalık... Bu kadar korkak olduğunu bilmiyordum Ned. Pekâlâ. Çıkın dışarı... hepiniz."

Bay Barnes da dahil olmak üzere seyircilerin çoğu çoktan sıvışmışlardı bile. Kont yumruklarını sıktı. "Kız benimle geliyor. Onu sağ salim evine bırakacağım."

"Öyle bir şey yapmayacaksın!" Rahip elini cübbesinin içine soktu.

Emerson öne atıldı ama yetişemedi. Bir silah sesi işitildi ve Kont böğrünü tutarak geriledi. Dizlerinin üstüne çöktü, korkunç bir an boyunca sanki Tanrı'nın karşısında diz çökmüş gibi göründü. Sonra yüzüstü yere kapaklanarak hareketsiz kaldı.

Emerson katile saldırıp adamın tekrar nişan almasına fırsat vermeden onu yere yıktı. Odada maskeli görevlilerden yalnızca biri kalmıştı... Babun başı takmış uzun boylu, sıska adam. Güneş şemsiyemi kaldırıp ona doğru koştum ama şemsiyemi indirmeme fırsat kalmadan bir çift kaslı kol tarafından kavrandım ve çıplak, kaslı bir el silahı elimden zorla aldı. Sedye taşıyıcılarını göz ardı etmemiştim. Varlıklarının farkındaydım ama onları Kont'un gerekli rahip sayısını tamamlamak için kiraladığı serserilerden sanmıştım ve bir suç işlenmişken dövüşe katılarak kendilerini riske atacakları hiç aklıma gelmemişti. Ne yazık ki yanılmıştım anlaşılan.

Diğer ikisi babun maskeli adamı yakasından tutmuşlardı, üçüncüsü de dövüşenlerin üstüne atladı... Daha doğrusu dövüşen kişinin, çünkü Emerson *sem* rahibini sürükleyerek ayağa kaldırmıştı ve tam midesine güçlü bir yumruk geçirmek üzereyken çekilip uzaklaştırıldı. Saldırganlarından kurtulmasına fırsat kalmadan katil düşürdüğü tabancayı kaptığı gibi Emerson'a değil, bana çevirdi.

"Bu gece her şey ters gitti sanki" dedi soluk soluğa. "Sen, oradaki... Cübbenin epeyce kısaltılması gerekiyor minik şey... Burada ne işiniz var bilmiyorum ama Bayan Emerson, listemde sırada siz varsınız ve yandaşlarınız dövüşmeyi kesmezlerse ateş edeceğim."

Yere düşünce maskesinin arkası parçalanmıştı, tek eliyle tutmak zorunda kalıyordu. Emerson'un ibis başı lime lime olmuştu ve rahip ona bakınca kahkahayı bastı.

"Maskeleri indirmenin zamanı geldi" dedi sinsice bir neşeyle. "Çekinmeyin Bayan Emerson, sizi nerede olsa tanırım. Şu iri kıyım herif de profesör olsa gerek. Thoth'u seçeceğini tahmin etmeliydim. Panteon âlimi... Babun kim peki?"

Maskeyi çıkarıp bir kenara attım. Emerson da aynısını yaptı. Babun kollarını kavuşturup hareketsiz kaldı. Mısırlılardan biri maskesini çekip aldı.

"Komiser Cuff!" diye haykırdım.

"İyi akşamlar, Bayan Emerson" dedi Komiser kibarca.

"Şey, bu gerçekten komik bir durum" dedim daha sonra. "Size bir mesaj bırakarak durumu açıklamış ve sabaha kadar dönmezsem Mauldy Malikânesi'nde arama yapmanızı istemiştim Komiser. Ama artık yardıma koşmanızı bekleyemem herhalde. Yanınızda hiç polis getirmediniz mi?"

"Anlamıyorsunuz Bayan Emerson" dedi Komiser üzüntüyle. "Bu son derece hassas bir konu... çok hassas. Buraya amirlerimden izinsiz geldim ve emekliliğim..."

"Ah, boşverin. Bahanelerin sırası değil. Kurtulmak için elimizden geleni yapmalıyız."

"Fikri olan?" dedi Emerson.

Kollarını kavuşturup duvara yaslanmıştı. Hepimiz duvara yaslanmıştık, odada oturacak bir şey yoktu. Mahzendeki çıplak, taş duvarlı hücrelerden biriydi, diğerlerinden tek farkı, şimdi kapalı ve sürgülü olan sağlam bir kapısının bulunmasıydı.

"Bir iki tane var" diye karşılık verdim.

"Umarım sonuncusundan iyidirler" dedi Emerson huysuzca. "Şu pencerelerin parmaklıklarının paslı olduğunu söylemiştin..."

"Diğer pencerelerdekiler öyle. Bunlarsa yakın zamanda yenilenmiş. Bu iğrenç hücrede kaç bahtsız tutsak çürüyüp gitmiştir acaba?"

İkisi de cevap vermediler. Düşünceli bir ifadeyle devam ettim: "Asıl Bayan Minton için endişeleniyorum. Bir an önce kaçıp ona zamanında yardım etmeye çalışmalıyız."

"Kendimi... ve sizi kurtarmaya hayır demem madam" dedi Komiser. "Bu arada soğukkanlılığınızı ne kadar takdir ettiğimi belirtebilir miyim?"

"Teşekkürler. Güvenliğimizden pek korkum yok. Bizi öldürmek istese hapsetmek yerine işimizi oracıkta bitirirdi."

"İşte hep böyle temelsiz çıkarımlara atlayıveriyorsun, Peabody" diye bağırdı Emerson. "Yabana atılacak bir üçlü değiliz, durum aleyhimize olsa da, rahip dostumuz bizi o zaman ve oracıkta öldürmeye kalksa kendisine biraz hasar verebilirdik. Şimdiyse değerli postunu tehlikeye atmadan bizi istediği zaman ortadan kaldırabilir."

"Ama kabul etmelisin ki seçenekleri sınırlı, Emerson. Canilerin hücreleri suyla ya da zehirli gazla doldurmalarına ancak macera romanlarında rastlanır. Ayrıca o kapıdan girecek ilk kişinin fiziksel saldırıya uğrayacağını biliyordur."

"Açlıktan öldürebilir..." diyecek oldu Emerson.

"Uzun sürer. Ondan önce kendimizi kurtaramasak bile, ki bence pekâlâ mümkün, birileri bizi mutlaka bulur."

Yine iç karartıcı bir sessizlik çöktü. Tam kötümserlikle ve enseyi karartmamanın gerekliliğiyle ilgili küçük bir şaka yapacaktım ki tuhaf bir hissin farkına vardım. Ayağımın üstünden soğuk ve yapışkan bir şey süzüldü. Soğukkanlılıkla karşılayamayacağım pek az tehlike vardır ama sürüngenlerden gerçekten hazzetmem.

"Ah, Emerson, korkarım burada bir yılan var" dedim.

"Yılan değil, Peabody" dedi Emerson boğuk bir sesle. "Su. Lanet olsun Peabody, zaten başımız yeterince belada, bir de katile fikir vermesen olmaz mı? Bırak da kendi cinayet yöntemini kendi bulsun."

"Saçmalama Emerson. Bu talihsiz bir rastlantı o kadar. Su nereden geliyor dersin? Bir kibrit daha çakar mısın?"

"Kibritler bitmek üzere, Peabody... Komiser'in not defterinin sayfaları da" diye karşılık verdi Emerson sakince. "Çoğunu odayı ve pencereyi incelemeye harcadık zaten hatırlarsan. Ama lağım borusu olduğunda direttiğin şu boru bence..."

"Evet, kesinlikle. Kibritleri sakla öyleyse Emerson."

Fırtına dinmiş, ay çıkmıştı, hafif bir hüzme zeminin daracık bir kısmını aydınlatıyordu ve dalgalanan suyun yayılarak derinleşmesini izledim. Çok güzel, gümüşi ve zararsız görünüyordu.

"Odanın dolması ne kadar sürer acaba?" diye mırıldandım düşünceli bir tavırla.

"Odanın dolmasının ne kadar süreceği umurumda değil" diye karşılık verdi Emerson hiddetle. "Baksanıza Komiser, şu parmaklıkları tekrar deneyeyim. Beni omuzlarınıza çıkarıp kaldırabilirseniz..."

"Yalvarırım sakin ol, Emerson" dedim. "Farkındaysan bu insanları öldürmek için gayet etkisiz bir yöntem. Kapı sımsıkı kapalı olsa da her tarafı kapalı değil ve su pencere seviyesine geldiğinde dışarı akacak..."

"İçeri girdiği kadar hızlı akmayacak ama" diye karşılık verdi Emerson. Muhtemelen haklıydı da, çünkü o buz gibi su şimdiden ayak bileklerimi kaplamıştı. "Nehirden geldiğinden tükenmesi de söz konusu değil."

"Evet, sanırım. Bu durumda... Komiser, sırtınızı döner misiniz lütfen?"

"Niyetiniz nedir bilmiyorum, madam" dedi Cuff usulca, "ama sizi temin ederim ki hiçbir şey göremiyorum. Siz... şey... cübbenizi rahatça çıkarabilirsiniz."

"Niyetim bu" diye karşılık verdim. "Bu yüzden itiraz etseniz de sırtınızı dönmenizi tercih ederim. Ne olur ne olmaz diye, bilirsiniz."

Emerson şapır şupur yanıma geldi. "Peabody, ne yap... Pantolonunun altında bir alet kemeri daha yoktur herhalde?"

"Yok Emerson ama işimize o kadar yarayabilecek başka bir şeyim var. Bu fikir aklıma şeyden sonra geldi... şeyden..."

"Bu kadar nazik olma, Peabody" diye homurdandı Emerson. "O piç... yani Sethos denen adam seni kaçırdıktan sonra aklına geldi."

"Evet, kesinlikle. Kemerim ve aletleri gözden kaçmayacak kadar dikkat çekiciler, bu yüzden düşündüm ki... Emerson, üstümü aramayı kes lütfen. Elin..."

"Ne yapıyorsun sen?" diye sordu Emerson sert bir sesle.

"Yalnız değiliz, Emerson" diye hatırlattım. "Al, tut şunu da ıslanmasın. Bunu da."

"Peabody, ne.. Ulu Tanrım! Korse mi taktın canım?"

"Lütfen Emerson!"

"Bu akşam sopa yutmuş gibi duruyordun zaten" diye bağırdı Emerson. "Ama bu kahrolası şeyleri asla giymeyeceğine yemin etmiştin, çünkü..."

"Artık dayanamıyorum" dedi Komiser Cuff birden. "Bayan Emerson, sizi tanıdığım bütün bayanlardan daha çok sayıyor ve takdir ediyorum ama bana... şey... cübbenizi neden çıkardığınızı söylemezseniz keçileri kaçırabilirim."

"Çok basit" dedim. "Çoğu kadın korse takar, bu potansiyel bir silah olarak görülmez. Ama bir korsenin biçimini korumasını sağlayan nedir, beyler?"

"Hiçbir fikrim yok" dedi Emerson.

"Kemikler" diye mırıldandı Komiser. "İnce balina kemikleri... ya da çelik!.. Yanlardaki ve arkadaki ceplere dikilen..."

"Bundaki gibi" dedim, onu Emerson'un eline doğru iterek. "Dikkatli ol canım, çok sivri. Ona özel kın yaptırdım ve epeyce rahatsız ettiğini söylemeliyim. Şu bir tarafı tırtıklı olan da... Şimdi o parmaklıkları çıkarmayı tekrar deneyebilirsin, Emerson."

"İnanılmazsınız, Bayan Emerson" dedi Komiser hayretle.

"Çok basit sevgili Komiser Cuff. Korseler hakkında o kadar çok şeyi nereden bildiğinizi sorabilir miyim? Evli misiniz?"

"Hayır madam, değilim. Hayatım boyunca bekâr kaldım. Ama Tanrı aşkına Bayan Emerson, bekârlığın avantajlarına olan inancımı yerle bir ettiniz. Sizin gibi bir kadınla karşılaşsam..."

"Ondan yalnızca bir tane var" dedi Emerson büyük bir hazla. "İyi ki de öyle... Giyin haydi, Peabody. İşte başlıyoruz Cuff..."

Komiser o iri cüsseyi kaldırmakta zorlandığından giyinir giyinmez yardıma gittim. Omzumda Emerson'un çizmesiyle sırtımı duvara yaslamış dururken su baldırlarımı yalıyordu. O duru suda dans eden ay ışığının tuhaf, hipnotik bir etkisi vardı...

Birden ay ışığı kayboldu. Emerson tiz bir çığlık atarak geriye gitti. İnsan piramidimiz tehlikeli bir biçimde sallandı. Ayağım kayınca bir şapırtıyla yere oturdum ve Cuff tahminimden daha geniş bir hayal gücüyle küfürler savurarak dengesini korumaya çalıştı.

"Neler oluyor yahu?" diye bağırdım.

"İnanmazsın" dedi Emerson donuk bir sesle.

Sonra başka bir ses sakin sakin "İyi akşamlar anneciğim. İyi akşamlar babacığım" dedi. "İyi akşamlar bayım. Kimsiniz bilmiyorum ama sevgili ebeveynim gibi hapsedildiğiniz göz önüne alınırsa, ya müttefikleri olmalısınız ya da muhtemelen..."

15

Ramses konuşmayı ne kadar sürdürdü bilemiyorum. Sözünü kesemiyordum ve sanırım Emerson da benim gibi hissediyordu. Olanları doğru düzgün anlamaya başladığımda, bir başka ses konuşmaktaydı.

"Ah, orada mısınız efendim? Ah madam, iyi misiniz? Efendim ve madam, merak etmeyin, sizi oradan çıkaracağız!"

Ayağa kalkmaya başlamıştım. Tekrar oturdum. "Gargery?"

"Buradayım madam, hizmetinizdeyim. Ah, madam..."

Çaba harcadım. "Ramses" dedim, yavaşça ayağa kalkarken suyun artık neredeyse dizlerime geldiğini fark ederek. "O çubukları çıkarsanız bile baban o pencereden sığmaz, çok dar. Evin etrafından dolanmanız gerekecek."

"Korkarım bu söz konusu değil, anneciğim" dedi Ramses. "Babacığım, pencereden uzaklaşır mısın lütfen? Yanımızda keski, balyoz gibi aletler var ama sen oradayken kullanmamız..."

"Peki evladım" dedi Emerson. Aşağı indi... ya da Cuff çöktü, ki büyük ihtimalle ikincisi oldu. O dar pencereyle çevresinden sağır edici gürültüler gelirken, "Neden eve giremiyorsunuz, Ramses?" diye sordum.

Çat çut sesler geldi. "Çünkü yanıyor, anneciğim" dedi Ramses.

Sorularıma devam etmeden önce bir sonraki sessizlik anını beklemek zorunda kaldım. "Kötü adamlar kaçtılar her-

halde, değil mi Ramses? Yoksa bu işi yapmanıza izin vermez-
lerdi herhalde..."

Çat, çut, çat. "Şimdi anneciğim, babacığım ve bayım" de-
di Ramses, "lütfen en uzak köşeye çekilip sırtınızı dönerek çö-
melin. Durum korktuğum gibi, bu yöntemle bir yere varama-
yacağız. Duvarlar iki buçuk metre kalınlığında. Neyse ki
yanımda biraz nitrogliserin getirdim..."

"Ah, aman Tanrım" diye haykırdı Komiser Cuff.

Bir an bütün duvar yıkılacak sandım ama patlama sesi
dindikten, kulaklarımın çınlaması geçtikten ve Emerson beni
kaldırıp sudan çıkardıktan sonra duvarın hâlâ yerinde durdu-
ğunu gördüm. Gerçi içindeki delikten bırakın Emerson'u, bir
fayton bile geçebilirdi. Gargery'nin canla başla yardım etmesi
sayesinde dışarı tırmandık. Emerson hafif bir katatoni geçiri-
yor gibi görünen Komiser'i kaygıyla incelerken, ben de etrafa
rahat rahat bakınma fırsatı buldum.

Kanadın tapınağın bulunduğu uzak ucu yanıyordu. Alev-
ler pencerelerden çıkıyor ve çatıdan yükseliyordu. Orada yapı-
lacak bir şey olmadığından dikkatimi Ramses'e yönelttim.

Üstünü değiştirme fırsatı bulamamıştı herhalde. Daha
önce bir kere gördüğüm gibi, hırpani ve pis bir sokak çocuğu
gibi giyinmişti. Bir gözü kısıktı. Percy'nin onun gözüne vur-
duğunu fark etmemiştim.

"Bayan Minton" dedim önceliklerimi aklımda tutarak.
"Herhalde onu..."

"O genç bayan bizde, madam" dedi Gargery. "O beyefen-
diyle beraber faytondaydı... Şey, gerçi Ramses'nin dediklerine
bakılırsa ona beyefendi demem doğru değil ya..."

"Biz" diye tekrarladım. "Yani sen ve Ramses ve..."

"Henry, Tom ve Bob... Bütün uşaklar madam. Ayrıca di-
ğer genç beyefendi."

Arkamdan Emerson'un "Haydi ama haydi Cuff, kocaman

adamsın, böyle davranmak sana yakışmıyor" dediğini ve ardından da sert bir tokat sesi işittim. İşe yaradı, Cuff bitkince konuştu: "Teşekkürler Profesör. Kusura bakmayın, ilk kez böyle bir şey yaşadım da. Pekâlâ. Burada neler oluyor ha?"

Gargery'ye hitap ediyordu sanırım ama cevaplayan Ramses oldu tabii ve olabildiğince kısa konuştuğunu söylemeliyim. "Buraya birkaç dakika önce geldik bayım ve bahçe kapısına doğru giden bir faytonu durdurduk. Annemin içinde olmasından korkarak (o sırada babamın da burada olduğunu bilmiyordum) durdurulmasını emrettim ve bu iş başarıyla halledildi, gerçi içerideki beyefendi tabancayla ateş ederek, Bob'un kasketinde bir delik açtı ve Henry'yi sol başparmağından yaraladı. Kısa bir mücadeleden sonra beyefendi zaptedildi ve ardından içerideki bayanın annem değil, Bayan Minton olduğunu keşfettim, ki biraz sarhoş gibiydi, gerçi biraz inceledikten (yani nefesini kokladıktan) sonra alkol değil de afyon..."

"Faytondakiler şimdi neredeler?" diye sordu Emerson.

"Bahçe kapısının önündeler, Bob ve Henry başlarında bekliyor" diye karşılık verdi Ramses. "Biz hemen eve koştuk, çünkü (Bay Gargery'nin ısrarlı soruları sayesinde) mahzene hapsedildiğinizi ve biraz melodramatik konuşmamı bağışlarsanız, suların hızla yükseldiğini öğrendik. Babamın sesini işitince..."

"Evet, tamam evladım, gerisini biliyoruz" dedi Cuff. "Peki bu söz ettiğin kişi..."

"Uşağımız Gargery" dedim.

Cuff elindeki bir topuzlu bastonu sallamakta olan Gargery'ye bakakaldı. "Uşağınız" diye tekrarladı.

"Bunu boşver şimdi" dedi Emerson sabırsızca. "Biz burada durmuş gevezelik ederken ev cayır cayır yanıyor. İtfaiye çağırmamız gerekmez mi? Hem hizmetçiler ne olacak? Onları dışarı çıkarsak iyi olur ha?"

"Şimdilik bir tehlike olduğunu sanmıyorum, babacığım"

diye karşılık verdi Ramses çokbilmişçe. "Yangın henüz evin ana bölümünden uzakta ve işittiğim çığlıklarla bağrışmalar içeridekilerin tehlikeden haberdar olduklarını gösteriyor. Yine de emin olmak için gidip bakayım."

Koşar adım uzaklaştı.

Alevler öyle parlaktı ki biçilmiş çimlere korkunç gölgeler düşürüyorlardı. Eski kanat kısa sürede küle dönüşecekti. Bütün pencereleri erimişti ve her açıklıkta alevler parlak bayraklar misali dalgalanmaktaydı. O görüntüde ürkütücü bir güzellik vardı ve bir süre durup sessizce izledik. Emerson koluyla beni sarmıştı ve Cuff başını eğmişti.

"Ölmüştü, değil mi Emerson?"

"Evet canım." Bir an sonra Emerson tuhaf bir sesle konuştu: "Soylu bir biçimde öldü, aciz bir kadını ölümden de beter bir kaderden kurtarmaya çalışırken. Değil mi Cuff?"

Cuff birden başını kaldırdı. Emerson'la uzun uzun bakıştılar.

"Çok doğru bayım" dedi Komiser Cuff. "Şimdi, oğlunuzla uşağınızın bizim için ele geçirme nezaketini gösterdiği tutsağa bakmaya gidelim mi Bay ve Bayan Emerson?"

Bahçe kapısına vardığımızda ev ahalisi uyandırılmıştı ve ortalık beyaz geceliklerini dalgalandırarak çığlık çığlığa koşuşan, kümesten kaçmış bir tavuk sürüsünü andıran hizmetçilerden geçilmiyordu. Kapının yanında iki fayton duruyordu. Bizimki yolun ortasında diğerinin, iki tane güzel ve siyah at koşulmuş kara, kapalı bir faytonun yolunu kesecek biçimde durdurulmuştu. Henry'yi göremiyordum ama genç uşaklardan biri olan Bob, yol kenarındaki çimenliğe oturarak geriye kaykılmış iki kişinin başında nöbet tutarcasına hazırolda durmaktaydı.

Bayan Minton kalın bir siyah kumaşla boynundan ayaklarına kadar örtünmüştü. Saçı açılmış, başını kucağına yasladığı genç adamın dizlerine yayılmıştı. Adam ellerini yüzüne bastırıyordu ama onu tanıdım, çünkü ay ışığı kırmızı başını aydınlatıyordu.

"O'Connell!" diye haykırdım. "Hayır! Kevin O'Connell olamaz..."

Emerson beni gömleğimin içeri sokmayı ihmal ettiğim ucundan tuttu. "Kurtarma ekibindendir herhalde, Peabody. Herhalde şey sanmadın..."

"Tabii ki hayır. Bir an bile." (Ama beni boğan eller kolayca ayaklarımı yerden kestiklerinde, Kevin'ın Kraliyet Akademisi'ndeki o hengameli gecede beni nasıl kolayca kaldırdığını hatırlamıştım. Bunu çok az adam yapabilirdi... Hele o narin Kont asla.

"Ha ha" dedim. "İstediğin kadar dalga geç Emerson. Katil Bay O'Connell değil. O..."

Durup hevesle Emerson'a baktım. Gülümsedi. "Faytonun içinde, Peabody."

Gerçekten de oradaydı. İplerle, kravatlarla, mendillerle ve atkılarla öyle sımsıkı bağlanmıştı ki aşağıladığı mumya kadar hareketsizdi. Karşısında Henry, elinde bir sopayla oturmaktaydı. Ama katil... Yani Bay Eustace Wilson dövüşecek halde değildi artık.

Tutsağı Bow Sokağı'na götürüp tutuklandığını gördükten sonra, Komiser Cuff yapacak bir sürü işi olduğunu söyledi ama Emerson, onun da bizimle birlikte Chalfont Konağı'na geri dönmesinde ısrar etti. "Orada ifadelerimizi rahat rahat, hem çok daha kolay alırsın" dedi. "Lanet olsun Cuff, zor bir gece geçirdik. Biraz dinlenmeyi ve kutlama yapmayı hak ediyoruz."

Neyse ki dün gece çok geç yattığımızdan geç uyanmıştık. Üstümü değiştirip de o lanet olası korseden kurtarınca kendimi gayet dinç hissettim. Hizmetçilerin yemek salonundaki masada toplandık (mutfağa yakınlığı avantajdı ve Gargery ile diğerlerinin kendilerini daha rahat hissedecekleri bir yerdi). Eğlenceli bir parti oldu, soğuk koyun etiyle turşu ve güzel bir elmalı turta yiyip epeyce içtik. Ramses her zamanki numarasını denedi, kim olduğunun fark edilmeyeceğini umarak, şarap konulurken bardağını uzattı. Emerson fark etti ama gülerek bardağa beyaz Alman şarabı döktü biraz. "Bunu hak ettin evladım. Yapma Peabody, kaşlarını çatma öyle, bir beyefendi gibi şarap içmeyi öğrenmeli."

"Kesinlikle hak etti" dedi şimdiden bir bardak siyah bira içmiş olan Gargery. "O olmasa zamanında yetişemezdik sör ve madam, çünkü hiçbirimiz nereye gittiğinizi bilmiyorduk."

"Arabanın arkasına tutundun herhalde" dedim Ramses'e.

"Evet anneciğim, doğru. Babamı aramaya gideceğini bildiğimden kıyafetimi değiştirip seni takip ettim. Her ne kadar yanında kalıp da elimden geldiği kadar yardım etmek istesem de, bunun mantıksız olacağını biliyordum. Bu yüzden arabada kalıp Londra'ya geri döndüm ve hemen Bay Gargery ile diğerlerinden yardım istedim. Bay O'Connell, Bayan Minton'ı sormaya gelmişti, bu yüzden onu da çağırttım."

Kevin aramızdakilerden biriydi elbette. Aslında masada yalnızca, istemeden aldığı uyuşturucunun etkisinden uyuyarak çıkmakta olan Bayan Minton ile onun başında bekleyen ve zaten partimizden hoşlanmayacak olan Bayan Watson yoktu o kadar.

"O kadar kaygılanman Bayan Minton'ı derinden etkileyecektir eminim" dedim Kevin'a.

"Beni başkası sandı" diye mırıldandı Kevin, bira bardağına hüzünle bakarak. "Onu tutup da o güzel yüzüne öpücükler yağdırırken... Ah, bir beyefendi öyle fırsatçı davranmamalı biliyorum ama ben de insanım, onu öyle teslim olmuş ve yumuşacık ve tatlı görünce... Kollarını boynuma dayayıp gözlerime bakarak gülümsedi ve bana dedi ki... Bana dedi ki..."

Emerson kıpkırmızı kesilmişti. Kıvranmasına bir süre göz yumduktan sonra araya girdim. "Sayıklayan ya da uyuşturucu etkisindeki insanlar ne dediklerini bilmezler Kevin. Mırıldandıkları şeylerin de hiç önemi yoktur. Onun sevgisini kazanmak senin elinde, istediğin buysa. Ona Bay Wilson'ı, sana ateş etmesine aldırmadan ve kendi canını hiçe sayarak, döve döve bayılttığını anlattığımda bu hedefe yaklaşmış olacaksın."

Emerson homurdanıp kaşlarını çatarak bana baktı. "Bu duygusal saçmalıkları kesin artık" dedi. "Komiser'e ifade vereceğimize söz verdik. İşi gücü var biliyorsunuz. Romantik zırvalarla kaybedecek zaman yok. Biraz daha şarap alın, Komiser."

"Olur" dedi Cuff. "Çok kaliteli bir şarapmış Profesör, meyvemsi ve fazla tatlı değil, asitlik oranı tam uygun. Hımm."

"Bakın" diye açıklamaya başladı Emerson, "Bayan Emerson'la ben böyle olayları çözerken kendi aramızda dostça, küçük bir yarışma düzenleriz genelde. Bu yüzden önce onun konuşmasına izin vereceğim. Komiser'e katilin kimliğini nasıl bulduğunu anlat, Peabody."

Ağzının kenarının şüpheyle seğirmesine aldırmamayı seçtim. "Teşekkürler Emerson. Memnuniyetle başlayacağım. Bu hayatımda soruşturduğum... yani soruşturduğumuz... en tuhaf olaylardan biri oldu... Buna kendimce, egzotik öğelerle bezenmiş adi suçlar diyebilirim."

"İstediğini de ama sadede gel" dedi Emerson.

"Öyleyse en baştan başlayayım... Gece bekçisinin ölümünden. Bu arada cesedi mezardan çıkarttırmak isteyebilirsiniz Komiser. O zavallı adamın aşırı dozda afyondan öldüğünü göreceksiniz tahminimce."

"Ne?" Komiser bana bakakaldı. "Ama inceleyen doktor demişti ki..."

"Aşırı dozda afyonun etkileri beyin kanamasınınkileri andırır Komiser. Soğancıktaki solunum merkezini etkiler ve solunum sisteminin çalışmaması nedeniyle ölüme yol açar. Gece bekçisi daha önce afyon kullanmamıştı. Ona kıyak olarak... Orjiye -çünkü ancak böyle adlandırabilirim- izin verdiği için yapılan ödemenin bir kısmı olarak verilmişti.

Cesedin bulunduğu yerdeki tuhaf kalıntıların nedeni buydu. Sıradan bir orji değil, Eski Mısır tarzında bir orji düzenlenmişti... Çiçek çelenkleri, kristal bardaklarda şarap (gerçi eskiden sıradan kil bardaklar kullanılırdı ama o şımarık genç adamlara fazla bayağı gelirdi) ve asalarla popülerliğini hiç kaybetmeyen kartonpiyerleri de içeren kostümler. O kalpleri taşlaşmış insanlara hoş gelecek türden acayip, yakışıksız bir jestti bu, ayrıca o tuhaf mekânın seçilmesinin daha karanlık ve ürkütücü bir nedeni vardı, ki zamanı gelince değineceğim.

Öyle bir olayın yapılabilmesi için birkaç kişiye rüşvet verilmesi gerekiyordu elbette. Oldacre bunlardan biriydi. Zenginlere yaltaklanıp duruyordu hep ve öyle bir gruba katılabilmek için habis, aşağılık ruhunu bile satardı. Müzenin o bölümünden sorumlu gece bekçisine büyük bir meblağ ödenmiş ve çenesini tutsun diye orjiye davet edilmişti. Ölümü bir kazaydı, afyondan öleceğini hiç kimse tahmin etmemişti. Öldüğünü anladıklarında ilk düşünceleri olup bitenleri örtbas etmek oldu. Şişeleri, kadehleri ve çiçek çelenklerini topladılar ve cesedi olduğu yerde bıraktılar. Kadınlar... Ayşe temin etmişti onları sanırım, tehlikeli değildi, çünkü öyle soylu beyefendilerin aleyhine konuşmaya cesaret edemezlerdi.

Oldacre ise bambaşka bir konuydu. Tek istediği para değildi, onlardan biri olmak, yakınları olmak... kulüplerinde ve evlerinde konuk olmak istiyordu. Ölümü katilinin kimliğine dair bir ipucuydu zaten. O genç aristokratlardan hangisinin ondan gerçekten korkması için bir neden vardı? Gerçeğin öğrenilmesi bir skandal koparabilirdi ama onlar skandallara alışıktılar, neler görüp geçirmişlerdi.

Eustace Wilson ise gerçek öğrenilirse her şeyini kaybedebilirdi. Bir daha arkeoloji alanında çalışamazdı, ayrıca tutuklanıp rezil olursa sürekli sömürdüğü genç adamın üstündeki kontrolünü de kaybederdi."

Komiser ikna olmamış gibiydi. "Bütün bunlar çok güzel Bayan Emerson ve şimdi olay çözülmüşken yürüttüğünüz mantık eksiksiz geliyor ama o sırada bu açıdan bakmamıştım. Lord'un... hastalığından mustarip olanlar bazen öfke nöbetleri geçirirler. Oldacre gibi aşağılık biri tarafından tehdit edilmek, cinayet işleyecek kadar gözünün dönmesine yol açmış olabilirdi."

Emerson öksürdü. Artık gülümsemesini gizlemeye çalışmıyordu.

"İzin verirseniz Komiser" dedim soğukça, "Oldacre'nin ölümüyle ilgili vardığım sonucun başka delillerle de desteklendiğini göreceksiniz."

"Özür dilerim, madam" dedi Komiser.

"Aradığımız adamın amatör bir sanat meraklısı değil Mısırbilimi eğitimi almış biri olduğunu başından beri sezmiştim. Kostümü en ince ayrıntısına kadar otantikti ve seçtiği alıntılar konuyu üstünkörü incelemiş birinin kolayca bulamayacağı kadar gizli ve yerinde sözlerdi. Oldacre'nin cesedinin elinde bulunan kâğıtta bir alıntı değil, yeni bir mesaj vardı... Dile hâkimiyetteki ustalığın daha da güçlü bir kanıtıydı bu, çünkü bir metni kurgulamak kopyalamaktan daha zordur. O mesajdaki imla ve gramer hataları bir amatörün değil, bir öğrencinin... özellikle de Bay Budge'ın bir öğrencisinin yapacağı türdendi.

"Oldacre, Budge'ın adamlarından biriydi. Mesajı bilinmeyen bir nedenden dolayı kendisinin yazdığını ve ölümüyle ilgisinin tamamen rastlantısal olduğunu farz etmek mümkündü (çünkü Ramses ve beyler, bir suç soruşturmasında her ihtimal ne kadar küçük de olsa ele alınmalıdır). Ancak uşabtilerle mesajları gönderildiğinde Oldacre ölüydü. Budge'ın dünyanın dört bir yanında bir sürü öğrencisi vardır herhalde... Hatta gereğinden fazla denebilir. Ama bu olayla yakından ilgili olan diğer tek kişi Bay Eustace Wilson'dı. Oldacre'yi tanıyordu, hatta bana söylediğinden daha çok tanıdığına eminim.

Bir süreliğine yolumu şaşırtan şey Lord Liverpool'la arkadaşı Lord St. John'ın işe karışmaları oldu. Aslında bütün olanların nedeni Kont'un korkunç hastalığıydı. Tedavisi yok. İnsanlar ölümle yüz yüze gelince, ne kadar tuhaf ve anlamsız olursa olsun her çareye sarılırlar. Ne kaybederlerdi ki? İtiraf etmeliyim ki bütün gerçeği ancak Kraliyet Derneği'nde olay çıktığı gece, mumyanın sargılarının çözülmüş olduğunu gördüğümüzde anladım.

Sargılar mumya henüz Mauldy Malikânesi'ndeyken çözülmüş olmalıydı. Müze yetkililerinin öyle bir eyleme izin vermedikleri kesindi, bu durumda ya eski Kont ya da oğlu Lord Liverpool tarafından yapılmış olmalıydı. Ama ikisi de neden böyle bir şey yapsınlardı ki? Müteveffa Kont bir koleksiyoncuydu, o kadar amatör bir Mısırbilimi öğrencisi değildi. Oğlu bu konuyla daha da az ilgileniyordu. Ayrıca sargıların çözülmesinin nedeni masumca ve amatörce bir bilimsel merak olsaydı, yapılışının gizlenmesi için o kadar uğraşılmazdı. Bir mumyanın sergilenmesi için başka nasıl bir neden olabilirdi ki?"

Emerson'un dudakları aralandı. O akşam tuhaf bir ruh halindeydi ve fikir önermesine izin vermeyi akıllıca bulmadığımdan hemen devam ettim.

"Bir doktorun reçetesine mezardan çıkarılmış mumyaları ilaç niyetine yazmasının ta on ikinci yüzyıldan kalma kaydı vardır. Dört yüzyıl sonra mumyalar Avrupa'nın her yerindeki eczanelerde bulunabilen ilaçlara dönüştü. Bu nedenle çok miktarda mumya getirtildi ve arz azalınca titiz olmayan insanlar taze kadavralardan mumya ürettiler.

İnsan bu modern çağda, bilimin ve mantığın gelişmesinin bu batıl inancı ortadan kaldıracağını sanır, oysa Londra'da ve duyduğum kadarıyla Paris'le New York'ta hâlâ mumya tozu satılan dükkânlar var. Cehalet asla ölmez, Ramses ve beyler. Umutsuzlukla birleştiğinde de, genç Kont'un kesinlikle orijinal bir kaynaktan alınmış o maddenin ayinlerle ve dualarla birlikte kendisini iyileştirebileceğine inanmaya hazır olmasında şaşılacak bir şey yok.

Oldacre gibi Wilson da Kont'la, gerçekten arkeolojiyle amatörce ilgilenen ve çarpık bir mizah anlayışına sahip Lord St. John aracılığıyla tanışmıştı. Orijinal plana hepsi dahildiler. Lord St. John neden katılmasındı ki, sonuçta arkadaşının içini rahatlatacaksa ve eline o tiksindiği geleneklerle dalga geçme fırsatı geçecekse? Başlangıçta ayin ve orjiler Mauldry Köşkü'nde yapıldı, hizmetçilerin o odadan çeşitli zamanlarda tuhaf sesler geldiğini işitmelerine şaşmamalı. Sonra Kont'un babası olanları öğrendi. Aziz değildi ama bu sapıklıklar karşısında afalladı, sargıları çözülmüş mumyayı British Müzesi'ne bağışladı ve daha fazla deney yapılmasını yasakladı. Kısa süre sonra da öldü. O av kazasının aslında kaza olmadığından şüpheleniyorum, her ne kadar bunu kanıtlamak muhtemelen imkânsız olsa da. O av partisine katılan konukların listesini görmek ilginç olurdu.

Ayrıca Oldacre'nin kumpasa başta katılanlardan biri olmadığından da şüpheleniyorum. Müze'nin saygın odalarında olup bitenleri keşfedince gruba katılmak zorunda kalmış olabilir. Küçük bir rolle yetinmeyip daha fazla güç istemeye ve Wilson'ın Lord Liverpool'dan kopardığı paradan pay almaya kalktı. Bu yüzden Wilson onu öldürdü. Nazik Bay Wilson kendini gayet güvende hissediyordu, ta ki Emerson ve ben işe karışana kadar. Ünümüzü biliyor ve yaptıklarını ortaya çıkaraca-ğımızdan korkuyordu (ki son derece haklı olduğu kanıtlandı). İşi asıl çözen, Ayşe'nin karıştığını keşfetmem oldu. Emer-son'un bir keresinde belirttiği gibi, afyonhanelerin çoğu Hint-lilerle Çinliler tarafından işletilir. Lord Liverpool'un uyuştu-rucuyu o gittiğimiz afyonhaneden alması rastlantı değildi. Kendisine orayı ve Ayşe'yi tanıtan, Mısır'da çalışmış olan ve burada Mısır cemaatinden bağlantılara sahip Wilson'dı.

Artık Wilson'ın karşısına bir başka tehlikeli ikilem çık-mıştı. Kont ölüyordu, o iç karartıcı ama kazançlı şarlatanlık uzun süre sürdürülemeyecekti. Başlangıçta Lord St. John gö-nüllü bir katılımcıydı. Hepsi sırayla *sem* rahibi rolü oynuyor-lardı. O gizemli kişinin davranışlarına çok şaşırmamızın ne-deni buydu... Bazen tereddütlü ve ne yapacağını bilmez, bazense özgüvenli ve soğukkanlı görünüyordu. Zaman ilerle-dikçe Lord St. John, Wilson'dan tiksinmeye ve Liverpool'un üstündeki etkisini kıskanmaya başladı ama artık elinden bir şey gelmezdi. Liverpool canını kurtaracağını umduğu adamla ilgili kötü söz işitmek istemiyordu. Ayrıca Oldacre'nin öldü-rülmesinden sonra o 'zararsız' oyunun ölümcül bir ciddiyete büründüğüne emin olan St. John, olanları herkese açıklarsa arkadaşının pis bir skandala bulaşacağını, hatta cinayetle suç-lanabileceğini düşündü. Ama St. John, Wilson için potansiyel bir tehlikeydi ve Kont da hastalık çürüyen bedenini ele geçir-dikçe giderek dengesizleşiyordu. Tedavinin başarısız olduğu-na karar verip de sözde kurtarıcısına düşman kesilirse her şe-yin ortaya çıkacağı aynı biçimde kesindi.

Wilson bir taşla iki kuş vurmaya karar verdi... Hem Kont'u tehlikeli olmadan önce susturacak hem de polise ara-dıkları katili verecekti. Ayşe'yi beni tuzağa düşürmeye zorla-dı. Gördüğümüz diğer hiyeroglif yazıların tersine bu mesaj öy-le beceriksizce ve başarısızca yazılmıştı ki, sanki görecel olarak daha az bilen birinin elinden çıkmış gibiydi. Wilson bu akşam engellediğimiz ayinde beni kullanmak niyetindeydi. Bütün tanıklardan kurtulduktan sonra beni ve Liverpool'u öyle bir biçimde öldürecekti ki, Kont'un önce beni ve ardından kendini öldürdüğüne... ya da belki de birbirimizi öldürdüğümüze kesin gözüyle bakılacaktı. Bunu sağlamak için birkaç yol geliyor aklıma..."

"Eminim geliyordur, madam" dedi Komiser saygıyla. "Ama sizi değil Bayan Minton'ı..."

Elimi boşver dercesine salladım. "Oyuncu kadrosunda küçük bir değişiklikti o kadar Komiser. Bayan Milton'ın bütün bunlardaki rolü çok ilginçti. Wilson onunla evlenmek niyetindeydi sanırım. Ona âşıktı demek bu soylu sözcüğü kirletmek olur ama kendisi öyle tanımlardı herhalde. Ancak Bayan Milton'un kendisini umursamayışı, küçük görüşü hoşuna gitmedi ve beş parasız olduğunu öğrenince hiddetini gizlemekte zorlandı. Sanrısına yol açan çılgınca egoizmi (ne de olsa Bayan Minton gibi bir hanımefendinin onun karısı olmaya asla rıza göstermeyeceğini söylememe gerek yok) bu sefer de onun kendisini kandırdığını ve ihanet ettiğini düşünmesine yol açınca, intikam almayı aklına koydu. Aynı akşam onun burada, bu evde olduğunu keşfetti. Yoksa ona zarar gelmediğini o kadar çabuk öğrenemezdim. Bay Wilson'a bunu söylemem hataydı, kabul ediyorum ama o kızı sabaha kadar kalmasında ısrar ederek korumaya çalıştım. *Bana* karşı gelmeye cüret edeceğini bilmiyordum. Meğer öyle sinirlenmiş ve canı sıkılmış ki, evden hemen gitmeye karar vermiş. Onunla konuşmak için fırsat kollamak amacıyla dışarıda bekleyen Wilson onu kendisiyle birlikte gitmeye ikna etmekte zorlanmamıştır. Bayan Wilson kendisini evine bırakmasını beklemiştir şüphesiz ama arabaya binince adamın insafına kaldı. Genç bayanların öyle tehlikeli ışıtlar konusunda uyarılmaları boşuna değil!"

Şimdiye kadar Emerson da Ramses de sözümü kesmemişlerdi ve birden bunun incelenmeye değecek kadar tuhaf bir durum olduğunu fark ettim. Emerson öyle bir biçimde sırıtıyordu ki tutup sarsmak istedim, Ramses ise...

"Bu çocuk sarhoş!" diye bağırdım. "Emerson, bunu nasıl yapabildin!"

Emerson, sandalyesinden sessizce kayarak yere düşmekte olan Ramses'i tam zamanında yakaladı. Çocuğun gözleri kapalıydı ve babası kucağına alınca kımıldamadı.

"Sarhoş değil Amelia, yorgun" dedi Emerson sinirlenerek. "Çocukcağız hareketli bir gece geçirdi."

"Gerçekten de hareketliydi. Hareketli bir haftaydı demek daha doğru ya. En son yatağına gireli sanırım... Onu yukarı çıkarıp yatır, Bob. Ayrıca lütfen şu leş gibi giysileri üzerinden çıkararak, onu yıkamayı unutma ve..."

Emerson, Ramses'i bekleyen uşağın kollarına verirken "Yavaş ol Bob" dedi.

"Peki efendim. Olurum efendim."

"Evet, şimdi" dedim, Bob uyuyan yüküyle birlikte gidince, "Saat geç oldu ve artık hepimiz yatmayı düşünmeliyiz. Ama önce bana bir açıklama borçlusunuz Komiser. Umarım siz de olayı çözmemi sağlayan tümdengelimsel mantık zincirini takip ettiğinizi öne sürmeyeceksiniz?"

"Hayır, madam" dedi Komiser gözlerini kırpıştırarak. "Öyle bir mantık zinciri beni aşar. Hayır, üzüntüyle itiraf ediyorum ki sıkıcı, bayıcı, rutin bir polis soruşturması yürüttüm ve çok yanlış bir sonuca ulaştım. Bizler muhbirlerimizden yararlanarak..."

"Ahmet!" diye haykırdım. "Pis casus! Bana hiçbir şey söylemedi!"

"Şey, belki de doğru soruları sormamışsınızdır, madam" dedi Komiser Cuff usulca. "Ahmet'i kendi güvenliği için gözaltına aldık. O genç beyefendilerin ünlerini bildiğimden zaten onlardan şüpheleniyordum biraz ve uzun sorgulamalardan sonra, hayır madam, zorbalık değil, yalnızca sorgulama, Ahmet, Lord Liverpool'un Ayşe'nin müşterilerinden biri olduğunu itiraf etti. Afyonhaneden değil, yukarıda özel müşterilere ayrılmış odaları vardı. Sonra profesör..."

"Aman Tanrım, saate bak" diye bağırdı Emerson, cebinden saatini çıkararak. "Kabalık etmek istemem ama Komiser... Bay O'Connell... Gargery..."

Listeyi sayması onay mırıltılarıyla kesildi ve Komiser ayaklandı. "Evet bayım, çok haklısınız. Gitmeliyim. Profesör ve madam, size çok teşekkür ederim..."

Holde Komiser'e iyi geceler diledikten sonra yukarı çıktık. Ramses'e bakınca uyuduğunu gördüm, görünen kısımları temiz sayılırdı. Geri kalan kısımlar konusunda şüphelerim olsa da rahatsız etmemeye karar verdim. Odama dönünce Emerson'un yatakta yattığını gördüm. Ama uyumuyordu ve ben kapıyı kapar kapamaz her zamanki şevkiyle doğrulup yatmama yardım etmeye başladı. O saatte hizmetçilerden birini uyandırmanın düşüncesizlik olacağını söyledi.

"Emerson" dedim.

"Efendim, Peabody? Bu lanet olası düğmeler..."

"Komiser tam ona soruşturmalarında nasıl yardım ettiğini anlatıyordu ki sözünü kestin."

"Öyle mi yaptım, Peabody? Hah, işte oldu..."

Bir düğme düşüp yerden sekti. "Ona nasıl yardım ettin Emerson? Çünkü Eustace Wilson'ın elebaşı olduğunu bildiğini söylersen..."

"Sen biliyor muydun, Peabody?"

"Yürüttüğüm mantığı açıklamadım mı Emerson?"

"Evet Peabody, açıkladın ve gayet dâhiceydi. Ama faytonda Wilson'ı görünce yüzünün ifadesi..."

"Yüzümü görmüş olamazsın Emerson. Sırtım sana dönüktü."

Emerson bir elbiseyi tekmeleyerek uzağa atıp kollarını bana doladı. "Lord St. John sanmıştın. Ah, haydi ama Peabody, sen itiraf edersen ben de ederim."

"Sen de mi Emerson?"

"Her şey ona işaret ediyordu, Peabody. Konumu, Makyavelist akıl hocalığı, tahtın ardındaki güç..."

"Neredeyse fazla kusursuzdu" dedim esefle. "Eskiden askerdi, yani insanları katletmeye ve kan dökmeye alışık, zeki, alaycı, hızlı düşünen..."

"Ahlaksız ve âlemci" dedi Emerson dişlerini gıcırdatarak.

"Evet ama arkadaşını öyle iğrenç bir ölüme götüren o hayat tarzından gerçekten tiksinmişti sanırım. Bana öyle demişti ama durup dururken erdemlileşmesine şüpheyle yaklaşmıştım tabii. Korkarım talihsiz bir tarzı var, insan söylediği her şeyde gizli anlamlar aramaya meyilli oluyor. Her halükârda bu akşam yoktu ve aradığını öne sürdüğü iyi kadını bulacağını ve böylece huzura ve ahlaklı bir yaşama kavuşacağını içtenlikle umuyorum."

"İyi bir kadın gibisi yoktur" diye katıldı Emerson ciddiyetle. "Şimdi, Peabody, neden ikimiz..."

"Bütün kalbimle Emerson."

Uzun bir aradan sonra Emerson başını kaldırıp biraz nefes nefese konuştu: "Bu harikaydı Peabody ve hemen kaldığımız yerden devam etmek niyetindeyim ama önce şey konusunda yanıldığını itiraf etmek istersen..."

"Tartışmayı sürdürmeye gerek görmüyorum, Emerson."

"Hımm" dedi Emerson. "Tamam Peabody, itiraf etmeliyim ki tartışmalarda gayet ikna edici oluyorsun."

Uykuya dalarken gri, yağmurlu bir şafak söküyordu ve birkaç saat sonra gözlerimi açtığımda da aynı loş ışık vardı. Ev sessiz ve huzurluydu. Yatağın ucunda ya da kapıda Ramses'ten eser yoktu, bir süre felsefi düşüncelere dalarak keyifle uyukladım. Görevlerin yerine getirildiğini ve tehlikelerin aşıldığını bilmek gibisi yoktur bence. Bir katil daha kanuna sağ salim teslim edilmişti ve artık dikkatimi günlerdir canımı sıkan küçük bir soruna verebilirdim. Ramses'le ilgiliydi, kaçınılmaz olarak. Ancak bu meselede odaklanmama fırsat kalmadan Emerson uyandı ve gayet yetenekli olduğu bir sahada dikkatimi dağıtması başka şeylerde odaklanmama yol açtı.

Sonuç olarak odamızdan nihayet çıktığımızda akşam olmak üzereydi. Sert hava yüzünden dışarıdaki gökyüzü oldukça karanlıktı ve bütün lambalar yanıyordu. Koridorda kol kola yürürken Emerson "Çay içmekte ısrar edeceksin herhalde, Peabody" dedi.

"İtirazın mı var Emerson?"

"Şey, evet, lanet olsun, var. Ne olduğunu biliyorsun, Peabody."

"Seni temin ederim ki dikkatimi o konuya yöneltmek üzereyim canım."

"Pekâlâ Peabody'ciğim, öyleyse o işi sana bırakıyorum. Ama seni uyarıyorum, daha fazla dayanamayacağım. O kahrolası kitabı bitirmek için huzura ve sessizliğe ihtiyacım var..."

Devam etmesine fırsat kalmadan evde korkunç bir çığlık yankılandı. Çocukların odalarının bulunduğu taraftan gelmişti.

"Lanet olsun" diye bağırdı Emerson. "Yine ne oldu? O kızda hayatımda işittiğim en tiz dişi sesi var. On yıl sonra, ciğerleri genişleyince nasıl olacak acaba? Bak Peabody..."

"O Violet değildi Emerson" dedim. "Bir dakika susarsan..." Gerçekten de bir başka çığlık tezimi doğruladı. Violet'tan daha büyük bir dişiden geldiğine emindim. "Hizmetçilerden biri galiba" diye devam ettim. "Gidip sorun nedir diye baksak iyi olacak sanırım."

Söz konusu hizmetçiyle -Mary Ann'di- holde karşılaştık. Elleriyle yüzünü örtmüş koşarken Emerson'a çarptı. Emerson yoluna devam etmeden önce onu kibarca tutup duvara yasladı. "Ona sormak anlamsız" dedi. "Oldukça alt üst olmuş gibi görünüyor. Ramses'in odasından mı çıktı?"

"Oradan çıktığını görmemiş olsam bile tahminim kesinlikle bu olurdu" diye karşılık verdim. "Ramses'i çaya çağırmak için girdi herhalde ve... Ne gördü acaba?"

Birazdan öğrenecektik. Kapı açıktı. Ramses'in yalnız olmadığını görmek nedense şaşırtmadı. O ve Percy, Ramses'in mumyalarının üstünde durduğu masanın birer tarafında birbirlerine dönük halde ayakta durmaktaydılar. Yüzlerindeki renklerin zıtlığı ilginçti, çünkü Percy'ninki öfkeden kızarmıştı, Ramses'inkini ise daha solgun hiç görmemiştim. Doğal esmerliği ve epeyce bronzlaşmış olması yüzünden yanakları tuhaf bir sütlü kahve rengine bürünmüştü. Aralarındaki masada yeni bir numune gibi görünen bir şey vardı... Hatta çok yeniydi, çünkü yaralarından boşanan kanla kaplıydı.

Bir sıçan leşiydi. Sıçanlar uzun ve iğrenç bir biçimde çıplak kuyrukları ve sivri dişleri yüzünden, Tanrı'nın en sevimli yaratıklarından sayılmazlar ama yine de Tanrı'nın yaratıklarındandırlar. Bu seferkinin yaralarını kedi pençeleri ya da köpek azı dişleri değil, ancak bir insanın elindeki keskin bir bıçak açmış olabilirdi. En kötüsü, o derisi yüzülmüş gövdenin hafifçe inip kalkması -artık acı hissetmeyecek halde olsa da- o zavallı yaratığın hâlâ yaşadığını gösteriyordu.

Emerson yanımdaydı, tehlikeli ya da zor zamanlarda hep olduğu gibi. O yaratığı alıp götürdü, dönüp ne yaptığına bakmadım ve bir an sonra usulca "Öldü Peabody" dedi.

"Sağol Emerson'cuğum."

İki oğlana baktım. Percy dudağını ısırıyordu ve gözleri dökmemeye çalıştığı yaşlarla parlıyordu. "Ramses" Walter Peabody Emerson'un yüzüyse her zamanki gibi gizemli bir maskeydi ama keskin, anaç gözlerim siyah gözlerinde bir duygu kımıltısı algıladı. Kaygı, diye düşündüm.

"Bunu kim yaptı?" diye sordum.

Karşılık gelmedi. Gelmesini beklememiştim. Percy'ye baktım. Kasıldı. Elleri arkasında, dudakları gerilmiş halde durup gözlerini kırpmadan gözlerime baktı. "Sen mi yaptın, Percy?" diye sordum.

"Hayır, Amelia Hala."

"Sen yapmadıyan suçlu Ramses demek ki. Ramses mi yaptı Percy?"

Percy, Düşmanla Yüzleşen Yiğit İngiliz Delikanlısı portresine modellik yapabilirdi. Çenesini kaldırıp omuzlarını dikeltti. "Size cevap veremem, Amelia Hala. Size bir evladın sevgisini ve görev bilincini borçluyum ama bir İngiliz centilmeni için daha da önemli şeyler vardır."

"Anlıyorum. Pekâlâ Percy. Gidebilirsin. Lütfen odana git ve ben gelene kadar çıkma."

"Peki, Amelia Hala." Asker adımlarıyla odadan çıktı.

Kuzeninin aksine Ramses iyi bir gösteri sergilemedi. Daracık omuzları bir darbe beklercesine büzülmüştü ve gözlerini kaçırıyordu.

Kollarımı uzattım.

"Ramses, sana derin bir özür borçluyum. Gel bana."

O anı anımsadığımda duygusallaşıyor ve sonraki sevgi dolu sahneyi pek hatırlamıyorum. Emerson resmen burnunu çekiyor ve yeniyle gözlerini ovuşturuyordu (mendil taşımaz hiç). Ramses yatakta aramıza oturdu, babasının bir koluyla sarmalanmıştı ve tabii ki, konuşuyordu. Sözünü kestim.

"Açıklamana gerek yok Ramses, şimdi her şeyi anlıyorum. Başlangıçta gayet net görünen şeylerin, bakış açısındaki küçücük bir değişiklikten sonra tamamen farklı yorumlanabilmeleri çok ilginç değil mi, Emerson? Ama Percy'nin yaşındaki bir çocuğun o kadar kurnaz olabileceği kimin aklına gelirdi ki?"

"Bu" dedi Emerson, "okul eğitiminin zararlarının bir sonucu. O zavallı küçük kabadayılar kendilerini korumak için böyle numaralar öğrenmek zorunda kalıyorlar. Dediğim gibi..."

"Evet, yüz kere dedin" diyerek hemfikir oldum. "Ancak Percy bu sefer yakayı ele verdi. Ramses'in yaramazlık listesi uzar gider, ki bunlardan bazılarının boyutları oldukça büyük olabilir, yapamayacağına inandığım çok az şey var. Ama bir hayvana kasten işkence edip öldürmek... Güneşin batıdan doğacağına ya da senin, Emerson'cuğum, beni aldatacağına inanırım da buna inanmam."

"Şey... Hımm" dedi Emerson.

"Teşekkürler anneciğim" dedi Ramses. "Söyleyecek söz bulamıyorum..."

Ama bulabileceğini bildiğimden tekrar müdahale ettim. "Percy ile kardeşinden ancak geçenlerde şüphelenmeye başladım ve son olaylar şüphelerimi doğruladı. Daha en başından itibaren... Şu karnına çarpan kriket topu olayından itibaren... Evet Ramses, biliyorum, bana Percy gibi iyi bir oyuncunun topu istediği yöne atabileceğini söylemeye çalıştın... Ne yazık ki ölüm kalım meseleleriyle ilgilendiğimden o konuya yeterince kafa yoramadım. Violet sana Bayan Helen'ın bisikletine binmene izin verdiğini söylemişti herhalde? Evet, Violet kumpasın gönüllü bir iştirakçisiydi ve o da seni bir hayli itip kaktı, çelme taktı, yalan söyledi. Şey, Ramses... Sevgi gösterilerin beni derinden etkilese de, yıkanana kadar daha fazla sarılmaman iyi olabilir. Eteğimdeki bu madde nedir? Kan olamaz, fazla yapışkan... Şey, neyse. Bunu sana telafi edeceğim Ramses, söz veriyorum. Ne istersin?"

"Percy'yi dövmek için izin istiyorum" dedi Ramses.

Babası sevgiyle kıkırdadı. "Şüphesiz evladım, şüphesiz. Gayet takdire layık ve anlaşılır bir arzu. Ben de isterdim... Ama olmaz Ramses."

"O delikanlıdan en kısa zamanda kurtulacağım" diye söz verdim. "Violet'tan da. Seni çok iyi anladım Ramses. Başka bir şeyler de gerekiyor bence. Küçük bir kıyak ya da armağan..."

Ramses'in siyah gözleri parladı. "Kılık değiştirme aparatımı geri alabilir miyim, anneciğim?"

Aslında onlarsız gayet güzel idare etmişti. Boyunun kısalığı tarafından kısıtlansa da Arap sokak çocuğu rolünü birkaç kez takdir edilesi bir başarıyla oynamıştı, dikkatimi dağıtmak ve şüphelerimi azaltmak için gerçek bir sokak çocuğuna rüşvet vermesi şeytani zekâsını gösteriyordu ve hayranlıkla dehşet arasında kararsız kalmıştım. Oynamaya yeltendiği diğer tek rol altın sarısı bukleli küçük kız rolüydü. İlk peruğu ondan almamdan sonra, Violet'ın oyuncak bebeğinin saçından kendine ikinci bir peruk yapmıştı. Ama bunun daha kısıtlayıcı olduğunu başta kendisi kabul ediyordu. "Şimdiki toplumda yalnızca dişi değil, varlıklı olmanın da dezavantajlarını hiç bu kadar kavramamıştım" diye açıkladı her zamanki ukalalığıyla. "Bir kız olarak ortalıkta yalnızca bir yetişkinin yanındayken dolanabiliyordum ve bu hoş değildi, çünkü söz konusu yetişkin son derece dalgın değilse genellikle tek başıma olduğumu fark eden ilk kişi oluyor ve bana dadıma ne olduğunu soruyordu. Cüce kılığına girmeyi de düşündüm ama o roldeyken istemediğim kadar ilgi çekeceğime karar verdim."

Percy en başından beri, Violet'ın becerikli yardakçılıyla, Ramses'in başını belaya sokmaya çalışmıştı. Hayattaki en büyük zevkleri başkalarına acı çektirmek olan insanların var olabilmesi inanılmaz gelebilir ama suçun tarihiyle insanoğlunun genel tarihine bakılınca şüpheye yer bırakmayacak kadar çok sayıda örneğe rastlanıyor. Ramses başta onlarla başa çıkamamıştı. Katillere ve hırsızlara alışıktı ama Percy gibi biriyle ilk kez karşılaşıyordu. Kendini açıklama girişimleri durumunu daha da kötüleştirmişti sanki ve her ne kadar bunu söylemeyecek kadar akıllı olsa da, suçu kendisinde aramakta biraz acele ettiğimi hissettiğini görebiliyordum. Bunu kabul etmek zorundaydım ama Ramses'in geçmişinin böyle bir tahmini desteklediğini belirtmeliyim. Percy, Ramses'in kılık değiştirerek evden izinsiz çıktığını çabucak keşfetmişti. Ramses (söylediğine göre) kuzenlerine çenelerini tutsunlar diye rüşvet vermek zorunda kalmıştı. Percy bütün parasını ve değerli eşyalarını, saatle çakı da dahil olmak üzere almış ve onu soyup soğana çevirdikten sonra son numarasını hazırlamıştı.

Kendime Percy ile Violet'ı analarına bizzat teslim etme hazzını yaşattım. Kadın başından beri Birmingham'daymış meğer. Ağabeyim James'in habisliğinin bir başka örneğiydi bu, çünkü karısını yurtdışına göndermeyecek kadar pinti olmasa planı keşfetmem daha uzun sürecekti. Kadını bulduğumda evinde keyif çatıyordu. Biri dışında bütün hizmetçileri göndermiş, bütün işleri o kızın başına yıkmıştı ve bu zavallı yaratığı kenara iterek içeri girince Elizabeth'in oturma odasında bir roman ve bir kutu çikolatayla oturduğunu gördüm. Beni görünce ağzına yeni attığı çikolata boğazına takıldı ve rengi normale dönene kadar sırtına defalarca vurmak zorunda kaldım.

"İyi de bütün bunların anlamı neydi ki?" diye sertçe sordu Emerson geri döndüğümde. "Yemek ve bakım parasından birkaç altın tasarruf etmek mi?"

"James'e o kadarı da yeterdi şüphesiz" diye karşılık verdim tiksintiyle. "Ama asıl neden başkaydı Emerson. Gerçeği öğrenmek isteyince, Elizabeth açıkça itiraf etti, çünkü James'ten de salaktır o ve daha korkaktır. Gazetelerde çıkan, Ramses'in bozuk sağlığına ve tehlikeli maceralarına ilişkin haberler yüzündenmiş. Percy kendini bize sevdirecekti, böylece Ramses'in başına bir şey gelirse mirasımızı Percy'ye bırakacaktık."

Emerson kıpkırmızı kesildi. "Ne? Ne? Vay katil bacaksız..."

"Hayır, hayır Emerson. Percy'nin küçük bir katil olduğuna kesinlikle inanmıyorum. Gerçi yaptığı bazı numaralar ölümcül sonuçlar doğurabilirdi pekâlâ... Onun görevi sempatik, tapılası ve sevimli olmaktı yalnızca."

"Altından kalkamayacağı bir rolmüş" diye homurdandı Emerson.

"Ama James'te bunu fark edecek hayal gücü yok ki Emerson. En azından denemeye değer diye düşünmüştür."

Emerson düşündü. "Öyleyse o korkunç çocukları başımıza bela eden Bay O'Connell" dedi ürkütücü bir sesle. "O haberi yazan oydu..."

Ne yazık, diye düşündüm, tam da Kevin'la Emerson güzel güzel geçinmeye başlamışlardı. Emerson'a o genç insanlarla ilgili umutlarımdan söz etmenin sırası olmadığına karar verdim. Onları ayıran ciddi bir engel yoktu. Kız aristokrattı ama beş parasızdı, adamınsa karısını gayet güzel geçindirecek bir maaşı vardı ve atalarının belli ettiğinden daha soylu olduklarından şüphelenmiştim hep. İrlandalı bir aktör gibi davranmaya çalışmadığında İngilizce'yi gayet düzgün konuşuyordu ve takım elbiseleri mükemmel bir terzi tarafından dikiliyordu. Gelecekleri parlak görünüyordu ve evlendiklerinde Emerson'un sinirinin artık geçmiş olacağına, hatta belki geline şahitlik bile yapacağına emindim.

Kütüphanede Kara Piramit hakkında yapacağım konuşmayı

harıl harıl yazmakla ve aile hayatının dinginliği üstüne düşünmekle meşguldüm (ne de olsa iyi bildiğim konularda iki ya da daha fazla şeyi aynı anda düşünebilirim). İnsan, mutluluğunun değerini ancak kaybedip de yeniden kazanınca anlıyor. Percy'yi tanıyana kadar Ramses'in gerçek değerini bilememiştim. Evde muhteşem bir sessizlik vardı. Emerson, Müze'deydi. Ramses odasında sıçan mumyalamak ya da dinamit üretmek gibi bir şeylerle meşguldü. Her şey ne kadar huzurluydu ve Tanrı'ya bana verdiği çok sayıda güzellik için nasıl da gönülden şükrediyordum!

Küçücük bir sorun vardı o kadar. Tanrı'ya bundan söz etmedim, çünkü yardımsız altından kalkabileceğime emindim ama o an nasıl yapacağıma emin olamadım. Emerson'a ona yeminini bozduracak hiçbir şey yaptırmayacağıma söz vermiştim... Yaptırmayacaktım da. Ama o esrarengiz sarıklı adamın kimliğini bulmamın başka bir yolu olmalıydı... Bir Mısırlı olsa gerekti. Ayşe'nin bir dostu, düşmanı, iş dünyasında rakibi ya da sevgilisi miydi acaba? Bit Ahmet arkadaşlarına ve akrabalarına kavuşmuştu ama ona ulaşmanın yolunu biliyordum. O ve eskiden zavallı Ayşe'nin müşterileri olan bazı diğer afyonkeşler şimdi herhalde...

Kütüphanenin kapısı sevgili eşimin alametifarikası olan tezcanlılıkla pat diye açılıverdi birden. Onu gülümseyerek karşıladım, o da beni ateşli bir kucaklamayla. "Selam Peabody. Yazı nasıl gidiyor?"

"Gayet iyi canım."

"Güzel. Öyleyse birkaç dakika ara verebilirsin."

"Elbette Emerson'cuğum."

Kendini kanepeye bırakıp yanına oturmamı işaret etti. Oturup onu büyük bir ilgiyle inceledim. Keyfi son derece yerinde gibiydi. Bütün vücudunu sarsan kahkahalar gülümseyen dudaklarının arasından zaman zaman keyifli bir kıkırtı halinde çıkıyordu. Gözleri parlıyor, yanaklarının allığı iyice güzellik katıyordu.

"Bir viski sodaya ne dersin, Peabody?"

"Bu saatte olmaz canım. Çok erken."

"Eee, kutlamak için bir şeyler yapmalıyım." Dudaklarını büzüp nefesini uzun uzun, ıslık çalarak bıraktı. "Kılpayı kurtuldum ha! Bir ara gerçekten korkmuştum..."

"Ne oldu Emerson? Kitabını mı bitirdin?"

"Ah, kitap. Çok daha önemli bir şey var, Peabody. Bak, korkunç bir şeyden kılpayı kurtuldum. Nedir diye sormayacak mısın?"

Gerçeği anlamaya başlamıştım. Hafifçe gülümsedim. "Söylememeye yemin ettiğin bir şeyse hayır, Emerson. 'Ebedi suskunluk' demiştik sanıyorum..."

"Peabody, bazen çok sinir bozucu olabiliyorsun. Başımın etini yiyerek, azarlayarak ve gözdağı vererek ağzımdan laf alman gerekiyor."

"Olur Emerson."

Emerson kahkahayı bastı. "Sağol. Bakayım, nasıl anlatsam?.. Peabody, Şövalye Sör Radcliffe Emerson'un karısı olmak ister misin?"

"Şey, hayır Emerson, bana hiç uymaz" dedim istifimi bozmadan. "Leydi Radcliffe diye hitap edilmek...".

Emerson candan bir öpücükle sözümü kesti. "Böyle hissedeceğini tahmin etmiştim. Bu yüzden reddettim. Ama küçük bir hürmet simgesini kabul etmek zorunda kaldım."

Bana küçük bir kadife kutu verdi. İçinde şaşılacak kadar iri ve berrak bir zümrüt vardı. Bir yüzüğe yerleştirilmişti ve çevresi küçük elmaslarla çevriliydi.

"Bu ne kaba şey böyle canım" dedim yüzüğü inceleyerek. "O kadın böyle bir şeyi takacağını nasıl düşünebilmiş ki? Evet, gayet sıradan, basit bir kadın biliyorum ama..."

"Lanet olsun, Peabody" diye bağırdı Emerson. "Başından beri biliyordun değil mi? O gece Windsor'dan döndüğümde, beni başka bir kadınla görüşmekle suçlarken öyle bir halde konuşmuştun ki emin olamadım, Ayşe'yi mi kast ettiğine yoksa... Peabody, kendinden utanmalısın!"

İnsanların sandığı gibi kibirli, kumpasçı bir kadın olsam sanrısının sürmesine izin verirdim, çünkü beni neredeyse insanüstü bir biçimde her şeyi bilirmişim gibi gösteriyordu kesinlikle. Bunun yerine gülerek başımı omzuna yasladım.

"Hayır Emerson, en ufak bir fikrim yoktu. Şu ana kadar. Ama şövalye payesi verilmesinden söz ettiğinde... şey, İngiltere'de bu payeyi verebilecek tek bir kişi var. Demek o gizemli Hintli onun özel uşağı Münşi'ydi?"

"Kesinlikle." Emerson'un keyfi yerine gelmişti. Yanıldığımı itiraf etmemden hoşlanır, hele başımı omzuna yaslamamdan iyice hoşlanır. "Genç Liverpool'un cinayet suçlamasıyla sonuçlanabilecek bir soruna boğazına kadar battığı açıkça ortaya çıkınca beni çağırdı, Peabody. Lord'un aleyhine kanıtları toplayan Cuff'tı, belki artık sevgili Komiser'in bazı gerçekleri olay resmen kapandıktan sonra bile gizlemesini bağışlayabilirsin. Benim gibi o da gizlilik yemini etmişti. Ayrıca benim tersime o sözünü tutmazsa çok şey kaybeder."

"Senin suçun yok canım. Başının etini yiyen, azarlayan ve gözdağı veren bendim."

"Kesinlikle." Emerson sırıttı. "Gizli numaralarına ve zalimce tehditlerine boyun eğmişken geri kalanını da anlatayım bari, çünkü sana sırlarımı açmakla yalnızca kendimin daha üstün yarısına güvenmiş oluyorum o kadar Peabody ve aynı sözü tutmakla yükümlü olduğunu düşüneceğini biliyorum."

"Elbette Emerson'cuğum. Bu arada mantığının kurnazca derinliğini ne kadar takdir ettiğimi söyleyebilir miyim? Ramses'in en iyi haliyle boy ölçüşebilirsin."

"Teşekkürler canım. Cuff'ın vardığı sonuçlara ulaşamadığın için kendini suçlamamalısın, ne de olsa sende olmayan bilgilere sahipti o... Örneğin Liverpool'la arkadaşlarının faaliyetlerini içeren kalın bir dosyaya. Oldacre'nin onlardan biri olduğunu biliyordu, Ayşe'nin mekânına takıldıklarını da biliyordu. Liverpool'un hastalığını ve semptomlarını çok iyi bildiğinden, Liverpool'un cinayet olayındaki baş şüphelilerden biri olduğu sonucuna vardı elbette. Ama şüphelerini üstlerine açınca tam da tecrübesi sayesinde tahmin ettiği karşılığı aldı. Şaşkınlık ve inanmazlık."

"Yine de Cuff ısrar etti. Cesurca davrandı."

"Şey, pek öyle sayılmaz" diye karşılık verdi, Emerson. "Bu ülkede ne yazık ki mide bulandırıcı bir aristokrasi düşkünlüğü var ama İngiliz adaleti için şu denebilir ki, suç işlemiş birini ne mevkisi ne de unvanı kurtarabilir. Cuff'a yeterince kanıt toplayana kadar çenesini tamamen kapalı tutarak tek başına hareket etmesi söylendi. Majesteleri, Liverpool'un tehlikede olduğunu öğrenmeliydi, uyarılmalıydı elbette. Kendisinin daha az sevimli olan zayıflıklarının yanı sıra akrabalarına içten bir bağlılığı vardır. O delikanlı, Kraliçe'nin hislerini göz önüne almakla daha önce birkaç kez kendini kurtarmıştı.

Geçen Pazartesi, afyonhaneyi ziyaretimizden sonra Cuff'ı görmeye gittiğimde, bu konuda hiçbir şey bilmiyordum tabii ve o da bana bir şey söylemedi. Şeyi istiyordum... Eee, öhö. Şey yapmam gerektiğini hissediyordum..."

"Ayşe'nin adresini istiyordun" dedim istifimi bozmadan. "Boşver Emerson. Geçmiş, o talihsiz kadınla birlikte mezara gömüldü. Ondan bir daha söz etmeyeceğiz."

"Hımm" dedi Emerson. "Şey, sonuçta Cuff'la ben olay üstüne biraz konuştuk ve ardından Majesteleri'ne benden söz ederek beni onurlandırdı. Kraliçe beni çağırttı ve o genç adamın suçsuzluğunun kanıtlanmasında yardımımı istedi. Canı çok sıkkındı, çünkü Kont her ne kadar geçmişte birkaç düşüncesizlik yapmış olsa da (o saf kadıncağız böyle dedi), Kraliçe ailesinden birinin öyle korkunç bir suç işleyebileceğine inanamıyordu."

"Öyle düşünecek kadar salaksa saftan da betermiş" dedim. "Aklıma bir sürü olay geliyor..."

"Benim de Peabody. Ama Kraliçe'nin ricası oldukça pohpohlayıcıydı ve zaten Kont'un zihinsel ve fiziksel açılardan öyle bir planı uygulayamayacak kadar zayıf olduğunu düşündüğümden elimden geleni yapacağıma söz verdim.

Sonrasında Cuff'la birlikte çalıştım. O kilit gecede o tuhaf ayinin yapılacağını öğrenen Cuff'tı. Kiralanan Mısırlı kabadayılardan biri daha önce de benzer ayinlere katılmış ve bunu övünmek için bir bayan arkadaşına, o da bir başka arkadaşına, o da bir başkasına anlatmıştı, ki bu sonuncusu Cuff'ın muhbirlerinden biriydi. O gün seni odamıza kilitlemekle affedilmez bir ihanette bulundum Peabody'ciğim ama zor bir ikilemle karşı karşıyaydım. Cuff ile Kraliçe'nin çenemi sımsıkı kapalı tutmam talepleriyle, o kötülük yuvasında bir dolaplar döneceğine dair şüphelerim arasında kararsız kalmıştım. Yine de senin o merdivenden topallaya topallaya indiğini görünce nedense şaşırmadım, Peabody. O parlak, keskin zekânla bilmeceyi çözeceğini tahmin etmeliydim."

"Sonu iyi biten her şey iyidir" dedim neşeyle. "Demek bugün Kraliçe'yi tekrar gördün ve sana bir zümrüt hediye etti?"

"Şövalyelikten iyidir" diye kıkırdadı Emerson. "Yüzüğü parmağına uyacak biçimde yaptırırım, Peabody."

"Sağol Emerson'cuğum. Seni zümrütler takarken hayal edemediğimden kabul ediyorum."

"Ayrıca" diye atıldı Emerson, "benim kadar senin de katkın olduğu için. Bilirsin ki kadınlar hakkında asla kötü konuşmam, Peabody ve Kraliçe en azından yaşı nedeniyle saygıyı hak ediyor ama... ama... Gerçekten o kadar sıkıcı bir insan ki Peabody! Bir imparatorluğu yönetebileceğini sanıyor ama aslında diğer bütün kadınları aşağılıyor. Seni bile güzelim. Ona hep birlikte çalıştığımızı söyledim ama..."

"Boşver Emerson. Benim ve diğer bütün kadınların hakkını savunman o kişinin armağanlarından çok daha değerli benim için. Ayrıca canım, Kraliçe'yi ikna etmeyi başardın, o genç adamın şey olduğu konusunda... şey..."

"Hımm" dedi Emerson. "Uygun sözcüğü bulmak zor, değil mi? Ona masum denemez... ama katil de değildi Peabody. Sonunda da soyuna ve soyadına yakışır biçimde davrandı. Birkaç sevimsiz ayrıntıyı atlamakta hiçbir sakınca görmedim."

"Son derece haklıydın da Emerson."

"Hemfikir olduğuna sevindim Peabody, çünkü aksini düşünüyor olsan açıkça söylerdin. Şimdi... bir viski sodaya ne dersin?"

MACERAPEREST KİTAPLAR

Elizabeth Peters Kumsaldaki Timsah • Firavunların Laneti • Mumya Sandukası • Vadideki Aslan • İsis Rahibesinin Esrarı **Lee Child'ın "Bir Jack Reacher" Gerilimi** Düşman • Öldüren Kumpas **Hazırlayan Lawrence Block** Ustaların Seçtikleri **Terry Goodkind** Büyücünün İlk Kuralı **Ian Fleming** Royale Kumarhanesi **Raymond Benson** Başka Bir Gün Öl **Lawrence Block** Tetikçinin Listesi **Lawrence Block'tan "Matthew Scudder Polisiyeleri"** Çiçekler Ölürken • Ölmeyi Bekle • Herkes Ölür • Kötüler Bile • Bir Dizi Ölü Adam • Şeytan Biliyor ki Ölüsün • Mezartaşları Arasında Gezinti • Mezbahada Dans • Tahtalıköye Bir Bilet • Bıçak Sırtı • Kutsal Bar Kapandığında • Ölmenin Sekiz Milyon Yolu • Buzkıracağı Cinayetleri • Ölümün Ortasında • Cinayet ve Yaratma Zamanı • Babaların Günahları **Lawrence Block'tan "Bernie Rhodenbarr Hırsızlamaları"** Av Peşindeki Hırsız • "Gönülçelen" Hırsız • Kütüphanedeki Hırsız • Kendini Humphrey Bogart Sanan Hırsız • Polisiye Roman Okuyan Hırsız • Mondrian Gibi Resim Yapan Hırsız • Spinoza Felsefesi Öğrenen Hırsız • Kipling'den Alıntı Yapmayı Seven Hırsız • Dolaptaki Hırsız • Umduğunu Değil Bulduğunu Yiyen Hırsız **Sue Grafton'dan "Kinsey Millhone Polisiyeleri"** Lanetli'nin 'L'si • Katil'in 'K'si • Jest'in 'J'si • İftira'nın 'İ'si • Hesaplaşma'nın 'H'si • Gerilim'in 'G'si • Firar'ın 'F'si • Esrarengiz'in 'E'si • Delikanlı'nın 'D'si • Cinayet'in 'C'si • Baskın'ın 'B'si • Ateş'in 'A'sı **John Harvey'in "Charlie Resnick Polisiyeleri"** Çocuk Cinayetleri • Neşter Darbeleri • Kötü Muamele • Yalnız Kalpler Cinayetleri **Richard North Patterson'un "Mahkeme Polisiyeleri"** Birinci Dereceden Cinayet • Bir Çocuğun Gözleri • Son Karar • Suskun Şahit **Jeremiah Healy'nin "John Cuddy Polisiyeleri"** Muhbir • Kuğu Dalışı • Tıpkı Uyku Gibi • Kurbanlık Koyun • Kör Atış **Lilian Jackson Braun'dan "Jim Qwilleran Maceraları"** Brahms Dinleyen Kedi • Kırmızı Gören Kedi • Çenesini Tutamayan Kedi • Kanepe Atıştıran Kedi • Tersten Okuyan Kedi **Val McDermid'den "Kate Brannigan Polisiyeleri"** Kadın Genleri • Temiz İş • Öldürücü Darbe • Ters Tepki • Kırık Çete **Val McDermid'den "Carol Jordan / Tony Hill" Polisiyeleri** Deniz Kızları Şarkı Söylüyor • Kandaki Tel **Türkiye Polisiyeleri / Çağatay Yaşmut** Beyoğlu Çıkmazı **Çağan Dikenelli** Yüreksöken Cinayetleri • Kör Fahişe Bıçağı **Armağan Tunaboylu** Yıldız Cinayetleri • Resim Cinayetleri **Barbara Nadel** Haliç'te Cinayet • Arabesk • Uyuşturucu Kafesi • Belşazzar'ın Kızı **Julian Rathbone** Tuzak • Sonuncu El • Bıçak Atmada Üstüme Yoktur • Ölüm İlacı • Elmas Pazarı **Hasan Doğan** Kayıp Adada Cinayet **Nihan Taştekin** Kertenkelenin Uykusu **Birol Oğuz** Siyah Beyaz **"Clive Barker" Kitapları** Kan Kitapları (Birinci Kitap) • Kan Kitapları (İkinci Kitap) • Kan Kitapları (Üçüncü Kitap) • Lanetlenme Oyunu • Galilee • Kabal • Kutsanma Ayini **Tami Hoag** Gece Günahları • Günah Kadar Suçlu